Le Guide Vert

D0245684

A. Cassaigne/MICHELIN

Languedoc Roussillon

Gorges du Tarn
Cévennes

Direction	David Brabis
Rédaction en chef	Nadia Bosquès
Rédaction	Amaury de Valroger
Informations pratiques	Maryvonne Kerihuel, Catherine Rossignol, Yves Croison, Philippe Robic, Didier Hubert
Documentation	Isabelle du Gardin
Cartographie	Alain Baldet, Geneviève Corbic, Christelle Coué, Géraldine Deplante
Iconographie	Stéphane Sauvignier
Secrétariat de rédaction	Danièle Jazeron, Élise Pinsolle
Correction	Virginie Lucas
Mise en page	Marie-Pierre Renier, Michel Moulin, Frédéric Sardin
Conception graphique	Christiane Beylier à Paris 12^e
Maquette de couverture	Agence Carré Noir à Paris 17^e
Fabrication	Pierre Ballochard, Renaud Leblanc
Marketing	Cécile Petiau
Ventes	Antoine Baron (France), Robert Van Keerberghen (Belgique), Christian Verdon (Suisse), Nadine Audet (Canada), Pascal Isoard (grand export)
Relations publiques	Gonzague de Jarnac
Régie publicitaire	Étoile Régie Jacques-François de Laveaucoupet www.etoileregie.com ☎ 01 53 64 69 19
	Le contenu des pages de publicité insérées dans ce guide n'engage que la responsabilité des annonceurs
Pour nous contacter	Le Guide Vert Michelin – Éditions des Voyages 46, avenue de Breteuil 75324 Paris Cedex 07 ☎ 01 45 66 12 34 Fax : 01 45 66 13 75 www.ViaMichelin.fr LeGuideVert@fr.michelin.com

Parution 2004

Note au lecteur

L'équipe éditoriale a apporté le plus grand soin à la rédaction de ce guide et à sa vérification. Toutefois, les informations pratiques (prix, adresses, conditions de visite, numéros de téléphone, sites et adresses Internet…) doivent être considérées comme des indications du fait de l'évolution constante des données. Il n'est pas totalement exclu que certaines d'entre elles ne soient plus, à la date de parution du guide, tout à fait exactes ou exhaustives. Elles ne sauraient de ce fait engager notre responsabilité.

Ce guide vit pour vous et par vous ; aussi nous vous serions très reconnaissants de nous signaler les omissions ou inexactitudes que vous pourriez constater. N'hésitez pas à nous faire part de vos remarques et suggestions sur le contenu de ce guide. Nous en tiendrons compte dès la prochaine mise à jour.

À la découverte
du Languedoc Roussillon

Étiré entre mer et montagne, le Languedoc Roussillon apparaît comme un rassemblement de pays spécialement conçu pour les vacances. Quelle ambiance sur ce littoral, un des plus fréquentés pendant les mois d'été parce qu'un des mieux adaptés au tourisme en famille ! Et quelle chance d'avoir ce chapelet de villes au charme méditerranéen : Perpignan, Narbonne, Béziers, Montpellier... Sans compter les splendeurs de l'arrière-pays, demeuré authentique, terroir idéal pour se ressourcer.

Au fond des gorges du Tarn, on entend l'eau gronder tandis que les rapaces crient au-dessus des à-pics vertigineux. Derrière l'enchevêtrement des serres cévenoles tintent les clochettes au cou des moutons. Plus haut, sur les sévères plateaux de l'Aubrac répondent les clarines des vaches. Dans la garrigue montpelliéraine, les cigales chantent l'été tandis que la vipère file discrètement entre deux touffes de thym. Les vagues viennent parfois se fracasser sur les rochers de la Côte Vermeille ou mourir en silence sur le sable doré des plages languedociennes. Sur les hauteur du Capcir et de la Cerdagne, la neige crisse sous les pas. Dans un petit village du Roussillon, des musiciens accompagnent les pas rythmés de la sardane à l'heure où Béziers s'éveille sous les clameurs de sa féria. Dans les plaines du Minervois, les viticulteurs roulent les tonneaux dans les caves tandis qu'à Limoux, les bouchons de blanquette sautent. Écoutez, tout ce bruit, c'est celui de vos vacances en Languedoc Roussillon, une région pleine de vie et de bonheur qui hésite entre le calme languedocien et la fougue catalane, mais qui saura vous réserver le meilleur accueil.

L'équipe des Guides Verts Michelin
LeGuideVert@fr.michelin.com

Sommaire

Informations pratiques

Invitation au voyage

S. Sauvignier/MICHELIN

La bête du Gévaudan, animal légendaire devenu symbole touristique.

Les vendanges, l'heure de vérité pour les vins du Languedoc.

Villes et sites

L. Campion/MICHELIN

E. Larribère/MICHELIN

Languedoc-Roussillon, berceau de la sculpture romane (linteau de St-André).

De bons produits font le succès du célèbre cassoulet de Castelnaudary.

Cartes et plans

Les cartes routières qu'il vous faut

Comme tout automobiliste prévoyant, munissez-vous de bonnes cartes. Les produits Michelin sont complémentaires : ainsi, chaque ville ou site présenté dans ce guide est accompagné de ses références cartographiques dans la gamme de cartes Local. L'assemblage de ces cartes est présenté ci-dessous avec les délimitations de leur couverture géographique.

Les **cartes Local**, au 1/150 000 ou au 1/175 000, ont été conçues pour ceux qui aiment prendre le temps de découvrir une zone géographique plus réduite (un ou deux départements) lors de leurs déplacements en voiture. Elles disposent d'un index complet des localités et proposent les plans des préfectures. Pour ce guide, consultez les cartes Local 330, 339 et 344.

Les **cartes Regional**, au 1/200 000, couvrent le réseau routier secondaire et donnent de nombreuses indications touristiques. Elle sont pratiques lorsqu'on aborde un vaste territoire ou pour relier des villes distantes de plus de cent kilomètres. Elles disposent également d'un index complet des localités et proposent les plans des préfectures. Pour ce guide, utilisez les cartes 526, 527 ou 626 (sous forme d'atlas).

Et n'oubliez pas, la **carte de France n° 721** vous offre la vue d'ensemble de la région Languedoc Roussillon au 1/1 000 000, avec ses grandes voies d'accès d'où que vous veniez.

Enfin sachez qu'en complément de ces cartes, le site Internet www.ViaMichelin.fr permet le calcul d'itinéraires détaillés avec leur temps de parcours, et offre bien d'autres services. Le minitel **3615 Via Michelin** vous permet d'obtenir ces mêmes informations ; les **3617** et **3623 Michelin** les délivrent par fax ou imprimante.

Cartes thématiques

Plans de villes

Plans de monuments

Cartes des circuits décrits

Légende

Monuments et sites

Itinéraire décrit, départ de la visite

Église

Temple

Synagogue - Mosquée

Bâtiment

Statue, petit bâtiment

Calvaire

Fontaine

Rempart - Tour - Porte

Château

Ruine

Barrage

Usine

Fort

Grotte

Habitat troglodytique

Monument mégalithique

Table d'orientation

Vue

Autre lieu d'intérêt

Sports et loisirs

Hippodrome

Patinoire

Piscine : de plein air, couverte

Cinéma Multiplex

Port de plaisance

Refuge

Téléphérique, télécabine

Funiculaire, voie à crémaillère

Chemin de fer touristique

Base de loisirs

Parc d'attractions

Parc animalier, zoo

Parc floral, arboretum

Parc ornithologique, réserve d'oiseaux

Promenade à pied

Intéressant pour les enfants

Abréviations

A   Chambre d'agriculture

C   Chambre de commerce

H   Hôtel de ville

J   Palais de justice

M   Musée

P.   Préfecture, sous-préfecture

POL.   Police

        Gendarmerie

T   Théâtre

U   Université, grande école

	site	station balnéaire	station de sports d'hiver	station thermale
vaut le voyage	★★★	🏖🏖🏖	✳✳✳	♆♆♆
mérite un détour	★★	🏖🏖	✳✳	♆♆
intéressant	★	🏖	✳	♆

Autres symboles

🛈   Information touristique

══ ══   Autoroute ou assimilée

❶   ❶   Échangeur : complet ou partiel

╞══╡ ══   Rue piétonne

ɪ════ɪ   Rue impraticable, réglementée

ᴧᴧᴧᴧ ----   Escalier - Sentier

🚆   🚉   Gare - Gare auto-train

🚌   S.N.C.F.   Gare routière

───•───   Tramway

Ⓜ   Métro

🅿R   Parking-relais

♿   Facilité d'accès pour les handicapés

✉   Poste restante

☎   Téléphone

✉   Marché couvert

⋅✕⋅   Caserne

△   Pont mobile

∪   Carrière

✗   Mine

Ⓑ   Ⓕ   Bac passant voitures et passagers

🚢   Transport des voitures et des passagers

⛴   Transport des passagers

③   Sortie de ville identique sur les plans et les cartes Michelin

Bert (R.)...   Rue commerçante

AZ B   Localisation sur le plan

Carnet pratique

Catégories de prix :
- ⊖ À bon compte
- ⊖⊖ Valeur sûre
- ⊖⊖⊖ Une petite folie !

20 ch. :
38,57/57,17 €   Nombre de chambres : prix de la chambre pour une personne/chambre pour deux personnes

demi-pension
ou pension :
42,62 €   Prix par personne, sur la base d'une chambre occupée par deux clients

⊏ *6,85 €*   Prix du petit déjeuner; lorsqu'il n'est pas indiqué, il est inclus dans le prix de la chambre (en général dans les chambres d'hôte)

120 empl. :
12,18 €   Nombre d'emplacements de camping : prix de l'emplacement pour 2 personnes avec voiture

12,18 € déj. -
16,74/38,05 €   Restaurant : prix menu servi au déjeuner uniquement – prix mini/maxi : menus (servis midi et soir) ou à la carte

rest.
16,74/38,05 €   Restaurant dans un lieu d'hébergement, prix mini/maxi : menus (servis midi et soir) ou à la carte

repas 15,22 €   Repas type « Table d'hôte »

réserv.   Réservation recommandée

🚫💳   Cartes bancaires non acceptées

🅿   Parking réservé à la clientèle de l'hôtel

Les prix sont indiqués pour la haute saison

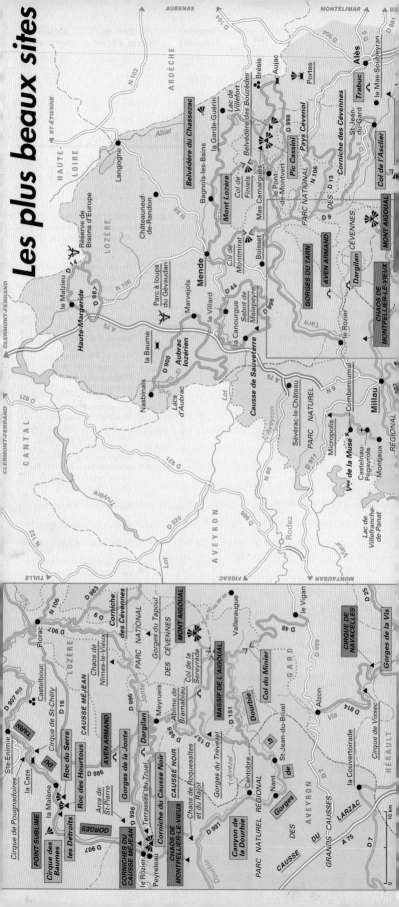

Les plus beaux sites

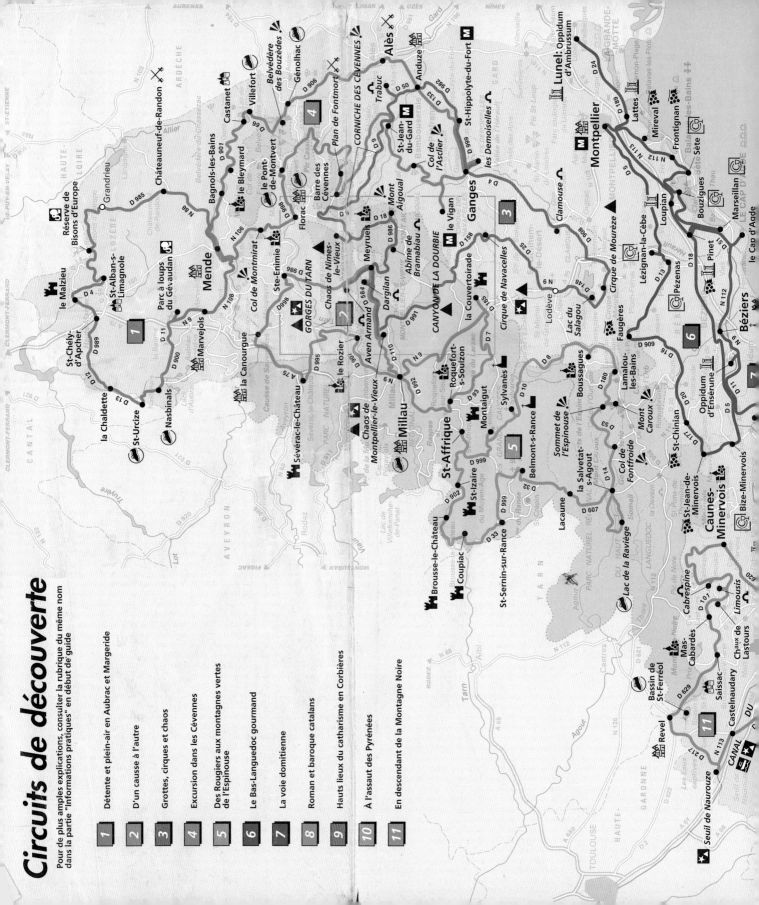

Circuits de découverte

Pour de plus amples explications, consulter la rubrique du même nom dans la partie "Informations pratiques" en début de guide

1 Détente et plein-air en Aubrac et Margeride

2 D'un causse à l'autre

3 Grottes, cirques et chaos

4 Excursion dans les Cévennes

5 Des Rougiers aux montagnes vertes de l'Espinouse

6 Le Bas-Languedoc gourmand

7 La voie domitienne

8 Roman et baroque catalans

9 Hauts lieux du catharisme en Corbières

10 À l'assaut des Pyrénées

11 En descendant de la Montagne Noire

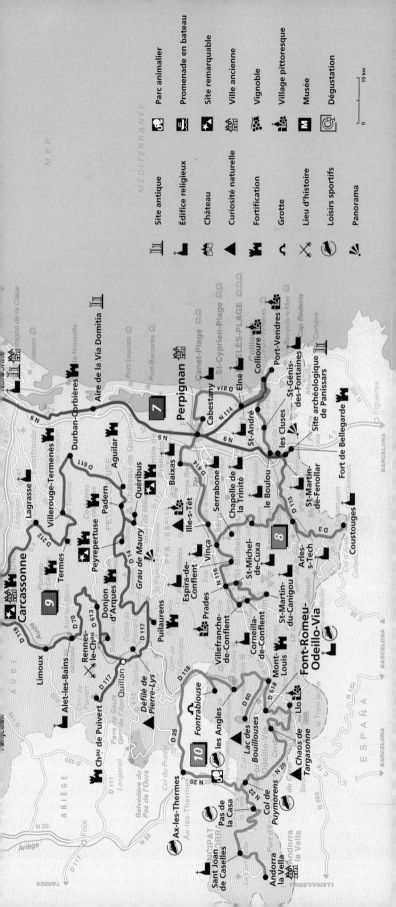

MÉDITERRANÉE

MER

Parc animalier
Promenade en bateau
Site remarquable
Ville ancienne
Vignoble
Village pittoresque
Musée
Dégustation

Site antique
Édifice religieux
Château
Curiosité naturelle
Fortification
Grotte
Lieu d'histoire
Loisirs sportifs
Panorama

10 km
0

Aire de la Via Domitia
Durban-Corbières
Villerouge-Termenès
Lagrasse
Aguilar
Padern
Peyrepertuse
Termes
Quéribus
Grau de Maury
Donjon d'Arques
Rennes-le-Château
Limoux
Alet-les-Bains
Châu de Puivert
Défilé de Pierre-Lys
Puilaurens
Quillan
Belvédère du Pas de l'Ours
Ax-les-Thermes
Pas de la Casa
Col de Puymorens
Andorra la Vella
Sant Joan de Caselles
ANDORRA la Vella
ESPAÑA

Carcassonne **9**

10
Fontrabiouse
les Angles
Lac des Bouillouses
Chaos de Targasonne
Font-Romeu-Odeillo-Via
Llo
Mont-Louis
Villefranche-de-Conflent
Corneilla-de-Conflent
St-Martin-du-Canigou
Prades
Espira-de-Conflent
Vinça
St-Michel-de-Cuxa
Arles-s-Tech
Coustouges

Baixas
Ille-s-Têt
Serrabone
Chapelle de la Trinité
le Boulou
St-Martin-de-Fenollar
Fort de Bellegarde

8

Perpignan **7**
Canet-Plage
St-Cyprien-Plage
Cabestany
ELNE · ARGELÈS-PLAGE
Elne
St-André
les Cluses
Site archéologique de Panissars
Collioure
Port-Vendres
Banyuls-s-Mer
Cap Rederis
Cerbère

BARCELONA

FIGUERES

Randonnée dans le Capcir, près du pic Péric.

M.-H. Carcanague/MICHELIN

Informations pratiques

Avant le départ

adresses utiles

Ceux qui aiment préparer leur voyage dans le détail peuvent rassembler toute la documentation utile auprès des professionnels du tourisme de la région. Outre les adresses indiquées ci-dessous, sachez que les coordonnées des **offices de tourisme** ou **syndicats d'initiative** des villes et sites décrits dans le corps de ce guide sont précisées au début de chaque chapitre (paragraphe « La situation »).

Un numéro pour la France, le **3265** – Un nouvel accès facile a été mis en place pour joindre tous les offices de tourisme et syndicats d'initiative en France. Il suffit de composer le 3265 (0,34€/mn) et « dire » distinctement le nom de la commune. Vous serez alors directement mis en contact avec eux.

COMITÉS RÉGIONAUX DE TOURISME

Languedoc-Roussillon – 417 r. Samuel-Morse, CS 79507, 34960 Montpellier Cedex 2, ☎ 04 67 22 81 00, fax 04 67 64 47 48. www.sunfrance.com

Midi-Pyrénées – 54 bd de l'Embouchure, BP 2166, 31022 Toulouse Cedex 2, ☎ 05 61 13 55 55. www.tourisme-midi-pyrenees.com

COMITÉS DÉPARTEMENTAUX DE TOURISME

Aude – Conseil Général de l'Aude, 11855 Carcassonne Cedex 9, ☎ 04 68 11 66 00, fax 04 68 11 66 01. www.audetourisme.com

Aveyron – 17 r. Aristide-Briand, BP 831, 12008 Rodez, ☎ 05 65 75 55 75. www.tourisme-aveyron.com

Gard – 3 pl. des Arènes, BP 122, 30010 Nîmes Cedex 04, ☎ 04 66 36 96 30, fax 04 66 36 13 14. www.tourismegard.com

Hérault – Av. des Moulins, 34184 Montpellier Cedex 4, ☎ 04 67 67 71 71, fax 04 67 67 71 77. www.herault-en-languedoc.com. N° indigo : 0 825 34 00 34.

Lozère – 14 bd Henri-Bourrillon, BP 4, 48001 Mende Cedex, ☎ 04 66 65 60 00, fax 04 66 49 27 96. www.france48.com

Pyrénées-Orientales – 16 av. des Palmiers, BP 540, 66005 Perpignan Cedex, ☎ 04 68 51 52 53, fax 04 68 51 52 50. www.cg66.fr

MAISONS DE PAYS

Maison de l'Aveyron – 46 r. Berger, 75001 Paris, ☎ 01 42 36 84 63. www.maison-aveyron.org

Maison de la Lozère – 1bis, r. Hautefeuille, 75006 Paris, ☎ 01 43 54 26 64. www.lozere-a-paris.com 27 r. de l'Aiguillerie, 34000 Montpellier, ☎ 04 67 66 36 10, fax 04 67 60 33 22.

Maisons des Pyrénées – 15 r. St-Augustin, 75002 Paris. ☎ 01 42 86 51 86, fax 01 42 86 51 65. 6 r. Vital-Carles, 33000 Bordeaux, ☎ 05 56 44 05 65. 7 r. Paré, 44000 Nantes, ☎ 02 40 20 36 36.

Site Internet sur les Pyrénées : www.pyrenees-online.fr : hébergement, stations de ski, activités, infos montagne...

VILLES ET PAYS D'ART ET D'HISTOIRE

Sous ce label décerné par le ministère de la Culture et de la Communication sont regroupés quelque 130 villes et pays qui œuvrent activement à la mise en valeur et à l'animation de leur patrimoine. Dans ce réseau sont proposées des visites générales ou insolites (1h1/2 ou plus), conduites par des guides-conférenciers et des animateurs du patrimoine agréés par le ministère. Les enfants ne sont pas oubliés grâce à l'opération « L'Été des 6-12 ans » qui connaît chaque année un grand succès. Renseignements auprès des offices de tourisme des villes ou sur le site www.vpah.culture.fr Les Villes et Pays d'art et d'histoire cités dans ce guide sont Mende, Narbonne, Perpignan, Pézenas et la vallée de la Têt.

forfaits intéressants

Pass inter-sites Terre catalane – Il permet de bénéficier de réductions, dès la 2e visite, dans 36 sites adhérant au Réseau culturel Terre catalane : musée de Tautavel, château-musée de Bélesta, cloître et musées d'Elne, château de Castelnou, prieuré de Serrabone, abbaye de St-Michel-de-Cuxa, palais des rois de Majorque et Castillet à Perpignan, fort de Salses, fort Libéria et remparts de Villefranche-de-Conflent, fort Lagarde à Prats-de-Mollo, musée d'Art moderne de Céret, château royal et chemin du Fauvisme à Collioure, abbaye d'Arles-sur-Tech, prieuré de Marcevol, Hospici d'Illà et orgues d'Ille-sur-Têt, cloître de St-Génis-des-Fontaines, trésor de Prades, abbaye St-Martin-du-Canigou, four solaire et remparts de Mont-Louis, fort de Bellegarde au Pertus, église de Corneilla-de-Conflent, tour des Parfums de Mosset, chapelle St-Martin-de-Fenollar, caves Byrrh, cellier des Templiers... Il est distribué sur les sites et dans les offices de tourisme partenaires. ☎ 04 68 51 52 90, fax 04 68 51 52 99. www.paisos-catalans.com

Carte inter-sites Pays cathare – Elle permet de bénéficier de réductions pour la visite de 16 sites du Pays cathare : les châteaux de Lastours, Arques, Quéribus, Puilaurens, Termes, Villerouge-Termenès, Saissac, Peyrepertuse, Usson, le château comtal de Carcassonne, les abbayes de Caunes-Minervois, Saint-Papoul, Saint-Hilaire, Lagrasse, Fontfroide et le musée du Quercorb à Puivert. Cette carte donne également droit à une entrée gratuite pour un enfant. Elle est en vente sur tous ces sites, au prix de 4€.

météo

QUEL TEMPS POUR DEMAIN ?

Services téléphoniques de Météo France :

Taper 3250 suivi de 1 : Toutes les météos départementales et outre-mer jusqu'à 7 jours.

2 : Météo des villes.

3 : Météo plage et mer.

4 : Météo montagne.

5 : Météo internationale.

Accès direct aux prévisions du département : 0 892 680 2 (0,34€/mn) suivi du numéro du département. Prévisions pour l'aviation ultralégère (vol libre et vol à voile) : ☎ 0 892 681 014 (0,34€/mn).

Toutes ces informations sont également disponibles sur 3615 météo et www.meteo.fr

CLIMAT

L'Aubrac et la Margeride – Les hivers y sont longs et rigoureux et les routes souvent obstruées par la neige. Les étés sont chauds mais jamais étouffants grâce à l'altitude et à la brise qui souffle sur les vastes horizons des plateaux.

Les causses – L'hiver commence plus tard, dans la région caussenarde, qu'en Auvergne et dans les Cévennes ; il n'en est pas moins très rigoureux. Les plateaux sont balayés par les vents glacés qui descendent de l'Aubrac, de la Margeride ou du mont Lozère. Jusqu'à la fin de février, les tempêtes de neige sévissent. Les nuages d'avril passés, le printemps et l'été sont les meilleures saisons pour visiter la région. L'automne est marqué par de fortes pluies.

Le Pays cévenol – Les Cévennes, par leur relief, jouent un rôle de condensateur d'humidité. Sur les « serres » s'abattent de formidables averses, et l'Aigoual reçoit plus de 2 m d'eau par an. Dans ce massif, l'altitude et une abondante végétation assurent la fraîcheur, même en été. Les mois de mai et septembre sont souvent agréables, mais dès le mois d'octobre le thermomètre descend brusquement, les gelées surviennent et de fortes pluies tombent sur le pays.

Le Bas-Languedoc – Le Bas-Languedoc offre, en été, des paysages soumis à la sécheresse. Le fond des rivières est à nu, les garrigues ne sont plus parsemées que de rares buissons, les côtes connaissent des températures extrêmement élevées, à peine rafraîchies par la brise de mer. Au printemps et à l'automne, souvent les vents se déchaînent : l'impétueux « cers » (vent d'Ouest ou du Sud-Ouest), très desséchant ; le vent d'autan, venu de l'Est, sec et violent contrastant avec le marin, vent faible du Sud-Est. Les pluies sont très irrégulières, dégénérant en orages parfois accompagnés de grêle. La proximité de la mer Méditerranée rend les hivers doux.

Les Pyrénées – La disposition du relief, l'altitude, l'exposition des versants apportent une infinité de nuances aux climats des vallées pyrénéennes. La position abritée de la Cerdagne, du Conflent et du Vallespir leur vaut une situation privilégiée, caractérisée par un remarquable ensoleillement.

Les grandes vallées sont balayées par les brises de montagne soufflant le matin de la plaine vers les hauteurs et engendrant à la mi-journée la formation de nuages sur les sommets ; le soir un phénomène identique se produit mais en sens inverse. La régularité de ce mécanisme est l'indice d'un temps stable.

L'enneigement, très variable, tarde souvent : c'est à la fin de l'hiver et au printemps que la neige est la plus abondante.

Le Roussillon – La sécheresse et la chaleur estivales constituent sa caractéristique essentielle. La moyenne des températures des mois d'été est la plus élevée de France (22,3 °C à Perpignan). Le **marin**, vent de mer, apporte quelques pluies, rares certes en cette saison, mais amenant un temps complètement « bouché ».

Le Roussillon et les contreforts des Pyrénées méditerranéennes sont plus arrosés au printemps et en automne qu'en hiver où les coups de **tramontane**, vent froid et sec du Nord-Ouest, soutiennent la comparaison, par leur brutalité, avec le mistral. L'automne est encore doux sur la côte méditerranéenne. Quant au printemps, c'est l'époque fastueuse de l'éclosion des fleurs dans les vergers roussillonnais.

Traversée de la Lozère par l'A 75.

A. Cassaigne/MICHELIN

transports

PAR LA ROUTE

Informations sur Internet et Minitel – Le site Internet www.ViaMichelin.fr offre une multitude de services et d'informations pratiques d'aide à la mobilité (calcul d'itinéraires, cartographie : des cartes pays aux plans de villes, sélection des hôtels et restaurants du Guide Rouge Michelin...) sur 43 pays d'Europe.
Les calculs d'itinéraires sont également accessibles sur Minitel (3615 ViaMichelin) et peuvent être envoyés par fax (3617 ou 3623 Michelin).

Informations autoroutières – 3 r. Edmond Valentin, 75007 Paris, ☎ 01 47 05 90 01 (tlj sf w.-end). Informations sur les conditions de circulation sur les autoroutes : ☎ 08 92 68 10 77. www.autoroutes.fr Sur autoroute, pour connaître le trafic (axe Lyon-Espagne) : Radio Trafic FM 107.7.

Grands axes – Il est désormais facile et rapide de rejoindre le Languedoc-Roussillon depuis le Nord de la France, notamment grâce à l'A 75, appelée la « Méridienne », mise en place progressivement depuis 1995. Elle prolonge l'A 71 à partir de Clermont-Ferrand pour aboutir à Montpellier et à Béziers. Quelques tronçons restent à mettre en place, en particulier celui qui empruntera le fameux viaduc de Millau. En outre, Montpellier est accessible depuis le Sud-Est et le Sud-Ouest par l'A 9.

EN AVION

La région, dotée de trois aéroports, est reliée aux principales villes françaises et européennes.

AÉROPORTS QUI DESSERVENT LA RÉGION :

Aéroport de Béziers-Agde – Route de Portiragnes, 34450 Vias, ☎ 04 67 90 99 10. www.beziers.aeroport.fr

Aéroport de Montpellier Méditerranée – 34137 Mauguio Cedex, ☎ 04 67 20 85 00.

Aéroport de Nîmes-Arles-Camargue – ☎ 04 66 70 49 49.

Aéroport de Perpignan – Av. Maurice-Bellonte, 66000 Perpignan, ☎ 04 68 52 60 70.

COMPAGNIES AÉRIENNES :

Air France – La compagnie ou ses filiales régionales assurent des liaisons : au départ de Montpellier avec : Paris-Orly, Paris-Roissy, Clermont-Ferrand et Rennes ; au départ de Perpignan avec : Paris-Orly, Clermont-Ferrand, Lille, Nantes et Strasbourg. Renseignements et réservations : ☎ 0 802 802 802. www.airfrance.fr

Air Littoral – La compagnie relie quotidiennement Bordeaux, Nantes, Nice, Strasbourg, Bastia et Ajaccio à Montpellier. Elle assure également les liaisons Paris-Béziers au départ de l'aéroport d'Orly. Renseignements et réservations : ☎ 0 825 834 834. www.air-littoral.fr

EN TRAIN

TGV – Les liaisons de Train à Grande Vitesse relient Paris à Montpellier en 3h1/4, Béziers en 4h et Perpignan en 5h.
Les principales villes de la région sont desservies par des trains Grandes Lignes et par des Trains Express Régionaux.
Informations, réservation, vente, ☎ 08 92 35 35 35. Informations générales, 3615 SNCF et www.voyages-sncf.com

tourisme et handicapés

Un certain nombre de curiosités décrites dans ce guide sont accessibles aux handicapés. Elles sont signalées par le symbole ♿.
Pour de plus amples renseignements au sujet de l'accessibilité des musées aux personnes atteintes de handicaps moteurs ou sensoriels, consulter le site http://museofile.culture.fr

Guides Michelin Hôtels-Restaurants et Camping Caravaning France – Révisés chaque année, ils indiquent respectivement les chambres accessibles aux handicapés physiques et les installations sanitaires aménagées.

Guide Rousseau H... comme Handicaps – Édité par l'association France Handicaps (9 r. Luce-de-Lancival, 77340 Pontault-Combault, ☎ 01 60 28 50 12), il donne de précieux renseignements sur la pratique du tourisme, des loisirs, des vacances et des sports accessibles aux handicapés.

Hébergement, restauration

Distinguons : il y a la mer et l'arrière-pays, deux territoires distincts, sinon antagonistes.

Sur le littoral, on dégustera bien sûr poissons et fruits de mer : huîtres de Bouzigues ou de Mèze (elles ne sont jamais si bonnes que mangées dans une improbable guinguette, sur une table à tréteaux et accompagnées d'un picpoul-de-pinet), poissons grillés à la *plancha* (la *plantxa* comme l'écrivent les Catalans), moules farcies à l'ail et aux herbes, bourrides de lotte, à moins que l'on se contente de la soupe de poissons ou d'une simple tielle, sorte de quiche aux fruits de mer (moules et encornets) achetée à des étals ambulants, idéal pour lutter contre une petite faim tout en flânant sur les quais...

L'arrière-pays, qu'il soit de plaine ou de montagne est attaché à des traditions gastronomiques plus... conséquentes : dans les auberges, souvent réputées de longue date, bien que ne payant parfois pas de mine, vous commencerez avec des charcuteries (celles des pays catalans sont particulièrement savoureuses), puis suivront le plat traditionnel (le cassoulet, prince des terres cathares, servi dans sa cassole dans laquelle il aura mijoté des heures durant) et les fromages...

Loin des flonflons du littoral (à noter quand même les campings qui sont très nombreux et souvent bien équipés), le « tourisme vert » tend à se développer, en particulier dans la montagne audoise ou catalane et dans les Cévennes. Les producteurs, parfois regroupés en coopératives, ouvrent leurs portes aux visiteurs et proposent miel, charcuteries, pâtés, confits... et vin, bien entendu. Nombreux sont les « caveaux » ouverts aux touristes de passage dans le Minervois comme dans la région du Fitou – mais également dans l'Hérault, autour de Saint-Chinian. Si les fermes-auberges demeurent assez rares, vous trouverez nombre de possibilités de logement dans des gîtes ou des maisons de village aménagées en chambres d'hôte. L'accueil y sera aussi chaleureux que l'accent y est rocailleux !

Et puis, pourquoi pas un plaisir tout simple : celui de prendre place à une vénérable table de marbre d'un de ces immenses cafés ponctuant les places ombragées de monumentaux platanes des villages de pierres sèches du Bas-Languedoc ? Là, tout en écoutant des conversations parfois hautes en couleur et tournant autour de deux thèmes majeurs, le « rrrubi » (rugby) et le prix du degré-hecto, devant un verre de vin local, vous dégusterez quelques charcuteries et fromages de la région accompagnés d'un pain de montagne aux accents savoureux. Une excellente approximation du bonheur, non ?

les adresses du guide

Pour la réussite de votre séjour, vous trouverez la sélection des bonnes adresses de la collection Le Guide Vert. Nous avons sillonné la région pour repérer des chambres d'hôte et des hôtels, des restaurants et des fermes-auberges... En privilégiant des étapes, souvent agréables, au cœur des villes, des villages ou sur nos circuits touristiques, en pleine campagne ou les pieds dans l'eau ; des maisons de pays, des tables régionales, des lieux de charme et des adresses plus simples... pour découvrir la région autrement : à travers ses traditions, ses produits du terroir, ses recettes et ses modes de vie.

Le confort, la tranquillité et la qualité de la cuisine sont bien sûr des critères essentiels ! Toutes les maisons ont été visitées et choisies avec le plus grand soin, toutefois il peut arriver que des modifications aient eu lieu depuis notre dernier passage : faites-le nous savoir, vos remarques et suggestions seront toujours les bienvenues !

Les prix que nous indiquons sont ceux pratiqués en **haute saison** ; hors saison, de nombreux établissements proposent des tarifs plus avantageux, renseignez-vous.

MODE D'EMPLOI

Au fil des pages, vous découvrirez nos **carnets pratiques** : toujours rattachés à des villes ou à des sites touristiques remarquables du guide, ils proposent une sélection d'adresses à proximité. Si nécessaire, l'accès est donné à partir du site le plus proche.

Dans chaque carnet, les maisons sont classées en trois catégories de prix pour répondre à toutes les attentes : Vous partez avec un budget inférieur à 42€ ? Choisissez vos adresses parmi celles de la catégorie ⊖ (À bon compte) : vous trouverez là des hôtels, des chambres d'hôte simples et conviviales, et des tables gourmandes, toujours honnêtes, à moins de 16€. Votre budget est un peu plus large, jusqu'à 76€ pour l'hébergement et 31€ pour la restauration. Piochez vos étapes dans les ⊖⊖ (Valeur sûre). Dans cette catégorie, vous trouverez des maisons, souvent de charme, de meilleur confort et plus agréablement aménagées, animées par des passionnés, ravis de vous faire découvrir leur demeure et leur table. Là encore, chambres et tables d'hôte sont au rendez-vous, avec également des hôtels et des restaurants plus traditionnels, bien sûr.

Vous souhaitez vous faire plaisir le temps d'un repas ou d'une nuit, vous aimez voyager dans des conditions très confortables ? La catégorie ⊜⊜⊜ (Une petite folie !) est pour vous... La vie de château dans de luxueuses chambres d'hôte pas si chères que cela ou dans les palaces et les grands hôtels : à vous de choisir ! Vous pouvez aussi profiter des décors de rêve de lieux mythiques à moindre frais, le temps d'un brunch ou d'une tasse de thé... À moins que vous ne préfériez casser votre tirelire pour un repas gastronomique dans un restaurant renommé. Sans oublier que la traditionnelle formule « tenue correcte exigée » est toujours d'actualité dans ces élégantes maisons !

L'HÉBERGEMENT

Les hôtels – Nous vous proposons un choix très large en terme de confort. La location se fait à la nuit et le petit déjeuner est facturé en supplément. Certains établissements assurent un service de restauration également accessible à la clientèle extérieure.

Les chambres d'hôte – Vous êtes reçu directement par les habitants qui vous ouvrent leur demeure. L'atmosphère est plus conviviale qu'à l'hôtel, et l'envie de communiquer doit être réciproque : misanthropes, s'abstenir ! Les prix, mentionnés à la nuit, incluent le petit déjeuner. Certains propriétaires proposent aussi une table d'hôte, en général le soir, et toujours réservée aux résidents de la maison. Il est très vivement conseillé de réserver votre étape en raison du grand succès de ce type d'hébergement.

NB : certains établissements ne peuvent pas recevoir vos compagnons à quatre pattes ou les accueillent moyennant un supplément, pensez à le demander lors de votre réservation.

LA RESTAURATION

Pour répondre à toutes les envies, nous avons sélectionné des restaurants régionaux bien sûr, mais aussi classiques, exotiques ou à thème... Et des lieux plus simples, où vous pourrez grignoter une salade composée, une tarte salée, une pâtisserie ou déguster des produits régionaux sur le pouce.

Quelques fermes-auberges vous permettront de découvrir les saveurs des différents terroirs. Vous y goûterez des produits authentiques provenant de l'exploitation agricole, préparés dans la tradition et généralement servis en menu unique. Le service et l'ambiance sont bon enfant. Réservation obligatoire !

Enfin, n'oubliez pas que les restaurants d'hôtels peuvent vous accueillir.

... et aussi

Si d'aventure vous n'avez pu trouver votre bonheur parmi toutes nos adresses, vous pouvez consulter les Guides Michelin d'hébergement ou, en dernier recours, vous rendre dans un hôtel de chaîne.

LE GUIDE ROUGE HÔTELS ET RESTAURANTS FRANCE

Pour un choix plus étoffé et actualisé, Le Guide Rouge recommande hôtels et restaurants sur toute la France. Pour chaque établissement, le niveau de confort et de prix est indiqué, en plus de nombreux renseignements pratiques. Les bonnes tables, étoilées pour la qualité de leur cuisine, sont très prisées par les gastronomes. Le symbole « **Bib Gourmand** » sélectionne les tables qui proposent une cuisine soignée à moins de 23€.

LE GUIDE CAMPING FRANCE

Le Guide Camping propose tous les ans une sélection de terrains visités régulièrement par nos inspecteurs. Renseignements pratiques, niveau de confort, prix, agrément, location de bungalows, de mobile homes ou de chalets y sont mentionnés.

LOCATIONS, VILLAGES DE VACANCES, HÔTELS...

Fédération nationale des services de réservation Loisirs-Accueil – 280 bd St-Germain, 75007 Paris, ☎ 01 44 11 10 44. Elle propose un large choix d'hébergements et d'activités de qualité et édite un annuaire regroupant les coordonnées des services Loisirs-Accueil et, pour certains départements, une brochure détaillée. 3615 resinfrance. E-mail : info@loisirsaccueilfrance.com. www.resinfrance.com ou www.loisirsaccueilfrance.com

Fédération nationale Clévacances – 54 bd de l'Embouchure, BP 2166, 31022 Toulouse Cedex, ☎ 05 61 13 55 66, fax 05 61 13 55 94. 3615 Clevacances (0,34€/mn) et www.clevacances.com. Cette fédération propose près de 20 000 locations de vacances (appartements, chalets, villas, demeures de caractère, pavillons en résidence) et près de 1 800 chambres dans 22 régions réparties sur 68 départements en France et Outre-Mer. Cet organisme publie un catalogue par département (passer commande auprès des représentants départementaux Clévacances).

HÉBERGEMENT RURAL

Maison des Gîtes de France et du tourisme vert – 59 r. St-Lazare, 75439 Paris Cedex 09, ☎ 01 49 70 75 75. Cet organisme donne les adresses des relais départementaux et publie des guides sur les différentes possibilités d'hébergement en milieu rural (gîtes ruraux, chambres et tables d'hôte, gîtes d'étape, chambres d'hôte et gîtes de charme, gîtes de neige, gîtes de pêche, gîtes d'enfants, camping à la ferme, gîtes Panda, gîtes équestres). Renseignements et réservation possibles 3615 gîtes de France et www.gites-de-france.com

Fédération des Stations vertes de vacances et Villages de neige – 6 r. Ranfer-de-Bretenières, BP 71698, 21016 Dijon Cedex, ☎ 03 80 54 10 50, fax 03 80 54 10 55. www.stationsvertes.com. Cet organisme regroupe 854 communes labellisées pour leur attrait naturel, leur environnement de qualité et leur offre diversifiée en matière d'hébergement et de loisirs.

Bienvenue à la ferme – Le guide *Bienvenue à la ferme* (édité par l'assemblée permanente des chambres d'agriculture : service Agriculture et Tourisme, 9 av. George-V, 75008 Paris, ☎ 01 53 57 11 44/11 59.) propose par région et département une large sélection de fermes-auberges, fermes équestres, campings à la ferme, fermes de séjour, etc.

HÉBERGEMENT POUR RANDONNEURS

Les randonneurs peuvent consulter le guide *Gîtes d'étape, Refuges*, par A. et S. Mouraret (Rando Éditions, BP 24, 65421 Ibos, ☎ 05 62 90 09 90) et www.gites-refuges.com (Cimalp). Cet ouvrage et ce site sont principalement destinés aux amateurs de randonnées, d'alpinisme, d'escalade, de ski, de cyclotourisme et de canoë-kayak.

AUBERGES DE JEUNESSE

Ligue française pour les auberges de la jeunesse – 67 r. Vergniaud, Bâtiment K, 75013 Paris, ☎ 01 44 16 78 78, fax 01 44 16 78 80. www.auberges-de-jeunesse.com La carte LFAJ est délivrée contre une cotisation annuelle de 10,70€ pour les moins de 26 ans et de 15,25€ au-delà de cet âge.

sites remarquables du goût

Quelques sites de la région (lieux permanents de production, foires et marchés ou manifestations), dont la richesse gastronomique s'appuie sur des produits de qualité liés à un environnement culturel et touristique intéressant, ont été dotés du label « sites remarquables du goût ». Il s'agit des burons de l'Aubrac pour le fromage de Laguiole et la fourme d'Aubrac, du rocher de Combalou pour le fromage de Roquefort, des étangs de Thau pour les huîtres et moules de Bouzigues, du banyuls, vin muté à base de grenache noir, du chai de Thuir où l'on fabrique le Byrrh, apéritif à base de vin du Roussillon et de quinquina, de l'anchois salé de Collioure et de la blanquette de Limoux.

Huîtres de Bouzigues.

D. Pazery/MICHELIN

choisir son lieu de séjour

Faire un tel choix, c'est déjà connaître quel type de voyage vous envisagez. La carte que nous vous proposons fait apparaître des villes-étapes, localités de quelque importance possédant de bonnes capacités d'hébergement, et qu'il faut visiter. Les lieux de séjour traditionnels sont sélectionnés pour leurs possibilités d'accueil et l'agrément de leur site. Enfin, la ville de Montpellier mérite d'être classée parmi les destinations de week-end. Les offices de tourisme et syndicats d'initiative renseignent sur les possibilités d'hébergement (meublés, gîtes ruraux, chambres d'hôte) autres que les hôtels et terrains de camping, décrits dans les publications Michelin, et sur les activités locales de plein air, les manifestations culturelles ou sportives de la région.

Lieux de séjour

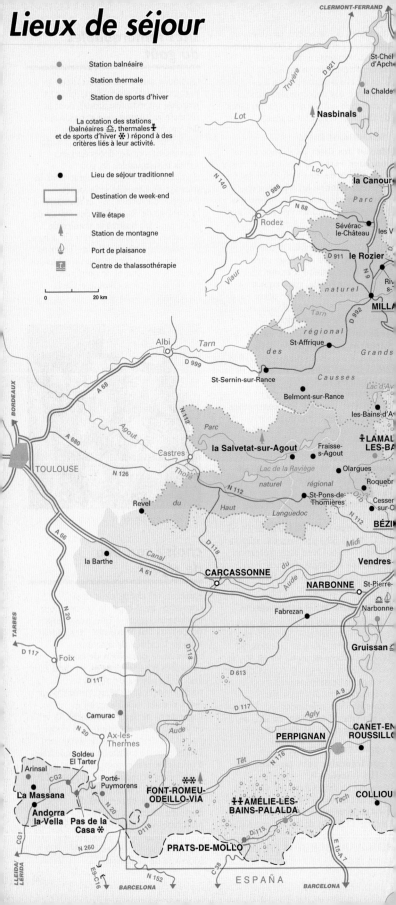

- Station balnéaire
- Station thermale
- Station de sports d'hiver

La cotation des stations (balnéaires ⚓, thermales ♰ et de sports d'hiver ❋) répond à des critères liés à leur activité.

- Lieu de séjour traditionnel
- Destination de week-end
- Ville étape
- Station de montagne
- Port de plaisance
- Centre de thalassothérapie

0   20 km

CLERMONT-FERRAND

St-Chél d'Apch
la Chalde

Truyère
D 921
Lot

Nasbinals

Lot
N 140

N 88
D 988

la Canour

Parc

Sévérac-le-Château
les V

Rodez

D 911

le Rozier

N 9
Riv
s-

MILLA

naturel

D 992

Tarn
régional

Viaur

St-Affrique

Grands

Albi
Tarn
des

D 999

St-Sernin-sur-Rance

Causses

BORDEAUX

A 68

Belmont-sur-Rance

Lac d'Av

les-Bains-d'A

A 680
Agout

N 112

Parc

♰LAMAL
LES-BA

la Salvetat-sur-Agout

Fraisse-s-Agout

Castres
Thoré

Lac de la Ravière

Olargues

Roquebr

TOULOUSE

N 126

N 112

naturel

régional

Cesser
sur-O

Revel

du

Haut

St-Pons-de-
Thomières

BÉZI

Languedoc

N 112

A 66

Canal

D 118

Midi

la Barthe

A 61

du

Vendres

CARCASSONNE

Aude

NARBONNE

St-Pierre-

TARBES

Fabrezan

Narbonne

N 20

D 117

Foix

Gruissan ⚓

D 118

D 117

D 613

A 9

D 117

Camurac

Agly

CANET-EN
ROUSSILLO

N 20

Ax-les-
Thermes

Aude

PERPIGNAN

Soldeu
El Tarter

Porté-
Puymorens

Têt

N 116

Arinsal

CG2

❋❋
FONT-ROMEU-
ODEILLO-VIA

COLLIOU

La Massana

♰♰ AMÉLIE-LES-
BAINS-PALALDA

Tech

Andorra
la-Vella

Pas de la
Casa ❋

N 20

D 118

CG1

Di 115

E 15 A 7

N 260

PRATS-DE-MOLLO

C 38

LLEIDA/
LÉRIDA

E9-C16

N 152

ESPAÑA

BARCELONA

BARCELONA

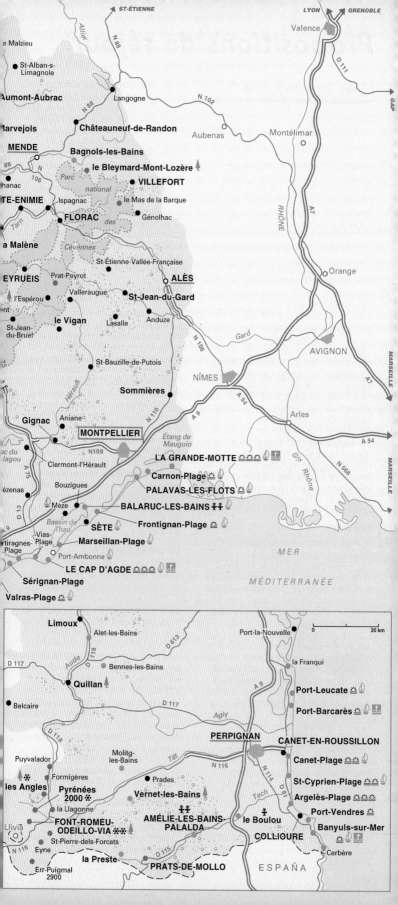

Propositions de séjour

idées de week-end

MONTPELLIER

Levez-vous assez tôt pour parcourir les petites rues du vieux Montpellier : le matin, il y a moins de monde. Profitez-en pour passer quelques heures au musée Fabre, à la recherche de votre Bazille fétiche. Vous ferez ensuite votre pause déjeuner, ou café, sur la place de la Comédie, que les anciens appellent « de l'Œuf ». Vous êtes à deux pas du centre commercial du Polygone : réfugiez-vous à la librairie Sauramps, où vous trouverez le dernier prix Goncourt ou un ouvrage de référence sur le Languedoc. De l'autre côté du Polygone, vous pénétrez dans le quartier néoclassique Antigone : traversez-le pour atteindre les bords du Lez, où trône l'imposant hôtel de région. Si vous venez fin juin-début juillet, réservez pour la soirée une place pour le Festival international Montpellier Danse. Le lendemain, vous voilà d'attaque pour faire la promenade du Peyrou, lieu de balade du dimanche pour (presque) tous les Montpelliérains. Enfin, pour clore ce week-end languedocien, prenez votre voiture pour aller voir les alpagas du parc zoologique de Lunaret ou encore pour faire le tour des « folies », ces jolis châteaux de Flaugergues, la Mogère, la Mosson, d'O ou encore de Lavérune.

PERPIGNAN

Si vous arrivez en train, jetez un coup d'œil sur la gare : c'est, selon Dalí, le centre du monde... Votre week-end commencera par une balade dans les rues de Perpignan à la recherche des monuments qui font l'histoire de la capitale catalane : palais des rois de Majorque, loge de Mer, Castillet, Campo Santo, cathédrale St-Jean. Au gré de votre promenade, n'oubliez pas de repérer pour vos déjeuner et dîner les petits restaurants qui proposent une cuisine catalane. Le lendemain, deux possibilités : le *farniente* sur les plages de Canet ou de St-Cyprien, la culture avec la visite du château de Salses – pour les amoureux de fortifications –, ou celle du centre de Préhistoire de Tautavel – pour mieux connaître nos très lointains ancêtres. Pour finir en beauté, allez jusqu'à Rivesaltes pour boire un verre de muscat bien frais.

NARBONNE

Consacrez le premier jour de votre week-end à la découverte de la ville. Commencez par le palais des Archevêques : le Musée archéologique vous retiendra certainement une bonne heure avant que vous n'abordiez la cathédrale St-Just. Si vos pieds sont fatigués, reposez-vous quelques instants dans le cloître ou dans le jardin des Archevêques. Finissez la journée par la visite de la basilique St-Paul : n'oubliez pas de caresser la grenouille qui se trouve dans le bénitier... et revenez à la place de l'Hôtel-de-Ville par le pont des Marchands, bordé de boutiques. Le lendemain, prenez le coche d'eau pour naviguer sur le canal de la Robine jusqu'à l'île Ste-Lucie et Port-la-Nouvelle où vous pourrez prendre un bon bain de mer.

MILLAU

Comment évoquer Millau sans parler de son spectaculaire viaduc dont la construction suscite un vif intérêt. La ville est également réputée pour ses gants de cuir : profitez-en pour découvrir cette activité encore bien présente de nos jours. Le musée de Millau vous mettra l'eau à la bouche avec sa formidable exposition de gants brodés, ajourés, agrémentés de perles, de plumes, etc. ; une reconstitution d'atelier vous montrera la technique. Le lendemain, faites une cure de grands espaces en vous dirigeant vers le causse du Larzac. Au milieu des brebis, vous irez à la rencontre des templiers à La Couvertoirade ou à Ste-Eulalie-de-Cernon. Revenez par Roquefort où vous vous engouffrez dans les fraîches caves où mûrit le roi du fromage, le bien nommé roquefort.

MENDE ET MARVEJOLS

Votre journée à Mende vous mènera à travers les rues de cette ville capitale de la haute Margeride. N'oubliez pas d'aller jusqu'au pont Notre-Dame, il est sur toutes les cartes postales. En route vers Marvejols, passez si vous avez le temps par Villard (par la N 88) où l'on a restauré le domaine médiéval des Champs (grand domaine fermier du Moyen Âge). Le dimanche, on traversera Marvejols de la porte fortifiée du Soubeyran à celle de Chanelles pour se rendre au parc à loups du Gévaudan (8 km au Nord de Marvejols) : là, pas de loup-garou ni de bête du Gévaudan, mais plusieurs meutes de loups vivant en semi-liberté ; allez-y pendant leurs heures de repas pour pouvoir admirer leur pelage (en hiver, il est plus fourni).

CARCASSONNE

Voilà une ville à voir au moins une fois dans sa vie. Si vous venez par l'autoroute, vous découvrirez la cité médiévale dans sa totalité, derrière les vignes des Corbières. Arrivé sur place, abandonnez votre voiture, ici, on marche à pied ! Entrez dans la cité par la porte de Narbonne, et flânez le nez au vent dans les petites rues. Attention aux boutiques attrape-touristes, elles pullulent ! Visitez le Château comtal et la basilique St-Nazaire, avant de faire le tour des remparts par les lices. En juillet, le festival de Carcassonne vous entraînera dans un tourbillon de spectacles de théâtre, danse, musique et, en août, vous pourrez assister à d'inoubliables spectacles médiévaux : de quoi occuper votre samedi soir. Le dimanche, excursion sur la montagne du Cabardès pour une route du livre et du papier avec arrêt à Montolieu, cité du livre, et Brousses-et-Villaret où se trouve un ancien moulin à papier. En poussant un peu plus loin, vous atteindrez les châteaux de Lastours, vestiges des sanglants combats qui eurent lieu lors de la croisade contre les Albigeois, au Moyen Âge. En revenant vers Carcassonne, faites une pause à la grotte de Limousis ou au gouffre de Cabrespine, histoire de vous rafraîchir un peu.

Maison sur pilotis, à Gruissan.

A. Thuillier/MICHELIN

idées de séjour de 3 à 4 jours

L'ARRIÈRE-PAYS MONTPELLIÉRAIN

Montpellier est la ville idéale pour un week-end prolongé. Après la découverte du vieux Montpellier (une journée ou deux), filez droit vers Clermont-l'Hérault. Au Sud de cette ville, faites un tour à Villeneuvette, ancienne manufacture royale de draps, puis empruntez les sentiers parmi les rochers du cirque de Mourèze. L'après-midi, flânez au bord du lac du Salagou ou faites une promenade en VTT. Le soir, Clermont-l'Hérault offre une étape tranquille. Le lendemain, cap sur Gignac où commence un beau circuit dans la vallée de l'Hérault : grotte de Clamouse, St-Guilhem-le-Désert, grotte

des Demoiselles, rien que des belles pierres ! En redescendant vers Montpellier par la D 986, une promenade digestive vous attend au ravin des Arcs. Pour vous reposer et vous désaltérer, St-Martin-de-Londres est tout à côté. Enfin, les passionnés de préhistoire iront à Cambous (reconstitution de cabanes préhistoriques), les sportifs au pic St-Loup.

LE ROUSSILLON

Posez tout d'abord vos valises à Perpignan que vous visiterez de manière approfondie. Le lendemain, prenez votre voiture pour admirer les merveilles architecturales de la région. Première étape au cloître roman d'Elne puis à St-Génis-des-Fontaines et St-André (inoubliables linteaux sculptés). Au Boulou, testez l'eau thermale avant de vous rendre au Perthus, soit pour ses boutiques hors taxes, soit pour visiter le fort de Bellegarde et le site archéologique de Panissars. N'hésitez pas à faire une halte à Céret pour assister à une sardane ou à une corrida et découvrir les œuvres contemporaines réunies dans le musée. Le troisième jour, rendez-vous à Amélie-les-Bains (trempez vos mains dans l'eau chaude thermale) puis à Arles-sur-Tech pour une excursion dans les étroites gorges de la Fou. En fin de journée, vous pouvez aller à Prats-de-Mollo et jouer au petit soldat au fort Lagarde. Le quatrième jour, retour vers Perpignan. Pour varier l'itinéraire, à partir d'Amélie-les-Bains, prenez la D 618 (vues sur le Canigou). En chemin, vous verrez la célèbre tribune de marbre rose du prieuré de Serrabone. Rentrez ensuite non sans être passé par Ille-sur-Têt et ses étonnantes orgues.

L'AUBRAC

Les embouteillages vous asphyxient ? Vite, une cure de bon air dans l'Aubrac. Vous prendrez vite vos habitudes sur ces terres un peu désertiques mais belles à souhait. Le matin, lever de bonne heure pour marcher ; les vaches de race aubrac à la belle couleur fauve vous accompagneront volontiers. Pour le déjeuner, pique-nique, avec visite conseillée des burons où est fabriqué le fromage. L'après-midi, cure de relaxation au centre thermal de La Chaldette. Le soir, copieux repas autour du légendaire aligot, mélange onctueux de fromage et de purée de pommes de terre. Trois ou quatre jours de rêve pour vous ressourcer !

LA CÔTE VERMEILLE

Vous avez le blues ? Vite, descendez sur la Côte Vermeille où couleurs et soleil vous attendent... Les couleurs, vous les trouverez tout d'abord à

Collioure, où, en une journée, la promenade dans la ville vous fera découvrir les retables de l'église N.-D.-des-Anges (ils sont superbes), les derniers ateliers de fabrication d'anchois salés, et vous permettra de vous baigner et flâner sur le port où se balancent les barques catalanes, toutes bariolées. Le lendemain, suivez la côte pour vous rendre à Port-Vendres et au cap Béar (promenade pédestre intéressante) puis à Banyuls où vous ne manquerez pas de goûter le vin doux naturel du même nom après avoir visité la maison du sculpteur Aristide Maillol. Au cap Réderis, admirez la côte avant d'atteindre Cerbère, tout près de l'Espagne. Laissez-vous bercer par les vagues jusqu'au lendemain. La fin de votre séjour sera occupée par le retour, cette fois par les crêtes, à partir de Banyuls. Là, bifurquez vers la D 86 qui passe par la tour Madeloc (beau panorama) et le paisible ermitage de N.-D.-de-Consolation. Si vous avez le temps, gagnez Argelès-Plage où un parc aquatique vous attend.

idées de séjour d'une semaine

LE LITTORAL LANGUEDOCIEN

Vos enfants réclament un séjour « à la mer » ? Qu'à cela ne tienne, le littoral languedocien offre des kilomètres de plages de sable fin. Cependant, il ne faut pas avoir peur de la foule, en particulier au mois d'août. Cela étant, vous avez le choix entre La Grande-Motte, Palavas-les-Flots, Le Cap-d'Agde, Gruissan, pour ne citer que les plus célèbres stations balnéaires. Mais au cours de votre semaine, vous aurez certainement envie de changer d'activité. Pas de problème : Sète et son port de pêche, Mèze et son parc de dinosaures, Béziers et sa cathédrale, Narbonne et ses antiquités romaines, les Corbières et leurs châteaux cathares sont à deux pas. Vous verrez, cette semaine passera (un peu trop) vite...

LES CÉVENNES

Le plus pratique pour découvrir les Cévennes, c'est de trouver un gîte ou une chambre d'hôte au cœur des montagnes pour pouvoir les sillonner à loisir. Du côté de St-Jean-du-Gard, on s'immergera complètement dans la vie cévenole traditionnelle (musée des Vallées cévenoles à St-Jean, musée de la Soie à St-Hippolyte-du-Fort, Musée cévenol au Vigan). Au Nord des Cévennes, le mont Lozère offre toutes les possibilités de randonnées : à pied, à cheval, en VTT, avec un âne

N.-D.-de-Valfrancesque, dans les Cévennes.

(comme l'a fait Stevenson à la fin du 19e s.). Bref, un retour aux sources dans ces vallées d'où monte la brume après l'orage et sur ces sommets d'où l'on voit la forêt à perte de vue.

LE CAPCIR ET LA CERDAGNE

Pour ce séjour d'une semaine, deux saisons propices : l'hiver ou l'été. En hiver, vous irez bien sûr faire du ski ; les stations de Font-Romeu, de Pyrénées 2000 ou des Angles vous permettront de faire du ski de piste et du ski de fond au cœur de paysages grandioses. En été, vous entreprendrez plutôt des randonnées. Afin de ne pas vous lasser, vous n'hésiterez pas à visiter le parc animalier des Angles, découvrir l'énergie solaire aux fours de Mont-Louis et Odeillo, guetter l'ennemi du haut des forteresses de Villefranche-de-Conflent et Mont-Louis – pour joindre ces deux villes, prenez le petit train jaune –, acheter plein de charcuteries à Saillagouse, pêcher au lac des Bouillouses...

LES CAUSSES

Vous irez sur les causses avec l'idée qu'au moins, ici, vous serez tranquille... C'est en particulier vrai sur le causse Méjean, un des plus désertiques et des plus beaux. Sur ces hauts plateaux, ce sont les sites naturels qui retiendront votre attention : grottes (Dargilan sur le causse Noir, Armand sur le causse Méjean), chaos (Montpellier-le-Vieux sur le causse Noir, Nîmes-le-Vieux sur le causse Méjean) et cirque (Navacelles sur le causse du Larzac). Si le plat vous ennuie, plongez dans les gorges du Tarn entre les causses de Sauveterre et Méjean, dans les gorges de la Jonte entre les causses Méjean et Noir, ou dans le canyon de la Dourbie entre les causses Noir et du Larzac. Que vous soyez en haut ou en bas, vous vous gaverez de fromages de chèvre ou de roquefort et de bons saucissons. Idéal pour les pique-niques !

A. Leprince / Michelin

- ☐ a.  *Maison d'hôte de charme*
- ☐ b. *Chambre à 40€ maximum la nuit*
- ☐ c. *À ne pas manquer : le petit "plus"*

Vous ne savez pas quelle case cocher ?
Alors ouvrez vite Le Guide Coups de Cœur Michelin !

De l'ancienne ferme de caractère au petit château niché dans son parc en passant par la maison de maître au coeur d'un vignoble, la sélection Michelin, classée par région, recense autant d'adresses à l'accueil chaleureux qui charmeront même les petits budgets.

Guide Coups de Cœur Michelin, le plaisir du voyage

Circuits de découverte

Pour visualiser l'ensemble des circuits proposés, reportez-vous à la carte p. 13 du guide.

1 DÉTENTE ET PLEIN AIR EN AUBRAC ET MARGERIDE

Circuit de 170 km au départ de Mende – Adeptes du bon air, des grands espaces et des loisirs sportifs, à vos chaussures ! Après la visite de Mende, dont vous parcourez les ruelles de la vieille ville, vous atteindrez Marvejols, capitale du Gévaudan, où, en guise de bienvenue, la statue d'Henri IV vous salue. Au Nord de la ville, le parc à loups du Gévaudan rappelle que la bête du Gévaudan a bel et bien existé mais que les loups gardés ici en semi-liberté sont tout ce qu'il y a de plus sympathiques. À Nasbinals et St-Urcize, il est possible de faire du ski de fond en hiver. Petit repos à La Chaldette, station thermale, et vous voilà à St-Chély-d'Apcher, cité industrielle de la haute Margeride. Le Malzieu, remarquable pour ses remparts, laisse bientôt place au château de St-Alban-sur-Limagnole. Tout à côté, vous vous trouvez presque dans les steppes du Grand Nord avec les bisons de la réserve de Ste-Eulalie. Enfin, vous gagnerez Châteauneuf-de-Randon où le grand Du Guesclin vint mourir, pour rentrer ensuite à Mende, où vous pourrez savourer un aligot...

A. Thuillier/MICHELIN

2 D'UN CAUSSE À L'AUTRE

Circuit de 290 km au départ de Millau – Millau est au centre des quatre grands causses à l'assaut desquels vous partez. Excursion sur le causse Noir pour se perdre dans les rochers dolomitiques du chaos de Montpellier-le-Vieux. Quelques kilomètres plus loin, et vous voici sous terre, dans la grotte de Dargilan que l'on surnomme la « grotte rose » à cause de la couleur de ses concrétions. À la transition entre le causse Noir et le causse Méjean, Meyrueis est un très joli village aux vieilles pierres patinées par le temps... et le passage des touristes. En chemin, remarquez l'aspect désertique du causse Méjean, pourtant l'un des plus attachants. Retour à la fraîcheur dans l'aven Armand, une des merveilles souterraines de la France. Ste-Enimie, accroché au-dessus du Tarn, est un village pittoresque à découvrir absolument. La route traverse ensuite le causse de Sauveterre pour atteindre La Canourgue, village tranquille traversé par des petits canaux à ciel ouvert, tout à fait charmants. Petite pause à Sévérac-le-Château, où, comme on le devine à son nom, un beau château médiéval vous ouvre ses portes. De là, la D 995 descend vers les gorges du Tarn, beauté naturelle que vous ne manquerez pas de descendre en canoë, à pied, ou encore en voiture. Le point de chute se fait au Rozier avant de repasser, nœud routier inévitable, par Millau. Gagnez Roquefort-sur-Soulzon où se trouvent les interminables galeries creusées à même le rocher, là où le fromage est affiné. Qui dit roquefort, dit lait de brebis dont on rencontre les troupeaux partout sur le causse du Larzac que vous traversez maintenant. Au Moyen Âge, ce causse fut occupé par les templiers puis par les hospitaliers : visitez une de leurs plus remarquables fortifications à La Couvertoirade, avant de regagner Millau.

3 GROTTES, CIRQUES ET CHAOS

Circuit de 425 km au départ de Ganges – Découverte immanquable de votre séjour dans la région que celle de toutes ces merveilles naturelles. À quelques kilomètres de Ganges, visitez la grotte des Demoiselles, dont la grande salle est très impressionnante. Près d'Anduze, la grotte de Trabuc est tapissée d'une armée de petits soldats pas plus hauts que trois pommes (petits mais nombreux). Profitez de votre séjour dans les Cévennes, en parcourant du Sud au Nord sa corniche pour vous diriger vers Florac. En longeant le Sud du causse Méjean, vous parviendrez à une ville étrange, celle que forment les rochers du chaos de Nîmes-le-Vieux. En franchissant la Jonte, vous arrivez sur le massif de l'Aigoual ; au sommet, prévoyez de vous couvrir pour admirer le panorama. Vous redescendez ensuite vers l'abîme de Bramabiau où vous verrez le Bonheur jaillir de la roche avant de s'engouffrer dans l'aven Armand, au cœur souterrain du causse Noir. La grotte de Dargilan et le chaos de Montpellier-le-Vieux ne sont pas loin. Quittez le causse par le canyon de la Dourbie. Le chemin vous mène alors au cirque de Navacelles, curiosité à voir au moins une fois dans sa vie. C'est beau, c'est désertique et on se sent tout petit à côté. Dirigez-vous vers le Sud en quittant peu à peu les montagnes pour taquiner le goujon dans le lac du Salagou et vous balader à travers les rochers du cirque de Mourèze. Avant de regagner Ganges, n'omettez pas d'admirer les sublimes cristaux d'aragonite de la grotte de Clamouse.

4 EXCURSION DANS LES CÉVENNES

Circuit de 410 km au départ d'Alès – Alès, où fut signé l'édit de Grâce accordé aux protestants en 1629, ouvre ses portes sur les Cévennes, pays d'histoire et de nature encore préservée. Du belvédère des Bouzèdes, on a une vue remarquable sur Génolhac. Vous gagnez ensuite Villefort, à proximité d'un grand lac. Vous vous trouvez alors sur le mont Lozère, emblème des Cévennes du Nord, qu'il faut parcourir à pied ou à cheval. Du Bleymard, village sympathique, vous arrivez à Bagnols-les-Bains, où une petite cure thermale peut vous remettre en forme pour la suite du parcours. Mende est une belle étape pour sa vieille ville. C'est également le départ de la route du col de Montmirat : panorama superbe sur les gorges du Tarn, les Cévennes et le causse Méjean. De Florac, au cœur des Cévennes, vous parvenez au Pont-de-Montvert, siège du Parc national des Cévennes. Ensuite, arrêt émouvant au plan de Fontmort où un monument rappelle les combats qui eurent lieu entre camisards et dragons du roi. La vallée Française, restée très protestante, s'ouvre au départ de Barre-des-Cévennes jusqu'à St-Jean-du-Gard, où l'on ira compléter sa connaissance de la région au musée des Vallées cévenoles. Pour gagner Le Vigan et son Musée cévenol, vous passerez par le col de l'Asclier (accrochez-vous bien, la route est sinueuse, étroite et en forte pente… un classique dans les Cévennes). Tout près de Ganges, vous admirerez les « demoiselles » (stalagmites) de la grotte du même nom. Enfin, vous découvrirez l'une des activités encore en place dans la région : la sériciculture au musée de la Soie de St-Hippolyte-du-Fort. Anduze sera votre dernière étape de charme avant de revenir à Alès.

5 DES ROUGIERS AUX MONTAGNES VERTES DE L'ESPINOUSE

Circuit de 300 km au départ de St-Affrique – St-Affrique ouvre la route sur une série de beaux châteaux de grès rouge, typiques de la région des Rougiers : St-Izaire, Brousse-le-Château et Coupiac. C'est à St-Sernin, ville bâtie à flanc de montagne, que fut recueilli l'enfant sauvage qui inspira son film à François Truffaut. Un petit tour à Belmont-sur-Rance et sa belle collégiale et vous gagnez les monts de Lacaune, ville célèbre pour ses charcuteries et ses agneaux. En allant vers le Sud, vous passez sur les monts du Somail où se trouve La Salvetat-sur-Agout, tout à côté du lac de la Raviège dont on fera le tour avant de s'y baigner. Pour rejoindre le sommet de l'Espinouse, il faut passer par le col de Fontfroide. Après avoir admiré le paysage au mont Caroux, on descend à Lamalou-les-Bains, station thermale au climat particulièrement doux. De là, vous remontez la vallée de l'Orb en passant par Boussagues, adorable petit village dont les fortifications ont été bien restaurées. Cette montée vers le Nord vous ramène au pays des Rougiers : ne manquez pas l'abbaye de Sylvanès, où se déroule un festival de musique sacrée de grande qualité, et le château de Montaigut, perché en haut d'une colline. St-Affrique est alors au bout du chemin.

Vignoble des Corbières.

6 LE BAS-LANGUEDOC GOURMAND

Circuit de 250 km au départ de Montpellier – Pas de séjour en Languedoc sans goûter aux spécialités gastronomiques ! Vous partirez de Montpellier, qui donna son nom à un beurre assez spécial (mélange d'herbes, d'épinards, de cresson, d'œufs et d'anchois) et où l'on mange avec bonheur oreillettes et grisettes. Rendez-vous ensuite à Mireval et Frontignan où un muscat bien frais vous attend. Attention à ne pas partir le ventre vide : Sète est juste à côté, tant mieux, vous y dégusterez bourride ou tielle. Complément indispensable à cette mise en bouche : les huîtres et les moules de Bouzigues. On le sait, ce n'est encore pas l'heure de l'apéritif, mais il serait dommage de passer à Marseillan sans goûter le Noilly Prat ou en acquérir une bouteille pour parfumer la sauce des poissons. Arrêtez-vous à Pinet pour faire provision de l'excellent picpoul-de-pinet, vin blanc parfait pour accompagner les produits de la mer. Même motif à Bize-Minervois : la coopérative regorge d'huile d'olive et d'olives (goûtez les lucques, elles sont sublimes). On ne vous avait pas dit que le Languedoc détenait le plus grand vignoble de France ? Pour preuve, en trois étapes, vous découvrirez le muscat de St-Jean-de-Minervois, le vin rouge de St-Chinian et celui de Faugères. À consommer cette fois sans modération : les petits pâtés de Pézenas, d'origine indo-britannique, ainsi que ses berlingots. Enfin, sachez qu'à Lézignan-la-Cèbe, vous trouverez des oignons très doux, aussi doux que nous espérons votre retour à Montpellier.

⑦ LA VOIE DOMITIENNE

Itinéraire de 300 km de Lunel au Perthus ou à Port-Vendres – Il y a quelque vingt-et-un siècles, un certain Domitius Ahenobarbus fonda la première colonie romaine hors d'Italie : Narbonne. Pour la relier à Rome, il créa une sorte d'autoroute du monde antique : la via Domitia, dont on peut aujourd'hui voir les vestiges. Votre périple commence à l'oppidum d'Ambrussum, près de Lunel. Vous irez ensuite à Lattes visiter le musée archéologique Henri-Prades. Au bord de l'étang de Thau, la villa gallo-romaine de Loupian a révélé de belles mosaïques et, entre Montbazin et Pinet, une promenade pédestre d'une heure vous conduira directement sur la via Domitia. Le musée du Cap-d'Agde renferme un trésor : l'éphèbe d'Agde, retrouvé dans l'Hérault en 1964. Petite pause à Béziers où l'on se promène dans les vieilles rues à la recherche du musée du Biterrois (témoignages de l'époque gallo-romaine). Retour ensuite à la voie Domitienne avec l'extraordinaire oppidum d'Ensérune. À Sallèles-d'Aude, on découvre un gigantesque atelier de potier où ont été mises au jour des milliers d'amphores (musée Amphoralis). Enfin, vous atteignez Narbonne et son excellent Musée archéologique (ne pas manquer les peintures romaines), son horreum (entrepôt romain) et son tronçon de voie romaine, en pleine place de l'Hôtel-de-Ville. En empruntant la N 9, voyez l'exposition consacrée à la via Domitia (carrefour de Lapalme). Vous pouvez vous arrêter à Perpignan où vous ferez le choix stratégique de suivre la voie soit par la côte, soit par

les Pyrénées, là même où Hannibal passa avec ses éléphants. Par la côte, la voie traverse l'antique Illiberis (Elne et son musée d'Archéologie) et aboutit à Port-Vendres, le « port de Vénus ». Par les Pyrénées, vous découvrirez le panorama aux Cluses avant de vous réfugier au fort de Bellegarde, puis au site archéologique de Panissars. Un pas de plus et vous êtes en Tarraconaise, antique colonie espagnole.

⑧ ROMAN ET BAROQUE CATALANS

Circuit de 290 km au départ de Perpignan – La découverte de l'art catalan débute naturellement à Perpignan, capitale des comtes catalans puis des rois de Majorque. Tout près de là, Cabestany a donné son nom au grand artiste qui a conçu le tympan de son église romane. À Elne, le cloître de la cathédrale est un pur joyau de sculpture romane et gothique. À Collioure, le retable monumental de l'église N.-D.-des-Anges vous donnera un premier aperçu de ce style grandiose qu'est le baroque catalan. Retour au roman avec les merveilleux linteaux sculptés des églises de St-André et St-Génis-des-Fontaines. Au Boulou, on retrouve le maître de Cabestany, auteur du portail de l'église. Autre art majeur du Roussillon : les fresques romanes de la chapelle de St-Martin-de-Fenollar ; les Rois Mages y trônent de toute leur grandeur. À Arles-sur-Tech, attardez-vous au-dessus de la sainte tombe, à Coustouges devant l'admirable grille en fer forgé. Sur la petite route reliant la vallée du Tech à celle de la Têt, la chapelle de la Trinité, près de Prunet-et-Belpuig, renferme un Christ habillé du 12e s. Sous la tribune romane du prieuré de Serrabone, vous comprendrez vraiment que les artistes roussillonnais ne manquaient absolument pas de talent. On se fera la même remarque devant les retables des églises de Vinça et d'Espira-de-Conflent, s'agissant cette fois d'œuvres baroques. Aux abords de Prades, deux incontournables monuments du roman catalan : les abbayes de St-Michel-de-Cuxa et de St-Martin-du-Canigou. À Corneilla-de-Conflent, encore la sobre architecture romane dans l'église tandis qu'à Ille-sur-Têt, tout n'est que volutes et frontons baroques. À la sortie d'Ille, ne manquez surtout pas les Orgues, une œuvre naturelle tout aussi réussie que les splendeurs humaines que vous venez de voir. Enfin, avant de regagner Perpignan, faites un saut à Baixas pour admirer une dernière fois un gigantesque retable baroque.

Découvrez
la France

Chaque semaine
avec Jean-Patrick Boutet
dans **"Au cœur des régions"**

Frédérick Gersal
dans **"Routes de France"**

Thierry Beaumont
dans **"Destinations"**

France info *et vous savez...*

⑨ Hauts lieux du catharisme en Corbières

Circuit de 300 km au départ de Carcassonne – Notre épopée dans l'histoire commence à Carcassonne : là, nul besoin de beaucoup d'imagination pour se retrouver en plein Moyen Âge. Excursion ensuite à Limoux où, après une flûte de blanquette, on ira voir le Catharama, belle entrée en matière pour aborder les châteaux cathares. Après l'abbaye romane d'Alet-les-Bains, cap sur le donjon d'Arques puis sur Rennes-le-Château, où fut soi-disant trouvé le fabuleux trésor de l'abbé Saunière. À Puivert, on fait connaissance avec le château qui fut attaqué durant la croisade contre les Albigeois. Pour gagner un autre haut lieu du catharisme, le château de Puilaurens, on passera par le défilé de Pierre-Lys. Il vous faudra un peu de courage pour grimper à l'assaut du château de Peyrepertuse, mais une fois en haut, vous ne regretterez pas votre effort. Même effort – et récompense – au château de Quéribus, dont la situation le fait ressembler à un « dé posé sur un doigt ». À son pied, le grau de Maury permet de voir au loin le Canigou. Remontons un peu au cœur des Corbières pour voir les ruines des châteaux de Padern, Aguilar et Durban-Corbières, eux aussi acteurs dans la lutte cathare. Après la visite du château de Villerouge-Termenès, allez donc dévorer un plat médiéval à la rôtisserie installée dans les anciennes écuries. Besoin de vous dégourdir les jambes ? Une grimpette jusqu'au château de Termes fera l'affaire. Enfin, on reviendra à Carcassonne non sans avoir visité l'abbaye de Lagrasse.

⑩ À l'assaut des Pyrénées

Circuit de 270 km au départ de Font-Romeu – Cette fois, c'est au cœur des belles montagnes des Pyrénées que nous vous emmenons. Après avoir skié tout votre soûl et fait un pèlerinage à l'Ermitage de Font-Romeu, vous vous dirigerez vers la place forte de Mont-Louis, créée par Vauban, non sans avoir repéré le grand four solaire. Pour vous détendre, faites une halte, ou une randonnée, au lac des Bouillouses entouré de sa forêt de sapins. Aux Angles, vous pourrez de nouveau chausser des skis ou aller dire bonjour aux ours et aux isards du parc animalier. Si le temps est maussade ou qu'il fait trop chaud, réfugiez-vous dans la grotte de Fontrabiouse. Ax-les-Thermes vous comblera : vous pourrez y faire non seulement du ski mais aussi de la randonnée pédestre ou encore une cure thermale. La France vous lasse ? Pénétrez en Andorre par le Pas de la Casa (station de sports d'hiver et magasins hors taxes) et descendez jusqu'à Andorra la Vella, sa capitale. En repassant la frontière, vous emprunterez le tunnel de Puymorens pour atteindre le chaos de Targasonne. Ne regagnez pas tout de suite Font-Romeu mais faites plutôt un détour jusqu'à Llo, charmant village de la Cerdagne.

⑪ En descendant de la Montagne noire

Circuit de 170 km au départ de Caunes-Minervois – Départ imminent pour la Montagne noire dont les magnifiques forêts se parent de couleurs fauves une fois l'automne venu. Tout d'abord, une visite de Caunes-Minervois vous permettra de passer devant ses beaux hôtels particuliers du 16e s. Côté nature, vous pénétrerez dans le gouffre de Cabrespine et dans la grotte de Limousis, avec son grand lustre blanc. À flanc de montagne, les quatre châteaux de Lastours témoignent des combats qui y eurent lieu durant la croisade contre les Albigeois. Autres châteaux, plus ou moins en ruine, ceux de Saissac et du Mas-Cabardès donnent à leur village un charme indéniable. Revel est une petite ville tranquille dont il faut absolument voir la place à couverts et les meubles artisanaux en marqueterie. Du Moyen Âge, nous passons au 17e s. avec le système d'alimentation du canal du Midi créé par Riquet : bassins et retenues sont visibles à St-Ferréol et au seuil de Naurouze. Vous voilà descendus de la montagne pour atteindre la plaine du Minervois à travers laquelle serpente le canal du Midi. Une étape gastronomique s'impose alors à Castelnaudary, capitale incontestée du cassoulet. Plus au Sud, on marchera sur les pas de saint Dominique à Fanjeaux avant d'aller se perdre dans les rues de la cité de Carcassonne et de rejoindre Caunes-Minervois.

L. Campion/MICHELIN

Four solaire de Mont-Louis.

E. Baret / Michelin - (06 - Roubion)

☐ a.   *Départementale D17*
☐ b.   *Nationale N202*
☐ c.   *Départementale D30*

Vous ne savez pas comment vous y rendre ?
Alors ouvrez vite une Carte Michelin !

Les cartes NATIONAL, REGIONAL, LOCAL ou ZOOM et les Atlas Michelin, par leur précision et leur clarté vous permettent de choisir votre itinéraire et de trouver facilement votre chemin, en vous repérant à chaque instant.

Itinéraires à thème

routes historiques

Pour découvrir le patrimoine architectural local, la Fédération nationale des routes historiques (www.routes-historiques.com) a élaboré 24 itinéraires à thème. Tracés et dépliants sont disponibles auprès des offices de tourisme ou à La Demeure Historique (Hôtel de Nesmond, 57 quai de la Tournelle, 75005 Paris, ☎ 01 55 42 60 00. www.demeure-historique.org).
Deux routes historiques parcourent la région décrite dans ce guide :

Route historique en Languedoc-Roussillon – Château de Flaugergues, 1744 av. Albert-Einstein, 34000 Montpellier, ☎ 04 99 52 66 46.

Route historique en terre catalane : de l'homme de Tautavel à Picasso – Réseau culturel Terre catalane, 16 av. des Palmiers, BP 60244, 66002 Perpignan Cedex, ☎ 04 68 51 52 90.

autres routes thématiques

Via Domitia – M. Delran, association régionale Via Domitia, CRT, 417 r. Samuel Morse, 34960 Montpellier Cedex 2, ☎ 04 67 22 81 00. www.viadomitia.org

Route de la Catalogne romane – CDT des Pyrénées-Orientales, 16 av. des Palmiers, BP 540, 66005 Perpignan Cedex, ☎ 04 68 51 52 53.

Chemin des verriers – Office intercommunal du tourisme du Chemin des Verriers en pays d'Orthus, av. du Nouveau-Monde, 34270 Claret, ☎ 04 67 59 06 39, fax 04 67 59 93 24. Visite de la verrerie archéologique de Couloubrines et de la verrerie d'art de Claret (4 ateliers) ; visite des deux ateliers de Vacquières. Sentiers découverte.

Chemin de la soie – 95 Grand'Rue, 30270 St-Jean-du-Gard, ☎ 04 66 85 10 48. Découverte de musées, filatures et magnaneries.

Route des vignerons et des pêcheurs des pays d'Agde – Découverte de domaines et caves viticoles sur le territoire de l'AOC picpoul-de-pinet et de sites historiques et remarquables des pays d'Agde. Se renseigner à la Communauté de Communes des Pays d'Agde, ZI Le Causse, BP 26, 34630 St- Thibéry, ☎ 04 99 47 48 49.

dans les caves viticoles

Le Languedoc-Roussillon possède le plus grand vignoble de France. Aussi, n'hésitez pas à visiter les caves pour découvrir l'extrême diversité des crus locaux. Elles sont généralement ouvertes à la visite et proposent quelquefois des dégustations (bien entendu à pratiquer avec modération). La plupart des vignobles ont leur « route des vins », combinant visites de caves ou de vignobles et arrêts sur des sites historiques ou naturels. Elles font en outre l'objet de manifestations qui jalonnent l'année, du carnaval à la foire de St-Martin.
Nous indiquons ci-dessous quelques adresses et informations diverses.

Vins de pays d'Oc – Les vins sont disponibles soit chez le producteur (domaines privés) soit dans les caves coopératives, très nombreuses dans la région. Pour obtenir toutes les adresses, contacter le Syndicat des producteurs de vin de Pays d'Oc, Domaine de Manse, av. Paysagère, Maurin, 34973 Lattes Cedex, ☎ 04 67 13 84 20.
Maison des vins, 1 av. de la Promenade, 34360 St-Chinian, ☎ 04 67 38 11 69. www.vin-saintchinian.com. Ouv. toute l'année 9h-12h, 14h-18h30. Véritable vitrine du **saint-chinian**, cette maison des vins propose la dégustation-vente de plus de 150 références à prix producteur. Elle propose également des stages d'initiation à la dégustation, des idées de week-end, et des circuits de découverte du vignoble. La Fête du cru a lieu le dimanche qui suit le 14 juillet.
Découverte de domaines et caves viticoles sur le territoire de l'AOC **picpoul-de-pinet** et de sites historiques et remarquables des pays d'Agde. Se renseigner à la Communauté d'Agglomération des Pays d'Agde, ZI Le Causse, 22 av. du 3e Millénaire, BP 26, 34630 St-Thibéry, ☎ 04 99 47 48 49.

Minervois – Un « itinéraire des saveurs » permet de découvrir les AOC minervois mais également le patrimoine historique, culturel et naturel de cette région. Syndicat du cru minervois, château de Siran, av. du Château, 34210 Siran, ☎ 04 68 27 80 00.

Le vignoble aveyronnais – À 5 km de Millau, la cave des Vignerons des gorges du Tarn regroupe les appellations d'origine « Vin délimité de qualité supérieure » (VDQS) côtes-de-Millau donnant des vins rouges, rosés et blancs. 6 av. des Causses, 12520 Aguessac, ☎ 05 65 59 84 11.

Vins du Roussillon – Le Conseil interprofessionnel des vins du Roussillon (19 av. de Grande-Bretagne, 66000 Perpignan, ☎ 04 68 51 21 22. www.vins-du-roussillon.com) met en avant un large choix de circuits de découverte du vignoble ainsi que de multiples manifestations conviviales autour du vin. Quatre itinéraires sont possibles : dans la vallée de l'Agly et des Fenouillèdes, dans les Aspres, des Aspres au massif des Albères et dans le vignoble des crus collioure et banyuls. Ces routes des vins permettent d'admirer des paysages viticoles hauts en couleurs et les nombreux caveaux qui les jalonnent proposent de découvrir les appellations prestigieuses de ces terroirs. L'été, des repas vignerons dans le vignoble sont organisés régulièrement. Nombreuses sont les fêtes qui rythment la vie culturelle de cette civilisation viticole : entre processions et aplecs de sardanes, la Saint-Bacchus en avril, la Fête des vins en juin, la sortie des Vins primeurs et la Fête des vendanges à Banyuls en octobre, le muscat de Noël en décembre.

La réserve des vieux crus du Cellier des Templiers à Banyuls.

Blanquette de Limoux – *Se reporter au carnet pratique de Limoux.*

Vins des Corbières – La Maison des terroirs en Corbières propose la dégustation et la vente d'une sélection des meilleurs vins de l'appellation, produits du terroir, ainsi que des propositions de circuits touristiques et une large documentation sur la route des vins de l'AOC corbières. Maison des terroirs en Corbières, Le Château, 11200 Boutenac, ☎ 04 68 27 84 73. Oct.-mai : tlj sf w.-end ; juin-sept. : tlj).

Cru fitou – Découverte et dégustation de l'AOC fitou à la Maison des vignerons, point de départ de la Route du cru fitou. Maison des vignerons du fitou, RN 9, aire de la via Domitia, 11480 La Palme, ☎ 04 68 40 42 77. www.cru-fitou.com

Découvrir autrement la région

sur l'eau

Sur les canaux (canal du Midi, canal Rhône-Sète, canal de la Robine) ou sur les lacs et plans d'eau, la promenade en bateau constitue une agréable activité permettant de découvrir les paysages le long des berges. Il existe plusieurs possibilités de navigation, à la portée de tous.

Le canal Rhône-Sète est ouvert à la navigation de mars à novembre (heures d'ouverture des écluses de 8h à 12h30 et de 13h30 à 19h30 l'été). Pour le canal du Midi, reportez-vous aux informations de son « carnet pratique ».

LOCATION DE BATEAUX HABITABLES

La location de « bateaux habitables » *(house-boats)* aménagés en général pour 6 à 8 personnes permet une approche insolite des sites parcourus sur les canaux. Diverses formules existent : à la journée, au week-end ou à la semaine.

Société Crown Blue Line – C'est la première société de location de bateaux habitables à s'être installée sur le canal du Midi dans les années 1970. Bateaux de 2 à 12 personnes. Elle offre deux bases de départ pour ce canal avec un total de 124 bateaux : Le Grand Bassin, BP 1201, 11492 Castelnaudary, ☎ 04 68 94 52 72, et Port Cassafières, 34420 Portiragnes, ☎ 04 67 90 91 70. www.crownblueline.com

Nicols – Port du Somail, 11120 Le Somail, allée de la Glacière, ☎ 04 68 46 00 97. Location de bateaux habitables de 2 à 12 personnes pour naviguer sur le canal du Midi et celui de la Robine. Centrale de réservation : rte du Puy-St-Bonnet, 49300 Cholet, ☎ 02 41 56 46 56. www.nicols.com

Luc Lines – 35 quai des Tonneliers, BP 2, 11200 Homps, ☎ 04 68 91 33 00. Locations bateaux et vélos. Promenades de 2h sur le canal du Midi.

Locaboat Plaisance – Cette société possède une base sur le canal du Midi : Port Occitanie, 11120 Argens-Minervois, ☎ 04 68 27 03 33, ainsi qu'une base à Lattes, à côté de Montpellier : ☎ 04 67 20 24 12. Location de pénichettes de 2 à 12 personnes. Centrale de réservation : Port au Bois, BP 150, 89303 Joigny Cedex, ☎ 03 86 91 72 72. www.locaboat.com

Connoisseur – Connoisseur permet de naviguer sur le canal du Midi à partir de Trèbes (Port de plaisance, 11800 Trèbes, ☎ 04 68 78 73 75) et sur le canal de la Robine depuis Narbonne (7 quai d'Alsace, 11100 Narbonne, ☎ 04 68 65 14 55). Centrale de réservation : Île Sauzay, 70100 Gray, ☎ 03 84 64 95 20.

Rives de France – Base pour le canal du Midi : port de plaisance, 34440 Colombiers, ☎ 04 67 37 14 60. Base pour le canal du Rhône à Sète : péniche St-Louis, rte du Grau-du-Roi, 30220 Aigues-Mortes, ☎ 04 66 53 81 21. Bateaux de 2 à 9 personnes. Centrale de réservation : 55 r. d'Aguesseau, 92774 Boulogne Cedex, ☎ 0 810 808 080. www.rivedefrance.com

Amica Tour – La Maison du canal, Port neuf, 8 r. des Péniches, 34500 Béziers, ☎ 04 67 62 18 18. www.adnavis.com. Location à la journée ou la semaine pour le canal du Midi.

Camargue Plaisance – Base fluviale de Carnon, 34280 Carnon, ☎ 03 85 53 76 77. www.camargueplaisance.com. Autre base fluviale à Beaucaire et Homps (11120). Pour naviguer sur le canal du Midi et le canal du Rhône à Sète.

Caminav – Base fluviale, CD 62, 34280 Carnon, ☎ 04 67 68 01 90. Location de bateaux de 2 à 12 personnes pour naviguer sur le canal du Midi et le canal du Rhône à Sète. Forfaits 1/2 journée, journée et semaine.

Avant de partir, il est conseillé de se procurer les cartes nautiques et cartes-guides :

Éditions Grafocarte-Navicarte, 125 r. Jean-Jacques-Rousseau, BP 40, 92132 Issy-les-Moulineaux Cedex, ☎ 01 41 09 19 00.

Éditions du Plaisancier, 43 porte du Grand-Lyon, 01700 Neyron, ☎ 04 72 01 58 68.

D. Pazery/MICHELIN

CROISIÈRES ORGANISÉES

Nombre d'organismes proposent des promenades commentées en bateau sur les rivières, les canaux, les lacs, etc. Ces croisières peuvent durer quelques heures, une ou plusieurs journées. Un forfait avec déjeuner ou dîner à bord est souvent proposé. Vous trouverez dans ce guide : balades en coche d'eau sur les étangs du Narbonnais *(voir le carnet pratique de Narbonne)*, croisières sur le canal du Midi *(voir le carnet pratique du canal du Midi)*, excursions en mer au départ de Sète *(voir le carnet pratique de Sète)*, descente des gorges du Tarn en barque de la Malène au cirque des Baumes *(voir le carnet pratique des gorges du Tarn)*, promenade-découverte des gorges des Raspes à bord du « Héron des Raspes » *(voir à Millau)*.

vue du ciel

Le deltaplane et le parapente sont un excellent moyen de voir d'en haut ce qu'on ne voit pas forcément d'en bas. Ces deux activités se pratiquent beaucoup dans la région de Millau ; chaque année des compétitions internationales se déroulent autour de Mende, dans le Nord de l'Hérault et dans les Pyrénées.

Le parapente n'exige pas un entraînement particulier. Le départ se fait, voile déployée, d'un site naturel en hauteur et l'évolution de la voilure rectangulaire utilise au mieux les courants ascensionnels qui traversent la vallée. Le deltaplane, quant à lui, exige une plus grande technicité. Plusieurs prestataires organisent des stages d'initiation et de perfectionnement dans la région de Millau et des Grands Causses, dans la région de Marvejols et de Mende, dans le Nord de l'Hérault et dans les Pyrénées *(voir les carnets pratiques de la partie « Villes et sites »)*.

Fédération française de vol libre (deltaplane, parapente et cerf-volant) – 4 r. de Suisse, 06000 Nice, ☎ 04 97 03 82 82. www.ffvl.fr

Fédération française de planeur ultra-léger motorisé – 96 bis r. Marc-Sangnier, BP 341, 94709 Maisons-Alfort Cedex, ☎ 01 49 81 74 43. www.ffplum.com. E-mail : ffplum@ffplum.com

en train touristique

PETITS TRAINS

Les régions décrites dans ce guide sont traversées par diverses petites voies de chemin de fer à vocation touristique. C'est un moyen agréable de découvrir des paysages, parfois

B. Kaufmann / Michelin

- ☐ a. **Studios d'Hollywood (Californie)**
- ☐ b. **Mini Hollywood Tabernas (Espagne)**
- ☐ c. **Studio Atlas Ouarzazate (Maroc)**

Vous ne savez pas quelle case cocher ?
Alors plongez-vous dans Le Guide Vert Michelin !

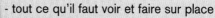

- tout ce qu'il faut voir et faire sur place
- les meilleurs itinéraires
- de nombreux conseils pratiques
- toutes les bonnes adresses

Le Guide Vert Michelin, l'esprit de découverte

surprenants, que l'on n'a pas forcément l'occasion de voir en voiture ou à pied.

Au Nord de la Lozère, le **train touristique des Gorges de l'Allier** propose un très bel itinéraire entre Langogne et Langeac *(voir à Langogne)*.

En pays cévenol, le **train à vapeur des Cévennes** relie Anduze à St-Jean-du-Gard en passant par la bambouseraie de Prafrance et en suivant les gardons *(voir St-Jean-du-Gard ou Anduze)*.

L'**autorail touristique du Minervois** permet, au départ de Narbonne, d'aller jusqu'à Bize-Minervois où se trouve la coopérative oléicole l'Olibo. Arrêt à Sallèles-d'Aude pour visiter Amphoralis *(voir Narbonne)*.

Le **petit train des Lagunes**, au départ de Narbonne, est un des rares moyens pour aller sur l'île Ste-Lucie. Arrêt également à La Franqui et arrivée à Port-la-Nouvelle *(voir Narbonne)*.

Enfin, le **petit train jaune** part à la découverte de la Cerdagne mais aussi du Conflent, au cœur des Pyrénées orientales. Il va de Latour-de-Carol à Villefranche-de-Conflent. Idéal pour une journée d'excursion en montagne car une fois arrivé, il faut attendre le soir pour repartir (1 aller et 1 retour par jour). *Voir le carnet pratique du Conflent ou de la Cerdagne.*

DEUX TRAINS POUR L'AVENTURE, AU DÉPART DE PARIS

Pour ceux qui veulent prendre le temps de voyager, le *Cévenol* et l'*Aubrac* relient Paris à Nîmes ou Béziers en 9 heures. Ces deux trains, communs jusqu'à Clermont-Ferrand, se séparent pour prendre les voies pittoresques et traverser des paysages fabuleux. Le *Cévenol* passe par Langogne, La Bastide-Puylaurent, Villefort et Alès ; l'*Aubrac* s'arrête à St-Chély-d'Apcher, Marvejols, Banassac-La Canourgue, Séverac-le-Château, Millau, Tournemire-Roquefort et Bédarieux. À partir de ces villes, on peut très bien continuer à pied, à moins de se laisser bercer par le rythme cadencé du train jusqu'au terminus. Un conseil : prévoir de quoi boire et manger car, après Clermont, les trains ne disposent d'aucun service de restauration...

avec vos enfants

STATIONS KID

Le label Station Kid, soutenu par le Secrétariat d'État au tourisme, permet aux familles de repérer en toute confiance les lieux de séjour les plus actifs pour leurs enfants. Le label est décerné en fonction de la qualité de l'accueil, des activités, des équipements, de la sécurité, de l'environnement et de l'animation.

Aujourd'hui 44 destinations sont répertoriées en France dont treize figurant dans ce guide : Argelès-sur-Mer, Avène-les-Bains, le Cap-d'Agde, Carnon, Fleury, La Grande-Motte, Gruissan, Leucate, Millau, Narbonne, Port-Barcarès, St-Cyprien, Valras-Plage.

Pour d'autres visites « culturelles », nous avons sélectionné pour vous un certain nombre de sites qui intéresseront particulièrement votre progéniture. Il s'agit par exemple de musées du jouet, de parcs animaliers ou de châteaux proposant une visite guidée spécialement adaptée aux enfants. Vous les repérerez dans la partie « Villes et sites » grâce au pictogramme ☉.

VISITES CONTÉES

Le Réseau culturel Terre catalane organise toute l'année des visites contées ludiques et pédagogiques autour d'un personnage. Sont concernés : l'abbaye d'Arles-sur-Tech, le Castillet et le palais des rois de Majorque à Perpignan, le château de Castelnou, le musée de Cerdagne à Ste-Léocadie, la cathédrale d'Elne, le fort Lagarde (Prats-de-Mollo), les orgues d'Ille-sur-Têt, le prieuré de Marcevol, l'église de Corneilla-de-Conflent, le trésor et l'église de Prades, l'abbaye de St-Génis-des-Fontaines, l'abbaye St-Martin-du-Canigou, le prieuré de Serrabone, le fort de Salses, les remparts de Villefranche-de-Conflent. Se renseigner sur les sites pour les jours, heures et tarifs de visite.

PAYS DE ROQUEFORT

Le Pays de Roquefort édite chaque année un « Passeport pour les Canailles » dans lequel sont proposés un calendrier de manifestations, des stages, des journées organisées, des loisirs sportifs, des sites touristiques spécialement tournés vers les enfants. Des petits jeux permettent également de mieux connaître le Pays de Roquefort.

En outre, les châteaux de Brousse, Coupiac, Montaigut, St-Izaire, Fayet et Latour proposent en été des jeux découvertes pour les enfants de 6 à 12 ans.

Se renseigner sur chaque site ou à l'Office du tourisme du Pays de Roquefort, ☎ 05 65 58 56 00.

LARZAC TEMPLIER ET HOSPITALIER

Le conservatoire Larzac templier et hospitalier distribue gratuitement des livrets « Hugues, chevalier du Larzac » et « Hugues part en croisade » aux enfants de 6 à 12 ans afin de faire une visite ludique des sites du Larzac. Une carte de membre du club des Chevaliers est offerte aux participants qui leur donne un accès gratuit aux Estivales du Larzac. Renseignements aux Points Accueil des sites.

VILLES ET PAYS D'ART ET D'HISTOIRE

Le réseau des Villes et Pays d'art et d'histoire (ministère de la Culture et de la Communication) propose des visites-découvertes et ateliers du patrimoine aux enfants. Munis de livrets-jeux et d'outils pédagogiques adaptés à leur âge, ces derniers s'initient à l'histoire et à l'architecture et participent activement à la découverte de la ville. En atelier, ils s'expriment à partir de multiples supports (maquettes, gravures, vidéos) et au contact d'intervenants de tous horizons : architectes, tailleurs de pierre, conteurs, comédiens. Ces activités ont également lieu pendant les vacances d'été dans le cadre de l'opération « L'Été des 6-12 ans ».
Les Villes et Pays d'art et d'histoire cités dans ce guide sont Mende, Narbonne, Perpignan, Pézenas (pour les villes) et la vallée de la Têt (pour les pays).

Sports et loisirs

baignade

Depuis l'aménagement et l'assainissement du littoral du Languedoc, les immenses plages de sable fin s'étendant sur des kilomètres, souvent entre mer et étangs, accueillent des multitudes de touristes. Les plus belles se situent entre La Grande-Motte et Palavas-les-Flots, de Sète au Cap-d'Agde, autour du Cap-d'Agde et de Valras. Il existe des plages naturistes à La Franqui, Port-la-Nouvelle et au Cap-d'Agde.
De très nombreux équipements sportifs sont à la disposition des petits et des grands : piscine, ski nautique, plongée sous-marine, scooter des mers, promenades en mer, cerf-volant, etc. Se renseigner sur place, aux syndicats d'initiative ou offices de tourisme.
Les plages sont en général surveillées durant les mois d'été. Il convient cependant de respecter quelques règles élémentaires : éviter de nager après un repas ou une longue station au soleil, ne pas sortir de la zone surveillée, généralement délimitée par des bouées, bien se protéger du soleil, que l'on reste sur la plage ou que l'on soit dans l'eau. En outre, les pavillons hissés chaque jour sur les plages surveillées indiquent si la baignade est dangereuse ou non, l'absence de pavillon signifiant l'absence de surveillance : vert = baignade surveillée sans danger ; jaune = baignade dangereuse mais surveillée ; rouge = baignade interdite.
Des contrôles de qualité des eaux de baignade sont effectués en général dès le mois de juin. Ils classent les eaux en quatre catégories :
A : eaux de bonne qualité
B : eaux de qualité moyenne
C : eaux pouvant être momentanément polluées
D : eaux de mauvaise qualité

Les résultats des contrôles peuvent être obtenus sur minitel 3615 infoplage.
La baignade dans les lacs et plans d'eau n'est pas toujours autorisée ; se renseigner au préalable dans les offices de tourisme.

L. Campion/MICHELIN

La plage de Frontignan.

cerf-volant

À la fois loisir familial, expression artistique et compétition sportive, la pratique du cerf-volant a acquis depuis une dizaine d'années ses lettres de noblesse en élargissant son terrain d'activité au-delà des plages du littoral atlantique, où on la rencontrait le plus souvent. Les plages de l'Hérault sont désormais un terrain de prédilection.
Cette activité ayant intégré les nouveaux produits de l'industrie chimique, on trouve actuellement une vaste gamme d'appareils volants qui relèguent bien loin le cerf-volant traditionnel. Manipulé par deux poignées et constitué de fibre de verre ou, plus léger mais plus cher, de fibre de carbone, le cerf-volant moderne est pilotable et même parfois doté

d'amortisseurs de chute ! La longue pratique des manipulations de base et des connaissances en aérologie ne peuvent s'acquérir que par le passage dans un club ou une association ; les offices de tourisme des plages du Languedoc signalent l'existence de ces organismes.

Par prudence, gardez à l'esprit qu'un cerf-volant peut atteindre 100 km/h lors d'une chute en piqué ; aussi, prenez soin de vous placer derrière le manipulateur.

Fédération française de vol libre (deltaplane, parapente et cerf-volant) – 4 r. de Suisse, 06000 Nice, ☎ 04 97 03 82 82. www.ffvl.fr

cyclotourisme et VTT

De nombreux sentiers de grande randonnée ou de randonnée de pays sont accessibles aux amateurs de VTT. Néanmoins certaines zones géographiques se prêtent plus que d'autres à la randonnée en VTT et comportent des sentiers spécialement balisés par la Fédération française de cyclisme. Le degré de difficulté du parcours balisé est signalé par des couleurs (vert : très facile ; bleu : facile ; rouge : difficile ; noir : très difficile). Les centres VTT, gérés par la fédération, fournissent des cartes d'itinéraires et des topoguides, proposent parfois des stages, des points de réparation, un hébergement, etc.

L'Office national des forêts édite une vingtaine de guides *VTT Évasion* destinés à la découverte des forêts du Languedoc-Roussillon. On peut se les procurer auprès du Comité régional du tourisme Languedoc-Roussillon. Les clubs cyclotouristes organisent des sorties week-end ou des circuits « découverte » avec des guides. On peut obtenir leurs adresses auprès des Comités départementaux et régionaux de cyclotourisme, qui dépendent de la Fédération française de cyclotourisme. Les offices de tourisme et les syndicats d'initiative communiquent les adresses des points de location.

Ligue régionale de cyclotourisme du Languedoc-Roussillon – M. Morand Guy, 4 r. Ernest-Vieu, 11000 Narbonne, ☎ 04 68 32 52 62.

Fédération française de cyclotourisme – 12 r. Louis-Bertrand, 94200 Ivry-sur-Seine Cedex, ☎ 01 56 20 88 87. www.ffct.org

Fédération française de cyclisme – 5 r. de Rome, 93561 Rosny-sous-Bois Cedex, ☎ 01 49 35 69 24, fax 01 49 35 69 92. La fédération propose 47 000 km de sentiers balisés pour la pratique du VTT, répertoriés dans un guide.

eaux vives

CANOË-KAYAK

Les cours supérieurs et moyens de la Dourbie, de l'Orb, de l'Hérault aux gorges majestueuses et sauvages, du Tech, de la Têt, de l'Aude et bien d'autres se prêtent avec leurs eaux tumultueuses à la pratique du canoë-kayak.

Le **canoë** (d'origine canadienne) se manie avec une pagaie simple. C'est l'embarcation pour la promenade en famille, à la journée, en rayonnant au départ d'une base ou en randonnée pour la découverte d'une vallée.

Le **kayak** (d'origine esquimaude) est utilisé assis et se déplace avec une pagaie double. Les lacs et les parties basses des cours d'eau offrent un vaste choix.

L'Échappée Verte – 21 r. de la Cavalerie - 34000 Montpellier, ☎ 04 67 41 20 24. Cet organisme propose des randonnées-découverte en canoë et en kayak dans toute la région. Autres prestations intéressantes : kayak de mer sur les étangs, randonnées pédestres et en raquettes dans les Cévennes, en Aubrac et dans le massif du Canigou.

CANYONING

La technique du canyoning emprunte à la fois à la spéléologie, à la plongée et à l'escalade. Il s'agit de descendre, en rappel ou en saut, le lit des torrents dont on suit le cours au fil des gorges étroites et des cascades. Deux techniques de déplacement sont particulièrement utilisées : le toboggan (allongé sur le dos, bras croisés), pour glisser sur les dalles lisses, et le saut (hauteur moyenne de 8 à 10 m), plus délicat, où l'élan du départ conditionne la bonne réception dans la vasque. Il est impératif d'effectuer un sondage de l'état et de la profondeur de la vasque avant de sauter.

L'initiation débute par des parcours n'excédant pas 2 km, avec un encadrement de moniteurs brevetés.

Nograd/IMAGES DU SUD

Ensuite, il demeure indispensable d'effectuer les sorties avec un moniteur sachant « lire » le cours d'eau emprunté et connaissant les particularités de la météo locale.

Un des parcours de canyoning les plus pittoresques est la descente des gorges du Llech, dans les Pyrénées-Orientales.

HYDROSPEED (NAGE EN EAU VIVE)

Cette forme très sportive de descente à la nage des torrents exige une maîtrise de la nage avec palmes et une bonne condition physique. Elle se pratique équipée d'un casque et d'une combinaison, le buste appuyé sur un flotteur caréné très résistant (l'hydrospeed) ; le mouvement des palmes permet d'éviter les rochers et d'orienter la descente.

RAFTING

C'est le plus accessible des sports d'eau vive. Il s'agit de descendre le cours des rivières à fort débit dans des radeaux pneumatiques à 6 ou 8 places maniés à la pagaie et dirigés par un moniteur-barreur installé à l'arrière. L'équipement isotherme et antichoc est fourni par le prestataire.

Pour tout renseignement : **AN Tour**, 144 r. de Rivoli, 75001 Paris, ☎ 01 42 96 63 63.

RENSEIGNEMENTS

Fédération française de canoë-kayak – 87 quai de la Marne, BP 58, 94344 Joinville-le-Pont, ☎ 01 45 11 08 50. La fédération édite, avec le concours de l'IGN, une carte France canoë-kayak et sports d'eaux vives, avec tous les cours d'eau praticables. 3615 canoëplus.

escalade

Le relief particulier des montagnes des Cévennes, des Pyrénées ou des profondes gorges du Tarn, de la Jonte, d'Héric... constitue un véritable paradis pour les amateurs d'escalade. Avant d'atteindre l'assurance des prises, la grâce d'évolution des grimpeurs aguerris et d'apprivoiser le « gaz » sous les pieds, le néophyte aura à cœur de se laisser accompagner par un guide de montagne ou un moniteur d'escalade breveté d'État pour maîtriser les techniques de base afin d'accéder à l'autonomie ; pour ce faire, son choix se portera sur la journée ou demi-journée de rocher-école ou sur un stage évolutif qui se conclura sur des sites plus difficiles. Les offices de tourisme et les clubs d'escalade proposent en saison une large gamme de prestations en initiation et en entraînement.

Fédération française de la montagne et de l'escalade – 8-10 quai de la Marne, 75019 Paris, ☎ 01 40 18 75 50. 3615 ffme ou www.ffme.fr. Consulter également le *Guide des sites naturels*

d'escalade en France, par D. Taupin (Éd. Cosiroc/FFME) pour connaître la localisation des sites d'escalade dans la France entière.

golf

Certains golfs sont proposés dans les « carnets pratiques » du guide.

Forfait – Le CRT Languedoc-Roussillon propose un golf-pass de 5 *green-fees* « journée » à 175€, utilisables sur 20 parcours différents pendant 21 jours consécutifs (possibilité de jouer pendant 2 jours sur un même parcours). Dans ce guide sont concernés les golfs de Carcassonne, Montpellier-Massane, Montpellier-Fontcaude, Béziers, Le Cap-d'Agde, La Grande-Motte, La Canourgue, Langogne, La Garde-Guérin, Font-Romeu, St-Cyprien, St-Laurent-de-Cerdans, Nîmes, Coulondres et Falgos. Réservation auprès du golf de votre choix, 48h à l'avance.

navigation de plaisance

Sur la côte languedocienne, les nombreux ports de plaisance offrent plus de 10 000 postes à quai. Sélectionnés pour les services qu'ils offrent, ils figurent sur la carte des lieux de séjour, p. 24.

Des renseignements peuvent être obtenus : auprès des capitaineries de Narbonne-Plage (☎ 04 68 49 91 43), Port-Leucate (☎ 04 68 40 91 24), Port-Barcarès (☎ 04 68 86 07 35), Valras (☎ 04 67 32 33 64), Cap-d'Agde (☎ 04 67 26 00 20), Port-Ambonne (☎ 04 67 26 00 23), Marseillan (☎ 04 67 77 34 93), Sète (☎ 04 67 74 38 05), Mèze (☎ 04 67 43 58 94), Frontignan (☎ 04 67 18 44 90), Palavas-les-Flots (☎ 04 67 07 73 50), Carnon (☎ 04 67 68 10 78), La Grande-Motte (☎ 04 67 56 50 06), Canet-Plage (☎ 04 68 73 58 73), St-Cyprien-Plage (☎ 04 68 21 07 98), Port-Vendres (☎ 04 68 82 08 84), Banyuls-sur-Mer (☎ 04 68 88 30 32). ou à l'association des ports de plaisance du Languedoc-Roussillon, hôtel de ville, 34250 Palavas-les-Flots, ☎ 04 67 07 73 50.

pêche en eau douce

La région décrite dans ce guide, riche en rivières aux eaux courantes et froides et en lacs, attire de nombreux pêcheurs. Le plateau des Bouillouses en particulier, parsemé de nombreux lacs naturels, a conservé son caractère sauvage (accès au départ de Font-Romeu et de Mont-Louis).

Généralement, le cours supérieur des rivières est classé en 1re catégorie tandis que les cours moyen et inférieur le sont en 2e. Quel que soit l'endroit choisi, il convient d'observer la réglementation nationale et locale, de s'affilier pour l'année en cours dans le département de son choix à une association de pêche et de pisciculture agréée, d'acquitter les taxes afférentes au mode de pêche pratiqué ou éventuellement d'acheter une carte journalière.

Pour ceux qui veulent apprendre les diverses techniques de pêche (à la mouche, au toc), il existe des écoles ou des guides de pêche (se renseigner auprès des offices de tourisme).

Fédération départementale de pêche de la Lozère – 12 av. Paulin-Daudé, 48000 Mende, ☎ 04 66 65 36 11. www.lozerepeche.com

Conseil supérieur de la pêche – Immeuble « Le Péricentre », 16 av. Louison-Bobet, 94132 Fontenay-sous-Bois Cedex, ☎ 01 45 14 36 00.

Pêche en famille – École française de pêche – M. Stéphane Sence, BP 16, 33450 St-Sulpice-et-Cameyrac, ☎ 05 56 30 24 50, fax 05 56 30 27 60. www.ecoledepeche.com

pêche en mer

Les amateurs de pêche en eau salée pourront exercer leur sport favori à pied, en bateau ou en plongée le long des côtes et dans les étangs.

Dans les étangs, la faune aquatique est très nombreuse : on y trouve des anguilles, des daurades, des loups, des sivades, des anthérines Joël et des mulets.

Plusieurs prestataires proposent aux estivants des parties de pêche au gros en mer, pour une demi-journée ou une journée entière, durant lesquelles on peut apprendre les techniques de pêche à la traîne et participer à des compétitions. Poissons le plus souvent pêchés : thons, petits requins, espadons.

Fédération française pêche mer Languedoc-Roussillon – 12 r. Font-Martin, 34470 Pérols, ☎ 04 67 17 04 93.

Fédération française des pêcheurs en mer – Résidence Alliance, centre Jorlis, 64600 Anglet, ☎ 05 59 31 00 73. www.FFPM.org

plongée sous-marine

La plongée sous-marine nécessite un apprentissage long et motivé, dispensé par des moniteurs titulaires des diplômes de moniteurs fédéraux premier et deuxième degrés ou par des moniteurs titulaires des brevets d'État d'éducateur sportif premier ou deuxième degré, option plongée subaquatique.

Fédération française d'études et de sports sous-marins – 24 quai de Rive-Neuve, 13284 Marseille, ☎ 04 91 33 99 31. 3615 ffessm et www.ffessm.fr. Elle regroupe un grand nombre de clubs locaux et publie un ensemble de fiches présentant les activités subaquatiques de la fédération.

randonnées équestres

La randonnée équestre est une activité en plein développement. Il existe des itinéraires balisés dans toute la région, à travers la garrigue, les causses, la forêt... Pour les connaître et obtenir les topoguides et cartes correspondants, s'adresser aux comités départementaux du tourisme équestre (CDTE), dont les adresses sont disponibles auprès du **Comité national de tourisme équestre** – 9 bd Macdonald, 75019 Paris, ☎ 01 53 26 15 50. E-mail : cnte@ffe.com. Le comité édite une brochure annuelle, *Cheval nature, l'officiel du tourisme équestre*, répertoriant les possibilités en équitation de loisir et les hébergements accueillant cavaliers et chevaux.

Divers organismes, tels que les fermes ou les centres équestres, proposent des randonnées accompagnées sur une ou plusieurs journées, des stages d'équitation, etc.

Association régionale pour le tourisme équestre et l'équitation de loisirs en Languedoc-Roussillon (ATECREL) – 14 r. des Logis, 34140 Loupian, ☎ 04 67 43 82 50.

Ligue Midi-Pyrénées tourisme équestre (ARTEMIP-CRTE) – 31 chemin des Canalets, 31400 Toulouse, ☎ 05 61 14 04 58. www.artemip.com

G. Tordjeman/IMAGES DU SUD

randonnées pédestres

Activité de choix pour découvrir en toute tranquillité les paysages, la randonnée pédestre peut s'adresser à tout le monde. Outre les parcours dont on détermine soi-même l'itinéraire, il existe deux sortes de sentiers balisés : les GR (grande randonnée) et les GRP (grande randonnée de pays). Ils s'adressent aux marcheurs avertis, sur plusieurs centaines de kilomètres pour les GR, limités à une seule région pour les GRP. Les GR : le GR 6 (Alpes-Océan) qui passe par les causses et l'Aubrac, le GR 7 (Vosges-Pyrénées) qui traverse la région du mont Aigoual au canal du Midi, le GR 65 (chemin de Saint-Jacques-de-Compostelle) qui part du Puy, le GR 66 (tour du mont Aigoual), le GR 67 (tour en pays cévenol), le GR 68 (tour du mont Lozère), le GR 70 (chemin de Stevenson), le GR 71 (traversée du Haut-Languedoc) qui parcourt le Larzac, le GR 10 (Pyrénées ariégeoises et catalanes), le GR 7 (Castelnaudary-Andorre), le GR 36 (des châteaux cathares au Canigou), le GR 107 (le chemin des Bonshommes). D'autre part, la Haute Route des Pyrénées (HRP) traverse les Pyrénées d'Est en Ouest. Le jalonnement des sentiers consiste en marques de peinture sur les rochers, les arbres, les murs, les poteaux. Leur fréquence est fonction du terrain.

Fédération française de la randonnée pédestre – 14 r. Riquet, 75019 Paris, ☎ 01 44 89 93 90. www.ffrp.asso.fr. La fédération donne le tracé détaillé des GR, GRP et PR ainsi que d'utiles conseils.
Voir également notre bibliographie (chapitre « Kiosque »).
Les comités régionaux et départementaux de tourisme, les syndicats d'initiative et les offices de tourisme éditent leurs propres parcours, permettant de découvrir les paysages spécifiques à leur région ou pays, le patrimoine culturel et naturel qui s'y rattache. Des brochures sont disponibles gratuitement auprès de ces organismes.

La Balaguère – 65400 Arrens-Marsous, ☎ 05 62 97 20 21. www.labalaguere.fr, 3615 balaguere. Organise des « voyages à pied » dans les Pyrénées, en liberté ou accompagné, avec ou sans portage, parfois sur des thèmes (histoire, santé, musique) et pour tous niveaux.

Chamina Sylva – BP 5, 48300 Langogne, ☎ 04 66 69 00 44. Spécialiste des randonnées à pied avec ou sans accompagnateur, sans portage, dans la région Sud du Massif Central et dans les Pyrénées.

QUELQUES IDÉES ORIGINALES DE RANDONNÉES PÉDESTRES

Fédération nationale ânes et randonnées – Le Pré du Meinge, 26560 Éourres, ☎ 04 92 65 09 07. www.ane-et-rando.com. La FNAR fournit la liste de ses prestataires proposant des randonnées insolites en compagnie d'ânes bâtés.

Association « Sur le chemin de R. L. Stevenson » – 48220 Le Pont-de-Montvert, ☎/fax 04 66 45 86 31. www.chemin-stevenson.org. Cette association a pour but de valoriser l'itinéraire emprunté par l'écrivain Robert Louis Stevenson en 1878 et qu'il a décrit dans *Voyage avec un âne dans les Cévennes*. Elle fournit la liste des gîtes, hôtels, restaurants, loueurs d'ânes et offices de tourisme adhérant à cette initiative, et qui pourront vous aider à organiser votre voyage à pied.

ski

Les Pyrénées catalanes – Elles offrent de vastes champs enneigés bien équipés autorisant la pratique de tous les sports de neige : ski de fond, de randonnée, de piste et aussi des activités récemment apparues qui permettent d'allier sport et sensations nouvelles (ski-parapente, moto-neige...). Certaines stations proposent des excursions en raquettes (tour des lacs et balcon du Roc d'Aude à partir des Angles par exemple). Le Centre européen d'entraînement canin à Font-Romeu élève des chiens de traîneaux et a développé quelques activités : initiation au mushing (conduite d'attelage), cross canin (marche à pied, tracté par un chien), découverte des chiens *(voir le carnet pratique de Font-Romeu)*.
La pratique du ski de fond, déjà connu en 1910 dans le milieu sportif pyrénéen, est particulièrement favorisée par l'étendue des pistes. Dans les Pyrénées catalanes, le domaine skiable nordique du Capcir propose ses pistes de ski de fond au départ de tous les villages.
Le ski alpin se développe de plus en plus, en particulier dans les stations les plus hautes. En outre, le fort ensoleillement dont bénéficient des stations comme Font-Romeu attire de plus en plus de skieurs, qu'ils soient petits ou grands (le label Kid a été attribué aux stations de Font-Romeu et des Angles). Pour pallier l'irrégularité de l'enneigement, la plupart des stations disposent de canons à neige.
Ne pas oublier qu'un manteau neigeux peu stable peut déclencher des avalanches. Avant de s'engager sur une piste, et surtout hors pistes, se renseigner sur l'état de la couche neigeuse dans les stations.

Le Sud du Massif Central – En hiver, en Aubrac, sur le mont Lozère et autour de l'Aigoual, les grandes étendues se prêtent parfaitement à ce sport. Le ski de fond reste majoritairement pratiqué par rapport au ski de piste, étant donné la nature

Stations	Nombre de pistes de ski alpin	Remontées mécaniques	Km de pistes de ski de fond	Rensei-gnements	Page de description détaillée
Les Angles	32	21	42	04 68 04 32 76	140
Bolquère/ Pyrénées 2000	40	31	90	04 68 30 12 42	201
Espace Cambre d'Aze	25	17	8	04 68 04 78 66	160
Camurac	16	7	15	04 68 20 75 89	343
Err-Puigmal 2600	18	8	10	04 68 04 72 94	160
Font-Romeu	40	29	80	04 68 30 68 30	201
Formiguères	18	8	53	04 68 04 47 35	140
Ordino (Andorre)	25	14	3	(376) 85 01 21	-
Pal-Arinsal (Andorre)	41	31	23	(376) 73 70 00	-
Pas de la Casa/ Grau Roig (Andorre)	55	31	12	(376) 80 10 60	109
Porté-Puymorens	16	12	21	04 68 04 82 16	161
Puyvalador	16	9		04 68 04 44 83	140
La Quillane	2	2	20	04 68 04 22 25	-
Soldeu-El-Tarter (Andorre)	52	29	3	(376) 89 05 00	109

du relief ; il existe néanmoins des pistes de ski de descente dans les Cévennes (stations du Bleymard, du mas de la Barque et du mont Aigoual) ainsi que dans l'Aubrac (station de Nasbinals).

Comité régional de ski Cévennes-Languedoc, Espace République, 20 r. de la République, 34000 Montpellier, ☎ 04 67 22 94 92. http://skicevenneslanguedoc.free.fr
Comité départemental de ski en Lozère, Maison départementale des sports, r. du Fbg-Montbel, 48000 Mende, ☎ 04 66 49 12 12 ou 04 66 49 17 17.

Nogrady/IMAGES DU SUD

spéléologie

Dans ce pays truffé de grottes et d'avens, les spéléologues peuvent s'adonner un peu partout à leur passion. Certains sites, comme par exemple les avens des causses, sont classés parmi les plus réputés de France.

L'équipement spécifique donne la mesure de la haute technicité atteinte par la spéléo : combinaison renforcée, matériel d'escalade complet et spécial (cordes fines pour le rappel), souvent canoë pneumatique, casque, sac étanche et bien sûr lampe au carbure et halogène. Le principal risque provient des crues transformant un innocent passage asséché en piège mortel ; la difficulté de la prévision constitue le principal facteur de risque : en effet, la montée brusque des eaux peut être provoquée par des orages situés à des kilomètres de la grotte. Aussi, seul un accompagnateur breveté de spéléo, connaissant parfaitement le réseau hydrographique, assure la garantie d'une découverte au risque minimal. Ainsi encadré, le visiteur attentif pourra apprécier les particularités d'une journée en randonnée souterraine : perte rapide pour le profane de la notion naturelle du temps et de l'orientation et une vision progressive qui l'amène à s'attacher aux détails des concrétions qui seront les jalons de sa marche. Le retour à la surface après ce long parcours sera marqué par une multitude de sensations olfactives habituellement insoupçonnées.

École française de spéléologie – 28 r. Delandine, 69002 Lyon, ☎ 04 72 56 35 76.

Fédération française de spéléologie – 130 r. St-Maur, 75011 Paris, ☎ 01 43 57 56 54.

Voile, planche à voile

SUR LACS ET PLANS D'EAU

Lacs et plans d'eau sur lesquels on peut pratiquer la voile ou la planche à voile :

Aude – Étang de Bages et de Sigean, de Leucate, lac de la Ganguise, de Jouarre.
Aveyron – Lacs de Villefranche-de-Panat, Pareloup, Pont-de-Salars.
Gard – Lac des Camboux.
Hérault – Étang de Thau, lac de la Ravière, du Salagou.
Lozère – Lacs de Naussac, Villefort.
Pyrénées-Orientales – Lac de Matemale.

SUR MER

Sur la côte, les écoles de voile reconnues par la Fédération française de voile proposent des stages ou des cours permettant d'établir un premier contact avec l'Optimist, le dériveur double ou solitaire, la planche à voile, le catamaran, puis d'en perfectionner la pratique. **Fédération française de voile** – 17 r. Henry-Bocquillon, 75015 Paris, ☎ 01 40 60 37 00. www.ffvoile.org
Ligue de voile du Languedoc-Roussillon – Espace Voile - Bât.C 6 Le Patio Santa Monica - 1815, av. Marcel-Pagnol - 34470 Perols ☎ 04 67 50 48 31.

France Station Voile - Nautisme et Tourisme – 17 r. Boissière, 75116 Paris, ☎ 01 44 05 96 55. www.france-nautisme.com
Le réseau France stations nautiques regroupe sous le nom « stations nautiques » des villages côtiers, des stations touristiques ou des ports qui s'engagent à offrir les meilleures conditions pour pratiquer l'ensemble des activités nautiques.
Dans le guide figure la station du Cap-d'Agde.

L. Campion/MICHELIN

Forme et santé

L'abondance des sources minérales et thermales a fait la renommée des Pyrénées dès l'Antiquité. Par leur nature et leur composition variées, elles offrent un large éventail de propriétés thérapeutiques.
Prenant le relais du thermalisme mondain d'autrefois, le thermalisme actuel attire des foules de curistes venus se soigner pour des affections très diverses, respiratoires et rhumatismales principalement.
Les eaux pyrénéennes appartiennent à deux grandes catégories, les sources sulfurées et les sources salées.

thermalisme

LES SOURCES SULFURÉES

Leur température, tiède, peut s'élever jusqu'à 80 °C. Le soufre, qualifié de « divin » par les Grecs, en raison de ses vertus médicales, entre dans leur composition en combinaisons chloro-sulfurées et sulfurées-sodiques. Sous forme de bains, douches et humages, ces eaux sont utilisées dans le traitement de nombreuses affections : oto-rhino-laryngologie (oreilles, nez, gorge et bronches), maladies osseuses et rhumatismales, rénales et féminines.

Les principales stations de ce groupe sont :
Amélie-les-Bains – Établissement thermal, pl. Mar.-Joffre, 66113 Amélie-les-Bains, ☎ 04 68 87 99 00. Rhumatologie, voies respiratoires.
Bagnols-les-Bains – Pl. des Thermes, 48190 Bagnols-les-Bains, ☎ 04 66 47 60 02. Rhumatologie et affections ORL. Espace remise en forme.
Balaruc-les-Bains – Établissement thermal, allée des Sources, BP 45, 34540 Balaruc-les-Bains, ☎ 04 67 51 76 00. Traitement des affections osseuses et rhumatismales.
Eau thermale chlorurée sodique.
Molitg-les-Bains – Les Thermes, 66500 Molitg-les-Bains, ☎ 04 68 05 00 50. Rhumatologie, voies respiratoires, dermatologie.
La Preste-les-Bains – BP 001, 66233 Prats-de-Mollo-La Preste, ☎ 04 68 87 55 00. Appareil urinaire, maladies métaboliques et rhumatologie. Forfaits sur 6 ou 12 jours, Therm'découverte (4 soins au choix), forfait beauté.
Rennes-les-Bains – Villégiatherm - établissement thermal, Grand'rue des Thermes, 11190 Rennes-les-Bains, ☎ 04 68 74 71 30. Rhumatologie et remise en forme.

Vernet-les-Bains – Établissement thermal, av. des Thermes, 66820 Vernet-les-Bains, ☎ 04 68 05 52 84. www.thermes-vernet.com. Rhumatologie, voies respiratoires, ORL.

Il existe également dans les Pyrénées-Orientales des bains chauds, sauvages ou aménagés, en plein air. Sans vertu curative reconnue, ils procurent cependant une détente et un bien-être appréciables ; chacun peut y accéder librement (entrée payante dans les bains aménagés). *Voir, dans la partie « Villes et sites », les chapitres consacrés à la Cerdagne et au Conflent.*

LES SOURCES SALÉES

Les eaux bicarbonatées-sodiques et calciques sont dites « sédatives ». On les trouve à :

La Chaldette – Centre thermal et Espace forme de La Chaldette, 48310 Brion, ☎ 04 66 31 68 00. Pathologies respiratoires, digestives et métaboliques.
Eaux bicarbonatées-sodiques et calciques.

Lamalou-les-Bains – Établissement thermal (chaîne thermale du Soleil), av. Georges-Clemenceau, 34240 Lamalou-les-Bains, ☎ 04 67 23 31 40. Rhumatologie, neurologie et traumatologie. Forfaits journée (43€) ou semaine (environ 265€) de remise en forme. Visite guidée : mer. 14h30. 2€.

Les eaux froides sulfatées et bicarbonatées sont présentes à :

Alet-les-Bains – Établissement thermal, 11580 Alet-les-Bains, ☎ 04 68 69 90 27. Traitement des troubles du métabolisme et des voies digestives, obésité, diabète, cholestérol. Remise en forme.

Avène-les-Bains – Établissement thermal, 34260 Avène-les-Bains, ☎ 04 67 23 41 87. Ses eaux bicarbonatées complexes sont prescrites en dermatologie. Les animations pour enfants (établissement et station) ont justifié l'attribution du label « Station Kid ».

Le Boulou – Thermes du Boulou, RN 9, 66160 Le Boulou, ☎ 04 68 87 52 00. Traitement des affections digestives, hépato-biliaires et métaboliques et des maladies cardio-artérielles. Deux des cinq sources sont réservées à l'embouteillage.
Eaux bicarbonatées-sodiques, calciques et carbogazeuses.

Les Fumades – Thermes des Fumades-les-Bains, 30500 Allègre-les-Fumades, ☎ 04 66 54 08 08. Traitement des voies respiratoires, de la pneumologie et des maladies de la peau ainsi que la remise en forme. Eaux thermales très riches en hydrogène sulfuré (« La reine du soufre »).

thalassothérapie

À la différence du thermalisme, la thalassothérapie n'est pas considérée comme un soin médical (le séjour n'est d'ailleurs pas remboursé par la Sécurité sociale), même si le patient a la possibilité d'être suivi par un médecin. L'eau de mer possède certaines propriétés qui sont surtout utilisées lors de stages de remise en forme, de beauté, de séjours pour futures ou jeunes mamans, de forfaits spécial dos, antistress et antitabac. Sur la côte languedocienne, les deux grands centres de thalassothérapie sont localisés à **La Grande-Motte** et au **Cap-d'Agde** ; sur les côtes du Roussillon, à **Port-Barcarès** et **Banyuls-sur-Mer**. Ces centres proposent des séjours d'une semaine ou plus mais aussi des forfaits à la journée ou au week-end, avec ou sans logement.

adresses utiles

Sur la carte des lieux de séjour, p. 24, sont localisés les stations thermales et les centres de thalassothérapie de la région couverte par ce guide. *Le Guide Rouge Michelin France* signale les dates officielles d'ouverture et de clôture de la saison thermale.

Union nationale des établissements thermaux – 1 r. Cels, 75014 Paris, ☎ 01 53 91 05 75. www.france-thermale.org

Chaîne thermale du Soleil/Maison du Thermalisme – 32 av. de l'Opéra, 75002 Paris, ☎ 01 44 71 37 00 ou 0 800 050 532 (N° Vert). 3614 novotherm. www.sante-eau.com

Fédération mer et santé – 8 r. de l'Isly, 75008 Paris, ☎ 01 44 70 07 57. 3615 thalasso et www.thalassofederation.com

Maison de la thalassothérapie – 10 r. Denis-Poisson, 75017 Paris, ☎ 08 25 07 97 07. www.thalasso-online.com

Souvenirs

Vous n'aurez pas de mal à trouver par vous-même les rues commerçantes des villes que vous parcourrez. Sachez néanmoins des « carnets pratiques » des villes et sites décrits vous proposent quelques bonnes adresses.

Très important dans la vie des communes, le marché est un moment sacré fait de rencontres et d'échanges. Tout en couleurs, parfums et senteurs, il constitue une excellente façon de connaître une région et de découvrir les produits locaux que proposent les producteurs eux-mêmes.

que rapporter ?

À DÉGUSTER

Douceurs – Les grisettes (bonbons à la réglisse) et oreillettes (beignets à la fleur d'oranger) de Montpellier, les tourons et la crème catalane, les rousquilles d'Amélie-les-Bains, les croquants (biscuits très secs aux amandes) et le miel des Cévennes, l'amellonade (brioche) de Florac, les berlingots de Pézenas, les alléluias (pâtisseries) de Castelnaudary, le nougat de Limoux.

Spécialités gastronomiques – Le cassoulet (en boîte) de Castelnaudary, les anchois salés (en bocal) de Collioure, les petits pâtés de Pézenas, et puisque nous sommes dans le pâté, celui du Vigan, aux grives. Toutes les saveurs de la montagne rassemblées dans les diverses charcuteries de Cerdagne et des Cévennes.

Fromages – Les inimitables pélardons des Cévennes, à déguster frais ou bien secs (ils sont alors plus forts) ou encore chauds sur un lit de salade. Le roquefort (fromage de brebis), le bleu des causses (fromage de vache), la fourme d'Aubrac (pour vous préparer un bon aligot).

Les bons pélardons des Cévennes.

Fruits – Les abricots rouges et les pêches du Roussillon à acheter par cageots entiers pour faire des confitures ou des bocaux, des tartes ou des clafoutis, les cerises de Céret, les pommes reinettes du Vigan.

Alcools – Tous les vins du Languedoc et du Roussillon – pour cela, vous aurez l'embarras du choix entre les rouges, les rosés et les blancs –, les vins doux naturels, des muscats au maury, et quelques apéritifs comme le carthagène à Narbonne et Ste-Enimie, le Byrrh à Thuir, le Cerno à Millau.

À PORTER

Gants – Ceux de Millau, bien sûr ! En agneau le plus souvent, teints, brodés, ajourés ou tout simples ; il y en a pour tous les goûts.

Soie – Pour vous faire une idée du travail qu'il a fallu fournir pour fabriquer le foulard, la cravate ou le chemisier que vous allez acheter, suivez donc le « Chemin de la soie », dans les Cévennes *(voir Itinéraires à thème)*. Cet itinéraire passe par le musée du Vieux Nîmes, le Musée cévenol et la maison des Magnans du Vigan, la magnanerie de la Roque à Molezon, la filature du Mazel à N.-D.-de-la-Rouvière, la filature de Maison-Rouge à St-Jean-du-Gard, le domaine de Puechlong (culture de mûriers) à St-Nazaire-des-Gardies, le musée de la Soie à St-Hippolyte-du-Fort et le musée des Vallées cévenoles à St-Jean-du-Gard. Ensuite, laissez-vous tenter par les vêtements mais aussi les objets de décoration en soie (boutique du musée de la Soie à St-Hippolyte-du-Fort).

Bijoux – Tout particulièrement les grenats de Perpignan, montés en bague, pendants d'oreilles, collier ou encore, témoignage magnifique de la tradition perpignanaise du 18e s., en croix badine.

POUR LA MAISON

Poteries – Ce sont généralement de belles poteries artisanales recouvertes d'émail naturel dans les tons verts, jaunes, bleus, bruns. On en trouve sur tous les marchés estivaux des Cévennes, mais également dans les villages touristiques du Languedoc où des artisans sont venus s'installer. Pour votre jardin ou votre terrasse, accordez-vous une petite folie en faisant l'acquisition d'un beau vase d'Anduze.

Tissus – C'est en Cerdagne que l'on trouve de belles toiles tissées aux couleurs jaune et rouge. On y taille du linge de maison (nappes, torchons), mais aussi le tissu des espadrilles, si jolies aux pieds des danseurs de

Cloches – Pas pour mettre à votre cou mais à celui de votre chèvre, de votre mouton, de votre vache... Ou tout simplement pour appeler vos convives à table, pour servir de clochette à l'entrée de votre porte. On en trouve de belles à la fonderie d'Hérépian, près de Lamalou-les-Bains.

Verrerie – Pendant près de cinq siècles, sur la causse de l'Orthus, entre Sommières et Ferrières-les-Verreries, des dynasties de gentilshommes verriers ont soufflé le verre. Le « Chemin des verriers » *(voir Itinéraires à thème)* retrace leur histoire et présente les techniques d'hier et d'aujourd'hui, notamment à travers la visite des verreries de Couloubrines et de Claret ou celle des ateliers d'artisans de Vacquières.

*Fabrication d'espadrilles,
à St-Laurent-de-Cerdans.*

sardane. Essayez-en une paire, vous découvrirez le confort de marcher dans ces chaussures de toile et de corde, idéales pour l'été.

Kiosque

OUVRAGES GÉNÉRAUX – GÉOGRAPHIE – ÉCONOMIE
Aimer le Languedoc-Roussillon, A. Dag Naud, Ouest-France, 1996.
Paysages des Cévennes, F. de Richemond, Privat, 2000.
Lozère, Lozère, J. Brager et A. Gas, La Régordane, 1990.
En effeuillant la Margeride, J.-F. Salles et B. Vanel, La Régordane, 1989.
La France côté nature : Languedoc-Roussillon, D. Dufour, Édisud, 1996.
Le Grand Guide des Pyrénées, Milan, 1995.
Aude, Bonneton, 1994.
Languedoc méditerranéen, Bonneton.

HISTOIRE – ART
Promenade en Roussillon roman, O. Poisson, coll. « Itinéraires culturels », Zodiaque, 2003.
Histoire du Languedoc, P. Wolff, coll. « Univers de la France, Histoire des Provinces », Privat, 2000.
Histoire de Béziers, de Carcassonne, de Montpellier, de Narbonne, de Perpignan, de Sète, coll. « Univers de la France, Histoire des Villes », Privat, 2000.
Histoire des Catalans, C. Colomer et M. Bouille, Milan, 1990.
Les Cathares, R. Nelli, Marabout, 1981.
Histoire générale du protestantisme, É. G. Léonard, coll. « Quadrige », PUF, 1994.
Languedoc roman, Zodiaque, 1975.

VIE PRATIQUE
Animaux sauvages des Pyrénées, C. Dendaletche, Milan, 1990.
Voyous et Gentlemen, une histoire du rugby, J. Lacouture, Gallimard, coll. « Découvertes », 1993.

La Fabuleuse Histoire du rugby, H. Garcia, Nathan, 1991.
Pour retrouver les airs sur lesquels vous avez dansé la sardane, les éditions phonographiques Dino (Cabestany) proposent un CD consacré aux sardanes en pays catalan.

RANDONNÉES
Les Sentiers d'Émilie en Cerdagne et Capcir, en pays cathare, en Vallespir et sur la Côte Vermeille, en Conflent et Fenouillèdes, Rando éditions, 2000.
Les plus belles balades dans l'Aude, en pays cathare, autour de Perpignan, Éd. du Pélican, 1994.
Randonnées dans les Pyrénées orientales, Rando éditions, 1992.
Le guide rando Canigou, Cerdagne et Capcir, Rando éditions.

RÉCITS – ROMANS
Contes et légendes
Contes populaires en Cévennes, J. N. Pelen, Payot, 1994.
Contes à mi-voix, J.-P. Chabrol, Grasset, 1985.
Escapades en Lozère : mes contes et ses légendes, L. Barraud, Christian Lacour, 1994.

Romans du terroir
Voyage avec un âne dans les Cévennes, R. L. Stevenson, coll. « 10/18 », UGE, 1998.
La Colline aux chèvres, J. Vigne, Christian Lacour, 1989.
L'Épervier de Maheux, J. Carrière. Prix Goncourt 1972, Robert Laffont, 1992.
Les Années sauvages, J. Carrière, Robert Laffont.

Jean-Pierre Chabrol, le conteur cévenol.

Catarina/STILLS

Les Fous de Dieu, J.-P. Chabrol, Gallimard, 1998.
La Banquise, J.-P. Chabrol, Presse de la Cité, 1998.
Suite cévenole, A. Chamson, Bartillat, 1992.
La Gantière, D. Crozes, éd. du Rouergue, 1997.
La Louve brune, M. Lefrançois-Marcel, Christian Lacour, 1996.
Lozère bleue, L. Barraud, Christian Lacour, 1992.
Nous les filles, M. Rouanet, Payot, 1990.

Étés de cendre, G. Bon, Robert Laffont, 1985.
L'Offrande du Sud, J.-L. Magnon, Livre de Poche, 1993.
Les Larmes de la vigne, J.-L. Magnon, Seghers, 1991.
Les Arbres de l'égalité, Ch. Pastre, Presses du Languedoc, 1989.
Au temps des Mongols, F. Bernardi, Publications de l'Olivier, 1990.
Maleterre, D. Goupil, Alfil.
La Coïncidence, J.-P. Pelras, Llibres del Trabucaïre, 1994.

Romans en catalan et en occitan
Punts de Creu, J. Cabanas, Llibres del Trabucaïre, 1986.
Les Rois de Majorque (traduit), J. Tocabens, Llibres del Trabucaïre, 1995.
Lo Miralhet, R. Gougaud, A Tots.

BD

La Révolte des camisards, P. Astruc, Presses du Languedoc-Loubatières, 1984.

PRESSE

Quotidiens – *La Dépêche du Midi* à Perpignan et Narbonne, *L'Indépendant* dans l'Aude et le Roussillon, *Le Midi Libre*.

Revues – *Pyrénées Magazine* (Milan Presse), *Terres Catalanes*, *Pays Cathare Magazine*, *Massif Central Magazine*.

Cinéma

Le Languedoc-Roussillon est apparu sur les grands écrans dans de nombreux films. Entre autres, ont été tournés :
C'est quoi la vie ? (1999), de François Dupeyron : dans les causses.
Microcosmos (1996), de Claude Nuridsany et Marie Perennou : dans l'Aveyron.
L'Enfer (1994), de Claude Chabrol, avec Emmanuelle Béart et François Cluzet : à Revel (Tarn).

Libellules, actrices dans le film Microcosmos.

C. Nuridsany, M. Perennou

Les Visiteurs (1993), de Jean-Marie Poiré : à Carcassonne (Aude).
La Belle Noiseuse (1991), de Jacques Rivette, avec Michel Piccoli : à St-Jean-de-Cuculles et Assas (Hérault).
Robin des Bois, prince des voleurs (1991), de Kevin Reynolds, avec Kevin Costner : à Carcassonne (Aude).
Maman (1990), de Romain Goupil, avec Anémone : à Montpellier et Frontignan (Hérault).
Un week-end sur deux (1989), de Nicole Garcia, avec Nathalie Baye : dans plusieurs localités de l'Hérault.
La Maison assassinée (1987), de Georges Lautner : à Sauve (Gard).
Jean de Florette et **Manon des sources** (1986), de Claude Berri, avec Emmanuelle Béart et Gérard Depardieu : à Sommières (Gard).
37°2 le matin (1986), de Jean-Jacques Beineix, avec Béatrice Dalle et Jean-Hugues Anglade : à Gruissan (Aude) et Marvejols (Lozère).
Scout toujours (1985), de Gérard Jugnot : à Florac (Lozère).
Le Bâtard (1982), de Bertrand Van Effenterre : à Alès (Gard).
Touche pas à mon copain (1977), de Bernard Bouthier : à Sète (Hérault).

L'homme qui aimait les femmes
(1977), de François Truffaut, avec
Charles Denner : à Montpellier
(Hérault).
L'Alpagueur (1976) de Philippe
Labro : dans les environs de
Perpignan (Pyrénées-Orientales).
Le Gitan (1975), de José Giovanni,
avec Alain Delon : à Sète (Hérault).
L'Évadé (1974), de Tom Gries : au fort
de Bellegarde (Pyrénées-Orientales).
L'Emmerdeur (1973), d'Édouard
Molinaro, avec Jacques Brel : à
Montpellier (Hérault).
Deux hommes dans la ville (1973),
de José Giovanni, avec Alain Delon : à
Montpellier (Hérault).
Une belle fille comme moi (1972),
de François Truffaut, avec Bernadette
Laffont : à Lunel (Hérault).
La Scoumoune (1972), de José
Giovanni : au fort de Bellegarde
(Pyrénées-Orientales).

Les Camisards (1971), de René Allio :
à Florac (Lozère).
Le Petit Baigneur (1968), de Robert
Dhéry, avec Louis de Funès : à
Collioure (Pyrénées-Orientales).
Un homme de trop (1967), de Costa-
Gavras, avec Charles Vanel : dans les
Cévennes.
La Grande Vadrouille (1966), par
Gérard Oury, avec Louis de Funès et
Bourvil : au chaos de Montpellier-le-
Vieux (Aveyron).
Cartouche (1961), de Philippe de
Broca, avec Jean-Paul Belmondo : à
Pézenas (Hérault).
La Pointe courte (1956), d'Agnès
Varda, avec Philippe Noiret : aux
environs de Sète (Hérault).
Le Salaire de la peur (1953), de
Henri-Georges Clouzot, avec Charles
Vanel et Yves Montand : à la
bambouseraie de Prafrance à Anduze
(Gard).

Escapade à l'étranger

Comme vous le savez, les Pyrénées
marquent la frontière entre la France
et l'Espagne et avec la principauté
d'Andorre. Dans la portion de la
chaîne traitée dans ce guide, sept
routes mènent en Espagne. La N 114
passe la frontière au col des Balitres
avec Cerbère du côté français et
Portbou du côté espagnol ; la N 9 et
l'A 9 au col du Perthus (village-
frontière du Perthus) ; la D 115 au col
d'Ares ; la N 20 et la N 116 à Puigcerdà
(Espagne) avant d'avoir transité par
Bourg-Madame (France) ; la N 22 au
village-frontière du Pas de la Casa
(Andorre).
Pour définir l'itinéraire entre votre
point de départ en France et votre
destination en Espagne, consultez les
cartes Michelin nos 571 à 579 au
1/400 000 couvrant l'ensemble du
pays. La carte n°574 couvre la partie
de frontière commune avec le
Languedoc-Roussillon.
La vitesse est limitée à 50 km/h dans
les villes et agglomérations, à
90 km/h sur le réseau courant, à
100 km/h sur les voies rapides et à
120 km/h sur les autoroutes. Le port
de la ceinture de sécurité est
obligatoire à l'avant du véhicule.
La route reste donc la meilleure façon
de se rendre en Espagne, malgré les
interminables bouchons qui se
forment en été, en particulier au
Perthus et au Pas de la Casa.
Alternative à la route, on peut prendre
la ligne de chemin de fer qui longe la
côte au départ de Perpignan (arrêt à
Cerbère et Portbou) ou celle qui passe
par Puigcerdà.

ADRESSES UTILES

Office espagnol du tourisme –
43 r. Decamps, 75116 Paris,
☎ 01 45 03 82 50. 3615 Espagne.
www.espagne.infotourisme.com
**Office du tourisme de la
principauté d'Andorre** –
26 av. de l'Opéra, 75001 Paris,
☎ 01 42 61 50 55. 3615 Andorra.
www.tourisme-andorre.net

FORMALITÉS D'ENTRÉE

Pièces d'identité – La carte nationale
d'identité en cours de validité ou le
passeport (même périmé depuis
moins de 5 ans) sont valables pour les
ressortissants des pays de l'Union
européenne, d'Andorre, du
Liechtenstein, de Monaco, de Suisse.
Les mineurs voyageant seuls ont
besoin d'un passeport en cours de
validité. S'ils n'ont que la carte
d'identité, il est demandé une
autorisation parentale sous forme
d'attestation délivrée par la mairie ou
le commissariat de police.

Véhicules – Pour le conducteur :
permis de conduire à trois volets ou
permis international. Le conducteur
doit être en possession d'une
autorisation écrite du propriétaire, si
celui-ci n'est pas dans la voiture. Outre
les papiers du véhicule, il est nécessaire
de posséder la carte verte d'assurance.

Animaux domestiques – Pour les
chats et les chiens, un certificat de
vaccination antirabique de moins d'un
an, un certificat de bonne santé
(depuis moins de 10 jours) et le carnet
de santé à jour sont exigés.

Assurance sanitaire – Afin de profiter de la même assistance médicale que les Espagnols, les Français avant le départ doivent se procurer le formulaire E 111 auprès de leur centre de paiement de Sécurité sociale. Dès l'arrivée en Espagne, vous devez solliciter auprès de la Dirección provincial del Instituto Nacional de la Seguridad Social un carnet à souches de soins de santé qui vous sera remis en échange de l'imprimé E 111.

CARTES DE CRÉDIT

Les chèques de voyage et les principales cartes de crédit internationales (dont la carte bleue Visa) sont acceptés dans presque tous les commerces, hôtels et restaurants. En Espagne, les distributeurs de billets fonctionnent notamment avec la carte Visa internationale. En Andorre, certaines opérations financières (carte bleue Visa, carte 24h/24) sont possibles à la Caisse d'Épargne de la Poste d'Andorra la Vella.

HORAIRES

En Espagne comme en Andorre, les horaires sont assez différents de ceux pratiqués en France. À titre indicatif : déjeuner 13h30-15h30, dîner 21h-23h.

Bureaux de poste – 9h-14h. Les bureaux principaux dans les grandes villes restent ouverts 24h/24.

Banques – En général 9h-14h les jours de semaine. En été, elles sont fermées le samedi.

Magasins – Généralement 9h30 ou 10h-13h30 et 16h30-20h ou 20h30. Cependant, de plus en plus de commerces restent ouverts à l'heure du déjeuner et même le samedi après-midi. Ils sont fermés le dimanche. En été, dans les régions touristiques, il n'est pas rare de trouver des commerces ouverts jusqu'à 22h ou 23h.

Pharmacies – Généralement 9h30-14h et 16h30-20h. Service de garde assuré la nuit, les dimanches et jours fériés. La liste des établissements de garde est affichée en vitrine des pharmacies.

A. Thuillier/MICHELIN

Boîte aux lettres andorrane.

POSTE ET TÉLÉCOMMUNICATIONS

COURRIER

Espagne – Les bureaux de poste sont signalés par le nom *Correos*. Les timbres *(sellos)* sont également en vente dans les bureaux de tabac *(estancos)*.

Principauté d'Andorre – La Poste française et la Poste espagnole coexistent. Pour la Poste française, il existe un bureau de plein exercice à Andorra la Vella et six agences postales (Canillo, Encamp, Pas de la Casa, Ordino, La Massana et Sant Julià de Lòria). Pour les relations postales avec la France, utiliser les boîtes aux lettres jaunes de type français.

TÉLÉPHONE

Espagne – Pour appeler la France depuis l'Espagne, composer le 00, suivi du 33 et du numéro du correspondant (9 chiffres). De la France vers l'Espagne, composer le 00, suivi du 34 et du numéro de l'abonné (9 chiffres).
Les cartes téléphoniques *(tarjetas telefónicas)* sont en vente dans les bureaux de poste et dans les *estancos*.

Principauté d'Andorre – Depuis la principauté d'Andorre vers la France, composer le 00, suivi du 33 et du numéro du correspondant (9 chiffres). De la France vers la principauté, composer le 00, suivi du 376 et du numéro de l'abonné (6 chiffres). La principauté est connectée avec la quasi-totalité des réseaux de télécommunications privés des pays de l'Europe.

Calendrier festif

fêtes traditionnelles

Fin janvier-début avril
Carnaval traditionnel (tous les w.-ends). Le dim. avant
les Rameaux, à minuit : jugement de Sa Majesté
Carnaval et Nuit de la Blanquette. ☎ 04 68 31 11 82.
www.limoux.fr

Limoux

Février
Carnaval traditionnel et Fête de l'ours
(pdt vac. scol. d'hiver de la zone).
☎ 04 68 39 70 83 ou 04 68 39 55 75.

**Prats-de-Mollo,
St-Laurent-de-
Cerdans, Arles-
sur-Tech**

Vendredi saint
Procession nocturne des Pénitents noirs.
☎ 04 68 39 11 99.

Arles-sur-Tech

Procession de confréries de pénitents. ☎ 04 68 82 15 47.
www.collioure.com

Collioure

Procession des pénitents de la Sanch. ☎ 04 68 66 30 30.
www.perpignantourisme.com

Perpignan

N. Hautemanière/SCOPE

*Pénitents de la Sanch,
à Perpignan*

Début mai-fin août
Saison des courses de taureaux. ☎ 04 66 80 89 76.

Sommières

Week-end de Pentecôte
Fête de la cerise.

Céret

Juin
Saint-Jean Festa Major, avec feux de la Saint-Jean
(vers mi-juin). ☎ 04 68 66 30 30.

Perpignan

Fête des muletiers (jour de la Saint-Jean).
Fête des pêcheurs (dernier dim. du mois).
☎ 04 67 78 30 12.

**Amélie-les-Bains
Bouzigues**

Juillet
Fête de la Saint-Pierre.
Féria « Céret de Toros » (2e w.-end du mois) : corridas,
courses de vachettes, abrivados, sardanes.
☎ 04 68 87 00 53.

**Sète
Céret**

Joutes nautiques nocturnes sur le canal (le 14).
Embrasement de la Cité (le 14 à 22h30).
Fête de l'olivier (3e week-end du mois).
Fête de la mer (dernier week-end du mois).

**Palavas-les-Flots
Carcassonne
Bize-Minervois
Le Cap-d'Agde**

Juillet-août

Saison des tournois de joutes nautiques.
☎ 04 67 94 44 73.　　　　　　　　　　　　**Agde**

Fête des Pétetas, grandes poupées de chiffon et de paille
(mi-juil.-mi-août). ☎ 04 67 37 87 73.　　　　**Murviel-lès-Béziers**

Août

Fête médiévale (2e week-end) : marché médiéval,
spectacles équestres, concert. www.lodeve.com　　**Lodève**

Féria (autour du 15). ☎ 04 68 82 15 47.　　　　**Collioure**
Concours international de chiens de berger　　　　**Osséja**
(avant dernier dim. du mois). ☎ 04 68 04 53 86.

Féria (autour du 15). ☎ 04 67 76 13 45.　　　　**Béziers**
www.arenes-de-beziers.com

Joutes nautiques sur le canal (le 15 en nocturne).　**Palavas-les-Flots**
Fête de la Saint-Louis (3e ou 4e semaine du mois) :　**Sète**
joutes, feux d'artifice, traversées de Sète à la nage.
www.ville-sete.fr

Septembre

Grand rassemblement protestant au Mas Soubeyran　**Mialet**
(1er dimanche du mois). ☎ 04 66 85 02 72.
www.museedudesert.com

Fête nationale (le 8) : pèlerinage à Notre-Dame　　**Principauté**
de Meritxell.　　　　　　　　　　　　　　　　**d'Andorre**

Octobre

Fête du vin nouveau : danses des treilles et　　　　**Béziers**
du chevalet, bénédiction du vin nouveau, etc.

festivals

Avril

Festival de musique sacrée. ☎ 04 68 66 31 19.　　**Perpignan**

Pâques

Printemps du livre, salon du livre ancien.　　　　**Montolieu**
☎ 04 68 24 80 04.

Ascension

Festival de printemps de la randonnée en Cévennes.　**Cévennes**
☎ 04 66 56 10 38. www.randocevennes.com

Avril-octobre

Festival nature : randonnées à thème, expositions,　**Parc national**
conférences, spectacles, foires et marchés.　　　　**des Cévennes**
☎ 04 66 49 53 01. www.cevennes-parcnational.fr

Juin

Printemps des comédiens. ☎ 04 67 63 66 67.　　**Montpellier**
www.printempsdescomediens.com　　　　　　　**et sa région**
Festival de musique ancienne (1re quinzaine du mois).　**Maguelone**
☎ 04 67 60 69 92.

Fin juin-début juillet

Festival international Montpellier Danse.　　　　**Montpellier**
☎ 0 800 600 740. www.montpellierdanse.com

Juillet

Festa d'oc (fin du mois). ☎ 04 67 31 76 76.　　　**Béziers**
Festival jazz. ☎ 04 67 74 71 71.　　　　　　　　**Sète**
Festival de la Cité : concerts classiques, théâtre, opéra,　**Carcassonne**
danse, jazz, variétés. ☎ 04 68 11 59 15.
www.festivaldecarcassonne.com

Les Estivales : festival de théâtre. ☎ 0 892 705 305.　**Perpignan**
Festival du muscat. ☎ 04 67 18 50 04.　　　　　**Frontignan**
www.tourisme-frontignan.com

Festival de Radio-France et Montpellier Languedoc-Roussillon (sur 3 semaines) : art lyrique, concerts symphoniques, musique de chambre, du monde, techno, jazz. ☎ 04 67 61 66 81. www.festivalradio-francemontpellier.com	**Montpellier**
Ciné-rencontres (2e quinzaine de juillet) : festival de cinéma. www.cine-rencontres.com	**Prades**
Festival international de la sardane (2e quinzaine du mois) : rencontre de *colles* (groupes de danseurs) et concours. ☎ 04 68 87 00 53.	**Céret**
Festival de jazz (2e quinzaine du mois). ☎ 04 67 56 42 00.	**La Grande-Motte**
Festival Nava (fin du mois) : théâtre. ☎ 04 68 31 99 48.	**Limoux**
Saison musicale de St-Guilhem (1re quinzaine du mois). ☎ 04 67 96 86 19.	**St-Guilhem-le-Désert**
Festival « voix, cœur de pierre, cœur de vignes ».	**Minerve**

Juillet-août

Spectacle son et lumière les dim. et jeu. à 22h. ☎ 04 68 77 04 95.	**Lastours**
Festival d'opérette (mi-juil.-fin août). ☎ 04 67 95 70 91. www.ot-lamaloulesbains.fr	**Lamalou-les-Bains**
Festival de musique classique (mi-juil.-fin août). ☎ 01 47 41 05 57.	**Le Vigan**
Festival international de musique sacrée. ☎ 05 65 98 20 20. www.sylvanes.com	**Abbaye de Sylvanès**
Festival Pablo Casals : musique classique (mi-juil.-mi-août). ☎ 04 68 96 33 07. www.prades-festival-casals.com	**Prades, St-Michel -de-Cuxa**

S. Brihat/Festival Pablo Casals

Festival Pablo Casals à St-Michel-de-Cuxa.

Août

Fiesta Latina (début du mois). ☎ 04 67 46 05 06. www.fiestasete.com	**Sète**
Festival folklorique international (1ère quinzaine).	**Amélie-les-Bains**
Festival de la Sardane (2e samedi du mois). ☎ 04 68 88 31 58. www.banyuls-sur-mer.com	**Banyuls-sur-Mer**
Les Cabardièses de Pennautier (dernière semaine du mois) : festival de piano. ☎ 04 68 11 45 32.	**Pennautier**

Septembre

Festival Visa pour l'image (1re quinzaine) : expositions-photos, soirées-projections. ☎ 04 68 66 18 00.	**Perpignan**

Octobre

Jazz festival. ☎ 04 68 51 13 14. www.jazzebre.com	**Perpignan et la région**

Octobre-novembre

Festival musical régional (mi-oct.-mi-nov.). ☎ 04 67 66 90 93.	**Languedoc-Roussillon Montpellier**
Festival international cinéma méditerranéen (fin oct.-début nov.). ☎ 04 99 13 73 73. www.cinemed.tm.fr	
Festival d'automne de la randonnée en Cévennes (w.-end de Toussaint). ☎ 04 66 56 10 38. www.randocevennes.com	**Cévennes**

foires, salons

3e dimanche de juin

Foire artisanale et brocante.   **Nasbinals**

Août

Foire aux huîtres (1er ou 2e w.-end du mois).   **Bouzigues**
☎ 04 67 78 32 93.

Octobre

Foire internationale. ☎ 04 67 17 67 17.   **Montpellier**
www.foire-montpellier.com

Fin octobre-début novembre

Salon du cheval. ☎ 04 67 17 67 17.   **Montpellier**
www.cheval-montpellier.com

Novembre

Foire aux chevaux (vers le 8). ☎ 04 66 32 55 73.   **Nasbinals**

L'abbaye St-Martin-du-Canigou, une merveille qui se mérite.

M. Buffard

Invitation
au voyage

Le cap Béar s'avançant dans la mer.

F. Jourdan/EXPLORER

La mer

Dans ce Midi béni des épicuriens, la Méditerranée baignée d'azur est le point d'orgue des attirances estivales pour le demi-sommeil, les fortes chaleurs, la rêverie... Les vacances, ici, c'est l'oubli.

R. Corbel/MICHELIN

Palourde.

Étangs, plages dorées et côte rocheuse

La côte méditerranéenne

Le littoral du Bas-Languedoc est parsemé d'étangs qui prolongent la Camargue, comme si la terre se préparait petit à petit à laisser place à la mer. Leur étendue, infinie, plate et désertique, miroite sous le soleil. À l'arrière, la plaine sablonneuse est encore verte, habillée de vignes et arrondie par quelques collines calcaires, telle la montagne de la Clape, près de Narbonne. La Grande Bleue s'étale à perte de vue, au-delà des **barres** (ou **lidos**) qui la séparent des étangs.

C'est le travail des vagues et des courants, la mer toujours recommencée, qui a formé ces barres. Les graviers et les sables apportés par le Rhône, poussés vers les côtes languedociennes, ont donné corps à une barrière à l'entrée des baies, qui se sont ainsi transformées en lagunes isolées du large. La barre a fini par émerger, modifiant à son tour les lagunes : celles-ci ont à présent l'apparence tranquille d'étangs d'eau saumâtre où vivent anguilles, mulets, loups, daurades et palourdes.

L'Aude et l'Orb, moins puissants que le Rhône, n'ont permis ni la formation d'étangs ni la constitution d'un delta, le courant littoral balayant sans cesse leurs alluvions.

Flamant rose.

À propos du rivage

Sous la voûte d'un bleu intense du ciel, l'eau et l'ocre des sables s'étirent. C'est le monde de l'horizontal, avec ces longues plages basses, butant par intervalles sur l'île ou la falaise qui ont permis leur édification. Les marais salants, blancs et fossilisés, forment des taches isolées, surplombées par les pelleteuses de la Compagnie des Salins du Midi. Au Sud, les découpes rocheuses de la Côte Vermeille, rougeoyantes au couchant, dominent l'ensemble.

La construction du littoral remonte au quaternaire et à la succession de périodes de grands froids, au cours desquelles les durcissements glaciaires ont absorbé l'eau et fait reculer la mer, et de périodes très chaudes, où la fonte a entraîné une remontée du niveau des eaux. Le rivage a docilement enregistré ces pulsations, les battements de ce cœur souterrain : ce sont les alluvions, anciens rivages de galets ou cordons littoraux, traces des vieilles incursions du Rhône vers Montpellier.

R. Corbel/MICHELIN

Étang près de Maguelone.

Tamaris en fleur.

S. Sauvignier/MICHELIN

IL. Campion/MICHELIN

Depuis, la mer remonte toujours avec opiniâtreté, même si ici ou là alternent avancées et atterrissements du littoral. C'est le Rhône, prince fluvial, qui continue, par ses dépôts, de commander l'essentiel des inflexions.

Oyats.

Les habitants, dans l'eau et sur terre

Tout près de l'eau viennent batifoler une foule d'oiseaux et de palmipèdes : foulques, canards sauvages, bécassines des étangs, hérons cendrés, échassiers sédentaires, flamants roses volant parfois en escadrilles, mouettes moqueuses, cigognes migratrices dont le vol se fait de plus en plus rare...

Les petits habitants des plages, effarouchés par les déferlantes estivales, se dérobent au regard : il en est ainsi de la demoiselle libellule, des criquets colorés au chant lancinant ou des forficules que l'on dit « perce-oreilles ». Les lapins, enfuis vers d'autres terriers, n'égaient plus de leurs bonds le promeneur égaré.

Sur le littoral épicé par le sel, le vent et les embruns, saupoudré de lagunes et de marécages, on croise un méli-mélo inextricable de broussailles, d'herbes, de joncs, de roseaux et d'oyats, qui fixent des petits amas de sable (les montilles). Les plantes halophiles peuplent amoureusement les terrains salés : graminées dunaires, arroches et salicornes, que l'on peut apprécier citronnées en salade.

En s'éloignant de quelques kilomètres, on trouve des tamaris, du romarin et des pins d'Alep reconnaissables à leur feuillage vert clair et à leur tronc tordu sous une écorce grise. On croise aussi, dans son superbe isolement, le pin parasol.

La flore des stations balnéaires et des villages forme un décor doucement bigarré, que l'on retrouve en Méditerranée : laurier rose, mimosa, oranger... Ces essences, parfois d'origine tropicale, apportent une pointe d'exotisme, un souffle d'Arabie et d'Orient. Elles ont été introduites sur les rives policées, où elles bravent les coups de froid : arbres fruitiers ou plantes grasses, comme les figuiers de Barbarie, les agaves et les aloès, les majestueux palmiers.

Aqualand du Cap-d'Agde.

IO. Anger/IMAGES DU SUD

Vive les vacances !

Les plages

Avis aux baigneurs : depuis l'embouchure de l'Aude, la bordure du golfe du Lion n'aligne pas moins de 70 km de côte basse et sablonneuse, puis rocheuse sur la Côte Vermeille, jusqu'à la frontière espagnole.

Ici, on fait salon à la plage. On épanche son besoin de chaleur, le plaisir d'en faire le moins possible : héler les marchands ambulants pour goûter un « chouchou », se faire dorer entre les baignades. Les plus actifs jouent au volley, se promènent à vélo ou s'éloignent vers les ranchs de chevaux blancs, souvenirs d'une Camargue sauvage.

Le soir, de retour dans les stations balnéaires, on peut déguster quelques coquillages à l'éventaire improvisé des pêcheurs.

Nouvelles stations balnéaires

Avec l'aménagement du littoral Languedoc-Roussillon, amorcé en 1955, des stations nouvelles sont apparues, dont le modèle emprunte souvent aux lointaines côtes de la Californie et de la Floride. Ce sont les voiles pyramidales de La Grande-Motte, le décor polychrome et languedocien du Cap-d'Agde, les marinas de Port-Leucate, Carnon-Plage, Port-Barcarès...

Des unités modernes, restaurants et night-clubs, sont fichées dans le sable : elles contrastent vivement avec les ports de la côte rocheuse, installés de manière discrète au fond de baies étroites et marqués par leur vocation antique de cités maritimes. Mais si les cabanes et les baraques populaires ont quasiment disparu, le développement de ces stations, en contribuant à créer une image nouvelle de la région, a pu profiter aux stations traditionnelles et aux villes intérieures. Par le biais du tourisme, la présence complémentaire de la mer et de la montagne, du bleu et du vert, s'y affirme comme nulle part : jeu d'ombre et de lumière, odeurs entêtantes, pierre chaude et douce sous les pieds la nuit, voisins qui se saluent d'une fenêtre à l'autre...

Pour les fans de voile, le bassin de Thau offre une mer intérieure tout à fait navigable. Le sable envahissant a repoussé dans les terres les anciens ports de Maguelone ou d'Agde, tandis que deux petites villes de pêcheurs, Marseillan et Mèze, s'ouvrent à la plaisance.

Promenade à vélo au bord des étangs

U. Gaillard/SCOPE

À la pêche !

La pêche maritime

La mer regorge de poissons aussi rares que recherchés pour leur bon goût iodé, tels le rouget très fin, la baudroie ou le bar, ici appelé loup, délicieux cuisiné au fenouil, voire flambé au pastis.

Pour leur capture, les ports de la Côte Vermeille et du littoral audois abritent une véritable flottille. On la voit rentrer de la pêche sous l'escorte triomphale des mouettes.

La pêche au chalut est largement dominante à Sète, Port-la-Nouvelle, Port-Vendres, Palavas, Agde ou Valras. Là, c'est un va-et-vient de cirés luisants, de hautes bottes, un entrelacs de paniers, de

Débarquement du thon à Sète.

Filets de pêche.

filets et de bouées. Les chalutiers prennent sardines, maquereaux, anchois ou thons rouges, à l'aide de gros filets tournants et coulissants ou de filets en forme de poche remorqués sur les fonds ou en pleine eau.

Pêcheurs traditionnels

La pêche aux petits métiers, avec filets maillants, trémails et palangres, est plus populaire. Depuis des générations, survivance d'un art de vivre au fil de l'eau, elle se pratique en mer et dans les lagunes, où l'on trouve clovisses, tellines, palourdes, bivalves, crabes, et plus rarement des coques. Le muge (mulet) ou la plie s'ajoutent aux espoirs des pêcheurs qui attendent, canne contre canne, paupières mi-closes, la prise miraculeuse. Un mode de capture nocturne traditionnel des sardines et des anchois, dit au *lamparo* pour son utilisation de lampes puissantes, est aujourd'hui interdit.

De grands quadrilatères ont remodelé les étangs de leur géométrie : ce sont les parcs réservés à la conchyliculture. La production d'huîtres, plus rentable que celle des moules, est privilégiée dans les étangs de Leucate (30 ha), du Thau (8 000 ha) et de l'Ayrolles (25 ha). Fixées au moyen de ciment sur des cordes ou des barres, les huîtres sont immergées jusqu'à ce qu'elles aient atteint la taille voulue. La mytiliculture se déploie, elle, en pleine mer, au large de Gruissan et de Fleury. Les moules sont suspendues par grappes le long de cordes et de filets-tubes formant de gigantesques chapelets qui sont immergés.

Huître et moule de Bouzigues.

Le plus grand vignoble de France

Le saviez-vous ? Les hectares réservés à la vigne et les hectolitres pressés au moment des vendanges font de ce vignoble le plus grand de France... De quoi affoler le palais des amateurs, d'autant que la qualité est aujourd'hui au rendez-vous !

Maisons vigneronnes.

R. Corbel/MICHELIN

Vins du Languedoc

Les bons buveurs rendent grâce aux sols variés (schiste et argile) et au climat méditerranéen qui placent le Languedoc au premier rang des producteurs de vins de table et de pays.

Appellation d'origine contrôlée depuis 1985, les **coteaux-du-languedoc** rassemblent les crus de l'Hérault, du Gard et de l'Aude, dont quelques terroirs peuvent ajouter leur nom à l'appellation : cabrières, la méjanelle, montpeyroux, pic-st-loup, st-christol, st-drézéry, st-georges-d'orques, st-saturnin, vérargues, quatourze, la clape et picpoul-de-pinet ; ce dernier est parfait pour accompagner les huîtres de l'étang de Thau. La région de Cabrières produit la **clairette-du-languedoc** (AOC), vin blanc sec élaboré à partir du cépage clairette. Les vins de pays sont vendus sous le nom de « vins de pays d'Oc » ou « vins de pays » suivi du nom de leur département d'origine.

Au pied de la Montagne noire, les **faugères** (AOC) sont des vins puissants ; l'appellation **saint-chinian** donne des vins élégants. Et le vignoble du **Minervois**, très réputé, s'étend du flanc de la Montagne noire jusqu'à l'Aude. On y boit les **mourels** et les **serres**, vins rouge cerise fruités et vins blancs fins et longs en bouche, aux arômes de miel et de fleur de tilleul. Les rouges souples aux notes épicées et les blancs bien frais viennent des **balcons de l'Aude**.

Le vignoble des **corbières** (AOC) épouse les contours du relief : ces vins sont délicats et fleuris sur la montagne de l'Alaric, épicés entre la Berre et le Barrou, puis capiteux et ronds le long de l'Orbieu ; plusieurs cépages enchanteurs sont pour cela associés (carignan, syrah, grenache noir, cinsault pour les rouges ; mourvèdre pour les rosés ; grenache, bourboulenc, marsanne, roussanne, vermentino et maccabéo pour les blancs).

La **blanquette de limoux** (AOC) serait le plus vieux brut du monde : dès 1531, les moines de l'abbaye de St-Hilaire fabriquèrent un vin effervescent en flacon de verre. Les cépages sélectionnés (mauzac, chenin et chardonnay) donnent des mousseux frais et racés, comme le crémant (AOC). Savourez-les avec des gâteaux au poivre et nougat de Limoux.

Passer en revue les bouteilles procure déjà un sentiment d'ivresse, mais ajoutons encore : le **cabardès** et le **côtes-de-la-malepère**, deux appellations élevées près de Carcassonne, parfaites pour accompagner le gibier et les viandes rouges ; la **clape** et **quatourze**, deux crus des environs de Narbonne (vins blancs et rouges) ; enfin, le **fitou**, AOC qui se répartit en deux territoires : les vignes des hautes Corbières, au pied du mont Tauch, et des Corbières maritimes, au-dessus de l'étang de Leucate.

Tourné vers Montpellier et la mer, le pays des vignobles est bercé par la douceur méditerranéenne. Les maisons sont percées d'ouvertures rares et étroites de façon à se protéger de la chaleur. Les nuances ocrées ou rosées sont obtenues par des enduits traditionnels au sable.

Vignoble des Corbières.

Vins du Roussillon

Les généreuses grappes du vignoble du Roussillon fournissent une large palette de vins de coteaux, des vins blancs à reflets verts, des rosés très pâles et des rouges à la robe grenat, que l'on trouve à l'Agly, au glacis des Aspres et sur la Côte Vermeille.

Ses AOC, dont le **collioure**, sont fameuses. Les **côtes-du-roussillon** donnent surtout des vins rouges foncés et corsés, à l'arôme de fruits mûrs et d'épices. Pas moins de vingt-cinq communes se partagent l'appellation **côtes-du-roussillon-villages**, aux crus charpentés.

Vins doux naturels

Ils sont tout bonnement typiquement méditerranéens ! Pour conserver la quantité de sucre voulue dans le vin, on ajoute de l'alcool dans le moût (jus du raisin) en cours de fermentation. L'œil et le palais savent distinguer les muscats, issus des cépages muscats d'Alexandrie ou à petits grains, et les autres, au cépage noble comme le grenache, le maccabeu, le carignan et le malvoisie.

Il existe toute une gamme de **muscats** : qu'ils soient de **Rivesaltes**, de **Frontignan**, de **Lunel**, de **Mireval** ou de **St-Jean-de-Minervois**, ils portent une belle robe dorée, en harmonie avec ses arômes d'agrumes et de miel : vous les boirez jeunes et frais.

Ambre ou grenat, les autres vins sont plus foncés en raison de l'oxydation à laquelle ils sont soumis durant leur élevage en fûts de chêne ou en bonbonnes de verre exposées au soleil. **Banyuls**, **rivesaltes** et **maury** accompagnent à merveille les desserts au chocolat et les fromages à pâte persillée. Outre le **Noilly Prat**, vieilli dans des fûts au soleil de Marseillan, le **Byrrh** est un apéritif à base de vin et de vin doux naturel : son nom est un composé de *bi*, « vin » en catalan et de Thuir, ville où il est fabriqué, de même que l'Ambassadeur, le Cinzano, le Dubonnet.

Bouteille de muscat de Frontignan.

Belles grappes de raisin noir.

Le Haut-Languedoc

Avancées des Cévennes au Sud-Ouest, dont elles sont coupées par le causse du Larzac, ces âpres montagnes aux croupes élevées se couvrent volontiers d'une garrigue roussie au soleil : on s'y enivre d'exhalaisons aromatiques.

La Montagne noire

La Montagne noire constitue l'extrémité Sud-Ouest du Massif Central. Elle est séparée du massif de l'Agout (Sidobre, monts de Lacaune, monts de l'Espinouse) par le sillon du Thoré que prolongent les vallées du Jaur et de l'Orb supérieur.

Elle se caractérise par un fort contraste entre son versant Nord qui s'élève brusquement au-dessus du Thoré et son versant Sud, doucement incliné vers les plaines du Lauragais et du Minervois, en vue des Pyrénées. Ce versant Sud, qui domine les garrigues du Minervois, annonce les serres cévenoles, avec une végétation un peu plus méditerranéenne. On rencontre même l'oranger dans la vallée de l'Orb, à Roquebrun.

Les maisons du Haut-Languedoc se développent en longueur et abritent sous le même toit, la demeure, les granges et les remises. Dans les grands domaines, ces trois bâtiments sont séparés et rangés en fer à cheval.

De nombreuses fermes possèdent un pigeonnier. Précieuse source d'engrais pour les sols, il marquait naguère un droit ou un privilège. Les plus caractéristiques sont en pierre ou à colombages, juchés sur des piliers ou des colonnes cerclés d'anneaux pour préserver les couvées des prédateurs. De plan carré, ils sont surmontés d'un lanternon troué de petits orifices, les boulins, facilitant l'envol des pigeons.

Pailher à toit de genêts.

Monts de l'Espinouse

La vallée du Jaur, très pittoresque avec ses beaux villages et ses cerisiers, sépare la Montagne noire des **monts de l'Espinouse, du Somail et du Caroux,** montagnes aux sommets en forme de croupes, couvertes de landes de bruyères et de forêts.

Ici, comme dans la Montagne noire, les murs exposés aux vents pluvieux du Nord-Ouest sont bardés de plaques d'ardoise qui protègent de l'humidité. Sur les communes de Murat-sur-Vèbre et de Fraisse-sur-Agout en particulier, on voit encore d'anciennes granges, appelées *jasses* ou *pailhers*, aux toits de genêts. Le *pailher* de Prat-d'Alaric, notamment, est une importante construction avec étable en bas et grange au-dessus, faite, comme souvent, de murs-pignons à redans portant une lauze pour l'écoulement des eaux de pluie.

Au pied des monts de l'Espinouse.

Thym des garrigues en fleur.

Attention à la vipère !

Les serpents

La garrigue est l'univers familier du lézard vert ocellé et de l'interminable couleuvre de Montpellier (2 m) qui se distingue par ses très longues mues, entrelacées dans les arbustes. Peu visibles, ils voisinent avec la vipère, à son aise dans les murs de pierre sèche et les éboulis ensoleillés. Pour éviter de vous faire mordre par cette dernière, ne soulevez pas les pierres et n'hésitez pas à faire du bruit en marchant...

Les garrigues

C'est une vaste étendue de landes à sols pierreux et calcaires traversée par l'Hérault, le Vidourle et le Gard et sur laquelle s'accroche une maigre végétation parfumée : chênes verts ou yeuses, chênes kermès nains (*garric*, en occitan), buis, genêts épineux, cistes. Le thym, le romarin et la lavande y poussent en touffes odorantes, parmi une petite herbe grisâtre, le brachipode rameux, qui sert de pâturage aux moutons.

La garrigue couvre les Corbières, autrefois peuplées de forêts denses. Quelques reliefs accidentent le sol, comme le pic St-Loup et la montagne d'Hortus dans la vallée de l'Hérault. Due aux dépôts marins du secondaire, cette lande aride s'émaille au printemps de fleurs éclatantes. Fréquentée par les chasseurs, elle est aussi survolée par des rapaces : faucons, éperviers et aigles de Bonelli.

Les **capitelles** ou **cazelles** sont des abris de pierre sèche pour le berger, le cantonnier ou les outils. Le mur, généralement circulaire, est élevé en plaques de schiste et de calcaire empilées. Au niveau du linteau s'amorce une voûte à encorbellement, dont les grandes lauzes sont disposées en écailles de poisson. Une grande dalle faîtière coiffe le tout. Ces cabanes conjuguent protection des intempéries et épierrement des parcelles de terre cultivable.

Les **mazets** sont des petites constructions de plan carré, couvertes d'un toit à deux pentes ou en pavillon. Disséminés dans les vignes, ils offraient un abri hors du village.

Paysage de garrigue près du pic St-Loup.

67

Les Cévennes

Au Sud-Est du Massif Central, les Cévennes se drapent d'étendues forestières, naguère refuges des bêtes sauvages, mais aussi des camisards pourchassés. Perché sur ses sommets, on embrasse un merveilleux panorama.

Montagnes bleues

Les Cévennes se déploient en plateaux garnis de tourbières, tels la « Pelouse » de l'Aigoual (1 567 m) ou le « Plat » du mont Lozère (1 699 m), où les moutons aiment paître.
De profonds ravins ont creusé le versant méditerranéen en **valats**.
Le schiste est lacéré de crêtes, ou **serres**, qui s'élargissent **(chams)** sur le côté atlantique, plus doux.
Les hautes vallées ont une allure alpestre : eaux bondissantes riches en truites et pentes gazonnées parsemées de pommiers. Entre les pays cévenol et méditerranéen, les prairies des vallées ensoleillées côtoient des cultures en terrasses *(restanques)* : vignes, oliviers, mûriers et lavande. C'est là que les anciennes magnaneries et filatures sont les plus nombreuses.

Panier de châtaignes, longtemps seule source de nourriture dans les Cévennes.

La forêt

Les verriers ont fait disparaître les hêtres, qu'ils ont exploité pour fabriquer le charbon de bois. En grignotant les jeunes pousses, le mouton cause aussi de redoutables dégâts. Le danger de ce déboisement est net lorsque l'eau des violents orages (en septembre 1900, Valleraugue a reçu plus d'eau que Paris en un an) s'abat sans retenue dans les vallées, dévastant tout sur son passage.

Au milieu du 19e s., il ne restait que des lambeaux de l'immense manteau vert d'origine, quand Georges Fabre entreprit le reboisement. Près de 14 000 ha ont été repeuplés de hêtres, pins, sapins et épicéas. La vigilance cependant reste de mise : pensez au risque d'incendie qui menace le tronc sec des pins.

Ruches cévenoles creusées dans des troncs de châtaigniers.

Maisons cévenoles

Solidement accrochées à mi-pente, elles résistent aux assauts d'un climat rigoureux. La toiture et les murs sont en schiste ; le grès et le calcaire complètent l'ensemble d'un jeu de couleurs contrastées.
Le premier étage, desservi par un escalier de pierre, convenait jadis à l'habitation ; le second, à l'élevage du ver à soie, le rez-de-chaussée, à l'étable et à la grange.
Les cheminées décorent discrètement les toits de lauzes, qui se hérissent parfois de plaques (toiture à lignolets ou en « ailes de moulin »).
À l'Est, vers le Vivarais, les maisons sont coiffées de tuiles romaines plus méridionales et de corniches au nom appétissant de « génoises ».

Solas, chaussure servant à briser les peaux de châtaignes séchées.

Paysage typique des Cévennes avec, au loin, les serres, montagnes qui s'enchevêtrent les unes dans les autres.

L'arbre à pain

Le châtaignier est l'arbre roi des Cévennes. Confortablement déployé, il ne laisse qu'une place réduite à la vigne en terrasses, au potager et à l'arbre fruitier, qui se serrent au creux des vallées.

Il forme une parure toujours aussi élégante, dès 600 m d'altitude. Quelquefois, sur les versants bien exposés, il grimpe jusqu'à 950 m. Le châtaignier fixe ses puissantes racines dans le schiste, le granit, le grès, le sable mais fuit les terrains calcaires. Dès le mois de mai, il se couvre de feuilles puis de fleurs ; les premières châtaignes apparaissent à l'automne, groupées par trois dans une cupule hérissée de piquants. L'existence de cet arbre est pourtant menacée par des maladies parasitaires, comme l'« encre » ou le « chancre », et par le passage des troupeaux. Les ravages peuvent être évités au prix de soins incessants : après une coupe, l'élagage, la taille et la greffe des rejets sont nécessaires.

Le surnom d'« arbre à pain » vient de l'emploi intensif que les Cévenols faisaient autrefois du châtaignier. Son bois était réservé au bâtiment et au mobilier, ses feuilles à l'alimentation du bétail, les éclisses à la vannerie, enfin ses fruits entraient dans la composition de tous les repas. Les châtaignes séchaient dans une petite bâtisse, la **clède**. Au rez-de-chaussée, le feu provoquait la déshydratation des fruits entreposés à l'étage du dessus. Leur peau était ensuite brisée à l'aide des solas, curieuses chaussures à pointes de fer, ou dans un sac que l'on battait sur un billot de bois puis, encore plus tard, dans des machines à gros cylindres. Les châtaignes blanches nourrissaient la famille toute l'année, quelques-unes étaient vendues, les brises étaient destinées au bétail, aux porcs surtout.

Âne bâté, pour une randonnée sur les pas de Stevenson...

Fils de soie teintés et enroulés en écheveaux.

Au fil de la soie

Hérité du 13ᵉ s., l'élevage du ver à soie prit son essor dans les Cévennes sous le règne d'Henri IV, grâce à l'agronome Olivier de Serres et au pépiniériste nîmois Traucat... Mais c'est à partir de 1709 que la châtaigneraie cévenole, détruite par un hiver très rigoureux, fut remplacée par le plat favori du ver à soie : le mûrier. L'ère de « l'arbre d'or » suppléa ainsi celle de « l'arbre à pain ».

D. Faure/PHOTONONSTOP

Le savoir-faire

Les œufs incubaient au creux tiède de la poitrine des femmes ou dans des castelets (couveuses artificielles). Après éclosion, les larves étaient disposées sur un support étagé jusqu'à la troisième et avant-dernière mue, puis placées dans la magnanerie. Là, quatre cheminées s'activaient pour maintenir la juste température. Friand de feuilles de mûrier (c'est un véritable goinfre !), le bombyx mue quatre fois dans le premier mois de son existence et multiplie son poids de naissance par 10 000. Pour apaiser la voracité de 25 g de vers, pas moins de 1 000 kg de feuilles de mûrier sont nécessaires ! Le bombyx s'enroule dans son cocon de soie qu'il fabrique en 48h, et dont le fil, d'une épaisseur de 8 microns, peut mesurer entre 800 m et 1 km... Il ne faut pas hésiter à ébouillanter les cocons et à étouffer leur chrysalide pour que le fil s'enroule aisément autour du guindre. La sériciculture se pratiquait à la maison, puis dans des filatures, au 18ᵉ s., où elle alimentait les ateliers florissants de Nîmes et de Lyon, dirigés par les bien nommés « soyeux ».

D. Faure/PHOTONONSTOP

Opération de décoconnage consistant à enlever les cocons de leur support avant de les ébouillanter pour pouvoir les filer.

Le renouveau

Au milieu du 19ᵉ s., la sériciculture décline sous les adversités de la pébrine (maladie du ver à soie), de l'apparition des fibres synthétiques et de la concurrence extrême-orientale. La fermeture de la filature de St-Jean-du-Gard, en 1965, semble placer cette tradition au rang des souvenirs. Elle reprend pourtant dix ans plus tard, à Monoblet et à Molières-Cavaillac, dans le Gard, sous l'impulsion d'artisans soucieux de maîtriser leur art « du sol au tissu ». Ils choisissent judicieusement un mûrier japonais dont les feuilles se reproduisent de mai à octobre : le « kokuso 21 ». Des associations cévenoles œuvrent aujourd'hui à un développement accru de la soierie. Tant mieux car qui n'a pas rêvé de s'endormir dans un voile de soie ?

CASTELET-Musée du Désert, Mialet

« Prisonnières dans la tour de Constance »,
tableau peint par Jeanne Lombard.

Camisards et protestants

La révocation de l'édit de Nantes

En 1661, Louis XIV entreprend une vive campagne contre la « religion prétendue réformée »
(RPR) : il impose aux hérétiques de loger ses soldats, les redoutés « dragons », qui commettent
les rudes « dragonnades ».

En 1685, sur le rapport tendancieux des inten-
dants, la cour juge le nombre des convertis suffisamment élevé pour révoquer l'édit de Nantes qui assurait la liberté de culte aux protestants : les temples sont
démolis et les pasteurs chassés. Un véritable exode s'ensuit,
que le roi est bien en peine d'arrêter. 300 000 à 500 000 huguenots privent alors l'agriculture, le commerce, l'industrie, la
science et les arts de leurs forces vives.

La révolte des camisards

Pour endiguer l'hémorragie, on emprisonne, on bastonne,
on enlève les enfants, on condamne aux galères, on
brûle parfois... Les pasteurs se réfugient dans
des montagnes retirées : c'est le « Désert ».

En juillet 1702, l'assassinat de l'abbé du Chayla,
qui retenait des huguenots prisonniers dans le
château du Pont-de-Montvert sur le Tarn,
donne le signal d'une insurrection générale :
deux ans durant, les montagnards ou « camisards » (du languedocien *camiso*, chemise qu'ils
portaient par-dessus leurs vêtements pour se
reconnaître la nuit) partent en guerre contre le
pouvoir catholique, fourches et faux au poing.

Cavalier et Roland sont les deux chefs les
plus célèbres des 3 000 à 5 000 camisards. Face
à eux : 30 000 hommes et trois maréchaux,
dont Villars. Ce dernier est assez habile pour
monnayer la soumission de Cavalier. Accusé
de trahison par ses compagnons, celui-ci s'exile
en Angleterre. Roland, lui, est abattu en 1704 ;
c'est la fin de la résistance camisarde.

Les persécutions ne cessent véritablement
qu'en 1787, avec la signature de l'édit de Tolérance par Louis XVI. Les protestants peuvent
désormais exercer un métier, se marier et faire
constater officiellement les naissances. En
1789, la Révolution leur garantit la pleine
liberté de conscience.

*Croix huguenote : la croix
languedocienne associée
à la colombe qui représente
le Saint-Esprit, expression
de la relation du chrétien
avec Dieu.*

N. Bénavides/MICHELIN

SÉPULTURES SAUVAGES

Les huguenots n'avaient pas droit à
être ensevelis en terre chrétienne...
C'est pourquoi vous pouvez voir,
tant dans les Cévennes que dans le
Piémont cévenol, nombre de
tombes isolées dans les champs,
voire sur les terrains entourant les
maisons.

Les causses

Tesseidre/IMAGES DU SUD

Les grands plateaux arides des causses, au Sud du Massif Central, constituent une des régions les plus singulières de France. La roche calcaire y a imprimé un paysage rude et grandiose de canyons et de puits vertigineux. S'il est difficile d'y vivre, la découverte à pied de ces étendues reste un grand moment de bonheur.

Une terre à fleur de ciel

Les causses déroulent à l'infini le paysage de leurs solitudes grises et pierreuses. On se laisse facilement impressionner par la grandeur et la sévérité de ces plateaux arides, hauts de quelque 1 000 m. Les étés y sont secs et brûlants, les hivers rigoureux et les vents violents.

A. Guerrier/PIX

À l'Ouest, en bordure des corniches, les jeunes plantations de pins noirs d'Autriche jouxtent les lambeaux des anciennes forêts médiévales, dégradées par les troupeaux : hêtres, chênes rouvres ou pins sylvestres. À l'Est, le chardon et la lavande font des taches d'un bleu très doux. Çà et là se dressent des genévriers aux feuilles piquantes, aux fruits en petits cônes de couleur noir-bleuâtre.

La surface, nivelée par l'érosion, a été criblée de phénomènes karstiques (le mot vient de Karst, région calcaire du Nord de la Slovénie) : les **cloups** (dépressions circulaires formées par les eaux de pluie acides qui attaquent le carbonate de chaux du calcaire), les **sotchs** (lorsque les cloups s'agrandissent, ils forment des dépressions fermées – les sotchs ou dolines –, de quelques dizaines de mètres de diamètre ; leur fond cache une bonne terre arable rougeâtre, argileuse, tapissée d'inattendues oasis de prairies et de cultures), les **avens** ou igues (gouffres), les **champs de lapiez** (étendues perforées d'alvéoles et de petits canaux ; les eaux de ruissellement, en dissolvant irrégulièrement la surface, creusent des trous qui se rejoignent en rainures et ciselures discontinues), les **rochers ruiniformes** (ces étranges paysages de pierre évoquent des villes dont les rues, les portes monumentales, les remparts et les donjons seraient en ruine ; de telles fantaisies s'expliquent par la présence de la dolomie, roche associant le carbonate de chaux soluble au carbonate de magnésie peu soluble).

Azam/IMAGES DU SUD

Les chaos ruiniformes de Montpellier-le-Vieux, Nîmes-le-Vieux, Mourèze, les Arcs de St-Pierre, Roquesaltes ou Rajol sont particulièrement intéressants.

LE CHARDON BAROMÈTRE

On voit souvent clouée sur la porte des maisons caussenardes une cardabelle. Il s'agit d'un chardon (*Carlina acanthifolia*) aux longues feuilles épineuses et découpées. Sa fleur s'ouvre et se ferme en fonction du degré d'humidité de l'air. Cette particularité lui a valu le nom de « chardon baromètre ».

Azam/IMAGES DU SUD

M. Beaugeois/PIX

De gauche à droite et de haut en bas :
causse de Sauveterre, causse Méjean,
causse du Larzac et causse Noir.

À-pics vertigineux

Les **canyons** sont des vallées profondément creusées qui affleurent au sommet des versants comme au fond du sillon. Les gorges du Tarn entre Les Vignes et Le Rozier, les gorges de la Jonte et celles de la Dourbie en sont de magnifiques exemples.

Soudain, le sol semble s'effondrer ; d'horizontal, le paysage devient vertical : un canyon profond, parfois de 500 m, scie les plateaux. Au sommet se dressent d'élégants escarpements (jusqu'à 100 m) aux teintes noires et rousses. La succession de parois abruptes, de corniches et de rebords tabulaires, est due, là encore, à la résistance et à la perméabilité du calcaire.

Abrités des vents, les canyons forment des serres chaudes propices aux cultures. Les versants marneux sont couverts de bois ; plus bas, la vigne étale ses grappes au soleil et les arbres fruitiers s'étagent en terrasses. Au bord de la rivière, d'étroites prairies créent un ruban de verdure coupé de haies de peupliers où s'égrènent petites villes et villages.

Les hautes parois sont forées de grottes béantes (ou « baumes ») et taraudées par des eaux qui emportent les marnes : le cirque des Baumes, les Baumes-Hautes dans les gorges du Tarn, la Baume-Auriol sur le causse du Larzac, St-Jean-de-Balmes sur le causse Noir, etc.

Au pied des falaises, les rivières se lovent en méandres bien dessinés. Elles prennent leur source au pied des massifs cristallins voisins (l'Aigoual et mont Lozère) et réussissent à traverser les causses par la seule alimentation des résurgences de cours d'eau souterrains.

PETIT VOCABULAIRE IMAGÉ

Les planiols : eaux limpides, calmement étalées.

Les ratchs ou rajols : rapides créés par des eaux bouillonnantes et furieuses disparaissant parfois sous des blocs effondrés.

Les détroits ou étroits : passages où la rivière glisse entre deux murailles abruptes.

Les marmites de géants : cavités circulaires creusées par les eaux turbulentes dans les parois calcaires qui bordent la rivière. L'Hérault à St-Guilhem-le-Désert en a créé de belles.

Sous la terre

En absorbant les eaux de pluie comme une éponge, le calcaire des causses provoque sécheresse en surface et intense activité en sous-sol.

Rivières souterraines et résurgences

Le cours des rivières souterraines peut atteindre plusieurs kilomètres : les eaux élargissent leur lit, forent des galeries et se précipitent en cascades. Lorsque la rivière apparaît à l'air libre, on parle de **résurgence** (ruisseau du Bonheur dans « l'Alcôve » du Bramabiau).

Les eaux plus calmes forment de petits lacs en amont de barrages naturels : les **gours** (grotte de Dargilan).

La formation des concrétions

En abandonnant le calcaire dont elle s'était chargée en pénétrant le sol, l'eau crée de lentes (1 cm par siècle) et délicates sculptures. Chaque gouttelette d'eau dépose au plafond, avant de tomber, une partie de sa calcite, édifiant à la longue une baguette irrégulière, la **stalactite**, que l'on dit **fistuleuse** lorsqu'elle a l'aspect de macaroni effilé. Les **stalagmites** s'élèvent, à l'inverse, du sol vers le plafond et finissent par rejoindre les stalactites en un seul pilier. Les **excentriques** se développent en un amas de minces rayons ou de petits éventails translucides (grotte de Clamouse).

Bouquet de cristaux d'aragonite de la grotte de Clamouse.

Voyage au royaume des ombres

Sous la terre, on croise des miroirs d'eau, des lacs limpides, des traces préhistoriques, autant de merveilles qui donnent le frisson. Ce sont, entre autres, l'aven Armand et sa forêt de stalagmites, la grotte des Demoiselles, celle de Dargilan aux gours caractéristiques ou celle de Trabuc avec ses énigmatiques « Cent mille soldats » qui aiguisent le plus l'imagination des visiteurs.

Pour repérer les voies de pénétration, on s'appuie sur les résurgences, les voiles de brouillard échappés des cavernes l'hiver ou les hôtes des grottes (chauves-souris et choucas). Protégé d'un casque à lampe frontale, vêtu de vêtements imperméables, le spéléologue progresse le long d'étroites galeries, tel un reptile, ou plonge dans des siphons. Des crues soudaines après un orage ou des gours infranchissables créent de vives inquiétudes. Tout concourt à rendre l'expédition aussi exténuante qu'enrichissante.

Dès le paléolithique, il y a 50 000 ans, des hommes recherchèrent l'entrée des grottes pour s'y loger, mais ce n'est qu'au 18e s. que des explorations systématiques furent organisées. En 1890, E.-A. Martel donna à cette science ses lettres de noblesse.

Les clubs sont pour la plupart affiliés à la Fédération française de spéléologie, qui regroupe la Société de spéléologie fondée par Martel puis relancée par le Languedocien **Robert de Joly** (1887-1968) et le Comité national de spéléologie.

ÉDOUARD-ALFRED MARTEL (1859-1938)

À partir de 1883, il entreprit au mépris de sa vie une série d'explorations souterraines des causses, qui révélèrent des curiosités ignorées…

Son audace ouvrit la voie du Grand Canyon du Verdon et d'autres encore en Italie, Allemagne, Autriche, Angleterre ou Espagne.

Ses publications vibrantes d'enthousiasme lui valurent une célébrité mondiale.

Grotte de Dargilan.

Des hommes et des moutons

Les troupeaux

Traditionnellement, le causse est le domaine du mouton qui sait s'accommoder de la pauvreté de la végétation. Le cheptel a été longtemps entretenu pour sa laine, qui assurait l'industrie textile des villes (cadis et serges), et pour son fumier qui permettait l'enrichissement des sols. Aujourd'hui, il l'est surtout pour la richesse du lait des brebis, affiné dans les fameuses caves de Roquefort. Le bleu des causses est, quant à lui, fabriqué à partir du lait de vache dans la capitale de la région, Millau. C'est dans cette ville, installée au confluent du Tarn et de la Dourbie, que l'on traite les peaux des agneaux.

Les troupeaux s'abreuvent aux **lavognes**, mares aménagées, au fond pavé ou couvert d'argile. Elles sont particulièrement nombreuses aux alentours de Roquefort.

Troupeau de moutons venant s'abreuver à une lavogne.

L'habitat

Sur les causses calcaires, les maisons se groupent en hameaux le long des rivières ou se dispersent à proximité des terrains cultivables.

Les habitations, aux murs épais, sont de robustes bâtisses à étage, auxquelles on accède par un escalier extérieur. Elles tournent le dos aux vents du Nord dominants pour s'ajourer vers le Sud. La pierre calcaire, blanchâtre et sèche, est employée aussi bien pour les murs que pour la toiture. Dans ces contrées, où les grands arbres ont du mal à pousser, la voûte de pierre a remplacé la charpente en bois.

L'habitation et la bergerie sont deux bâtiments distincts, quelquefois très éloignés l'un de l'autre. La maison rassemble la cave et la remise à outils au rez-de-chaussée et le logement au premier étage. La citerne, à proximité de la cuisine, est un élément important, comme dans toutes les régions où l'eau est rare.

La bergerie, appelée « **jasse** » comme en Haut-Languedoc, est un vaste bâtiment rectangulaire et bas qui se confond avec le sol.

Maison caussenarde.

Aubrac et Margeride

Les plateaux granitiques de l'Aubrac et de la Margeride se déploient en étendues calmes et vertes d'herbage. La majesté du paysage laisse prise à la fantaisie des sculptures minérales, des bois variés, et au balancement nonchalant des troupeaux.

Les vaches de race aubrac sont décorées pour la Fête de la transhumance.

Sur les hauts plateaux

Les monts d'Aubrac

Entre les vallées de la Truyère et du Lot, les plateaux volcaniques déroulent un immense pâturage où les narcisses et les jonquilles abondent au printemps. Dans la partie Ouest, les champs sont agrémentés de hêtres, de landes et d'étangs.

Un lourd manteau de neige enveloppe les hivers : des obélisques de granit, fichés le long des routes, aident alors les voyageurs à ne pas perdre leur chemin.

Le massif accuse une certaine dissymétrie. Au Nord-Est, ses 1 000 m d'altitude s'abaissent très doucement vers la Truyère ; au Sud-Ouest, le versant, raviné par le ruissellement des *boraldes*, s'affaisse à 500 m. Le relief est mollement arrondi, à peine saillant. Il cache des coulées de basalte (ère tertiaire), épaisses de plusieurs centaines de mètres, qui recouvrent un socle granitique.

Le massif de la Margeride

Ce massif granitique s'étend entre l'Aubrac à l'Ouest et l'Allier à l'Est, parallèlement à la chaîne volcanique du Velay, au Nord. Sa partie la plus élevée, de 1 400 m en moyenne, est appelée la Montagne ; elle est couverte de pâtures régulières et tranquilles. Par intermittence, pins, sapins et bouleaux viennent distraire le regard. Au Nord de Mende, des colonnades et des blocs arrondis de granit se dressent sur les plateaux du Palais du Roi et de la Boulaine. Ces sculptures menaçantes ressemblent aux pitons hérissés en contrebas, dans l'ondoiement des plaines.

Vie traditionnelle

L'élevage

Naguère, de grands troupeaux de moutons estivaient sur l'Aubrac. Aujourd'hui, les vaches occupent seules les herbages, de fin mai à mi-octobre. Le promeneur remarque les « *drailles* », pistes parfois délimitées de petits murs de pierres sèches, que les bovins suivent lors de leur déplacement. Les traditionnelles fêtes de la transhumance et foires à bestiaux de Laissac et de Nasbinals sont des rassemblements hauts en couleur.

Bâti au milieu du pacage, le buron est une sorte de cabane de berger dans laquelle est encore fabriquée la fourme de Laguiole. Construit en basalte et granit, percé d'une seule ouverture, il est généralement posé sur un terrain en pente, à proximité des points d'eau.

De nombreuses croix jalonnent les chemins de l'Aubrac.

Buron de l'Aubrac.

Le *cantalès*, ou fromager, l'habite lorsque les vaches estivent. Il dispose d'une pièce pour vivre et d'une cave d'affinage, partiellement enterrée en raison du dénivelé. Le toit des burons offre un bel exemple du travail de la lauze.

Les avancées de la Margeride

Plus abondamment peuplée que l'Aubrac, dont la densité est très faible, la Margeride abrite de grosses fermes, des hameaux et des ressources complémentaires au bétail, tels le bois et l'uranium. À l'Ouest, Saint-Chély-d'Apcher, dans le Gévaudan, accueille même une industrie électronique et métallurgique.

La bête du Gévaudan

« Loup y es-tu ? » Entre 1764 et 1768, cette comptine prend un tour tragique. Plus d'une centaine de personnes sont tuées ou portées disparues, accréditant l'existence d'une mystérieuse bête féroce qui échappe avec flair aux chasseurs. Chose étrange, gourmet, l'animal semble préférer la chair fraîche et tendre, celle des jeunes filles et des petits enfants.

Des prières publiques sont ordonnées par l'évêque de Mende, en vain. On murmure que la bête est un instrument de la colère divine ; la cour de Louis XV s'émeut. Le roi dépêche son premier arquebusier : las, la mission s'achève sans succès. En définitive, le massacre est attribué à un loup-cervier, ou lynx, qu'un paysan finit par tuer près de Saint-Flour. L'histoire de ce « grand méchant loup » animera longtemps les veillées populaires et suscite encore de nombreuses hypothèses.

La terrible bête du Gévaudan.

Pyrénées catalanes

C'est le secteur le plus épanoui à l'Est de la chaîne des Pyrénées. Rudesse de la roche cristalline et douceur méditerranéenne s'y entremêlent avec bonheur.

Pratt-Pries/PHOTONONSTOP

Saxifrage.

J.-P. Chatagnon/BIOS

Plein feu sur la montagne

Petits et grands sommets

D'Est en Ouest, le massif des Pyrénées s'élève peu à peu. À l'Est du **Canigou** (2 784 m), la montagne s'enfonce irrémédiablement dans la mer. Une avancée de roches cristallines, les **Albères**, isole l'Ampurdan espagnol, au Sud, et le Roussillon, au Nord. Suivent ensuite la **Cerdagne** (1 200 m), large vallée entourée de hautes montagnes à la riche végétation, et le **Capcir** (1 600 m), région la plus élevée de la Catalogne Nord, dont les montagnes sont recouvertes de denses forêts.

Entre les Corbières, qui avancent au Nord vers la Montagne noire, et la zone axiale, les contreforts calcaires dessinent un paysage singulier. Au **plateau de Sault** succèdent des crêtes aux silhouettes aiguës, dressées à l'aplomb du sillon du **Fenouillèdes**. L'Aude creuse de son côté des gorges grandioses.

Partout, les ruisseaux dévalent des montagnes, alimentant de puissantes rivières coulant au milieu des vallées : la Têt et le Tech traversent ainsi les Pyrénées du Sud-Ouest au Nord-Est.

Flore et faune des Pyrénées

On trouve ici deux types de végétation : la végétation du Capcir, de la Cerdagne et de l'Andorre correspond à celle des Pyrénées centrales tandis qu'à l'Est, plus on se rapproche de la mer, plus elle devient méditerranéenne. Dans le Capcir et en Cerdagne, les forêts occupent principalement l'ombrée (versant Nord de la montagne), tandis que la soulane (versant Sud) est vouée aux cultures et aux pâturages. Les fameux sapins de l'Aude occupent le haut des pentes. Vers 2 400 m d'altitude, les pelouses subalpines sont couvertes de fleurs, dont certaines espèces sont endémiques : lys des Pyrénées, delphinium de la montagne, potentille arborescente ou saxifrage. Les animaux rencontrés sont des habitués de la région : isards, cerfs, sangliers, chats sauvages, marmottes, loutres, mais aussi aigles royaux, faucons et coqs de bruyère.

S. Sauvignier/MICHELIN

Les Pyrénées méditerranéennes, plus basses d'altitude, se caractérisent par l'apparition, à l'étage montagnard, du pin sylvestre au lieu du sapin, en général sur les versants secs et ensoleillés, reléguant les hêtres aux autres versants, plus humides. En dessous de 800 m, ce sont les chênes-lièges qui poussent dans l'humidité et la chaleur, comme dans le Vallespir où ils servent à l'industrie du bouchon. Au-dessus de 1 700 m, les pins à crochets et les bouleaux s'effacent devant une tendre pelouse subalpine où fleurissent gentiane jaune, arnica et aconit.

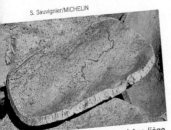
Morceaux d'écorce de chêne-liège.

Hauts plateaux de
Camporells, dans le Capcir.

Ski de fond en Capcir.

La vie là-haut

Le recul des traditions rurales

Le terroir montagnard semble rangé par une main
sûre : dans les vallées s'égrènent champs et villages ;
au palier intermédiaire, on trouve forêts et prairies
de fauche ; tout en haut, les pâturages prennent le
bon air. Blé, seigle et maïs sont encore cultivés dans
le haut Vallespir, en Cerdagne et en Conflent. Le
genêt et la garrigue ont petit à petit pris la place des bois de chênes verts, de pins
sylvestres et de hêtres, rongés par le défrichement.
Les communications internes restent très pénibles, et les cols sont vite imprati-
cables en hiver. Les vallées transversales ont pâti de ce cloisonnement, propice à
la survivance de « pays ». À présent, la vie traditionnelle est réduite à la portion
congrue. Le dépeuplement a vidé les petites vallées en cul-de-sac et les hameaux
isolés : cultures et prairies disparaissent ainsi sous les landes.

Des industries traditionnelles en perte de vitesse

La vocation industrielle des Pyrénées a longtemps reposé sur l'exploitation de ses
ressources naturelles. Il en est ainsi des forges catalanes, connues depuis le 12e s.
Le principe de base repose sur la combustion du bois : le feu était entretenu par
une soufflerie hydraulique et le minerai de fer fondu en « massé » puis frappé par
les marteaux d'une roue à aubes (martinet). Ces forges ont disparu à la fin du 19e s.,
faute d'une rentabilité suffisante, mais la réputation de
leurs réalisations finement ouvragées demeure.

Le renouveau

Dès 1901, la montagne est le siège d'un vaste chantier avec
le début de l'aménagement hydroélectrique. La Cerdagne,
région la plus ensoleillée de France, expérimente en 1963
deux fours solaires à Mont-Louis et à Odeillo. Le succès de
cette entreprise conduit à la création de l'usine solaire à
tour de Targasonne, aujourd'hui en cours de reconversion
touristique.
Les vallées les plus vivantes, les stations thermales et de
sports d'hiver s'animent sous les effets du tourisme. Ces
mutations récentes ont entraîné un important brassage
de la population autochtone.

Tradition catalane : le fer forgé, qui décore ici la porte de
l'église de Montesquieu, dans les Albères.

Nono/PIX

Traditions languedociennes et catalanes

Le folklore local, avec ses fêtes païennes ou religieuses, relève de croyances fort anciennes, qui reflètent les joies et les peines quotidiennes des habitants.

Fêtes languedociennes

Le carnaval de Limoux

Dans l'Aude, le Carnaval de paille était autrefois jugé en expiation des maux du village, puis pendu ou brûlé au centre d'une ronde chantante. À présent, on le fête surtout à Limoux. Les *fecos*, déguisés en Pierrot, avancent à pas très lents, *carabena* (roseau enrubanné) à la main, suivis par les pitreries des *godils*.
Les villages sont aussi en liesse pour les fêtes votives, telle celle de saint Pierre, patron des pêcheurs, le 29 juin à Gruissan : le cortège se disperse au port, après avoir lancé des fleurs à la mémoire des disparus.

Les joutes nautiques

Il faut les voir ces jouteurs, de blanc vêtus, impeccables, pieds nus sur la planche des barques, le pavois (bouclier décoré) dans une main, la lance de pin dans l'autre. Ils s'affrontent de juin à septembre, devant les badauds en émoi, de Sète à Béziers, d'Agde à Palavas. Pour qui le bon bain ?

La tauromachie

La proximité de l'Espagne est sans doute pour beaucoup dans l'engouement qu'affichent les Languedociens et les Roussillonnais pour les jeux taurins et, plus particulièrement, la corrida. Celles de Céret, Collioure ou Béziers affichent les noms des plus célèbres toreros, tandis que le spectacle épique des courses aux taureaux et à la cocarde rassemble dans le Gard et l'Est de l'Hérault une foule de passionnés.

Rugby : la mêlée occitane

R. Corbel/MICHELIN

Né en 1823 à Rugby (Angleterre) d'une entorse aux règles du football, ce sport est devenu la marque de distinction des Occitans. Leur goût pour la fraternité, l'amusement et la « castagne » sont franchement exaltés dans ce « sport de voyou pratiqué par des gentlemen ».
Au **rugby à XV** (équipe de 15), passer le ballon ovale en avant à la main entraîne la « mêlée », un arc-boutement puissant de joueurs. Au **rugby à XIII** ou **jeu à XIII** (13 joueurs), celle-ci est déclarée lorsque le ballon franchit les limites latérales du terrain ; les équipes de Carcassonne, Perpignan (XIII Catalan), Pia, St-Gaudens et St-Estève forment l'élite de ce « rugby hérétique » ou « sport des cathares ».
Parmi les grandes équipes du XV, le **Stade Toulousain** a été douze fois champion de France, titre remporté également maintes fois par l'**Association Sportive de Béziers (ASB)**, l'**Union Sports Athlétiques Perpignan Roussillon (USAP)** et le **Racing-Club de Narbonne-Corbières**. Imprimé traditionnellement sur papier jaune, le *Midi Olympique* se fait le chantre de tous ces exploits.

Au rugby, la touche.

Fervente Catalogne

La Fête de l'ours

Autrefois, les ours peuplaient le Vallespir. À **Arles-sur-Tech**, St-Laurent-de-Cerdans et Prats-de-Mollo, on leur consacre encore une fête. En février-mars (et maintenant en été), un homme déguisé en ours, censé sortir d'hibernation, rôde. Une battue est organisée, avec une jolie jeune fille en appât. Attiré par ses charmes, l'ours se laisse conduire, au son de la *cobla,* sur la place du village, où il est rasé et terrassé.

Les pénitents de la Sanch

Le Vendredi saint se déroule, à Perpignan, la procession de la confrérie du Précieux Sang, fondée au 15e s. par le dominicain espagnol saint Vincent, afin d'accompagner les condamnés à mort. Le défilé passe des hauteurs de Saint-Jacques à la cathédrale, accompagné des *goigs* (cantiques) et des *mistéris*, images de la Passion. La communauté porte d'inquiétantes tuniques rouges ou noires, la *caperutxa*, et de hautes cagoules pointues.

La sardane

C'est sans doute la plus pittoresque tradition des pays catalans. Dérivant du contrepas, elle fut créée au 19e s. par un musicien de Figueras, Pep Ventura et un luthier perpignanais dénommé Turron. Elle repose sur la *cobla,* cet orchestre de onze instruments (*fabiol, tambori, tribles, tenores, fiscorns,* trompette, trombone à pistons et contrebasse) capables d'exprimer les sentiments les plus doux comme les plus passionnés. Cette danse fait alterner subtilement huit mesures de pas courts et seize de pas longs, dansés par des équipes, les *colles.* À l'occasion d'un concours ou d'un festival (Céret), la sardane déroule ses guirlandes de bras levés et, au final, réunit les participants en rondes concentriques pour une « sardane de la fraternité ». Mais vous aurez sans doute l'occasion d'en tester vous-même les subtilités en vous joignant aux danseurs sur la place des villages catalans, le dimanche matin : car la sardane, symbole de fraternité, est devenue également une affirmation de « catalanité ».

Sardane.

J.-L. Barde/SCOPE

Un peu d'histoire

Si les vestiges néolithiques et romains invitent à la rêverie, le souvenir sanglant, plein de bruits et de fureur, des invasions et des guerres de Religion résonne encore fortement aujourd'hui.

Chronologie

Préhistoire

● **450 000 (paléolithique inférieur)** – Le crâne découvert dans la caune de l'Arago des Pyrénées est celui d'un *homo erectus* qu'on a nommé « homme de Tautavel ». Mort vers l'âge de 20 ans, il mesurait 1,65 m. Il avait un front plat et fuyant, les pommettes saillantes et des orbites rectangulaires. C'était avant la « guerre du feu », et ce grand chasseur dévorait donc la viande crue. On a retrouvé certains de ses outils (racloirs, grattoirs...).

Cippe du meunier Marcus Careius Asisa, 1er s. avant J.-C. (Musée archéologique, Narbonne).

● **7500-1500 (néolithique)** – Grâce à l'abri de Font-Juvénal, entre l'Aude et la Montagne noire, on sait qu'ici l'agriculture et l'élevage étaient pratiqués dès le 4e millénaire et que l'habitat était évolué (foyers, poteaux, dallages et silos). Dans la moyenne montagne, un peuplement dense a laissé des armes (flèches, haches et couteaux), des parures (colliers et bracelets) et des poteries (jattes et vases). Autre trace de cette civilisation : les **statues-menhirs**. Homme ou divinité ? Dans le Sud de l'Aveyron, des menhirs sont étrangement sculptés : on y observe un visage tatoué (nez et yeux mais bouche absente), des bras, des mains, des membres inférieurs courts et des parures (colliers). Enfin, on trouve des **dolmens**. Ces tables horizontales auraient servi de tombeaux. Dégagés des tumulus, buttes de terre et de pierre, ils font forte impression dans le Gard, la Lozère, l'Hérault et l'Aveyron. Ils pourraient être l'œuvre d'un peuple venu par mer et doué d'une grande technicité. En témoignent l'usage du fil à plomb, les routes et le transport de pierres de 350 t. (L'obélisque de la Concorde à Paris ne pèse que 220 t !)

La « Dame de St-Sernin », statue-menhir datant de 6000-3500 avant J.-C. (musée Fenaille, Rodez).

● **L'âge des métaux** – Les belles coupes et les bijoux du musée Ignon-Fabre, à Mende, datent de l'âge du bronze et du fer.

La Gaule avant J.-C.

● **600-50** – Influences grecques et celtes (Volques Tectosages).
● **560** – Les Phocéens fondent Agathé Tychè (Agde).
● **214** – Passage d'Hannibal dans les Pyrénées et en Roussillon.
● **122** – Le général romain Domitius Ahenobarbus refoule les Arvernes dans le Massif Central, soumet les Volques et crée la fameuse Transalpine. Cette province englobe Marseille, Narbonne (Narbo), Toulouse (Tolosa) et remonte la vallée du Rhône vers Vienne et Genève. En 27, réorganisée, elle devient la Narbonnaise.

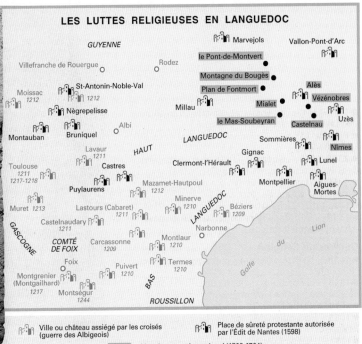

LES LUTTES RELIGIEUSES EN LANGUEDOC

GUYENNE

Villefranche de Rouergue

Rodez

Marvejols

Vallon-Pont-d'Arc

le Pont-de-Montvert

Montagne du Bougès

Moissac
1212

St-Antonin-Noble-Val

1212

Plan de Fontmort

Alès

Nègrepelisse

Millau

Mialet

Vézénobres

Uzès

Montauban

Bruniquel

Albi

le Mas-Soubeyran

Castelnau

LANGUEDOC

HAUT

Lavaur
1211

Sommières

Nîmes

Toulouse
1211
1217-1218

Castres

Clermont-l'Hérault

Gignac

Lunel

Puylaurens

Mazamet-Hautpoul
1212

Montpellier

Aigues-Mortes

Muret *1213*

Lastours (Cabaret)
1211

Minerve
1210

LANGUEDOC

Béziers
1209

BAS

Castelnaudary
1211

COMTÉ
DE FOIX

Carcassonne
1209

Narbonne

Montlaur
1210

Lion

du

GASCOGNE

Foix

Puivert
1210

Termes
1210

Golfe

Montgrenier
(Montgailhard)
1217

Montségur
1244

Montpellier

ROUSSILLON

🏰 Ville ou château assiégé par les croisés
(guerre des Albigeois)

🏰 Place de sûreté protestante autorisée
par l'Édit de Nantes (1598)

Mialet Lieu du souvenir camisard (1702-1704)

De nombreuses **voies romaines** sont construites à cette époque. Elles facilitent d'abord la conquête puis le commerce : on y transporte le vin italien dans un sens, le blé et le bétail toulousains dans l'autre. Les deux voies principales sont : la via Domitia, qui, partant du Rhône, rejoint la Tarraconaise espagnole, en passant par Narbonne et l'oppidum de Ruscino ; et la voie d'Aquitaine, qui relie Narbonne à Toulouse et Bordeaux. Une longue période de prospérité commence, la **Pax Romana** : la Narbonnaise est divisée en *pagi* (les comtés du Moyen Âge). Chaque *pagus* a ses *civitae* administratives (Narbonne, Carcassonne, Castelnaudary), ses *vici* ou centres ruraux (Bram, ex-Eburomagnus) et ses *villae* ou domaines agricoles (Homps, ex-Ulmos, Loupian). Rome façonnera durablement (par le droit et le latin) la région.

● **59-51** – Conquête des Gaules par César.

Début de l'ère chrétienne

● **1er s.** – Célèbres poteries gallo-romaines de la Graufesenque, près de Millau. Banassac est réputée pour ses terres cuites.

● **3e-5e s.** – Invasions des Alamans, Vandales et Wisigoths.

● **476** – Chute de l'Empire romain d'Occident.

● **507** – Clovis repousse les Wisigoths en Septimanie (Carcassonne, Narbonne, Béziers, Agde, Nîmes, Maguelone, Elne).

● **719** – Les Sarrasins prennent Narbonne ; Pépin le Bref les chasse en 759.

Moyen Âge

● **865** – Formation de la Catalogne après scission de la Marche d'Espagne.

● **11e-12e s.** – Hégémonie des comtes de Toulouse.

● **12e-13e s.** – Art des troubadours.

● **1140-1200** – Diffusion de l'hérésie cathare. Saint Bernard tente de convertir les hérétiques.

● **1172** – Cession du Roussillon à l'Aragon.

● **1209** – Début de la croisade contre les Albigeois.

● **1213** – Bataille de Muret.

● **1229** – Traité de Meaux : rattachement du comté de Toulouse au domaine royal.

● **1233-1321** – L'Inquisition éradique les foyers cathares.

● **1258** – Traité de Corbeil : le roi de France tient les cinq « fils de Carcassonne ».

Portrait de Pierre-Paul Riquet, 18e s. (château de Versailles).

● **1276-1344** – Perpignan est capitale du royaume de Majorque de Jacques Ier d'Aragon.
● **Fin du 13e s.** – Naissance de la province du « Languedoc ».
● **1350-1450** – Guerres, famines et épidémies dans les Pyrénées et en Languedoc.
● **1360** – Traité de Brétigny : fin de la première partie de la guerre de Cent Ans.
● **1462-1492** – Domination française en Roussillon.
● **1539** – Édit de Villers-Cotterêts : le français devient langue juridique.

Guerres de Religion

● **1559** – Guerre sanglante entre protestants et catholiques.
● **1598** – Édit de Nantes : liberté du culte et places de sûreté garanties aux protestants.
● **1610** – Mort d'Henri IV et reprise des luttes.
● **1685** – Révocation de l'édit de Nantes par Louis XIV.
● **1787** – L'édit de Tolérance met fin aux persécutions.

Époque moderne et contemporaine

● **1659** – Traité des Pyrénées : le Roussillon et la Cerdagne sont rattachés au royaume de France.
● **1666-1680** – Construction du canal du Midi par Riquet.
● **1790** – Le Languedoc est divisé en départements.
● **1852-1914** – Développement du thermalisme et de l'escalade dans les Pyrénées.
● **1875** – Destruction du vignoble languedocien par le phylloxéra.
● **1907** – Insurrection des vignerons en Bas-Languedoc.
● **1940-1944** – Le massif de l'Aigoual et les Pyrénées sont des foyers de la Résistance.
● **1962** – Accords d'Évian et installation de rapatriés d'Algérie en Languedoc.
● **1963** – Plan d'aménagement du littoral Languedoc-Roussillon.
● **1992-2001** – Autoroute A 75 (la Méridienne) relie Clermont-Ferrand à Béziers.
● **1996-1997** – Inscription au Patrimoine mondial de l'UNESCO du canal du Midi (1996) et de la cité de Carcassonne (1997).

Révolte des vignerons du Languedoc, en 1907 à la une de « L'Assiette au Beurre ».

Chevalier cathare, devant l'église de Muret (Haute-Garonne).

L'épopée cathare

La doctrine

Venue d'Orient, elle doit son nom au grec *katharos* (« pur »). L'évêque Nicétas de Constantinople fonde le « dualisme radical » en 1167 au concile de St-Félix-Lauragais. Il emprunte au catholicisme mais nie la divinité du Christ. Au Dieu bon régnant sur un monde spirituel de lumière et de beauté, s'oppose le monde matériel de Satan qui emprisonne l'homme.

Parfaits et croyants

Les **parfaits** ou **bons-hommes** mènent une existence très austère qui les libère du malin et les ramène à la pureté divine. Ils sont vénérés par les **croyants**, simples fidèles. L'hérésie se développe d'abord en ville dans le milieu de l'artisanat et du négoce puis se propage avec la protection des seigneurs Roger Trencavel, vicomte de Béziers et de Carcassonne, et Raimond Roger, comte de Foix.

L'Église cathare

Elle a quatre évêques à sa tête : celui d'Albi (d'où le nom d'« Albigeois ») et ceux de Tou-

M.-H. Carcanague/MICHELIN

Monument aux martyrs cathares de Minerve.

louse, Carcassonne et Agen. Le seul sacrement administré est le *consolamentum*, pour l'ordination d'un parfait ou la bénédiction d'un croyant à l'article de la mort. Le refus des rites traditionnels (baptême et mariage) attise la colère des clercs, dont les cathares stigmatisent par ailleurs, avec un franc succès, l'opulence et le relâchement.

Le temps de la répression

En 1204, le pape Innocent III tente de persuader le comte de Toulouse, Raimond VI, de renoncer à protéger les hérétiques ; en vain. C'est le meurtre du légat pontifical, Pierre de Castelnau, qui déclenche la croisade contre les Albigeois, en mars 1208. Simon de Montfort est à la tête des croisés : il prend Béziers et Carcassonne en 1209, Lastours, Minerve, Termes et Puivert (1210), puis le comté de Toulouse (1215), avant d'être tué en 1218 : c'est l'échec. Raimond VII venge son père par huit ans de guerre de libération. En 1224, Amaury de Montfort, débordé, cède ses droits au roi de France. Louis VIII en personne mène la croisade : c'est le Nord contre le Sud, le royaume de France contre les comtés indépendants. Le traité de Meaux (1229) clôt la « guerre sainte » par l'annexion au royaume de France des possessions du comte de Toulouse. L'Inquisition poursuit la lutte contre l'hérésie. Peyrepertuse est battue en 1240. Après l'attentat d'Avignonnet, 6 000 croisés assiègent le fief de Montségur : 225 cathares sont brûlés vifs et les rescapés n'obtiennent qu'un sursis au château de Puilaurens. Enfin, la guerre albigeoise s'achève par la chute du bastion de Quéribus en 1255, mais laisse une profonde cicatrice, d'autant que les persécutions de poursuivent jusqu'en 1321, date du bûcher de Guillaume Bélibaste, dernier parfait connu.

Bataille de Muret (musée Paul-Dupuy, Toulouse).

Taillefer/IMAGES DU SUD

Les langues d'ici

Tendez l'oreille aux mélopées locales, les accents portent encore la trace des belles sonorités colorées des deux langues sœurs : la langue d'oc (occitan) et le catalan.

D. Kuentz/Musée Languedocien, Montpellier

Fiers troubadours

Oyez gentes dames ! Fini le temps où vous étiez de « souveraines pestes » et des « sentinelles avancées de l'Enfer » ; place à l'amour courtois ! Au 11e s., la rudesse des seigneurs s'estompe : ils deviennent chevaliers et honorent les charmes de leur belle. Vient alors l'idée de s'entourer de poètes capables de « trouver » eux-mêmes leurs chansons ; ce sont les « troubadours ». Certains sont princes, d'autres démunis mais tous jouent le même air : l'amour pur, inspiré par une femme idéale.

Parmi les plus célèbres, citons **Jaufré Rudel**, seigneur de Blaye, qui « s'enamoura de la comtesse de Tripoli sans la voir... » *(amor de lonh)*, **Bernard de Ventadour**, chantre de la *fin'amor* (l'amour parfait), **Peire Vidal** au lyrisme extravagant,

TOPONYMIE CATALANE

Cami = chemin
Creu = croix
Estany = lac
Pas = passage
Portella = col
Prat = pré, prairie
Riu = rivière
Serrat = crête rocheuse
Torre = tour

Guiraut Riquier... Mais *fin'amor* ne signifie pas indifférence au monde : pour preuve, les *sirventés*, parfois très violents, contre les armées du Nord.

Les cours méridionales retentissent jusqu'au 13e s. de leur langue raffinée : l'occitan.

L'occitan

Ce terme ancien a pris de nos jours le dessus sur celui de « langue d'oc ». Les langues « d'oïl » et « d'oc » étaient ainsi nommées pour la façon dont on disait « oui » en chacune d'elles. La limite passait au Nord du Massif Central, si bien que l'occitan comporte les dialectes languedocien, gascon, limousin, auvergnat et provençal. Le mot Languedoc lui-même apparut au 13e s. pour désigner les terres royales, du Rhône à la Garonne.

Avec les croisades contre les Albigeois et leur cortège de malheurs, l'occitan déclina. En 1323, des poètes toulousains tentèrent de le réhabiliter par des Jeux floraux de pure tradition médiévale. En 1539, l'**édit de Villers-Cotterêts** lui porta le coup de grâce en imposant le dialecte d'Île-de-France, le français.

L'occitan connaît plusieurs sursauts : en 1819, avec la publication, par Rochegude, d'une anthologie de poèmes de troubadours ; en 1854, lorsque le félibrige réforme l'orthographe du provençal. L'Escola Occitana (1919) et l'Institut d'études occitanes de Toulouse (1945) jouèrent un rôle décisif dans le renouveau de l'Occitanie. Il faut cependant attendre la loi de 1951 pour que l'enseignement de l'occitan soit admis, dans les *calendretas* pour les plus petits ou le collège bilingue de Montpellier (1997).

LAUROS-GIRAUDON

Miniature catalane : Capt de Tautavel représentant u feudataire prê serment en présence du ro Majorque Jacques Ier (Perpignan, archives départementa des Pyrénées-Orientales).

Élément de plafond gothique du 13ᵉ s. représentant un musicien (Musée languedocien, Montpellier).

Viole.

Édit de Villers-Cotterêts.

Le catalan

Très proche de l'occitan, hérité comme lui de la présence romaine, le catalan est le lien culturel des anciens pays du comté de Barcelone (9ᵉ-10ᵉ s.). Son apogée se situe au 13ᵉ s., avec les écrits de Ramon Llull. À partir du 16ᵉ s., il périclite : la monarchie centralisatrice de Philippe II prescrit le castillan. Enfin, le traité des Pyrénées (1659) l'interdit en Roussillon.

Tenace, le catalan se perpétue à l'oral mais sa renaissance littéraire ne date que du 19ᵉ s. Essentiel à l'identité culturelle du Roussillon, son usage s'affirme au début des années 1980 dans les écoles maternelles et l'édition. Actuellement, il bruit doucement de Salses en Roussillon à Valence en Espagne. Dans la principauté d'Andorre et la Catalogne espagnole, il est langue officielle et se parle haut et fort.

À vous de parler ! Le « u » se prononce « ou », le « v » « b », le « x » « ch », le « ll » « yeu », le « ig » « itch », le « ny » « gne ».

Récits d'aujourd'hui

Le Languedoc-Roussillon est une terre d'accueil pour de nombreux écrivains, originaires ou non de la région. Tous évoquent la vie et les paysages qui font partie de leur quotidien. Parmi eux, citons :

Ferdinand Fabre (1827-1898) : né à Bédarieux, il fait le récit du Languedoc dans *Les Courbezon, L'Abbé Tigrane, Taillevent*... **Paul Valéry** (1871-1945) : né et inhumé à Sète, il figure au panthéon de la littérature française. **Joë Bousquet** (1897-1950) : installé à Carcassonne, il y écrit la majeure partie de ses œuvres. **Joseph Delteil** (1894-1978) : personnalité originale des environs de Montpellier et compagnon des surréalistes. Enfin, l'inénarrable **Jean-Pierre Chabrol** (né en 1925), le plus passionnant conteur cévenol.

D'autres auteurs ont été ou sont encore les chantres de l'Occitanie, comme **Max Rouquette** (né en 1908 – a écrit *Médée, Verd paradis*), **Jean Boudou** (1920-1975 – né à Crespin dans l'Aveyron, précurseur de l'enseignement de l'occitan, auteur des *Cailloux du chemin, Le Livre de Catoie*), **Yves Rouquette** (né en 1936 – originaire de Camarès dans l'Aveyron, a écrit *Cathares, Occitanie*).

ABC d'architecture

Architecture religieuse

QUARANTE – Plan de l'église Ste-Marie (11ᵉ s.)

Comme l'abbatiale de St-Guilhem-le-Désert, l'église de Quarante est un des édifices les plus représentatifs du premier art roman en Languedoc.

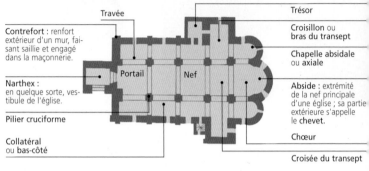

Travée

Trésor

Contrefort : renfort extérieur d'un mur, faisant saillie et engagé dans la maçonnerie.

Croisillon ou **bras du transept**

Chapelle absidale ou **axiale**

Portail **Nef**

Narthex : en quelque sorte, vestibule de l'église.

Abside : extrémité de la nef principale d'une église ; sa partie extérieure s'appelle le **chevet**.

Pilier cruciforme

Collatéral ou **bas-côté**

Chœur

Croisée du transept

Coupe en élévation d'une église romane et d'une église gothique

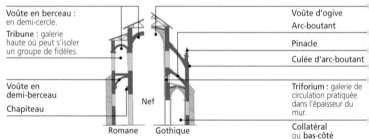

Voûte en berceau : en demi-cercle.

Voûte d'ogive

Arc-boutant

Tribune : galerie haute où peut s'isoler un groupe de fidèles.

Pinacle

Culée d'arc-boutant

Voûte en demi-berceau

Triforium : galerie de circulation pratiquée dans l'épaisseur du mur.

Chapiteau

Nef

Collatéral ou **bas-côté**

Romane **Gothique**

ST-MICHEL-DE-CUXA – Clocher de l'église abbatiale (11ᵉ s.)

Les églises romanes du Bas-Languedoc possèdent presque toutes un ou deux clochers de style lombard. Ce style, vraisemblablement importé d'Italie au 11ᵉ s. et pour la première fois à St-Michel-de-Cuxa, devint par la suite typiquement local.

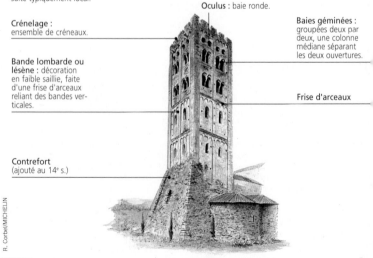

Oculus : baie ronde.

Crénelage : ensemble de créneaux.

Baies géminées : groupées deux par deux, une colonne médiane séparant les deux ouvertures.

Bande lombarde ou **lésène :** décoration en faible saillie, faite d'une frise d'arceaux reliant des bandes verticales.

Frise d'arceaux

Contrefort (ajouté au 14ᵉ s.)

St-GUILHEM-LE-DÉSERT – Abbatiale (11ᵉ s.)

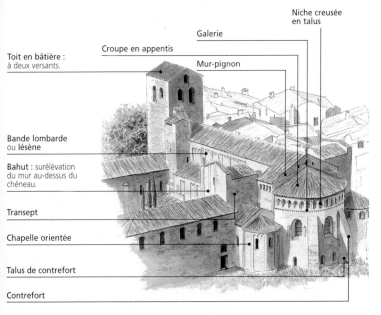

Niche creusée en talus

Galerie

Croupe en appentis

Mur-pignon

Toit en bâtière : à deux versants.

Bande lombarde ou **lésène**

Bahut : surélévation du mur au-dessus du chéneau.

Transept

Chapelle orientée

Talus de contrefort

Contrefort

AGDE – Ancienne cathédrale St-Étienne (12ᵉ s.)

L'ancienne cathédrale d'Agde fait partie des églises fortifiées du Languedoc. Son allure de forteresse austère fait de la tour Nord un véritable donjon.

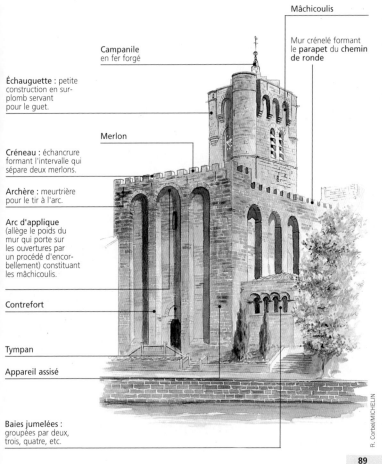

Mâchicoulis

Mur crénelé formant le parapet du chemin de ronde

Campanile en fer forgé

Échauguette : petite construction en surplomb servant pour le guet.

Merlon

Créneau : échancrure formant l'intervalle qui sépare deux merlons.

Archère : meurtrière pour le tir à l'arc.

Arc d'applique (allège le poids du mur qui porte sur les ouvertures par un procédé d'encorbellement) constituant les mâchicoulis.

Contrefort

Tympan

Appareil assisé

Baies jumelées : groupées par deux, trois, quatre, etc.

R. Corbel/MICHELIN

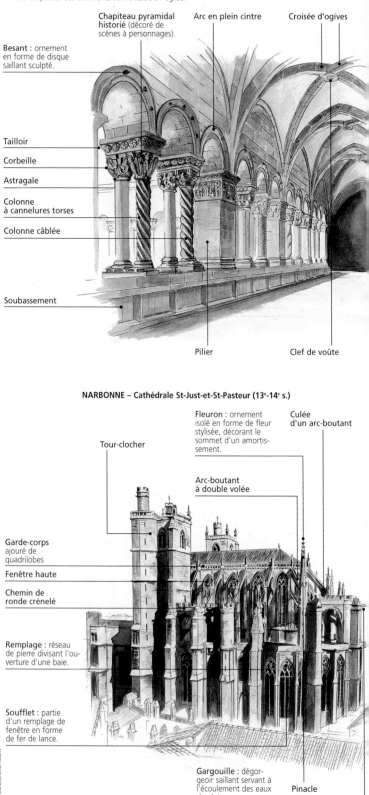

ELNE – Cloître de la cathédrale Ste-Eulalie-et-Ste-Julie (12ᵉ-14ᵉ s.)

Le cloître est une allée couverte formée de quatre côtés délimitant une cour centrale et permettant aux moines de passer des bâtiments conventuels à l'église.

Chapiteau pyramidal historié (décoré de scènes à personnages).

Arc en plein cintre

Croisée d'ogives

Besant : ornement en forme de disque saillant sculpté.

Tailloir

Corbeille

Astragale

Colonne à cannelures torses

Colonne câblée

Soubassement

Pilier

Clef de voûte

NARBONNE – Cathédrale St-Just-et-St-Pasteur (13ᵉ-14ᵉ s.)

Fleuron : ornement isolé en forme de fleur stylisée, décorant le sommet d'un amortissement.

Culée d'un arc-boutant

Tour-clocher

Arc-boutant à double volée

Garde-corps ajouré de quadrilobes

Fenêtre haute

Chemin de ronde crénelé

Remplage : réseau de pierre divisant l'ouverture d'une baie.

Soufflet : partie d'un remplage de fenêtre en forme de fer de lance.

Gargouille : dégorgeoir saillant servant à l'écoulement des eaux de pluie.

Pinacle

R. Corbel/MICHELIN

MENDE – Façade occidentale de la cathédrale (14e s.)

La cathédrale de Mende a connu plusieurs phases de construction, d'où la diversité des styles que l'on trouve en façade.

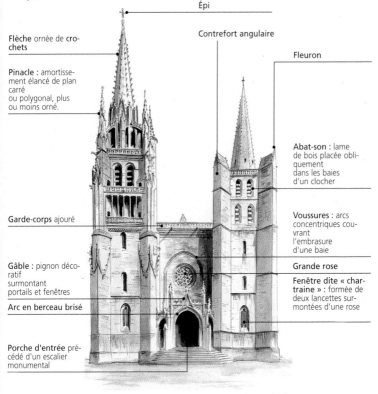

Épi

Flèche ornée de crochets

Contrefort angulaire

Fleuron

Pinacle : amortissement élancé de plan carré
ou polygonal, plus ou moins orné.

Abat-son : lame de bois placée obliquement dans les baies d'un clocher

Garde-corps ajouré

Voussures : arcs concentriques couvrant l'embrasure d'une baie

Grande rose

Gâble : pignon décoratif surmontant
portails et fenêtres

Fenêtre dite « chartraine » : formée de deux lancettes surmontées d'une rose

Arc en berceau brisé

Porche d'entrée précédé d'un escalier monumental

VINÇA – Retable N.-D. du Rosaire en l'église St-Julien-Ste-Baselisse (18e s.)

Le retable est un élément de décor placé derrière l'autel, surmontant verticalement la table d'autel.

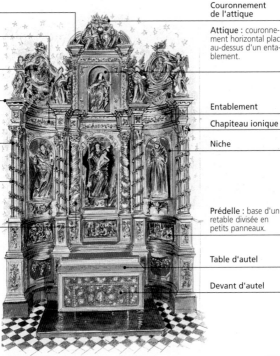

Fronton brisé

Couronnement de l'attique

Guirlande de fleurs

Attique : couronnement horizontal placé au-dessus d'un entablement.

Médaillon ovale

Corniche à ressauts

Entablement

Cannelures : sillons ornant les colonnes ou piliers.

Chapiteau ionique

Niche

Colonne cannelée corollitique : au fût décoré de guirlandes.

Colonne torse à cannelures irrégulières

Prédelle : base d'un retable divisée en petits panneaux.

Table d'autel

Devant d'autel

Architecture militaire

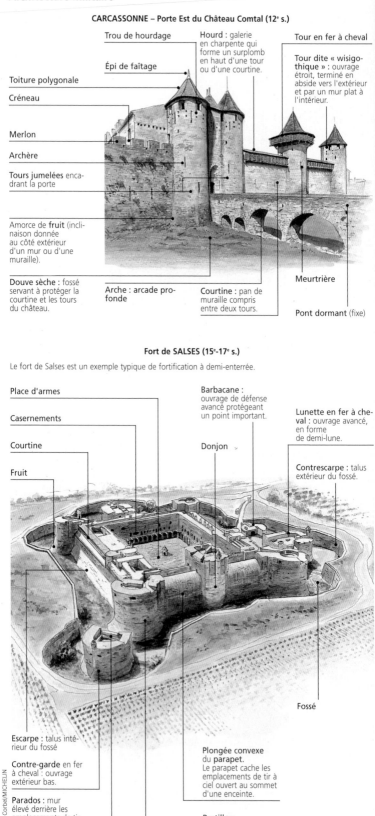

CARCASSONNE – Porte Est du Château Comtal (12ᵉ s.)

Trou de hourdage

Épi de faîtage

Toiture polygonale

Créneau

Merlon

Archère

Tours jumelées enca-drant la porte

Amorce de **fruit** (incli-naison donnée au côté extérieur d'un mur ou d'une muraille).

Douve sèche : fossé servant à protéger la courtine et les tours du château.

Arche : arcade pro-fonde

Courtine : pan de muraille compris entre deux tours.

Hourd : galerie en charpente qui forme un surplomb en haut d'une tour ou d'une courtine.

Tour en fer à cheval

Tour dite « wisigo-thique » : ouvrage étroit, terminé en abside vers l'extérieur et par un mur plat à l'intérieur.

Meurtrière

Pont dormant (fixe)

Fort de SALSES (15ᵉ-17ᵉ s.)

Le fort de Salses est un exemple typique de fortification à demi-enterrée.

Place d'armes

Casernements

Courtine

Fruit

Barbacane : ouvrage de défense avancé protégeant un point important.

Donjon

Lunette en fer à che-val : ouvrage avancé, en forme de demi-lune.

Contrescarpe : talus extérieur du fossé.

Fossé

Escarpe : talus inté-rieur du fossé.

Contre-garde en fer à cheval : ouvrage extérieur bas.

Parados : mur élevé derrière les emplacements de tir.

Plongée convexe du **parapet**. Le parapet cache les emplacements de tir à ciel ouvert au sommet d'une enceinte.

Bastillon

R. Corbel/MICHELIN

Architecture civile

MONTPELLIER – Rotonde de l'Hôtel St-Côme (17ᵉ s.)

Cette rotonde octogonale abrite un amphithéâtre qui était destiné aux dissections.

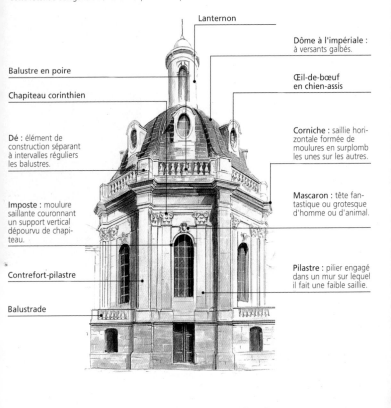

Lanternon

Dôme à l'impériale : à versants galbés.

Balustre en poire

Œil-de-bœuf en chien-assis

Chapiteau corinthien

Corniche : saillie horizontale formée de moulures en surplomb les unes sur les autres.

Dé : élément de construction séparant à intervalles réguliers les balustres.

Mascaron : tête fantastique ou grotesque d'homme ou d'animal.

Imposte : moulure saillante couronnant un support vertical dépourvu de chapiteau.

Pilastre : pilier engagé dans un mur sur lequel il fait une faible saillie.

Contrefort-pilastre

Balustrade

Château de CASSAN – Façade Ouest (18ᵉ s.)

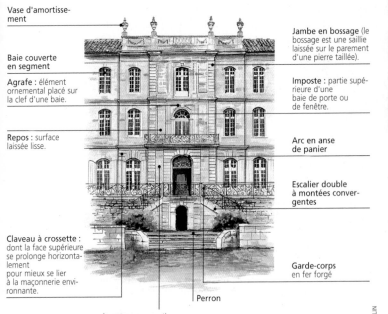

Vase d'amortissement

Jambe en bossage (le bossage est une saillie laissée sur le parement d'une pierre taillée).

Baie couverte en segment

Imposte : partie supérieure d'une baie de porte ou de fenêtre.

Agrafe : élément ornemental placé sur la clef d'une baie.

Repos : surface laissée lisse.

Arc en anse de panier

Escalier double à montées convergentes

Claveau à crossette : dont la face supérieure se prolonge horizontalement pour mieux se lier à la maçonnerie environnante.

Garde-corps en fer forgé

Avant-corps : partie d'un bâtiment faisant saillie sur toute la hauteur et sur l'alignement de la façade, toit compris.

Perron

L'art

Des rivages de la Méditerranée aux contreforts du Massif Central et des Pyrénées, le Languedoc et le Roussillon surent exploiter, au fil des siècles, une situation géographique exceptionnelle : lieux de passage, de contacts et d'échanges, ils développèrent un art aux mille visages qui, des premiers pas de l'architecture romane aux expériences lumineuses des fauves de Collioure, font de la découverte de ces terres une quête infinie.

Cloître de la cathédrale d'Elne.

Le roman

Riche et diversifié : tel apparaît cet art roman né au carrefour d'influences variées. Si le Roussillon adopta très vite les innovations apparues autour de l'an 1000 en terre catalane, le Languedoc ne tarda pas à les suivre sur cette voie d'un art un peu rude. C'est d'abord à leur appareil rustique qu'on reconnaît les premières églises romanes :

l'abbaye St-Martin-du-Canigou, si belle d'austérité, est faite de ces murs en petits moellons mal équarris. Parfois, marbre rouge et schiste noir forment ensemble un contrepoint coloré. À fleur de pierre, le mur s'anime de lésènes (bandes lombardes), lancées sur les absides, façades ou clochers puis jointes à leur sommet par une myriade de petits arcs. D'autres effets décoratifs, comme les frises de dents d'engrenages ou les niches couronnant l'abside de St-Guilhem-le-Désert, donnent vie à ces murs dépouillés.

À l'intérieur règne la pénombre : les ouvertures sont rares pour ne pas affaiblir les murs des nefs qu'on cherchait à voûter. À St-Michel-du-Canigou, les collatéraux contrebutant le vaisseau central en plein cintre rendaient impossible l'ouverture de fenêtres hautes. À Saint-Guilhem, on passa outre les risques d'effondrement en perçant de petites fenêtres dans les murs gouttereaux partiellement contrebutés. Malgré ces belles expériences

Chapiteau du cloître de l'abbaye de St-Michel-de-Cuxa.

de voûtement, on préféra souvent la nef unique charpentée.

Le décor sculpté est presque absent dans les églises du 11e s., si ce n'est au portail de Saint-Génis-des-Fontaines, finement sculpté d'un marbre blanc éclatant sur la paroi sombre de la façade. Le siècle suivant voit l'apogée de la sculpture romane roussillonnaise, avec les œuvres du **maître de Cabestany**, et dans le cloître de Saint-Michel-de-Cuxa, dont l'esprit souffle jusqu'aux galeries d'Elne ou la tribune rose de Serrabone.

D'un gothique à l'autre

Les architectes du Midi, attachés aux formes romanes, n'adoptèrent qu'avec réticence les innovations de leurs homologues du Nord. Des recherches originales les avaient déjà menés vers cette architecture gothique méridionale, riche d'un passé roman qu'elle métamorphosait.

Les tentatives d'introduire l'art gothique septentrional furent pourtant brillantes. On reconnaît les plus beaux avatars méridionaux du gothique rayonnant dans le chœur de Saint-Nazaire de Carcassonne, digne épigone de la Sainte-Chapelle, et dans celui de la cathédrale de Narbonne, vaste, élancé, lumineux, qui n'a d'égal que l'ambition de son commanditaire.

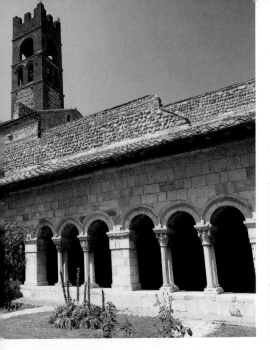

Hormis à Narbonne, l'influence du Nord est peu sensible : on préfère encore de grands pans de murs aux fenêtres étroites, résurgence romane, aux élévations gothiques. Le gothique méridional emprunte au roman bien d'autres traits comme l'absence de décor ou la prédilection pour la nef unique charpentée.

Le temps de la défense

Répondre à l'insécurité d'un littoral exposé au péril sarrasin, affirmer la présence capétienne une fois vaincue la résistance cathare, conforter les frontières Sud du royaume : là se trouve l'origine des formidables constructions défensives de la région.

Les églises fortifiées – Agde, Maguelone, St-Pons-de-Thomières : ces trois sœurs languedociennes, dotées au 12e s. d'une puissante chemise de pierre, s'imposent comme les incontournables du genre. Avec leur ceinture de mâchicoulis entre les contreforts, leurs parapets crénelés, leurs fenêtres rares et étroites, leur kyrielle d'archères, leurs tours défensives et leur clocher pour tout donjon, elles doivent à l'architecture militaire de l'époque l'essentiel de leurs fortifications.

Châteaux et enceintes – Abandonnés ou reconstruits par les vainqueurs de l'hérésie, les fameux « châteaux cathares » ne sont plus que ruines aujourd'hui, comme en témoignent les vestiges de Quéribus. Puilaurens ou Peyrepertuse, reconstruits après la conquête, n'ont rien de cathare ; ils présentent au contraire toutes les caractéristiques de la fortification royale dont l'appareil à bossage est la signature. Carcassonne constitue le parangon de cette architecture militaire de la seconde moitié du 18e s. qui ne se limita pas aux constructions royales. En témoi-

gnent tous ces châteaux des artisans de la conquête, dont Puivert est un bel exemple, avec une tourmaîtresse renfermant une grande salle voûtée d'ogives aux culots sculptés de musiciens.

Places fortes modernes – Édifié par la couronne espagnole pour verrouiller la frontière Nord du Roussillon, Salses apparaît comme la première place forte moderne par son appareil défensif recherché mais aussi par une organisation interne spécifiquement conçue pour abriter une garnison constituée.

Au 17e s., Vauban conçoit des systèmes mieux adaptés aux zones montagneuses difficiles : intacts, les forts de Villefranche-de-Conflent et de Mont-Louis en sont d'admirables témoins.

A. Cassaigne/MICHELIN

Impressionnant et superbe, le fort de Salses.

Le baroque catalan

La Catalogne garde l'empreinte de ces temps d'exaltation religieuse propre au 17e s. : pas une église, pas une chapelle qui n'ait commandé son retable, un retable voulu plus fastueux, plus digne de Dieu qu'il ne l'était dans la paroisse voisine. Même après son annexion par la France en 1659, cette région s'est ainsi faite le théâtre de créations magnifiques.

Quand la sculpture se marie à l'architecture

Ces retables, entièrement sculptés, appellent une extraordinaire mise en œuvre architecturale qui prend, au cours du siècle, une ampleur démesurée : en témoignent les maîtres-autels de Lluis Generès à Baixas ou de Joseph Sunyer à Prades. On multiplie étages et emplacements sculptés : peu à peu, une kyrielle de saints et d'anges envahissent niches et frontons. L'architecture s'anime, les frontons se brisent, les colonnes se tordent... L'ornement épouse la moindre surface nue jusqu'au fût des colonnes qu'on préfère canneler. Au point que le 18e s. voit l'architecture se fondre en cette exubérance. Pour donner à cet art toute sa vitalité, le mouvement des statues se joint au foisonnement : les saints des bas-reliefs du retable du Rosaire de l'église d'Espira-de-Conflent tournoient dans des poses extatiques dignes du Bernin. Ce faste n'a qu'un dessein, celui de dire la très grande gloire de Dieu éclatant dans la richesse des matériaux, ces marbres de Caunes-Minervois, de Villefranche-de-Conflent, ces ors venus d'Amérique...Tout n'est qu'un ruissellement de lumières, de couleurs jusqu'aux statues peintes et dorées par des ateliers spécialisés comme celui des Guerra. C'est à Collioure qu'il faut s'arrêter pour voir un témoignage unique de cet art catalan : le retable de Notre-Dame-des-Anges mis en scène à l'extrême fin du 17e s. par Joseph Sunyer.

Les miroirs de la foi

Mais pourquoi tant d'images, tant de figures de saints, tant de scènes de martyres, de miracles et de mystères ? Parce que l'iconoclasme protestant est proche et qu'on le refuse : on tient à proclamer le dogme, à exalter la foi, à transmettre aux chrétiens des modèles de piété par ces images qu'on a voulu briser. Les programmes iconographiques se font ainsi très complexes : pour concevoir le retable du Rosaire exposé aujourd'hui dans l'église St-Jacques de Perpignan, Lazare Tremullas suit les prescriptions détaillées des commanditaires dominicains. On y voit la représentation des cinq mystères joyeux, douloureux et glorieux, accompagnés des figures des trois vertus théologales. Le sculpteur catalan, qui contribua à introduire en France le retable sculpté, signe ici un chef-d'œuvre à l'origine de bien d'autres retables. D'églises en chapelles, on percevra aussi l'intensité des dévotions populaires : Jean-Pierre Geralt s'en fait l'écho en sculptant sainte Assiscle et sainte Victoire pour le maître-autel de l'église de Trouillas.

Angelot.

Escalier de la cour de l'hôtel de Lacoste (déb. 16ᵉ s.), à Pézenas.

Partie du retable de l'église de Baixas.

Demeures classiques

Montpellier, capitale du Languedoc

Dans les années 1630, peu après son élection comme capitale provinciale, Montpellier connaît un renouveau de ses demeures traditionnelles. Simon Levesville et Charles d'Aviler adaptent ainsi à l'hôtel de Deydé le type à la française entre cour et jardin. La métamorphose essentielle a lieu avec l'apparition de l'escalier ouvert en manière de portique, initié par Ponce Alexis de La Feuille puis diffusé dans toute la région. L'hôtel des Trésoriers de France en possède un vertigineux, inspiré de Mansart et Le Vau.

Pézenas au grand siècle

Pézenas : une des plus charmantes villes de France après Paris aux dires de Louis XIII... Elle connut, dans les années 1620, l'aménagement d'une promenade, le « Quay » – actuel cours Jean-Jaurès – bordée peu à peu de très belles demeures. La rue Conti concentre également un important ensemble d'habitations nobles : les colonnes torses de la galerie sur cour de l'hôtel d'Alfonce font de cet édifice une curiosité.

Peinture moderne en Roussillon

Des fauves à Collioure

« Collioure ? Ce sont des femmes, des bateaux, la mer et la montagne [...]. Mais surtout, c'est la lumière. Une lumière blonde, dorée, qui supprime les ombres. » Derain décrit ainsi ce petit port de pêche où il rejoint Matisse à l'été 1905. Tous deux y peignent le village, le port, ses barques bigarrées, dans des couleurs toujours plus lumineuses, plus orange, plus rouges... Les touches se fondent en larges aplats contrastés. Seul le dessin permet de reconnaître certains objets noyés dans une polychromie qui n'a plus rien de réaliste. En plein Salon d'automne, la violence de ces toiles déclenche le scandale fauve.

Céret, Mecque du cubisme

C'est par ces mots que le critique André Salmon désigna ce village catalan. Tout commence en juillet 1911 avec l'arrivée de Picasso suivi de Braque. Ils y conçoivent des toiles aux structures architecturales parfaites dont certains éléments participent de l'atmosphère catalane. Céret attirera encore de nombreux artistes comme Juan Gris jusqu'à ce qu'en 1950 le peintre Pierre Brune crée un musée inscrivant désormais l'art moderne dans le paysage céretan.

« Le Phare de Collioure », par André Derain, 1905 (musée d'Art moderne de la Ville de Paris).

Spécialités du terroir

Bon appétit ! Et ouvrez vos mirettes !
La gastronomie, délicieusement
relevée, va de pair avec l'artisanat,
savoir-faire autant qu'art de vivre.

Cassoulet, la spécialité
de Castelnaudary.

À table !

En Languedoc

La cuisine languedocienne regorge d'huile d'olive et d'herbes des garrigues (thym, romarin, genièvre, ail, sauge, fenouil...) qui parfument les escargots à la sommié- roise ou à la lodévoise, le gibier, les oiseaux en sauce (pigeons au genièvre de Cay- lar) ou en terrine (grives du Vigan), les célèbres petits pâtés de Pézenas à base de mouton (et de confiture !) ou encore l'*aigo boulido...*

Aubergines, tomates, courgettes, poivrons... forment la traditionnelle ribambelle méditerranéenne, cachée pour partie dans la croustade de Clermont-l'Hérault ou les crépinettes. Vertes ou noires, les olives de Bize-Minervois se savoureront seules en apéritif.

La mer ravit le gourmet : huîtres et moules de Bouzigues, baudroie en bourride sétoise ou en gigot de Palavas, seiches à la rouille ou en macaronade et tielles de poulpes.

Mais le plat roi est certainement le cassoulet. Ce fleuron de la cuisine occitane mijotait autrefois dans une « cassole » en argile d'Issel. Haricots, graisse d'oie, ail et couennes sont accompagnés, soit de poitrine de mouton et de porc frais à Castelnaudary, soit de gigot de mouton et de perdrix braisée à Carcassonne.

Fromages ou desserts ?

Le lait de vache donne des pâtes célèbres, le bleu des causses et la fourme de Laguiole de l'Aubrac, « for- mée » par un bois qui brunit sa croûte. Les brebis du Larzac font le pérail et le prestigieux roquefort, tan- dis que le pélardon cévenol reste le plus goûteux des chèvres.

Pour clore le repas d'une touche sucrée, vous aurez l'embarras du choix : gâteau à la broche, croquants aux amandes, amellonades de Florac (brioche), alléluias de Castelnaudary (petits gâteaux sans crème), marrons glacés de Carcassonne ou grisettes de Montpellier (bonbons au miel, herbes, réglisse). Pour la fête des Rois et Mardi gras, on abuse à Mont- pellier des succulentes oreillettes parfumées à l'orange.

Roquefort.

La cuisine catalane

Picada (au vin rouge) ou *romesco* (tomate, piment), les sauces sont à l'honneur. On savoure aussi bien la bouillinade, l'anchoïade de Collioure et le civet de langouste au banyuls, que l'*ollada* (soupe de cochon), les *boles de picolat* (boulettes de viande) et le perdreau. À Pâques ou à la Pentecôte, on se réunit pour la cargolade d'escargots et les grillades.

É. Larribère/MICHELIN

Cargolade.

Goûtez les sucreries : crème catalane, bunyettes à la fleur d'oranger, rousquilles aux amandes d'Amélie-les-Bains, *pessigoles de xocolata* (meringues au chocolat) ou tourons.

Artisanat

Terre de traditions, le Languedoc-Roussillon a gardé sa vocation artisanale. Voici quelques objets « faits main » qui pourront retenir votre attention.

Les gants de Millau sont taillés dans un cuir d'agneau très fin, assoupli par humidification ; ils sont parfois brodés à la main puis longuement lissés pour obtenir la douceur désirée. À Sauve, dans le Gard, on cultive le micocoulier pour en faire des fourches à trois branches très résistantes. Dans l'Hérault, à Hérépian, se trouve l'une des dernières fonderies artisanales de sonnailles, ces petites cloches qui tintent de bon matin et au crépuscule au cou des moutons. Des chutes de laiton, cuites dans l'argile et répandues autour de la tôle, donnent cette sonorité si claire.

J. Debru/IMAGES DU SUD

Espadrille et tissu catalans.

Dans le pays catalan, l'artisanat reste encore très présent avec les fouets ou *perpinya* de Sorède, au manche singulièrement torsadé, passé à l'ocre jaune et au verni. Tous ceux qui ont soif boivent à la régalade dans les *poals* ou *cantirs*, cruches en terre percées latéralement (Thuir) et dans la *borratxe*, gourde en peau de bouc (Bourg-Madame).

Enfin, le très réputé tissu du haut Vallespir est une toile de coton ou de lin tissée en bandes géométriques de couleurs vives. Il sert à la confection du linge de maison et à l'*espardinya* ou espadrille (St-Laurent-de-Cerdans).

SPÉCIALITÉS ET VIGNOBLES

 ARTISANAT, SPÉCIALITÉS

	Fruits et légumes
	Maïs, Tabac
	Autres céréales, Oléagineux
	Polyculture et élevage
	Zones incultes
	Châtaigniers
	Oliviers
	Mûriers
●	Lavande

Anduze	Vases
Arles-sur-Tech	Confiserie (pralines)
Aubrac	Miel
le Boulou	Bouchons de liège
Carcassonne	Confiserie (fruits confits, marrons glacés, nougats)
Cerdagne	Miel
Cévennes	Miel
Hérépian	Cloches
Lasalle	Sériciculture
Limoux	Confiseries (nougats, tourons)
Millau	Gants
Montpellier	Confiserie (grisettes)
Narbonne	Confiserie (berlingots)
Perpignan	Confiserie (tourons)
Pézenas	Confiserie (berlingots)
Prades	Confiserie (tourons)
Revel	Liqueur, Meubles
St-Laurent-de-Cerdans	Espadrilles
Ste-Énimie	Apéritif (Carthagène)
Sauve	Fourches de micocoulier
Thuir	Apéritif (Byrrh)
Vallespir	Miel

Minervois

	Vin d'Appellation
	Vin rouge, rosé ou blanc
	Vin rouge dominant
	Vin blanc
	Vin blanc mousseux
	Vin doux naturel

 GASTRONOMIE

Amélie-les-Bains	Pâtisseries (rousquilles)
Aubrac	Aligot, Fromage de vache (fourme)
Banyuls-s-Mer	Civet de langouste
le Barcarès	Bouillinade et Sardinade
Bassin de Thau	Huîtres et moules
le Canigou	Fromage de chèvre (rogeret)
Carcassonne	Cassoulet
Castelnaudary	Cassoulet, Pâtisseries (alleluias, glorias)
Causses	Fromage de vache (bleu), Pâtisseries (flaune)
le Caylar	Pigeon au genièvre
Cévennes	Charcuteries, Fromage de chèvre (pélardon), Truffes
Collioure	Préparations d'anchois
Florac	Pâtisseries (amellonade)
Gévaudan	Grives
Leucate	Huîtres
Limoux	Fricassée, Pâtisseries (gâteau au poivre)
Lodève	Cabassols
Millau	Trénels
Montpellier	Pâtisseries (oreillettes)
Pézenas	Petits pâtés
Roquefort-s-Soulzon	Fromage de brebis (roquefort), Morilles à la crème
St-Affrique	Pâtisseries (gâtis, nène)
Sète	Bourride, Tielle
Tautavel	Lièvre
le Vigan	Pâté de grives

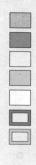

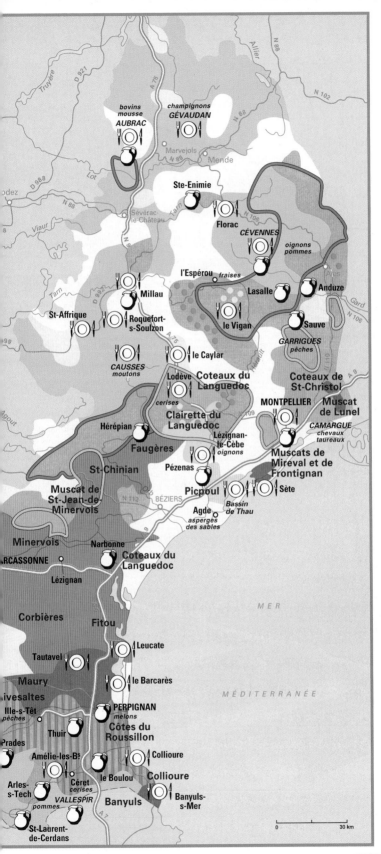

bovins
mousse
AUBRAC

champignons
GÉVAUDAN

Marvejols

Mende

Ste-Enimie

Florac

CÉVENNES

oignons
pommes

l'Espérou fraises

Lasalle

Anduze

Millau

le Vigan

Sauve

St-Affrique

Roquefort-
s-Soulzon

GARRIGUES
pêches

le Caylar

CAUSSES
moutons

Lodève

cerises

**Coteaux du
Languedoc**

**Coteaux de
St-Christol**

MONTPELLIER

**Muscat
de Lunel**

**Clairette du
Languedoc**

CAMARGUE
chevaux
taureaux

Hérépian

Lézignan-
le-Cèbe
oignons

Faugères

Pézenas

**Muscats de
Miréval et de
Frontignan**

St-Chinian

Picpoul

Sète

**Muscat de
St-Jean-de-
Minervois**

BÉZIERS

Agde

*Bassin
de Thau*

aspergès
des sables

Minervois

Narbonne

**Coteaux du
Languedoc**

CARCASSONNE

Lézignan

MER

Corbières

Fitou

Tautavel

Leucate

le Barcarès

Maury

Rivesaltes

MÉDITERRANÉE

Ille-s-Têt
pêches

PERPIGNAN
melons

Prades

**Côtes du
Roussillon**

Thuir

Amélie-les-Bs

Collioure

Arles-
s-Tech

Céret
cerises

le Boulou

Collioure

VALLESPIR
pommes

Banyuls

**Banyuls-
s-Mer**

St-Laurent-
de-Cerdans

0   30 km

101

Le canal de Sète avec ses barques à joute.

*Villes
et sites*

Massif de l'**Aigoual**★★★

Tracées à travers les jeunes forêts dont se couvre la montagne ou sur des crêtes d'où les vues sont très étendues, les routes qui sillonnent le massif de l'Aigoual sont presque toutes pittoresques. Même si le sommet a les trois quarts du temps la tête dans les nuages, il domine, par temps clair, un immense panorama qui se perd vers d'impressionnantes gorges creusant les flancs du massif, comme celles de la Dourbie, de la Jonte et du Trévezel.

La situation

◄ *Carte Michelin Local 339 G4 – Gard (30).* Trois routes principales traversent le massif et se coupent au col de la Sereyrède : la D 986 de Pont-d'Hérault (tout proche de Ganges) au Sud-Est à Meyrueis au Nord-Ouest, la D 48 au départ du Vigan au Sud-Ouest, qui rejoint la D 18 vers Florac au Nord-Est. En résumé, le massif de l'Aigoual permet de passer des gorges du Tarn au causse du Larzac en transitant par les Cévennes.

Le nom

L'Aigoual est l'un des nœuds hydrographiques les plus importants du Massif Central : son sommet condense à la fois les nuages venus de l'Atlantique et les vapeurs méditerranéennes qui s'y combattent constamment ; de là, son nom Aiqualis, devenu Aigoual en occitan (l'aqueux, le pluvieux). Les précipitations, en année moyenne, atteignent 2,25 m.

Les gens

L'Aigoual fut, à partir de juillet 1944, le centre de l'important maquis « Aigoual-Cévennes » dont le PC était installé à l'Espérou. Aujourd'hui, au tour des météorologues de résister à l'ennemi : la neige, qui paralyse les voies d'accès de novembre à mai, le brouillard, qui persiste en moyenne 241 jours par an, et le froid (pas un jour dont la température dépasse 25 °C !).

D. Faure/PHOTONONSTOP

Entre fleurs sauvages et conifères, vue sur le massif depuis le col de la Luzette.

LE BIENFAISANT FORESTIER

Il y a un siècle, le massif présentait l'aspect désolant d'une montagne pelée. En 1875, **Georges Fabre**, garde général des Eaux et Forêts, entreprend son reboisement. Il réussit à faire voter une loi l'autorisant à acheter des terrains communaux ou particuliers, ce qui lui permet de remplacer le mince rideau d'arbres destiné à retenir les terres en bordure des rivières par de larges surfaces plantées. Peu à peu, malgré la résistance des bergers qui n'hésitent pas à mettre le feu aux jeunes plants, Fabre parvient à redonner à la montagne sa parure de forêts. Fabre ne s'est pas contenté de reboiser. Il a développé autour de l'Aigoual un réseau de routes et de sentiers, restauré des maisons forestières, organisé des arboretums pour l'étude de l'accroissement des essences, construit un observatoire destiné aux recherches météorologiques.

carnet pratique

RESTAURATION

🍽 **Auberge Cévenole** – *La Pénarié - 30570 Valleraugue - 4 km à l'O de Valleraugue dir. mont-Aigoual -* ☎ *04 67 82 25 17 - auberge.cevenole@wanadoo.fr - fermé 9 au 21 déc., lun. soir et mar. sf juil.-août - 13/23€.* Cette modeste auberge au bord de l'Hérault nous plaît bien. Pour sa simplicité, pour son restaurant aux allures montagnardes, ses tables en bois, sa cheminée et sa cuisine ménagère sans prétention. Petite terrasse au calme. Six chambres blanches bien rénovées.

SPORTS & LOISIRS

L'AIGOUAL À PIED

Les GR - L'Aigoual est situé à la croisée des sentiers de Grande Randonnée GR 6 (Alpes-Océan) et GR 7 (Vosges-Pyrénées), qui, dans le massif, s'enrichissent de nombreuses variantes, dont le GR 66 qui fait l'objet d'un topoguide intitulé *Tour du mont Aigoual.* En outre, le Parc national des Cévennes organise en été des promenades commentées d'une heure autour du sommet.

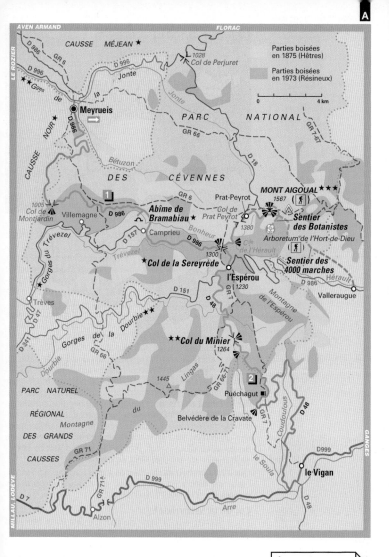

Partie boisées en 1875 (Hêtres)

Partie boisées en 1973 (Résineux)

0   4 km

AVEN ARMAND   FLORAC

CAUSSE MÉJEAN ★

Col de Perjuret 1028

Gges de la Jonte

Meyrueis

PARC   NATIONAL

GR 66

Bétuzon

DES   CÉVENNES

MONT AIGOUAL ★★★ 1567

GR 6   Prat-Peyrot

Abîme de Bramabiau ★   Col de Prat Peyrot

Sentier des Botanistes

Villemagne   Camprieu   Bonheur   1380   Arboretum de l'Hort-de-Dieu

Col de Montjardin 1005   D 986   D 157   Trévezel   1300   Col de l'Hérault

Col de la Sereyrède   Sentier des 4000 marches

l'Espérou   Hérault

Trèves   1230   Vallerauge

Gorges de la Dourbie ★★   Montagne de l'Espérou

Gorges de la Dourbie   ★★Col du Minier 1264

PARC   NATUREL   1445   Lingas

RÉGIONAL   Montagne   Puéchagut

DES   GRANDS   Belvédère de la Cravate

CAUSSES   GR 71   le Souls

le Vigan

Alzon   Arre

MILLAU, LODÈVE   GANGES

---

circuits

DE MEYRUEIS AU MONT AIGOUAL 1

32 km au départ de Meyrueis (voir ce nom) – environ 3h.

Depuis Meyrueis, la montée au col de Montjardin s'effectue d'abord en forêt, sur la rive gauche du Bétuzon, puis à la lisière du causse Noir. Du col, vue très étendue sur ce causse, sur celui du Larzac et, peu après, sur les montagnes de l'Aigoual et de l'Espérou. Taillée en corniche dans les schistes, la route offre de belles échappées sur les anciennes mines de plomb argentifère de Villemagne.

Abîme de Bramabiau★

Température : 8 °C. 🚶 *2 km à pied AR. Juil.-août : visite guidée (1h1/2) 9h-19h ; avr.-juin et sept. : 9h-18h ; de déb. oct. à mi-nov. : 10h-16h. 6€.* ☎ *04 67 82 60 78.*

C'est ici qu'André Chamson a situé l'intrigue de son roman *L'Auberge de l'Abîme.*

Le ruisseau du Bonheur, qui prend sa source au pied du ▶ mont Aigoual, au col de la Sereyrède, coulait autrefois sur le petit causse de Camprieu. De là, il se précipitait en cascade dans sa vallée inférieure. Abandonnant son lit superficiel, le Bonheur s'est enfoui dans le causse. Après un parcours souterrain de plus de 700 m, il en sort

À SAVOIR

Les circuits décrits permettent de traverser complètement le massif et d'atteindre en voiture le sommet même de l'Aigoual. Mieux vaut les suivre dans le sens Meyrueis-Le Vigan : la descente du col du Minier vers la vallée de l'Arre est vraiment superbe.

UN BŒUF QUI BEUGLE ?

Tel est le son qu'évoque l'eau du Bonheur, en temps de crue. D'où le nom donné à la rivière, jusqu'à son confluent avec la Trévezel : *Brama Bìou.*

Comment imaginer qu'une rivière d'une telle puissance puisse sortir d'une faille aussi étroite ?

par une haute et étroite fissure et jaillit dans un cirque rocheux nommé l'Alcôve en une belle cascade.

L'**entrée** dans le monde souterrain (exploré en 1888 par E.-A. Martel) se fait par la résurgence, c'est-à-dire la sortie de la rivière. Après avoir franchi le Bramabiau entre la première cascade (à l'air libre) et la deuxième, dite de l'Échelle (souterraine), le sentier s'engage dans une galerie, impressionnante par sa hauteur et ses profondes crevasses dues à l'érosion souterraine, et conduit à la salle du Havre. De là, on accède au **Grand Aven**, où l'on peut admirer l'œuvre de Jean Truel, peintre des gouffres. Un sentier taillé en corniche sur la rivière, à plus de 20 m de hauteur, remonte la galerie Martel, passe au-dessus du Pas du Diable et arrive au filon. Ici la caverne est creusée sur 200 m dans un filon de barytine blanchâtre qui débouche sur le Petit Labyrinthe. Quelques marches permettent de gagner la **salle de l'Étoile**, dont la particularité est son plafond formé de roches agglomérées entre elles par de la calcite. Revenant vers la sortie du souterrain, on emprunte un escalier, d'où la vue plonge de plus de 50 m sur la rivière avec un très bel effet de contre-jour.

Quelques centaines de mètres après l'abîme de Bramabiau, en direction de Trèves, on croise la route des **gorges du Trévezel**★ *(voir Nant).*

Col de la Sereyrède★

Alt. 1 300 m, sur la ligne de partage des eaux. Au pied du col se creuse la vallée de l'Hérault que dominent au loin les serres cévenoles.

Une belle route relie le col de la Sereyrède au sommet du mont Aigoual. Après de magnifiques vues plongeantes sur la vallée de l'Hérault où serpente la route de Valleraugue, on pénètre en forêt.

Sentier des Botanistes

1,5 km avant d'arriver au sommet de l'Aigoual, un panneau indique le sentier. 20mn à pied. Formant une boucle de 1 km contournant le sommet de Trépaloup, ce sentier passe au-dessus de l'**Hort-de-Dieu** (« jardin de Dieu »), un arboretum créé pour étudier la croissance des essences exotiques. Le sentier offre ensuite de très belles vues sur le versant Sud de l'Aigoual, ses crêtes schisteuses et, au-delà, la succession des serres cévenoles, puis sur les versants Est et Nord couverts de forêts.

SUIVRE LA DRAILLE
Au Nord, la D 18 emprunte le parcours de la grande **draille du Languedoc** ; au Sud le GR 7 la suit jusqu'à l'Espérou où elle oblique vers Valleraugue.

LA GRANDE DRAILLE DU LANGUEDOC

Le col de la Sereyrède était un des passages empruntés par la grande **draille** du Languedoc, l'une de ces larges pistes de transhumance foulées naguère chaque année, au mois de juin, par les moutons des garrigues languedociennes montant aux pâturages de l'Aubrac, du mont Lozère, de la Margeride. On reconnaît ces drailles, dont certaines sont encore empruntées, aux saignées qu'elles tracent dans le paysage des serres cévenoles. Aujourd'hui c'est en camion que la plupart des bêtes sont transportées jusqu'à leurs pâturages d'été. Quelques troupeaux montent encore à pied, faisant l'objet de la Fête de la transhumance, au passage de l'Espérou, tous les ans à la mi-juin.

Mont Aigoual★★★

L'observatoire météorologique, construit en 1887 au sommet (alt. 1 567 m) par l'administration des Eaux et Forêts, est occupé actuellement par les services de Météo France. Dominant les bassins du Gard, de l'Hérault et du Tarn, il permet, en utilisant des moyens de plus en plus sophistiqués, d'enregistrer notamment la direction et la vitesse des vents qui amèneront les pluies méditerranéennes torrentielles, ou des pluies océaniques favorables à la végétation. Un centre de test de tous les appareils en conditions extrêmes y est installé.

Exposition Météo-France – ♿ *Mai-sept. : 10h-19h. Gratuit.* ☎ *04 67 82 60 01.*

Tout sur l'établissement des prévisions météorologiques d'hier et d'aujourd'hui avec notamment la présentation du système Météotel (réception et interprétation des images satellitaires). D'instructifs panneaux permettent de reconnaître les différents nuages.

A

PANORAMA DU MONT AIGOUAL

De jour – En janvier, les conditions de visibilité sont exceptionnelles ; des observateurs ont pu reconnaître simultanément le Mont Blanc (Alpes) et la Maladetta (Pyrénées). En juillet et août, le panorama étant souvent brumeux, mieux vaut partir tôt le matin, voire en fin de nuit pour assister au lever du soleil.

A. Cassaigne/MICHELIN

DU MONT AIGOUAL AU VIGAN ②

39 km – environ 1h1/2. Du sommet du mont Aigoual, descendre au col de la Sereyrède.

En quittant le col de la Sereyrède, on aperçoit à gauche, de l'autre côté de la vallée, au creux d'un ravin, la cascade formée par l'Hérault naissant.

Le sommet du mont Aigoual est un balcon idéal sur les Causses et les Cévennes.

L'Espérou

L'Espérou est un petit centre de séjour environné de bois et d'herbages, exposé au Midi, à l'abri des vents du Nord. Il est fréquenté l'été pour son site et son altitude (1 230 m), l'hiver pour ses champs de ski à la station de **Prat-Peyrot**.

Col du Minier★★

Alt. 1 264 m. Une stèle évoque le général Huntziger (commandant de la IIᵉ armée à Sedan) et ses compagnons tués dans un accident d'avion en novembre 1941. Par temps clair, la vue s'étend jusqu'à la Méditerranée.

Au début de la longue descente sur le versant méditerranéen, la route en corniche domine de très haut le ravin du Souls, tandis que la vue devient magnifique sur le causse de Montdardier et la montagne de la Séranne. On passe ensuite au milieu d'un curieux chaos de rocs granitiques. On laisse à droite la maison forestière de **Puéchagut**, qu'entoure un arboretum destiné à l'étude des essences forestières exotiques. Puis, dans un virage à gauche, belvédère de la Cravate : bassin de l'Arre au premier plan, causse du Larzac, montagne de la Séranne, pic St-Loup vers la Méditerranée. Plus loin, la route domine la vallée du Coudoulous aux versants couverts de châtaigniers, puis traverse un paysage au caractère méditerranéen (vignes, mûriers, oliviers, cyprès) avant d'atteindre Le Vigan.

ACHATS

Terres d'Aigoual – *Col de la Sereyrède - rte du mont Aigoual - 30570 L'Espérou -* ☎ *04 67 82 65 39 - terres.daigoual@ wanadoo.fr - tlj sf lun. hors sais.* Plusieurs agriculteurs installés sur les flancs du mont Aigoual ont réuni leur savoir-faire et ouvert une boutique de produits du terroir (charcuteries, foie gras, fromages, miel, sirops, châtaignes, etc.) issus de leur propre exploitation. Également, vente par correspondance.

randonnée

Sentier des 4 000 marches

⚑ 21 km. Une journée AR. Pour marcheurs entraînés. Départ de l'arboretum de l'Hort-de-Dieu. Suivre les panneaux représentant une chaussure de marche ou deux empreintes de pied. Ce sentier empierré – les « marches » n'apparaissent que dans son nom – pénètre dans l'arboretum de l'Hort-de-Dieu pour se poursuivre dans un paysage plus sauvage de landes de bruyère et de genêts. Il descend ensuite dans la châtaigneraie en offrant de belles vues sur Valleraugue et sa vallée. Arrivé à Valleraugue, reprendre le même chemin ou suivre un autre itinéraire plus varié et plus long qui suit les crêtes et les vallées en passant par Aire-de-Côte, procurant de nombreuses vues sur la succession des serres *(départ de Valleraugue par la D 10 jusqu'à Berthézène).*

Alès

Centre industriel de plaine ou porte des montagnes cévenoles, Alès a conservé quelques traces de sa vocation minière mais sa situation en fait le point de départ de belles excursions vers la corniche des Cévennes, le mont Lozère ou l'Aigoual. En période estivale, le marché du lundi se peuple, en plus des maraîchers et autres commerçants qui y viennent toute l'année, d'artisans d'art. Enfin, des festivals assurent une animation culturelle de qualité dans cette ville qui, sans être belle, est des plus sympathiques.

La situation

Cartes Michelin Local 339 J4 – Gard (30).
En arrivant d'Anduze par la D 50, après St-Jean-du-Pin, monter sur la colline de l'Ermitage. De la chapelle (tables d'orientation), **vue panoramique** sur Alès. Sur la rive gauche du Gardon (av. Carnot), grand parking, à deux pas de l'Office de tourisme.
🛈 Pl. de la Mairie, 30100 Alès, ☎ 04 66 52 32 15. www.ville-ales.fr

Le nom

La ville (qui s'orthographia « Alais » jusqu'en 1926) ne tire pas son nom d'Alésia, n'en déplaise à certains, mais d'un obscur citoyen romain dénommé Allectus. N'en ayant cure, les Alésiens ont adopté une aile comme emblème de leur cité.

Les gens

Agglomération de 76 159 Alésiens, affectueusement surnommés les « Mangetripes » par leurs voisins. Parmi les enfants du pays, on retiendra le nom du grand physicien et académicien Louis Leprince-Ringuet (1901-2000).

comprendre

Alès la réformée – Alès est acquise à la foi protestante dès le milieu du 16e s. et devient, avec l'édit de Nantes (1598) une des places de sûreté autorisée. C'est ici qu'est signé, en 1629, l'édit de Grâce accordé par Louis XIII aux protestants (la « paix d'Alès ») : si les protestants perdent leurs places de sûreté, la liberté de conscience accordée par l'**édit de Nantes** est confirmée.

Pasteur et les vers à soie – Au 19e s., Alès était un grand centre de sériciculture, avec quelque 45 filatures et des plantations de mûriers en grand nombre avant qu'une maladie mystérieuse, la pébrine, atteigne les vers à soie. En 1865, Pasteur accepte de venir pour tenter de trouver un remède. À peine ses recherches entamées, il est frappé par le malheur : la même année, il perd son père

---

ENVIE DE MARCHER ?
D'Alès partent les GR 44 C et 44 D, reliés au réseau couvrant l'ensemble des Cévennes.

Alès a élevé une statue à son bienfaiteur, le grand Pasteur, dans les jardins du Bosquet.

Thuillier/MICHELIN

carnet pratique

RESTAURATION

⊖ **Le Guévent** – *12 bd Gambetta -* ☎ *04 66 30 31 98 - 13,50€ déj. - 15,50/27,50€.* Situé un peu à l'écart du centre, ce petit restaurant de quartier vous accueille dans un cadre gai et coloré à dominante jaune. Cuisine traditionnelle.

⊖⊖ **Riche** – *42 pl. Semard -* ☎ *04 66 86 00 33 - riche.reception@leriche.fr - fermé 1er au 26 août - 15,50/45€.* En face de la gare, ce restaurant d'hôtel au décor 1900, avec ses boiseries, ses moulures et sa belle hauteur sous plafond, est intéressant. Ses tables, dressées dans la tradition, sont bien espacées et ses menus sont variés. Chambres modernes et fonctionnelles.

⊖⊖ **Auberge de St-Hilaire** – *30560 St-Hilaire-de-Brethmas - 3 km au SE d'Alès sur N 106 -* ☎ *04 66 30 11 42 - aubergedesainthilaire@hotmail.com - fermé dim. soir et lun. - 33/65€.* À la sortie d'Alès, cette maison avenante, avec sa cour-jardin, est une étape agréable sur la route de Nîmes. Sa terrasse débouche sur une salle aérée, aux couleurs méridionales chaleureuses. Cuisine au goût du jour, plusieurs menus attractifs.

HÉBERGEMENT

⊖ **Orly** – *10 r. Avéjan -* ☎ *04 66 91 30 00 - hotelorly@t2u.com - 31 ch. : 36/53€ -* ⌷ *6,10€.* Ce vieil hôtel proche de la cathédrale affiche peu à peu un tout nouveau visage : chambres décorées avec un goût sûr et accueil des plus agréables.

⊖ **Camping Domaine des Fumades** – *À proximité de l'établissement thermal - 30500 Allègre-les-Fumades - 17 km au NE d'Alès par D 16 puis D 241 -* ☎ *04 66 24 80 78 - domaine.des.fumades@ wanadoo.fr - 17 mai au 7 sept. - réserv. obligatoire - 230 empl. : 28€ - restauration.* Au bord de l'Alauzène, un camping installé autour d'une belle bâtisse et de son magnifique patio. Dans une nature bien préservée, trois piscines, des restaurants et des commerces contribuent au confort des vacanciers... Mini-club pour les enfants.

LOISIRS-DÉTENTE

Centre équestre du Galeizon – *Rte Pont des Camisards - 30480 Cendras -* ☎ *04 66 78 77 98.* Randonnées accompagnées dans le cadre de la belle vallée du Galéizon.

Jean-Luc Billard – *21 r. de la Montagnade - 11 km au S d'Alès - 30720 Ribaute-les-Tavernes -* ☎ *04 66 83 67 35 - gard@orpailleur.com.* Ce orpailleur vous propose de découvrir les techniques de base de son métier, et vous garantit de trouver de l'or dans les alluvions des rivières du Gard. Pour cela, il organise des journées découverte tous les mercredis en juillet-août, ou des stages de trois jours.

CALENDRIER

Festival cinéma d'Alès, déb. mars. Renseignements à l'Office de tourisme ou au Mas Bringer, r. Stendhal, 30100 Alès, ☎ 04 66 30 24 26.

Féria, en mai.

et sa plus jeune fille, âgée de 2 ans ; un an plus tard, c'est une autre de ses filles qui meurt de la typhoïde. Surmontant son déchirement, Pasteur trouve le remède en 1867 : en examinant au microscope les papillons reproducteurs, il supprime simplement les œufs présentant certains signes caractéristiques de la maladie. Cette méthode de préservation reçoit en 1868 une éclatante confirmation, mais ne sauvera malheureusement pas la sériciculture, qu'un autre fléau, bien plus grave, allait bientôt emporter : la soie synthétique.

La mine à la rescousse – Durant la 2e moitié du 19e s., la mine prend la relève, transformant Alès en un centre industriel très important qu'alimentent les bassins houillers d'Alès, de la Grand-Combe et de Bessèges, des mines de fer, de plomb, de zinc, d'asphalte. Les années 1950 marquent la fin de cette grande activité. De nos jours, l'extraction du charbon n'est plus pratiquée mais l'agglomération alésienne forme toujours, dans le cadre languedocien, un foyer industriel (métallurgie, chimie et mécanique).

découvrir

LA MINE À ALÈS

Musée minéralogique de l'École des mines★

6 av. de Clavières (École des mines), dans le quartier de Chantilly. Accès du centre-ville par les avenues de Lattre-de-Tassigny et Pierre-Coiras. ♿ *De mi-juin à mi-sept. : tlj sf w.-end et j. fériés 14h-18h ; de mi-sept. à mi-juin : sur demande. 4€.* ☎ *04 66 78 51 69.* Plus d'un millier de minéraux provenant du monde entier, dont certaines pièces remarquables (opale d'Australie, calcédoine du Maroc, quartz morion de l'Aveyron), y sont rassemblés. Un diaporama en relief permet d'en apprécier l'éclat, ainsi que la diversité des formes et des couleurs.

Les galeries de la mine étaient d'abord consolidées par de véritables voûtes de rondins de bois taillés à la hache et ajustés dans des cadres métalliques arrondis ou de forme ogivale.

Mine-témoin★

3 km à l'Ouest du plan. Traverser le Gardon par le pont de Rochebelle et continuer au Nord par la rue du Faubourg-de-Rochebelle ; prendre à gauche le chemin de St-Raby puis à droite le chemin de la Cité Ste-Marie. Température : 13 à 15 °C. Audiovisuel : 20mn. ♿ Juil.-août : visite guidée (1h, dernier dép. 1h1/2 av. fermeture) 10h-19h30 ; juin : 9h-18h30 ; avr-mai : 9h-12h30, 14h-17h30. 6,50€ (-6 ans : gratuit). ☎ 04 66 30 45 15. www.ales.cci.fr

> **GUEULES NOIRES CÉVENOLES**
> La tradition minière de la région n'est pas très connue mais remonte au 13ᵉ s. où les moines bénédictins extrayaient le « charbon de terre ». Les mines ont connu leur apogée après 1945 avant un déclin très rapide et définitif dans les années 1950.

◄ Après la présentation vidéo sur l'exploitation moderne du charbon, rejoignez la « cage » située sous le chevalement pour un voyage au cœur d'une mine ; celle-ci n'a jamais servi pour la production mais a été une mine-école pendant 23 ans. Casque sur la tête, vous descendez à 10 m/s pour rejoindre les galeries qui remontent le temps jusqu'à la période de *Germinal*. On passe de l'ingénieux soutènement marchant à la terrible « taille familiale » où l'on retrouvait des enfants de 10 ans. L'évolution des matériels, les techniques et l'organisation du travail (abattage, transport du minerai, soutènement, sécurité), mais aussi et surtout les terribles conditions de vie des mineurs (chaleur, bruit, accidents, maladies) sont clairement expliquées par le guide à grand renfort d'anecdotes et de témoignages parfois proches.

visiter

Cathédrale St-Jean-Baptiste

Visite guidée sur demande à l'accueil de la cathédrale.

◄ Voilà un bien curieux mélange de styles : la façade romane est en partie cachée par un porche gothique du 15ᵉ s. tandis que la nef date du 17ᵉ s. et le grand chœur du 18ᵉ s. À l'intérieur, c'est le règne du « néo » : la nef, couverte d'ogives très néogothiques, ouvre sur une abside ornée d'une colonnade néoclassique.

> **COMPLÉMENT**
> À côté de la cathédrale, dans la rue Lafare-Alès, se trouve l'ancien évêché, construit au 18ᵉ s.

Musée du Colombier

Parking gratuit. Juil.-août. : 14h-19h (dernière entrée 1/2 av. fermeture) ; sept.-juin : tlj sf lun. 14h-18h. Fermé 1ᵉʳ janv., 1ᵉʳ mai, 1ᵉʳ nov., 25 déc. Gratuit. ☎ 04 66 86 98 69.

Il est aménagé dans le château du Colombier (18ᵉ s.), situé dans un agréable jardin public, à côté d'un pigeonnier d'où il tient son nom. Les collections d'art qu'il abrite couvrent une période s'étendant du 16ᵉ s. au 20ᵉ s., avec notamment le *Triptyque de la Trinité* par Jean Bellegambe (début 16ᵉ s.), des tableaux de Van Loo, Bassano, Brueghel de Velours, Masereel, Mayodon, Marinot, etc. Collection archéologique régionale, ferronneries anciennes et objets relatifs au vieil « Alais ».

Musée-bibliothèque Pierre-André-Benoît★

Montée des Lauriers, Rochebelle. Traverser le Gardon par le pont de Rochebelle, puis suivre la signalisation. Juil.-août : 14h-19h (dernière entrée 1/2h av. fermeture) ; sept-juin : tlj sf lun. 14h-18h. Fermé fév., 1ᵉʳ janv., 1ᵉʳ mai, 1ᵉʳ nov., 25 déc. Gratuit. ☎ 04 66 86 98 69.

ALÈS

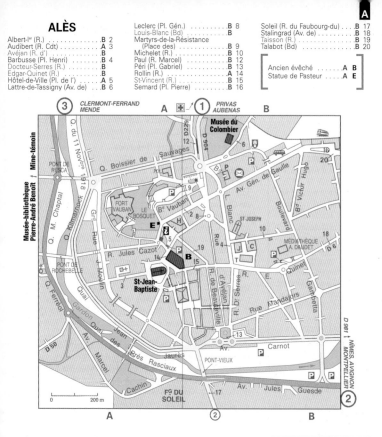

Le château de Rochebelle (18e s., restauré), ancienne résidence des évêques d'Alès, abrite la donation de P.-A. Benoît. Les œuvres graphiques et les livres sont présentés par roulement ou lors d'expositions temporaires ayant lieu au rez-de-chaussée ou à la bibliothèque *(2e étage)*, décorée par Benoît. Les salles du 1er étage abritent la collection picturale : belles huiles sur toile de Camille Bryen, tableaux de Picabia, compositions aux oiseaux de Braque, paysages de Léopold Survage et miniatures.

> **PIERRE-ANDRÉ BENOÎT
> (1921-1993)**
> Il est à la fois éditeur-imprimeur, écrivain, dessinateur et peintre. Ses précieuses collections sont le fruit de ses rencontres ou correspondances, en particulier avec Char, Claudel, Tzara, Seuphor, Braque, Picasso, Miró, Jean Hugo, Villon...

alentours

Château de Portes★
20 km au Nord-Ouest. Quitter Alès au Nord en direction d'Aubenas, puis prendre à gauche la D 906. Laisser la voiture au col et faire le tour du château. Juil.-août : visite guidée (1h) tlj sf lun. 10h-13h, 15h-20h (dernière entrée 1h av. fermeture) ; vac. scol. fév. et Pâques : tlj sf lun. 14h-18h ; de déb. sept. à mi-nov. : w.-end j. fériés 14h-18h. De mi-nov. à fin janv. : sur demande (2 j. av.). 3,50€. ☎ 04 66 34 35 90 (M. Bonnet).

Le château de Portes, tel un bateau échoué sur la montagne...

Au sommet du château, panorama★, au Nord, sur la dépression de Chamborigaud, dominée par le mont Lozère et les contreforts du Tanargue.

Juché sur la ligne de crête séparant le bassin du Gardon de la vallée du Luech, le vieux bastion de Portes assura longtemps sur la **voie Regordane** la protection des pèlerins qui se rendaient à St-Gilles par les Cévennes.

La forteresse médiévale est de plan carré ; à la Renaissance, on y ajouta un bâtiment de plan polygonal dont l'avancée en proue constitue une prouesse architecturale. À l'intérieur de ce bâtiment, qui accueille des expositions et des concerts, admirer les belles cheminées monumentales à manteau monolithe.

Parc ornithologique des Isles

21 km au Nord-Est. Quitter Alès au Nord et suivre la D 904 en direction d'Aubenas. Après le Pont-d'Avène, prendre à droite vers Les Mages. Dépasser le village et prendre à droite la D 132. Le parc des Isles se situe à 800 m après St-Julien-de-Cassagnas. ♿ *De déb. juin à mi-sept. : 10h-19h ; mars-mai : 9h-12h, 14h-18h ; de mi-sept. à fin fév. : 14h-17h. 5€ (enf. : 3,50€). ☎ 04 66 25 76 70.*

On peut y admirer des centaines d'oiseaux venus du monde entier : gallinacés, palmipèdes, échassiers, rapaces, oiseaux grimpeurs (belle collection de perruches et de perroquets)...

Rousson

9 km au Nord. Quitter Alès au Nord et suivre la D 904 en direction d'Aubenas. Tourner à droite dans la D 131.

Château – *Juil.-août : visite guidée (3/4h) 10h-19h. 5€. ☎ 04 66 85 60 31.*

Cette robuste bâtisse, cantonnée de quatre tours d'angle, n'a jamais été transformée depuis sa construction entre 1600 et 1615. La façade principale, orientée Sud-Est, présente une suite de fenêtres à meneaux et une imposante porte Louis XIII à bossages. À l'intérieur, beaux **dallages** anciens, bien conservés et variés. Remarquez, au rez-de-chaussée, la cuisine avec sa vaste cheminée et son four à pain, et dans la galerie du 1er étage, un ancien coffre de marine.

Préhistorama – *Suivre la D 904 en direction d'Aubenas. Au Pont-d'Avène, tourner à gauche dans un chemin fléché « Préhistorama ».* ♿ *Juin-août : 10h-19h ; fév.-mai et sept.-nov. : tlj sf sam. 14h-18h. Fermé déc.-janv. 5€. ☎ 04 66 85 86 96.*

Il retrace l'évolution de la vie sur Terre (collection de fossiles) puis celle de l'homme sous forme de dioramas présentant des reconstitutions grandeur nature des premiers êtres humains.

Jardins ethnobotaniques de la Gardie – *400 m après le Préhistorama. Juil.-août : w.-end 10h-12h, 15h-19h ; avr.-juin et sept. : w.-end 14h-18h. Mar.-ven. sur demande. 3,80€ (-10 ans : gratuit). ☎ 04 66 85 66 90.*

Un parcours pédagogique de plus d'un kilomètre invite à découvrir le riche milieu naturel cévenol et ses liens traditionnels avec l'homme.★★

Bambouseraie de Prafrance★★

17 km au Sud-Ouest. Quitter Alès par la N 110 puis tourner à droite dans la D 910A, puis à nouveau à droite dans D 129. Voir Anduze.

St-Christol-lès-Alès : musée du Scribe

2 km au Sud en direction d'Anduze et Montpellier. Fléchage sur la droite, avant d'arriver à la « pyramide » où les deux routes se séparent. 42 r. du Clocher. ♿ *Juil.-août : visite guidée (1h1/4) 10h-19h ; juin et de déb. sept. à mi-sept. : tlj 14h30-19h ; de mi-sept. à fin mai : w.-end 14h30-19h. 4€. ☎ 04 66 60 88 10.*

Une vieille maison de village, bien restaurée, abrite le musée du Scribe qui, comme son nom l'indique, est voué à l'écriture. À l'écriture, c'est-à-dire avant tout à ses instruments : impressionnante collection de plumes et de porte-plumes, encriers aux formes parfois inattendues, techniques de fabrication des supports utilisés au cours des siècles, papyrus, parchemin, papiers. Guidés par un passionné, vous terminerez votre visite avec la reconstitution d'une classe d'autrefois, qui vous ramènera aux temps de la IIIe République.

CURE

À 17 km d'Alès (au Nord-Est par la D 16), la station thermale des **Fumades** est indiquée pour le traitement des voies respiratoires, de la pneumologie et des maladies de la peau. Vous trouverez les coordonnées de l'établissement thermal au chapitre « Forme et santé » dans la partie Informations pratiques, au début du guide.

AU PROGRAMME

Verger conservatoire (mûrier, vignes...), champs de céréales anciennes, jardin botanique, charbonnière (fabrication charbon de bois), jardin des simples...

Vézénobres

11 km au Sud. Quitter Alès à l'Est par la N 106. Rare
exemple languedocien de village perché, ce bourg, dominant le confluent des gardons d'Alès et d'Anduze, a
conservé et désormais bien mis en valeur les vestiges de
son passé médiéval : la porte Sabran, les ruines du château fort et plusieurs maisons des 12e, 14e et 15e s. Une
flânerie dans les trois « étages » du village, reliés entre
eux par des *endrounes* (ruelles en escaliers), ne manque
pas de charme.

Amélie-les-Bains-Palalda ✝✝

Mimosas, lauriers-roses, palmiers, agaves..., non,
vous n'êtes pas sur la Côte d'Azur mais bien à 230 m
d'altitude, dans le Vallespir ! Cette vallée que son
étymologie désigne comme « âpre » peine ici à
répondre à sa renommée... Il faut dire qu'Amélie-les-
Bains s'illustre par la douceur de son climat : grande
pureté de l'air, vents violents très rares, ensoleillement intense. Si, en plus, on vous dit que la station
est alimentée par des eaux riches en soufre jaillissant à 63 °C et réputées pour le traitement des rhumatismes et des affections des voies respiratoires,
votre lieu de séjour est tout trouvé !

La situation

Carte Michelin Local 344 H8 – Pyrénées-Orientales (66).
Amélie-les-Bains-Palalda se trouve sur la D 115, à 16 km
à l'Ouest de la sortie « Le Boulou » de l'A 9. La station
thermale se concentre à Amélie, sur les berges du Tech,
tandis que le village catalan de Palalda s'est réfugié sur
les hauteurs (accès par la D 618). La circulation automobile est interdite à Palalda. 🅱 *22 av. du Vallespir,
66110 Amélie-les-Bains-Palalda,* ☎ *04 68 39 01 98.
www.amelie-les-bains.com*

Le nom

Amélie, qui s'appelait autrefois « Bains-d'Arles », doit son
nom à la reine Amélie, épouse de Louis-Philippe, qui
lança la station thermale au 19e s.

Les gens

3 475 Améliens. Assemblés autour des fontaines
bouillonnantes, ce sont les curistes qui font l'ambiance
de cette chaleureuse station, tandis qu'à Palalda, les
ruelles de pierre évoquent une vie plus médiévale.

À la lisière des gorges
du Mondony, les Thermes
romains invitent
à la détente.

séjourner

Établissements thermaux

Amélie possède un établissement militaire et deux
civils : les thermes du Mondony, établis à la sortie des
gorges du Mondony, et les Thermes romains, qui
abritent une piscine romaine restaurée.

Gorges du Mondony

🚶 *1/2h à pied AR. Partir des Thermes romains et, longeant
l'hôtel des Gorges, atteindre la terrasse dominant la sortie
des gorges.* On suit alors le sentier en corniche et les galeries accrochées à l'escarpement. Fraîche promenade, très
agréable l'été.

Palalda★

À 3 km du centre d'Amélie. Jumelé administrativement
avec la station, le bourg médiéval de Palalda est un très
bel exemple de village catalan. Parcourir les petites rues
fleuries, parfois en forte pente, au pied de la mairie. La
placette bordée par l'**église St-Martin**, le musée et la
mairie est le point le plus plaisant.

HÉBERGEMENT

☞ Ensoleillade La Rive – *R. J.-Coste* - ☎ *04 68 39 06 20* - **P** - *14 ch. : 30/40€* - ⌂ *5€*. Adresse familiale toute simple en bordure du Tech. Les chambres, fraîches, sont garnies de meubles rustiques ; quelques-unes sont équipées d'une cuisinette.

☞☞ Roussillon – *Av. Beau-Soleil* - ☎ *04 68 39 34 39* - **P** - *30 ch. : 48/53€* - ⌂ *6,50€* - *restaurant 16,50/23,50€*. Aux portes d'Amélie, construction récente aux chambres bien rénovées, spacieuses et claires. Un beau bâtiment du 19e s., situé à côté, abrite les salons (billards).

PETITE PAUSE

La Rosquilla Fondante Séguéla (pâtisserie Pérez-Aubert) – *12 r. des Thermes* - ☎ *04 68 39 00 16 - tlj sf mer. 8h-12h30, 15h-19h et j. fériés - fermé 2 sem. en févr. et 3 sem. en juil.* Ici, en 1810, Robert Séguéla, pâtissier de son état, inventa la rousquille, biscuit parfumé au citron et enrobé d'un glaçage au sucre. L'établissement est aujourd'hui un salon de thé lumineux et calme proposant environ 50 références de thés, des infusions aux fruits, des glaces maison, etc.

SORTIES

Grand Café de Paris – *19 av. du Vallespir* - ☎ *04 68 39 00 04 - 5h30-2h - fermé 2 sem. en janv.* Grand café-brasserie où vous pourrez manger un plat du jour à prix modique et danser dans l'arrière-salle sur des airs de musette ou de variétés rétro.

Clientèle d'un certain âge, mais qui sait vivre, d'où une très bonne ambiance et beaucoup d'animation.

SPORTS & LOISIRS

Golf - Compact – *Parc des Sports* - ☎ *04 68 39 37 66 - fermé 15 déc. au 15 fév., 15 août et 1er nov.* Ce « compact golf » situé à côté du Tech dispose d'un parcours de 7 trous, pratique pour l'entraînement des joueurs débutants ou confirmés.

ACHATS

Marché aux légumes – *Pl. de la République - 7h-12h.*

Les Caves du Roussillon – *10 r. des Thermes* - ☎ *04 68 39 00 29 - 9h-12h30, 15h-19h30 - fermé dim. ap.-midi.* Les amateurs de bons vins peuvent venir déguster ici quelques crus régionaux : banyuls, collioure, rivesaltes... Avec plus de 300 vins du Roussillon et une centaine de banyuls, le choix serait plutôt cornélien sans les conseils avisés de Reynal, patron de l'établissement.

DÉTENTE

Établissement thermal – Voir le chapitre des Informations pratiques en début de guide, rubrique « Forme et santé ».

CALENDRIER

Amélie devient un haut lieu du folklore durant la 1re sem. d'août avec le Festival folklorique international. Renseignements à l'Office de tourisme.

Vallée du Mondony★

6 km jusqu'à Mas-Pagris. Parcours de corniche impressionnant (garages de croisement sur les deux derniers km). Se détachant de l'avenue du Vallespir à la sortie amont de la localité, la route, signalée Montalba, s'élève sur les pentes du piton du Fort-les-Bains. Tracée ensuite en palier, en vue des découpures du roc St-Sauveur, elle domine la vallée déserte, boisée uniformément de chênes verts. Laissant à gauche l'antenne de Montalba, poursuivre dans des gorges granitiques jusqu'au petit bassin de Mas-Pagris, base de promenades dans le haut vallon du Terme.

visiter

Le musée de Palalda

Il abrite deux sections. *Mai-sept. : tlj sf dim. 10h-12h, 14h-19h, lun., sam. et j. fériés 14h-19h ; de mi-fév. à fin avr. et de déb. oct. à mi-déc. : tlj sf dim. 10h-12h, 14h-17h, lun., sam. et j. fériés 14h30-17h30. 2,50€.* ☎ *04 68 39 34 90.*
Musée des Traditions et Arts populaires – Il présente des outils de métiers aujourd'hui disparus ou mécanisés comme par exemple la fabrication des espadrilles. Remarquez le « truc », jeu de cartes catalan. Vingt mètres en contrebas, place de la Nation, reconstitution d'une cuisine et d'une chambre au début du siècle. Évocation de la cargolade, plat d'escargots grillés, dégustés avec un aïoli et arrosés de rivesaltes ou de banyuls. On en a l'eau à la bouche !

◄ **Musée de la Poste en Roussillon** – Tableaux, documents, objets divers et reconstitution d'un bureau de poste de la fin du 19e s. retracent l'histoire de cette activité en Vallespir. Parmi les machines exposées : rare exemplaire de la « Daguin », machine à oblitérer. On remarquera enfin le costume du postillon avec ses imposantes bottes.

COMME LES INDIENS
On apprend que grâce aux tours à feu et à un code dans l'utilisation des fumées, l'ensemble de la région pouvait, en un quart d'heure, être averti d'une invasion ennemie.

Principat d'**Andorra**★★

Principauté d'Andorre

Entrer dans la principauté d'Andorre et ses 468 km² de territoire, c'est donner à son voyage en pays catalan une tournure nettement plus ibérique. Ce petit État attire comme un aimant les skieurs pour ses pentes enneigées, les curieux pour ses coutumes patriarcales et tous les amoureux des paysages à la beauté rude pour ses fiers et hauts plateaux. La montagne fourmille ainsi de petites routes fantasques, tracées par un bouleversement récent : les premières voies carrossables ouvrant l'Andorre au monde extérieur furent tracées seulement en 1913, côté espagnol, et en 1931, côté français. Les maisons ont poussé comme des champignons, animant considérablement la vie andorrane, jusque-là calée sur le paisible rythme agro-pastoral.

La situation

Carte Michelin Local 343 G9 – Principauté d'Andorre. Depuis la France, il n'y a qu'une route, la N 22 passant par le Pas de la Casa, poste-frontière des plus embouteillés durant les mois d'été.

🛈 *R. Dr-Vilanova, Andorra La Vella,* ☎ *(00-376) 82 02 14. Office du tourisme de la principauté d'Andorre, 26 av. de l'Opéra, 75001 Paris,* ☎ *01 42 61 50 55. 3615 Andorra. www.tourisme-andorre.net*

Les armes

Les armes des Vallées (apposées sur la Casa de la Vall – *voir la description plus loin*) illustrent le régime de coprincipauté : à gauche, la mitre et la crosse d'Urgel et les quatre « pals » (bandes) de gueules de la Catalogne ; à droite, les trois « pals » du comté de Foix et les deux « vaches passantes » du Béarn.

Les gens

La principauté d'Andorre compte 65 000 Andorrans, en majorité de langue catalane, répartis dans sept « paroisses » ou communes : Canillo, Encamp, Ordino, La Massana, Andorra la Vella, Sant Julià de Lòria et Escaldes-Engordany.

A. Thuillier/MICHELIN

Rappel du partage de la principauté entre les évêques d'Urgel et les comtes de Foix, les armes des Vallées ornent, aujourd'hui, les plaques d'immatriculation.

comprendre

Du paréage à la pleine souveraineté – La coprincipauté d'Andorre a vécu jusqu'en 1993 sous le régime du paréage hérité du monde féodal. Dans un tel contrat, deux seigneurs voisins délimitaient leurs pouvoirs et leurs droits sur un territoire qu'ils tenaient en fief en commun. L'acte de paréage, signé en 1278 par l'évêque d'Urgel et Roger-Bernard III, comte de Foix, instituait ceux-ci comme coprinces. Les évêques d'Urgel restent toujours coprinces, mais la suzeraineté des comtes de Foix, par l'intermédiaire d'Henri IV, a été transmise au chef de l'État français.

En 1993, les Andorrans se sont dotés, par référendum, d'une nouvelle constitution conférant à la principauté sa pleine souveraineté. La langue officielle est le catalan, mais le français et l'espagnol sont également utilisés. La principauté est devenue pays membre de l'ONU.

Le goût de la liberté – Les Andorrans sont avant tout « avides, fiers, jaloux » de leur liberté et de leur indépendance. Le Conseil Général tient ses sessions à la Casa de la Vall. Il assure la représentation mixte et paritaire de la population nationale et des sept paroisses.

Les Andorrans ne sont soumis ni aux impôts directs ni au service militaire ; ils bénéficient de la franchise postale en régime intérieur.

> **HYMNE**
> « Le grand Charlemagne, mon père, des Arabes me délivra. » C'est par ces mots que débute l'hymne andorran qui, fièrement, poursuit : « Seule, je reste l'unique fille de l'empereur Charlemagne. Croyante et libre, onze siècles, croyante et libre je veux être entre mes deux vaillants tuteurs et mes deux princes protecteurs. »

VIE QUOTIDIENNE

Formalités d'entrée, devises, horaires, poste et télécommunications : voir le chapitre « Escapade à l'étranger » dans la partie « Informations pratiques », au début du guide.

RESTAURATION

🍽️🍽️ **Don Pernil** – *Av. d'Enclar 94 - Santa Coloma - 3 km au SO d'Andorre-la-Vieille - ☎ (00-376) 86 52 55 - fermé janv. - 19/26,50€*. On se presse ici pour venir déguster les viandes grillées au feu de bois et les plats régionaux, préparés en cuisine par les patrons... Accueil chaleureux et familial, garanti dans ses deux salles, décorées de meubles rustiques du pays.

🍽️🍽️ **Can Manel** – *R. Mestre-Xavier-Plana 6 - Andorre-la-Vieille - ☎ (00-376) 82 23 97 - fermé 1er-15 juil. et mer. - 21/30€*. Un petit restaurant familial un peu éloigné du centre, mais fort sympathique. De l'une de ses deux salles décorées de meubles régionaux, on aperçoit les fourneaux où se concocte une cuisine simple et gourmande, aux accents de terroir.

🍽️🍽️ **Borda Estevet** – *Rte de La Comella 2 - Andorre-la-Vieille - ☎ (00-376) 86 40 26 - bordaestevet@andorra.ad - 28,20€*. Légèrement excentrée, cette maison ancienne aux murs de pierres apparentes accueille ses convives dans plusieurs salles au cadre rustique. Dans l'assiette, cuisine pyrénéenne et nombreuses gourmandises à choisir sur le chariot des desserts.

HÉBERGEMENT

🛏️ **Hôtel Cerqueda** – *R. Mossen-Lluis-Pujol - Santa Coloma - 3 km au SO d'Andorre-la-Vieille - ☎ (00-376) 82 02 35 - fermé 7 janv.- 6 fév. - 🅿 - 65 ch. : 30/55€ - ⌑ 4€ - restaurant 14,50€*. Vous serez tranquille dans cet hôtel familial simple. Toutes ses salles de bains sont récentes, même si certaines de ses chambres ont encore un décor un peu vieillot... Accueil aimable. Piscine.

🛏️🍽️ **Hôtel Coma Bella** – *Sant Julià de Lòria - 7 km au SO d'Andorre-la-Vieille - ☎ (00-376) 84 12 20 - comabella@myp.ad - fermé 9-23 avr. - 🅿 - 30 ch. : 48/78€ ⌑ - restaurant 10,50€*. Dans la forêt de La Rabassa, cet hôtel bénéficie d'une situation particulièrement calme. Ses chambres sont de deux types : certaines sont décorées de meubles actuels inspirés du style andorran, les autres sont plus fonctionnelles...

SORTIES

Angel Blau – *4 carrer de la Borda - Andorre-la-Vieille - ☎ (00-376) 82 90 07 - lun.-jeu. 22h-3h, ven.-sam. 22h-4h*. L'enseigne de cette boîte évoque le film qui révéla Marlène Dietrich, mais vous passerez la soirée dans une ambiance très jazzy. Photos de la « Divine » et de musiciens noirs américains aux murs, long bar en bois et piano à queue créent une plaisante atmosphère. Concerts.

Coctel de l'Avi – *Carretera d'Arinsal - La Massena - ☎ (00-376) 83 93 01 - mar.-jeu. et dim. 22h30-3h, ven.-sam. 22h30-4h*. D'épais murs en pierres apparentes et un plafond traversé de grosses poutres : insolite cadre rustique pour cette discothèque aménagée dans une ancienne ferme. La programmation musicale est rock'n'roll tendance « seventies ».

Topic – *Carretera General - Ordino Andorre - ☎ (00-376) 73 61 02 - www.hotelcoma.com - 8h-2h*. C'est le bar-restaurant de l'hôtel Coma. Attablez-vous dans son décor design assez futuriste ou en terrasse, pour boire un verre et déguster tapas, salades, sandwichs, pizzas, ou encore viandes et poissons cuits au feu de bois.

ACHATS

La principauté d'Andorra a acquis une vocation commerciale depuis longtemps. Les boutiques et grands magasins offrent un large choix de produits (alimentation, produits de luxe, vêtements, électronique, etc.) à des prix compétitifs. *Août, certaines sem. de fêtes et sam. : 9h-13h, 16h-21h, dim. 19h (20h les autres j.). Fermé 1er janv., 14 mars, 8 sept., 25 déc.*

Au retour en France, la douane contrôle la quantité et la valeur des produits achetés en Andorre non soumis aux droits et taxes : par exemple, par personne, 1,5 l d'alcool titrant plus de 22° ou 3 l d'alcool titrant moins de 22°, 300 cigarettes, 75 g de parfum, 375 ml d'eau de toilette, etc.

A. Thuillier/MICHELIN

CALENDRIER

Le 8 sept., jour où l'on fête la Vierge de Meritxell, a été choisi comme fête nationale, témoignant de l'enracinement de la foi dans le cœur des Andorrans. La messe se déroule en présence du clergé du pays et des autorités. Comme tout aplec (pèlerinage) catalan, elle est suivie de repas champêtres sur les prairies des alentours.

Les travaux et les jours – La vie, toute patriarcale, était naguère consacrée en grande partie à l'élevage et à la culture. Entre les hauts pâturages d'été et les hameaux, on trouve encore les *cortals* formés de granges ou *bordes*. Sur les soulanes subsistent des cultures en terrasses. Les plantations de tabac constituent la culture dominante dans la vallée de Sant Julià de Lória, culture vouée à partir en fumée une fois ramassée car trop mauvaise pour être consommée.

À 1 600 m d'altitude, de vastes champs de tabac couvrent la vallée de Sant Julià de Lória.

séjourner

Domaine skiable de Soldeu-El-Tarter
Alt. 1 710-2 560 m. Les 52 pistes réparties sur 850 ha conviennent aux skieurs de tous niveaux. 241 canons assurent un enneigement permanent sur 14 km.

Domaine skiable du Pas de la Casa-Grau Roig
Alt. 2 050-2 640 m. Ces deux stations reliées entre elles accueillent, sur 530 ha, plus de la moitié des skieurs d'Andorre. Hormis les deux petites zones des Abelletes et de Pessons, réservées aux débutants, les 80 km de pistes de ski alpin s'adressent aux skieurs moyens à confirmés. Les surfeurs disposent d'une piste spécialement aménagée (« Coma III ») et le ski de nuit se pratique deux fois par semaine.

Caldea
Août et vac. scol. Pâques : 9h-24h ; reste de l'année : 10h-23h. Fermé de mi-mai à fin mai, première sem. de nov., 1er janv. (matin), 25 déc. 24,50€ (3h), 65,50€ (3j.), 98€ (5j.). ☎ *(00-376) 80 09 99.*
🛏 Situé à 1 000 m d'altitude et utilisant l'eau thermale d'Escaldes-Engordany puisée à 68 °C, Caldea est un grand centre aquatique, conçu pour le bien-être et le plaisir. L'ensemble architectural, réalisé sur les plans du Français Jean-Michel Ruols, se présente sous la forme d'une gigantesque cathédrale de verre à l'allure futuriste. L'éventail des possibilités de détente et de relaxation est très large : bains indo-romains, hammam, jacuzzis, lits à bulles, marbres chauds, fontaines de brumisation, etc., répartis sur deux espaces : un espace « public », dans et autour de la grande lagune, et un espace « Club » pour les amoureux du calme, à qui un accueil personnalisé est réservé. Un excellent moyen de se détendre après une bonne journée de ski.

PRATIQUE
Restaurant gastronomique, galerie commerciale, bar panoramique à 80 m de hauteur : tout concourt à rendre particulièrement attrayant ce paradis des eaux.

visiter

ANDORRA LA VELLA (Andorre-la-Vieille)
Capitale des vallées d'Andorre, la « ville » est une métropole du négoce. À l'écart des voies fréquentées par les visiteurs venus faire leurs emplettes, le noyau d'Andorre-la-Vieille garde ses ruelles et sa Casa de la Vall, où se discutent toujours les intérêts du pays.

Casa de la Vall (Maison des Vallées)
Visite guidée (1/2h) tlj sf dim. ap-midi 9h30-13h, 15h-19h. Réservation 1 sem. av. au ☎ *(00-376) 82 91 29. Fermé j. de réunion des Parlements et certains j. fériés. Gratuit.*
C'est le siège du Parlement des Vallées. Le « Très Illustre Conseil Général » y tient ses séances.
Cette construction massive doit son allure d'ensemble à des aménagements du 16ᵉ s. mais a été fortement restaurée en 1963, son appareil défensif ayant alors été complété par une deuxième échauguette d'angle, au Midi. Le portail s'ouvre sous de longs et lourds claveaux caractéristiques des constructions nobles aragonaises. L'intérieur doit sa noblesse à ses plafonds et ses lambris. Au 1ᵉʳ étage, la salle de réception, jadis réfectoire, est ornée de peintures murales du 16ᵉ s.

La salle du Conseil conserve la fameuse « armoire aux sept clés » munie de sept serrures différentes (chacune des paroisses détient une clé), qui abritait les précieuses archives.

LA SEU D'URGELL / SEO DE URGEL

circuits

VALLÉE DU VALIRA D'ORIENT★ ①

D'Andorre-la-Vieille à la route du Puymorens – 36 km – environ 1h1/2.

Se dégageant, à Escaldes, de l'agglomération, la route remonte la vallée. Elle laisse en arrière le bâtiment des machines de Radio-Andorre, flanqué d'un clocher néoroman inattendu. Après Encamp, par un raidillon, on surmonte le verrou des **Bons**, **site**★ d'un hameau bien groupé sous la ruine du château qui défendait le passage et la chapelle Sant Roma. À droite s'élève la chapelle **N.-D.-de-Meritxell**, sanctuaire national de la principauté, reconstruit en 1976. ♿ *Tlj sf mar. 9h15-13h, 15h-18h. Juil.-août : possibilité de visite guidée. Gratuit.* ☎ *(00-376) 85 12 53.*

Canillo

L'église collée au rocher est surmontée du plus haut clocher d'Andorre. À côté se détache, en blanc, l'ossuaire (dont les cellules abritent les caveaux funéraires), construction fréquente dans les pays de civilsation ibérique.

Sant Joan de Caselles

Juil.-août : 9h-13h, 15h-18h. Sur demande le reste de l'année, ☎ *(00-376) 85 11 15 ou* ☎ *(00-376) 85 14 34.*
◄ L'église, isolée, est l'un des types les plus accomplis d'édifice roman d'Andorre, avec son clocher à trois étages de baies. À l'intérieur, derrière la pittoresque grille de fer forgé et découpé du chœur, apparaît un retable peint, œuvre du maître de Canillo (1525) : vie et visions apocalyptiques de saint Jean.

Au cours de la montée au port d'Envalira, on découvre, s'épanouissant au Sud-Ouest, le cirque des Pessons aux replats d'origine glaciaire.

Port d'Envalira★★

Alt. 2 408 m. C'est le plus haut col pyrénéen franchi par une bonne route. Il marque la ligne de partage des eaux entre la Méditerranée (Valira) et l'Océan (Ariège) et offre un **panorama** sur les montagnes de l'Andorre, atteignant 2 942 m, dans le lointain à l'Ouest, à la Coma Pedrosa.
La descente vers le Pas de la Casa offre de très belles vues sur l'étang et le **cirque de Font-Nègre**.

INFO
Le port d'Envalira peut être obstrué par la neige, mais sa réouverture est assurée dans les 24h. Par temps de tourmente, l'issue, par la route du Puymorens, risque de n'être ouverte que vers Porté et la Cerdagne.

PUZZLE
Lors de la dernière restauration (1963), on a pu rétablir une **crucifixion**★ romane : les morceaux épars d'un Christ en stuc ont été recollés sur le mur, à leur emplacement d'origine, après dégagement de la fresque complétant la scène du Calvaire.

Onduleuse et sinueuse, la route serpente à travers les montagnes avant d'atteindre le village-frontière du Pas de la Casa.

Pas de la Casa*

Alt. 2 085 m. Simple poste-frontière, ce village, le plus élevé de la principauté, est devenu un centre important de ski. L'agglomération est principalement composée de grands complexes hôteliers et de boutiques hors taxes : il y règne toute l'année une intense animation, accompagnée, en particulier l'été, d'embouteillages impressionnants.

La N 22 se déroule à travers un paysage désolé et se rattache à la N 20, route du Puymorens.

VALLÉE DU VALIRA DEL NORD★ ②

D'Andorre-la-Vieille à la Cortinada – 9 km – 1/2h.
Fraîche vallée où l'on trouve encore des témoignages de la vie montagnarde.

Gorges de Sant Antoni

D'un pont sur le Valira del Nord, on aperçoit à droite le vieux pont en dos d'âne qu'utilisait l'ancien chemin muletier de la vallée.

Par la vallée d'Arinsal, belle vue sur les sommets du groupe de la Coma Pedrosa. *Par La Massana, agréable villégiature, gagner Ordino.*

Ordino

Laisser la voiture dans le village haut sur la place près de l'église. Bourg pittoresque dont on parcourra les ruelles en contrebas de l'église. Cette dernière a gardé de belles grilles de fer forgé et découpé, que l'on découvre encore dans plusieurs sanctuaires proches des anciennes « forges catalanes ».

La **Casa museu Areny-Plandolit (Maison-musée Areny-Plandolit)**, typiquement catalane (1633) avec son balcon en fer forgé long de 18 m, fut la demeure de la famille Areny i Plandolit dont faisait partie le baron Guillem, riche maître de forges catalanes. Au rez-de-chaussée, on trouve les celliers, au 1er étage la salle principale (« salle d'armes »), la cuisine (beaux carreaux de céramique bleue et jaune au-dessus de l'évier), la chambre à coucher en alcôve attenant à une petite chapelle privée, la bibliothèque et la salle à manger au décor de style Art nouveau. *Visite guidée (3/4h) 9h30-13h, 15h-18h30, dim. 10h-13h30 en été. 2,40€. Fermé 14 mars, 8 sept.* ☎ *(00-376) 83 69 08.*

La Cortinada

Site agréable. En contrebas de l'église et du cimetière à ossuaire, remarquer une ancienne maison de notable à galeries extérieures et à pigeonnier. À l'intérieur de l'**église Sant Marti**, admirer les fresques romanes et les retables baroques. *Juil.-août : visite guidée 9h-13h, 15h-18h. Sur demande le reste de l'année,* ☎ *(00-376) 84 41 41.*

La route se poursuit vers le Nord. Elle doit un jour établir, par le port de Rat (alt. 2 539 m), une liaison avec le Vicdessos.

Chaque commune de la principauté a son blason : montagnes, eaux et sanctuaires symbolisent le pittoresque bourg d'Ordino.

L'église Sant Miquel est typique avec son clocher effilé et ajouré de baies.

ESTANY D'ENGOLASTERS (lac d'Engolasters) 3

Excursion au départ d'Escaldes – 9 km puis 1/2h à pied AR
Sortir d'Escaldes, à l'Est d'Andorre, par la route de France,
à la sortie de l'agglomération, tourner à droite en arrière
dans la route de montagne d'Engolasters.

Sur le plateau de pâturages d'Engolasters, annexe sportive d'Andorre-la-Vieille, se dresse la fine tour romane de l'**église Sant Miquel**.

Du terminus de la route, franchir la crête, sous les pins, pour redescendre aussitôt (à pied) au barrage. L'ouvrage a élevé de 10 m le niveau du lac (alt. 1 616 m) reflétant la forêt sombre. À l'extrémité opposée se dressent les antennes de Radio-Andorre.

Anduze

Anduze, haut-lieu du protestantisme cévenol, se niche dans un écrin de verdure, au débouché de l'étroite porte des Cévennes (cluse du portail du Pas) qui ouvre sur les vallées des Gardons de St-Jean et de Mialet. Elle semble posée là par quelque géomètre tatillon : c'est en effet à la fois la dernière ville de la plaine et la toute première des montagnes cévenoles. Les estivants des Cévennes y descendent pour musarder sur le marché, flâner entre les étals de fruits et légumes ou de pélardons ou encore jauger la finesse des poteries vernissées.

La situation

Carte Michelin Local 339 I4 – Gard (30). On a une belle vue sur Anduze et son site de la D 910, route d'Alès, dans un virage situé à 1 km de la ville. Pour se garer en ville grand parking le long du Gardon (rive droite).
🏠 *Plan de Brie, 30140 Anduze,* ☎ *04 66 61 98 17* *www.ot-anduze.fr*

Le nom

Il n'y a pas tromperie sur la marchandise : la racine *and* signifie en effet montagne !

Les gens

3 004 Anduziens. Depuis 1610, la famille Boisset d'Anduze fabrique de grands vases vernissés, qui eurent dès leurs débuts un vif succès puisqu'ils ornaient jadis l'orangerie de Versailles. La tradition s'est perpétuée jusqu'à nos jours *(voir le carnet pratique).*

Un vase vernissé d'Anduze et votre terrasse prend les airs d'une orangerie digne des plus grands châteaux...

comprendre

Anduze est surnommée la « Genève des Cévennes » car elle a dès le début de la Réforme été acquise à la foi protestante ; en 1579, elle est choisie comme siège de l'Assemblée générale des protestants du Bas-Languedoc (1579).
En 1622, Anduze devient le quartier général du grand chef protestant, le **duc de Rohan**. Ce dernier consolide les remparts et fait construire des forts sur les hauteurs. Appuyé sur les Cévennes entièrement protestantes, Rohan tient là une très forte position. Quand, en 1629, Louis XIII et Richelieu mènent leur expédition du Languedoc, ils préfèrent s'attaquer à Alès qui capitule. Anduze n'aura donc à subir aucun siège.
À l'aube du 18ᵉ s., l'ancienne place forte devient, lors de la guerre des Camisards, le principal centre d'opération des troupes royales.
La tourmente passée, la ville redevient prospère. En 1774 les États du Languedoc construisent une digue, le « quai » sur la rive du Gardon. La ville se développe alors

DÉMANTÈLEMENT
Pas de siège mais plus de remparts : la partie qui protégeait Anduze des terribles crues du Gardon (les « gardonnades ») est en effet abattue après la paix d'Alès, en 1629.

carnet pratique

VISITE

Train à vapeur des Cévennes –  La ligne de chemin de fer qui desservait, de 1905 à 1960, les gares d'Anduze, Générargues et St-Jean-du-Gard a été remise en service en tant que ligne touristique. Son tracé prend départ en face de la « porte des Cévennes » à Anduze, passe par la bambouseraie de Prafrance, suit ou traverse les gardons d'Anduze, de Mialet et de St-Jean, et débouche à St-Jean-du-Gard. &. Avr.-sept : tlj ; de mi-sept. à déb. nov. : tlj sf lun. (hors j. fériés). Fermé de déb. nov. à fin mars. 10,50€ AR (enf. : 7€). ☎ 04 66 85 13 17.

RESTAURATION

◷ **La Tourelle** – 9 r. Basse - ☎ 04 66 60 52 47 - 14/27,50€. Prévoyez une halte repas à La Tourelle, discret restaurant situé à la périphérie du centre-ville. Murs crépis, poutres apparentes, cheminée et mobilier campagnard composent le décor sobrement rustique de sa salle à manger où vous sera servie une honnête cuisine régionale.
◷ **La Ferme de Cornadel** – Rte de Générargues - 1,5 km au N d'Anduze, dir. la Bambouseraie - ☎ 04 66 61 79 44 - fermé 15 déc. au 31 janv. le soir d'oct. à mars (sf w.-end) et mar. d'avr. à sept. sf juil.-août - 17€ déj. - 20/40€. Il règne une agréable ambiance campagnarde dans cette ferme cévenole réhabilitée, située entre Anduze et la Bambouseraie. Belle salle à manger agrandie d'une terrasse ombragée de kiwis ; cuisine régionale (aïoli, truffes et cèpes en saison). Jolies chambres personnalisées.

HÉBERGEMENT

◷◷ **Porte des Cévennes** – 3km au NO d'Anduze par rte de St-Jean-du-Gard - ☎ 04 66 61 99 44 - reception@porte-cevennes.com - 🅿 - 38 ch. : 58/66€ - ☞ 7,50€ - restaurant 16,80/29€. Construction récente proche de la bambouseraie où fut tourné « le Salaire de la peur ». Chambres spacieuses, dotées de loggias. Agréable terrasse dominant la vallée du Gardon.
◷◷ **Chambre d'hôte Le Mas des Sources** – 30140 St-Sébastien-d'Aigrefeuille - 4 km au N d'Anduze par D 50 - ☎ 04 66 60 56 30 - mas-des-sources@tiscali.fr - ☞ - 5 ch. : 54/60€ - repas 23€. Derrière glycines et marronniers centenaires, cette

ancienne magnanerie du 17e s. est aujourd'hui une maison d'hôte. Très calmes, ses chambres claires sont décorées de meubles chinés par les propriétaires qui tiennent aussi une boutique d'antiquités au rez-de-chaussée. Terrasse couverte.

ACHATS

La Vitrine Cévenole – Rte de St-Jean-du-Gard - ☎ 04 66 61 87 28 - www.vitrinecévenole.com - mi-mars à fin déc. 10h-12h, 14h-19h - fermé janv.-fév. et lun. sf juil.-août. L'adresse où dénicher spécialités gastronomiques, poteries culinaires et productions artisanales. Également, un espace librairie proposant des guides touristiques et des ouvrages régionaux.
Poterie d'Anduze - Les Enfants de Boisset – Rte de St-Jean-du-Gard - ☎ 04 66 61 80 86 - tlj sf dim. matin 9h-12h, 14h-18h - fermé 24 déc. à mi-janv. Fabrication artisanale de poteries en terre cuite vernissée (dans une large gamme de formes et de couleurs) destinées aux jardins. Cette maison propose, entre autres et depuis le 17e s., le fameux vase d'Anduze. Visite possible des ateliers.
Aux bonnes cochonnailles cévenoles – Pl. du Marché - ☎ 04 66 61 80 35 - 9h-16h - fermé w.-end. D'excellents saucissons vous y attendent. Spécialité maison : la raïolette d'Anduze.
Bambou – Des plants de bambou sont en vente à la **bambouseraie de Prafrance**, ainsi que chapeaux, paniers et autres objets fabriqués en bambou.

A. Thuillier/MICHELIN

considérablement, s'adonnant à l'artisanat textile (laine, soie, chapellerie). Pendant longtemps, elle demeure aussi importante qu'Alès, jusqu'à ce que cette dernière, grâce à son bassin minier, prenne, au 19e s., un essor décisif.

se promener

Tour de l'Horloge
Située sur la place allongée de l'ancien château, elle date de 1320. Seul vestige des fortifications, elle fut épargnée en 1629 parce qu'elle portait déjà une horloge.

Temple protestant
Il a été construit en 1823 sur l'emplacement d'anciennes casernes. Un péristyle à quatre colonnes abrite l'entrée du monument, un des plus vastes temples de France.

Dans la vieille ville d'Anduze, la fontaine-pagode donne un aspect insolite à la place Couverte.

Vieille ville

Les ruelles étroites et tortueuses, comme la rue Bouquerie ou la rue Droite, sont agréables à parcourir. Par la porte s'ouvrant à côté du château, on gagne la place Couverte où s'élèvent l'ancienne halle aux grains et une curieuse **fontaine-pagode** dont les tuiles vernissées ont été spécialement réalisées par les céramistes d'Anduze en 1649.

visiter

Musée de la Musique

Rte d'Alès, sur la rive gauche. Juil.-août : 14h30-19h ; le reste de l'année, vac. scol. Pâques et Toussaint, dim. et j. fériés : 14h-18h. Fermé janv., fév. et 25 déc. 4,70€. ☎ 04 66 61 86 60.

Il rassemble plus d'un millier d'instruments de musique de tous pays et de toutes époques classés par grandes familles : les percussions, les instruments à vent, à anche ou à embouchure et enfin les instruments à cordes. Les démonstrations musicales qui permettent de découvrir la variété des techniques et des sons.

alentours

Bambouseraie de Prafrance★★

2 km par la D 129. Visite 1h1/2. ﯓ De déb. avr. à mi-sept. : 9h30-19h ; mars et de mi-sept. à mi-nov. : 9h30-18h. 6,50€. ☎ 04 66 61 70 47. www.bambouseraie.fr

Ce parc exotique, inattendu dans la région, fut créé en 1855 par le Cévenol Eugène Mazel. Celui-ci, parti en Extrême-Orient pour étudier les mûriers indispensables à la culture des vers à soie, fut séduit par ces curieuses plantes que sont les bambous et en rapporta des plants.

Décor asiatique en pleines Cévennes : Henri-Georges Clouzot tourna « Le Salaire de la peur » en 1953 à la bambouseraie de Prafrance.

À QUOI SERT LE BAMBOU ?

À fabriquer des échelles, des tuyaux d'irrigation, des échafaudages, des maisons, des instruments de musique. Quant aux rhizomes (tiges souterraines) ils deviennent anses de paniers ou manches de parapluies.

À Prafrance, bénéficiant d'un sol enrichi par les alluvions du Gardon, d'une nappe phréatique et d'un microclimat, la forêt de bambous devint vite une jungle étonnante.

Le parc d'une quarantaine d'hectares est parcouru par une magnifique allée de bambous hauts de 20 m et de superbes séquoias de Californie. Une autre allée, bordée de palmiers, est ornée d'un superbe tulipier de Virginie. En flânant, on découvre le village laotien en bambou, l'harmonieux vallon du Dragon, le labyrinthe, l'arboretum peuplé d'espèces du Japon, d'Amérique et de Chine. Dans le jardin aquatique nagent des carpes japonaises entre les lotus et les papyrus d'Égypte. La forêt de bambous de Prafrance s'étend sur une dizaine d'hectares et comprend plus de cent variétés. Le bambou croît de 30 à 35 cm par jour, atteignant très rapidement sa taille définitive, mais il ne prend la consistance du bois qu'au bout de trois ans.

Ce parc constitue, pendant les chauds mois d'été, une halte rafraîchissante vraiment très appréciable. Boutique, jardinerie et conseils de spécialistes.

Château de Tornac

À la sortie d'Anduze, direction St-Hippolyte-du-Fort. 🚶
20mn AR. C'est autour d'une tour de guet (12ᵉ s.) que ce château a été édifié au 16ᵉ s. Brûlé à la Révolution il garde fière allure et est aujourd'hui un agréable lieu de promenade.

Musée du Désert★

7 km au Nord par Générargues et, à gauche, la route de Mia-let. Visite : environ 1h. Juil.-août : 9h30-19h ; mars-juin et sept.-nov. : 9h30-12h, 14h-18h. 4€. ☎ 04 66 85 02 72.

Quelques maisons serrées les unes contre les autres couvrent un petit plateau au paysage âpre et sévère : c'est le **Mas Soubeyran**, un des hameaux de la commune de Mialet, qui domine les eaux vertes du Gardon. Ce haut lieu du protestantisme, riche en enseignements tant pour les férus d'histoire que pour les curieux, accueille chaque année, le 1ᵉʳ dimanche de septembre, une foule importante lors de l'« assemblée du Désert ».

Au sein de ce hameau typiquement cévenol, se trouve le musée du Désert constitué dans et autour de la maison natal du chef camisard Roland. 15 salles et 2 000 objets présentent, après une introduction muséographique et audiovisuelle à la Réforme, l'histoire des huguenots et des camisards.

La **maison de Roland** est demeurée telle qu'elle existait aux 17ᵉ et 18ᵉ s. Remarquer le « jeu de l'Oye » destiné à enseigner les principes catholiques aux jeunes huguenotes retenues dans les couvents. Dans la cuisine, on peut voir la bible du chef des camisards et la cachette où il se dissimulait à l'arrivée des dragons. La chambre de Roland a conservé son ameublement.

Divers documents, déclarations, arrêts, ordonnances, cartes anciennes et tableaux retracent la période qui précéda les persécutions, la lutte des camisards, la restauration du protestantisme par Antoine Court, le triomphe difficile des idées de tolérance (l'affaire Calas).

Une salle évoque les assemblées du Désert, réunions clandestines que les protestants organisaient dans les ravins isolés pour célébrer leur culte. Dans la salle des Bibles sont présentées de nombreuses bibles du 16ᵉ au 20ᵉ s., une remarquable série de psautiers et des peintures de Jeanne Lombard.

Le **mémorial**, dans une suite de cinq salles, rappelle le souvenir des « Martyrs du Désert » : pasteurs et prédicants exécutés, réfugiés, galériens, prisonniers. Dans les vitrines, croix huguenotes et intéressante collection de coupes de communion escamotables. La salle des Galériens commémore la souffrance des 2 500 protestants condamnés aux galères. On voit aussi des maquettes de galères, des tableaux de Labouchère et de Max Leenhardt.

La visite se termine par la reconstitution d'un intérieur cévenol, à l'heure où la famille réunie écoute la lecture de la Bible, et par un hommage rendu aux prisonnières de la tour de Constance à Aigues-Mortes.

Pratique et discret, un grand tonneau à grains s'ouvre, se transformant en chaire.

Grotte de Trabuc★★

11 km au Nord par Générargues et la vallée du Gardon de Mialet, le long de la D 50 que l'on quitte après Luziers pour prendre à droite vers Trabuc. Température : 14 °C. Juil.-août. : visite guidée (1h) 10h-18h30 ; mars-juin et sept.-nov. : 10h-12h, 14h-18h. 7€ (enf. : 3,50€). ☎ 04 66 85 28 60. Safari souterrain (5h) sur réservation préalable. 39€. ☎ 04 67 66 11 11.

La grotte de Trabuc, la plus grande des Cévennes, fut ► habitée à l'époque néolithique et servit de demeure aux Romains au commencement de notre ère. Plus récemment, pendant les guerres de Religion, des camisards se réfugiaient dans ses galeries ramifiées qui étaient la plus sûre des cachettes.

On y pénètre par un couloir artificiel de 40 m, foré par les mineurs d'Alès à 120 m au-dessus de l'orifice naturel. On découvre la **salle du Gong** et sa grande draperie en

> **TRABUC ?**
> La grotte servit de repaire à des brigands, les trabucaires, auxquels elle doit son nom : le *trabuc* désigne le pistolet que portaient ces bandits.

Les Cent mille soldats composent un spectacle étonnant : hautes de quelques centimètres et très proches les unes des autres, ces concrétions donnent l'illusion d'une armée de fantassins lilliputiens lancés à l'assaut d'une cité fortifiée.

oreille d'éléphant qui résonne comme cet instrument de musique, les **gours** (et micro-gours), bassins formés par des barrages de calcite, les fistuleuses du grand couloir, les coulées colorées d'oxyde surnommées cascades rouges, les curieux cristaux d'aragonite, teintés de noir par le manganèse. On parvient ensuite au remarquable paysage souterrain que composent les **Cent mille soldats**★★, concrétions exceptionnelles formées dans des gours et évoquant la Grande Muraille de Chine. Leur origine demeure mystérieuse.

Au cours de la remontée, un arrêt dans la **salle du Lac** permet d'admirer la très belle pendeloque du Grand Papillon, des « méduses », des excentriques et surtout le lac de Minuit aux eaux claires.

Argelès-Plage ♨♨♨

L'été, c'est à ne plus s'y reconnaître : le littoral est en effervescence continuelle, mais il suffit de reculer de quelques pas dans l'arrière-pays pour retrouver la fraîcheur des jardins irrigués, la couleur des vergers aux arbres fruitiers délicats, le parfum des micocouliers et des eucalyptus saturés de soleil. D'un côté c'est la serviette de bain qui triomphe, de l'autre la pétanque... et la sardane. Argelès marque à sa façon, précisément, la rencontre de la côte sablonneuse du Roussillon avec les criques rocheuses de la Côte Vermeille.

La situation

Carte Michelin Local 344 J7 – Pyrénées-Orientales (66). La D 81, qui longe la côte, passe par les stations de St-Cyprien-Plage, Argelès-Plage et Collioure. Argelès-Plage est relié à Argelès-sur-Mer par la D 618.

🛈 *Pl. de l'Europe, 66700 Argelès-Plage,* ☎ *04 68 81 15 85. www.argeles-sur-mer.com*

Programme des vacances à Argelès : baignade, bronzage, sieste...

carnet pratique

TRANSPORTS

De juin à sept., une navette payante en bus et en petit train est assurée entre Argelès-sur-Mer (ville) et Argelès-Plage.

RESTAURATION

L'Amadeus – *Av. des Platanes* - ☎ 04 68 81 12 38 - *contact@lamadeus.com* - *fermé 30 nov. au 14 fév., lun. et mar.* - *19,50/38€.* Non loin de l'Office du tourisme d'Argelès, ce restaurant à la façade avenante est une adresse agréable : sa salle à manger avec ses murs lambrissés, ses tables rondes et ses chaises cannées blanches, est lumineuse et sa carte gentiment tournée. Terrasse.

La Salamandre – *3 rte de Laroque* - *66690 Sorède - 9 km à l'O d'Argelès-Plage par D 2* - ☎ 04 68 89 26 67 - *fermé 15 janv. au 15 mars, 15 nov. au 1er déc., lun. et mar. sf le soir en été et dim. soir* - *27€.* Quittez donc la plage pour une petite escapade dans l'arrière-pays. En toute simplicité, ce restaurant de village met en appétit les touristes de passage et les gens d'ici avec des recettes au goût du jour. L'une des salles à manger s'ouvre sur la cuisine ; l'autre profite de la climatisation.

HÉBERGEMENT

Camping Pujol – *66700 Argelès-sur-Mer* - ☎ 04 68 81 00 25 - *juin-sept. - réserv. obligatoire - 249 empl. : 23€ - restauration.* Dans ce camping ombragé, vous pourrez profiter sur place d'un complexe nautique agrémenté d'un Jacuzzi et d'un club fitness. Animations pour enfants et soirées dansantes.

Camping La Sirène et l'Hippocampe – *66700 Argelès-sur-Mer* - ☎ 04 68 81 04 61 - *contact@camping-lasirene.fr* - *23 mars au 28 sept. - réserv. obligatoire - 903 empl. : 41€ - restauration.* Beau cadre de verdure joliment arboré et équipements haut de gamme. Ici, vous pratiquerez les jeux aquatiques à l'envi, et même la plongée sous-marine. Club enfants et navette gratuite pour Andorre et Barcelone. Locations de mobile homes, chalets et bungalows.

Grand Hôtel du Lido – *Bd de la Mer* - ☎ 04 68 81 10 32 - *contact@hotel-le-lido.com - fermé 1er oct. au 7 mai* - 🅿 - *66 ch. : 80/150€* - 🍽 *10€* - *restaurant 26/39€.* Accès direct à la plage, piscine et jardin ombragé : dans cet hôtel à l'architecture discrète, vos vacances seront réussies. Les chambres spacieuses ont un coin salon et un balcon côté piscine. Cuisine régionale et carte brasserie autour de la piscine.

SORTIES

Carnaval Café – *14 av. des Mimosas* - ☎ 04 68 81 02 06 - *avr.-sept. : 17h-2h.* Ce bar-restaurant a un charme indéniable avec son patio et sa terrasse donnant sur la pinède. Ici, l'ambiance musicale est latino, voire house en fin de soirée. Après quelques tapas ou un bon repas, les patrons vous proposent le Chupito, petite liqueur très fruitée.

ACHATS

Marché artisanal – *Parking des Platanes* - *15 juin-15 sept. : 17h-0h.*

SPORTS & LOISIRS

Antarès Sub – *Quai Marco-Polo* - ☎ 04 68 81 46 30 ou 06 14 98 31 37 - *antasub@club-internet - juil.-août : 8h-20h ; sept.-juin : 8h-12h, 14h-18h.* Voici la plus ancienne école de plongée sous-marine d'Argelès. Gilbert et son équipe, plongeurs expérimentés, vous accueillent pour des stages de niveaux 1 à 4, de la simple initiation aux explorations d'épaves.

Capitainerie – *Port Argelès* - ☎ 04 68 81 63 27.* 770 postes à quai.

Centre de balnéothérapie Balnéo Vital – *Chemin de Neguebous* - ☎ 04 68 95 32 00 - *hotel.lesalberes@wanadoo.fr - 9h-12h30, 15h-18h30 - fermé janv. et dim.* Ce centre de balnéothérapie intégré à un complexe hôtelier est également accessible aux non-résidents. Au programme : remise en forme, nombreux soins corporels ou esthétiques, massages, etc... Forfaits, cures de plusieurs jours ou soins à la carte.

Évasion Kayak Mer – *M. Loppé - BP 73 - 66700 Argelès-sur-Mer* - ☎ 04 68 95 86 93 - *www.evasionkayakmer.com.* Débutants ou confirmés, partez à la découverte des côtes rocheuses et des criques sauvages à bord d'un kayak de mer. Au choix, courtes balades ou randonnées sur plusieurs jours.

Le nom

Argelès vient du latin *argilla* qui signifie, comme vous vous en doutez, « argile ». La cité est en effet bâtie sur des terres argileuses.

Les gens

9 069 Argelésiens en hiver et 200 000 vacanciers en été, de quoi, parfois, devenir misanthrope... Il faut dire qu'avec ses quelque 60 terrains occupant une forêt de pins, la station est devenue la capitale européenne du camping.

séjourner

Les plages

Plage Nord, plage des Pins et plage Sud (surveillées de ▶ juin à septembre) : 7 km de sable blond ; Le Racou (au Sud du port) : 3 km de criques.
Une promenade de 2 km longe la mer, entre pins maritimes et plantes méditerranéennes (aloès, mimosas, oliviers, lauriers-roses, etc.).

> **STATION KID**
> Argelès-Plage a reçu le label Kid récompensant les stations qui privilégient les activités et les aménagements spécialement destinés aux enfants.

Les aigles de Valmy

Chemin de Valmy (château de Valmy). ♿ *Juil.-août : 13h30-18h30 ; de déb. mars à fin sept. : tlj sf lun. 13h30-18h30. Spectacle son et lumières en juil.-août : mar., mer. et jeu. 21h. 7,50€ (enf. : 6€). Chiens interdits.* ☎ *04 68 81 67 32.*

Le château de Valmy sert de cadre à différentes activités : un parcours de découverte des rapaces sur 5 ha et un spectacle de fauconnerie d'une heure où vous pourrez voir évoluer aigles, milans, vautours et autres rapaces en toute liberté. Également au programme, une démonstration de chiens de berger des Pyrénées.

Argelès-sur-Mer

2,5 km à l'Ouest par la D 618. Située au centre de la vieille ville, la **Casa de les Albères** est un musée catalan d'art et traditions populaires où sont exposés les outils liés à la pratique de métiers autrefois en honneur dans les Albères : fabrication des bouchons, tonnellerie, viticulture, mais aussi confection des semelles d'espadrilles et de jouets en bois de micocoulier. *Tlj sf dim. et j. fériés 9h-12h, 15h-18h, sam. 9h-12h 2€. Mai-oct. visite guidée (2h) 4€* ☎ *04 68 81 42 74.*

Aven **Armand**★★★

Les stalagmites rivalisent de fantaisie, dans une explosion d'arabesques, d'aiguilles, de palmes et d'élégantes pyramides coiffées d'épaisses coupoles.

L'aven Armand est une des merveilles du monde souterrain. Découvert par hasard, comme c'est souvent le cas pour les grottes, il fait aujourd'hui l'unanimité des touristes qui se pressent chaque année pour le voir.

La situation

Carte Michelin Local 330 I9 – Lozère (48). L'aven est accessible, depuis Meyrueis, par la D 986 au Nord-Ouest puis, après 10 km, par une route à gauche. La signalisation routière en indique clairement l'accès. Attention, en juillet et août, l'attente peut être longue (1h) entre l'achat du billet et l'entrée dans la grotte.

Le nom

L'aven porte le nom de son inventeur, **Louis Armand**, serrurier au Rozier. Ajoutons que la découverte fut faite le 19 septembre 1897.

Les gens

Mettons encore une fois à l'honneur ce cher Armand qui, le jour de sa découverte, courut trouver le célébrissime **Édouard-Alfred Martel** ; ce dernier explorait les causses depuis 1883, descendant dans tous les abîmes que ses recherches lui permettaient de découvrir.

comprendre

En descendant de la Parade, Armand a aperçu cet énorme orifice que les fermiers des alentours appellent « l'aven ». Les grosses pierres qu'il y a jetées ont l'air de descendre à des profondeurs insoupçonnées. Le lendemain, une caravane parvient au bord du gouffre avec 1 000 kilos de matériel et des hommes de manœuvre.

Un premier sondage révèle une profondeur de 75 m. Louis Armand arrive facilement en bas. Des exclamations de joie montent du téléphone : « Superbe ! Magnifique ! Plus beau que Dargilan ! Une vraie forêt de pierres ! » Armand remonte enthousiasmé.

Le 20 septembre, Martel y descend à son tour. Au lendemain de la découverte, ce dernier décide de donner à cet aven le nom de son dévoué auxiliaire et réussit à l'en rendre propriétaire. Les travaux d'aménagement commencent en juin 1926 ; l'année suivante, l'aven est ouvert au public.

visiter

Température : 10 °C. Juil.-août : visite guidée (1h) 9h30-18h15 ; avr.-juin et sept.-oct. : 9h30-12h, 13h30-17h15. 8€ (enf. : 5€). ☎ 04 66 45 61 31. www.aven-armand.com

Belvédère

Un tunnel, long de 200 m, creusé pour faciliter l'accès de la grotte, débouche presque au pied du puits de 75 m par lequel sont descendus les explorateurs. Du balcon (accessible à tous) où aboutit le tunnel, on jouit d'un spectacle merveilleux. Le regard plonge dans une salle de 60 m sur 100 m et d'une hauteur de 45 m.

La « Forêt Vierge »

Sur les matériaux éboulés de la voûte se sont édifiées d'éblouissantes concrétions, offrant l'image d'une forêt pétrifiée : ces arbres de pierre, plus ou moins denses, aux formes fantastiques, peuvent atteindre à la base jusqu'à 3 m de diamètre et mesurer, certains, de 15 à 25 m de hauteur. De leurs fûts, évoquant palmiers et cyprès, partent des feuilles irrégulièrement découpées, larges parfois de plusieurs décimètres.

En parcourant la salle *(escaliers munis de mains courantes, quelques marches glissantes)*, on peut apprécier la variété des concrétions : des cierges graciles de plusieurs mètres de hauteur, d'étranges figures à têtes de monstres et massues, choux frisés et fruits ciselés, et surtout la magnifique colonne en encorbellement supportée par une mince console, que domine la grande stalagmite, de 30 m de hauteur.

É. Lartibère/MICHELIN

L'obscurité de la grotte cache même des palmiers.

Banyuls-sur-Mer

Banyuls est une charmante station balnéaire, la plus méridionale de France. Elle s'allonge au bord d'une jolie baie, à l'abri de la tramontane, surplombée par un inoubliable paysage de vignobles en terrasses. C'est ici que le biologiste Charles-Victor Naudin (1815-1899) a eu l'audace folle d'implanter des caroubiers, des eucalyptus et des palmiers, jusqu'alors inconnus sur ce rivage. Ces essences, alors exotiques, ont essaimé ensuite avec succès sur toute la Côte d'Azur, dont elles composent depuis le décor familier.

La situation

Carte Michelin Local 344 J8 – Schéma p. 190 – Pyrénées-Orientales (66). La seule route qui y mène est la N 114 venant de Perpignan et allant vers l'Espagne par la côte. ℹ *Av. de la République, 66650 Banyuls-sur-Mer, ☎ 04 68 88 31 58.*

carnet pratique

RESTAURATION

⊖⊖ **Al Fanal et Hôtel El Llagut** – *Av. Fontaulé* - ☎ *04 68 88 00 81* - *alfanal@wanadoo.fr* - *19/55€*. En face du port, cette maison qui abritait autrefois les garages du Grand Hôtel est un restaurant réputé. Dans un décor marin ou sur la terrasse, vous goûterez une cuisine teintée de saveurs locales, rondement menée. Quelques chambres à prix raisonnables.

HÉBERGEMENT

⊖⊖ **Villa Miramar** – *R. Lacaze-Duthiers* - ☎ *04 68 88 33 85* - *ange.st@wanadoo.fr* - *fermé 16 oct. au 31 mars* - 🅿 - *16 ch.* : *45/59€* - 🍽 *4,50€*. Une villa des années 1960 légèrement excentrée. Sur une colline, son jardin ombragé et sa piscine vous permettront de vous reposer tranquillement et le décor d'inspiration asiatique de ses chambres ajoutera une pointe d'exotisme à vos vacances...

PETITE PAUSE

La Paillote – *14 r. St-Pierre* - ☎ *04 68 88 30 30* - *www.la paillote.com* - *mar.-ven. 12h-14h30, 18h30-22h30, sam. 12h-14h30, 18h30-23h30, dim. 10h-15h ; juil.-août : jusqu'à 2h - fermé de mi-sept. à mi-mars.* Petit salon de thé que vous découvrirez lors de vos déambulations dans les ruelles du vieux Banyuls. On vous y accueille avec une belle carte de cocktails de jus de fruits frais et de coupes glacées. Vous pourrez également y choisir votre ambiance musicale. Cyberespace.

ACHATS

Foire à la Brocante – *Allée Maillol - juin-août : ven. 7h-13h.*
Les Ruchers de Banyuls – *Rte des Mas - 5 km au SO de Banyuls, dir. musée Maillol, rte du col de Banyuls* - ☎ *04 68 88 09 36* - *mielsdebanyuls@europost.org - lun.-sam. 9h-20h, dim. 15h-20h.* Si l'on est viticulteur depuis plusieurs générations dans la famille Centène, un virage a été pris vers l'apiculture en 1992. À la vente : miels de romarin, de bruyère blanche, de lavande maritime, de thym, de chêne et de fleurs de montagne.
Marché artisanal – *Av. de la République - juil.-août : 21h-1h.* Principale animation de Banyuls durant l'été, ce marché nocturne présente toutes les facettes de l'artisanat local.

DÉTENTE

Thalacap Catalogne – *Av. de la Côte Vermeille* - ☎ *0825 125 145* - *www.thalacap.com - 7h-22h - fermé 4 janv. au 1er fév.* Institut de thalassothérapie posté sur les hauteurs de Banyuls, face à la Méditerranée. Hébergement possible en résidence hôtelière.

Le Cellier des Templiers.

J. Malburet/MICHELIN

Le nom

Il semblerait que l'avenir balnéaire de Banyuls ait été pressenti dès l'Antiquité : son nom vient du latin *balneum* qui signifie « bain ».

Les gens

4 532 Banyulencs. Banyuls est la patrie du sculpteur **Aristide Maillol** (1861-1944) qui a notamment laissé à son pays natal de nombreux monuments aux morts ; ceux de Banyuls (sur l'île Grosse), Céret, Elne et Port-Vendres sont les plus importants.

séjourner

La plage

La plage principale (sable et galets) s'abrite dans l'anse fermée, à l'Est, par l'île Petite et l'île Grosse, reliées à la terre par une digue.

Aquarium du laboratoire Arago

Juil.-août : 9h-12h, 14h-22h ; sept.-juin : 9h-12h, 14h-18h30. 4€ (enf. : 2€). ☎ *04 68 88 73 39.*
🔾 Plus ancien aquarium public de Méditerranée, il présente avec clarté les spécimens de la faune méditerranéenne mis en scène dans 39 aquariums recomposant le décor naturel des fonds méditerranéens. Une très belle collection de 250 espèces d'oiseaux est également présentée à l'entrée.

Le vin de Banyuls, à consommer avec modération.

S. Sauvignier/MICHELIN

Écrin bleu : sentier sous-marin de la réserve marine naturelle de Banyuls-Cerbère

Compter de 45mn à 1h. Juil.-août : 10h-18h. Location de matériel possible entre 12h et 17h (y compris les plaquettes d'information submersibles). Point d'accueil sur la plage de Peyrefite et point information sur le port de plaisance. Gratuit. ☎ 04 68 88 56 87.

À vos palmes, masques et autres tubas ! Munis de plaquettes d'informations submersibles, vous entamerez ce parcours d'une longueur de 250 m, ponctué de cinq stations d'observation situées à une profondeur maximale de 5 m. Chaque station, matérialisée par une bouée, vous permettra d'observer un biotope différent, qu'il s'agisse d'herbiers de posidonie, de roches ou de galets. Avec un peu de chance, outres les sars, loups, girelles et rougets, vous pourrez apercevoir un dauphin, une tortue caouanne, ou encore un hippocampe moucheté !

Réserve marine naturelle de Banyuls-Cerbère

C'est entre Banyuls et Cerbère, sur l'unique côte rocheuse du Languedoc-Roussillon, qu'a été créée en 1974 la première réserve marine naturelle de France et la seule à ce jour à être exclusivement marine. Sur une longueur de 6,5 km de côte et une superficie maritime de 650 ha, elle vise avant tout à protéger les espèces menacées, tant par une pêche intensive que par la pollution (rejet des eaux usées en mer) et la fréquentation touristique (plaisance, chasse sous-marine...).

La Côte Vermeille allie avec bonheur les attraits de la mer, et ceux, plus capiteux, de son vignoble.

A. Cassaigne/MICHELIN

découvrir

LE BANYULS

Le vignoble

Le vignoble règne sur les derniers flancs des Albères dont les pentes schisteuses, découpées en terrasses soutenues par des murettes, sont défendues contre le ruissellement dans les zones les plus exposées, par un système de rigoles entrecroisées en X.

Les caves

Les raisins sont vinifiés selon les méthodes ancestrales mises au point par les templiers. Après un long vieillissement en cuve de chêne dans des celliers ou dans des parcs de vieillissement à l'air libre, on obtient un cru fameux : le banyuls. Plusieurs caves sont ouvertes à la visite, dont deux sur la route des crêtes.

La **Grande Cave** propose la projection d'un film sur l'histoire du banyuls, une visite guidée de l'allée des cuves de chêne, du parc de vieillissement au soleil et de la cave des foudres centenaires *Avr.-oct. : visite guidée (3/4h) 10h-13h, 14h30-18h30 ; nov.-mars : 10h-19h30. Fermé 1er janv., 25 déc. Gratuit.* ☎ *04 68 98 36 92.*

Le **Cellier des Templiers-cave du Mas Reig** date des templiers (13e s.) dont le château féodal et la sous-commanderie (Mas Reig) se trouvent tout à côté. ♿ *Juil.-août : visite guidée (3/4h) 10h-19h30. Gratuit.* ☎ *04 68 98 36 92.*

visiter

Métairie Maillol

5 km au Sud-Ouest. Suivre la route du col de Banyuls. Enfant de Banyuls, **Aristide Maillol**, « monté » à Paris à 20 ans, s'initie à la peinture et surtout, suivant la tendance du cercle nabi, à la renaissance de l'artisanat d'art avec la céramique et la tapisserie. La quarantaine passée, il affirme son génie dans la sculpture, tirant de ses esquisses ou peintures d'après modèles les éléments de ses compositions de nus robustes. C'est ainsi que le sculpteur, grâce à son observation constante, à sa recherche du mouvement équilibré, à son sens de la grandeur, a laissé des compositions remarquables : ses statues sont tout aussi gracieuses que puissantes.

L'artiste aimait se retirer dans ce petit mas au fond d'un vallon torride en été. Sa maison abrite aujourd'hui un **musée Maillol** rassemblant de nombreuses sculptures, des terres cuites, des peintures et des dessins. Dans le jardin se trouve la tombe de Maillol, avec le bronze *La Méditerranée. Mai-sept. : 10h-12h, 16h-19h ; oct.-avr. : 10h-12h, 14h-17h. Fermé j. fériés. 3,10€.* ☎ *04 68 88 57 11.*

Offerte à chacun mais également repliée sur elle-même, *La Méditerranée* sculptée par Aristide Maillol évoque cette mer intérieure tour à tour exubérante et paisible.

Béziers ★

Affiche de la féria de 1998.

Béziers, c'est une cathédrale posée tout en haut de la ville et qui descend abruptement vers la plaine où serpente le long couloir argenté du canal du Midi. Amateurs de belles photos, à vos appareils ! C'est également la capitale du vignoble languedocien qui s'étend jusqu'à Carcassonne et Narbonne. Amateurs de petits vins charnus, à vos verres ! C'est ensuite la ville natale de Pierre-Paul Riquet, l'illustre inventeur du canal du Midi. Amateurs de balades au fil de l'eau, larguez les amarres ! Enfin, c'est une ville qui s'enflamme en août pour la féria et tous les dimanches pour sa légendaire équipe de rugby, l'ASB. Amateurs de sensations fortes et de couleurs, ouvrez grandes vos oreilles !

La situation

Carte Michelin Local 339 E8 – Hérault (34). Pour ne pas vous perdre dans les méandres de la « banlieue » biterroise, suivez les panneaux indiquant le centre-ville. Le parking (aérien ou souterrain) de la place Jean-Jaurès est le plus central, le plus pratique. Hors de la ville, mais tout près, coule le canal du Midi : un itinéraire à suivre absolument *(voir canal du Midi).*
🛈 *29 av. St-Saëns, 34500 Béziers,* ☎ *04 67 76 47 00. www.ville-beziers.fr*

Le nom et l'emblème

Le symbole de Béziers, l'antique Biterri (terme protobasque désignant un bourg sur la route), est le chameau. Nulle caravane, cependant, ne s'y est jamais arrêtée, si l'on excepte celle des véhicules qui, il y a encore quelques années, traversaient longuement la cité dans leur quête estivale des plages ! Le responsable, c'est Aphrodise, premier évêque de Béziers et patron de la ville, d'origine égyptienne. Son chameau est sorti tous les ans le jour de la fête de la Saint-Aphrodise, en avril.

Au musée du Biterrois, où tout ce que vous avez toujours voulu savoir sur Béziers est présenté, une place spéciale est faite à Aphrodise.

carnet pratique

VISITE

Visite guidée – Juil.-août : visites-découvertes de la ville (2h) à h. fixes (se renseigner à l'Office de Tourisme) ; sept.-juin : sur demande. 4€.

RESTAURATION

• *Sur le pouce*

Cannelle – *11 pl. de la Mairie -* ☎ *04 67 28 06 01 - Fermé 2 sem. fin août et dim. - 10/12€.* Ce sympathique salon de thé propose également une petite restauration à l'heure du déjeuner (un menu ou choix de salades composées). Avec son décor contemporain, ses murs jaunes et son mobilier en fer forgé et granit, la salle s'avère plaisante, tout comme la terrasse dressée au pied de l'hôtel de ville.

• *À table*

Le Cristal – *44 allée Paul-Riquet -* ☎ *04 67 49 15 64 - 12/30€.* Boutiques, bars et restaurants se succèdent le long de cette promenade ombragée de platanes. Pour un repas axé sur les produits de la mer, optez pour cette brasserie proposant un bel éventail de poissons et crustacés. Ambiance décontractée, décor de style bistrot, terrasse et vente à emporter.

Le Val d'Héry – ☎ *04 67 76 56 73 - 17/32€.* Une balade apéritive dans ce joli parc accidenté du centre-ville, et vous voici arrivé devant ce restaurant à la mine contemporaine. Les murs aux teintes claires sont égayés de tableaux : n'hésitez pas à complimenter le chef, car il est l'auteur de quelques-unes des toiles exposées ! Bien sûr, il maîtrise aussi parfaitement l'art d'accommoder des recettes très au goût du jour.

L'Ambassade – *22 bd de Verdun (face à la gare) -* ☎ *04 67 76 06 24 - fermé 25 mai au 15 juin, dim. et lun. - 24/65€.* Une décoration résolument contemporaine très réussie, des mets très appétissants et une carte des vins exceptionnelle : on comprend pourquoi le « Tout-Béziers » s'y précipite !

HÉBERGEMENT

Champ de Mars – *17 r. de Metz -* ☎ *04 67 28 35 53 - fermé 7 au 15 fév. - 10 ch. : 33,50/46€ -* ☕ *5€.* Petit hôtel familial installé dans une ruelle tranquille, à l'écart de l'animation du centre-ville. D'ampleur moyenne, les chambres bénéficient d'un équipement complet.

Chambre d'hôte Les Arbousiers – *34370 Maureilhan - 9 km au NO de Béziers dir. Castres par N 112 -* ☎ *04 67 90 52 49 - ch.d.hotes.les.arbousiers@wanadoo.fr -* ☕ *6 ch. : 42/46€ - repas 20€.* Les hôtes de cette grande maison aux chambres méditerranéennes (climatisées et bien tenues) vous accueilleront en amis... Chaque soir, vous trouverez sur leur table charcuteries maison, légumes du jardin...et bien sûr, le petit vin de la propriété.

Château de Lignan – *34490 Lignan-sur-Orb - 7 km au NO de Béziers par D 19 -* ☎ *04 67 37 91 47 - chateau.de.lignan@wanadoo.fr -* 🅿 *- 49 ch. : 107/137€ -* ☕ *13€ - restaurant 35/42€.* Dans le village, cette ancienne demeure épiscopale est entourée d'un parc de 6 ha... Entièrement revues, ses installations sont modernes et ses chambres, aux meubles style années 1980, sont fonctionnelles. Piscine.

SORTIES

Bon à savoir – À Béziers, ville de tradition et de rugby, l'essentiel de l'activité se concentre autour des allées Paul-Riquet. Avec son ravissant marché aux fleurs les vendredis, ses grandes brasseries et ses grands magasins, un flot de promeneurs traverse les allées. Si, dans l'année, les bars ou discothèques comme Le Mondial ou L'Usine à Gaz, sont très fréquentés, l'été, les sorties s'orientent vers les campings ou discothèques de Valras ou Portiragnes, au bord de la mer.

Le Direct – *12 r. Étienne-Marcel -* ☎ *04 67 62 69 29 - mar.-dim. 20h-4h ; entrée libre sf pr certains concerts.* Café-concert où se produisent très fréquemment des groupes de rock. Sur les murs, les affiches d'Hendrix, des Blues Brothers, de Kurt Cobain et des Pink Floyd témoignent des goûts musicaux du patron. Les soirées sans concert, un DJ mixe rock et dance. Un haut lieu des nuits biterroises.

Le Mondial – *2 r. Solferino -* ☎ *04 67 28 22 15 - oct.-juin : lun.-ven. 7h30-1h, sam. 7h30-2h ; juil.-août : lun.-sam. 7h30-2h.* Avec son ambiance musicale latino, sa restauration de tapas, le Mondial attire une clientèle très mélangée. Au fond du bar, un billard attend les amateurs. Concerts les mercredis, vendredis et samedis.

L'Usine à Gaz – *111 r. du Lt-Pasquet -* ☎ *04 67 11 07 41 - dorian.simeray@wanadoo.fr - jeu.-sam. 0h-6h.* Il ne s'agit pas d'une métaphore mais véritablement d'une ancienne usine à gaz où se retrouve la jeunesse de Béziers : le sol est en grillage et les murs gris sont truffés d'appareillages les plus insolites. Musique dance et parfois techno. L'entrée est gratuite.

Lieux de spectacles - Les arènes (av. Émile-Claparède) pour les jeux tauromachiques, les spectacles lyriques et de variétés ; le **palais des Congrès – tourisme** (congrès, séminaires…) ; le **théâtre municipal** et le **théâtre des Franciscains** (théâtre, musique classique, danse, art lyrique).

ACHATS

Marchés – Halles centrales : mar.-dim. Autres marchés alimentaires : mar. matin pl. Émile-Zola, mer. matin dans le quartier de l'Iranget, ven. matin pl. David-d'Angers.

Antolin Glacier –*21 r. Martin-Luther-King -* ☎ *04 67 62 03 10 - glaces.antolin@wanadoo.fr.* Antolin est une enseigne que les Biterrois connaissent depuis 1916. Auparavant situé en centre-ville, le laboratoire de fabrication a emménagé dans cette petite usine en 1979 avec sa trentaine d'employés. Les clients y achètent directement les glaces et sorbets (parmi les 120 parfums : calisson, rose, citron-basilic, etc.) ou les desserts joliment présentés dans la petite boutique du bâtiment.

Les caves de Béziers – *3 rte de Pézenas -* ☎ *04 67 31 27 23 - lun.-sam. 9h-12h, 14h-18h30 ; été : 9h-12h, 14h30-19h.* Cette cave coopérative propose à la vente des vins de pays d'Oc, des coteaux du Languedoc ainsi que des vins de pays des coteaux du Libron.

Les gens

Agglomération de 77 996 Biterrois. **Jean Moulin** est un enfant de Béziers. Un hommage lui est rendu, sous forme de monument, dans le grand parc public de Béziers qu'on appelle ici « Plateau des Poètes ».

comprendre

Le massacre de 1209 – Lors de la croisade contre les Albigeois, les « barons du Nord » mettent le siège devant Béziers en 1209. Les catholiques de la ville, invités à quitter la place avant l'assaut, refusent de partir. Ensemble, les Biterrois livrent bataille en avant des murs, mais ils sont mis en déroute. Les croisés, à leur poursuite, entrent en même temps qu'eux dans la ville. Le massacre est effroyable : on n'épargne ni jeunes ni vieux, on tue jusque dans les églises. Béziers est ensuite pillée et incendiée, « afin qu'il ne restât chose vivante ».

La ville finit par renaître de ses cendres, mais reste longtemps languissante. Seuls l'arrivée du chemin de fer et le développement de la vigne, au 19e s., lui ont rendu l'activité et la richesse.

La révolte des viticulteurs – En 1907, la surproduction, la concurrence des vins d'Algérie, l'autorisation d'ajouter du sucre au vin entraînent la chute des prix. Aussitôt les viticulteurs unissent leurs protestations, animés par **Marcellin Albert**, un cabaretier d'Argelliers. À l'appel du *Tocsin*, le journal des révoltés, d'immenses manifestations sont organisées : plus de 500 000 manifestants se retrouvent à Montpellier. À Béziers, le 17e régiment d'infanterie, composé de jeunes gens de la région, fils de vignerons pour la plupart, refuse de tirer sur la foule et est « transporté » à Gafsa en Tunisie. Marcellin Albert, qui échoue dans sa tentative de conciliation auprès de Clemenceau, est mal reçu par ses amis et doit s'exiler.

Les derniers combattants – On le voit, Béziers a de tout temps été la ville des révoltes et des combats en tout genre. Cette fabuleuse énergie, on la retrouve aujourd'hui les jours de féria et de matchs de rugby de l'ASB (Association sportive biterroise). Rugbymen et aficionados, les derniers combattants de Béziers, sont animés de la même fougue et de la même foi que leurs ancêtres proches ou lointains. Une chose à voir au moins une fois dans sa vie : la féria du 15 août, quand la ville joue un air espagnol, plein de bruits et de fureur, ou les soirs de matchs, où toute une foule aux couleurs rouge et bleu de l'ASB célèbre la troisième mi-temps sur les allées Paul-Riquet.

TUEZ LES TOUS...

... Dieu reconnaîtra les siens ! La phrase, sans doute apocryphe, est restée attachée au sac de Béziers : c'est ce qui aurait été répondu aux soldats demandant avant l'assaut comment distinguer un cathare d'un bon catholique...

ET APRÈS ?

Ce mouvement, commenté par toute la presse sous le titre « Le Midi bouge », accéléra l'organisation d'un Service national de répression des fraudes et aboutit à la création de la Confédération générale des vignerons du Midi.

se promener

Laisser la voiture au parking Jean-Jaurès et prendre comme point de départ la statue de Pierre-Paul Riquet, au centre des allées auxquelles ce grand homme a donné son nom. Se diriger au Nord-Ouest vers le théâtre.

Allées Paul-Riquet

Large promenade ombragée de platanes longue de 600 m, très animée (cafés, restaurants, boutiques) et bordée de quelques beaux immeubles du 19e s. Au centre, statue de Riquet par David d'Angers. Le théâtre, construit au milieu du 19e s., présente une façade ornée de bas-reliefs allégoriques dus également à David d'Angers.

Au bout des allées, prendre à gauche le boulevard de la République puis tourner à droite dans la rue Casimir-Péret et enfin à gauche dans la rue Vannières.

Basilique St-Aphrodise

Fermé à la visite.

C'est l'église consacrée au patron de la ville, saint Aphrodise. Face à la chaire, Christ en bois peint du 16e s. La crypte, romane, renferme une belle tête de Christ.

Revenir par la rue Casimir-Péret. Juste avant le boulevard de la République, prendre à droite la rue Trencavel.

ART PALÉOCHRÉTIEN

À l'intérieur de la basilique St-Aphrodise, sous la tribune, à gauche, les fonts baptismaux sont formés d'un beau **sarcophage** (4e-5e s.), où se trouve figurée une chasse aux lions.

La cathédrale St-Nazaire, tel un phare au milieu du vignoble languedocien, domine Béziers.

Église de la Madeleine

Édifice roman modifié à l'époque gothique, puis au 18ᵉ s. Elle fut l'un des principaux théâtres du massacre de 1209.

De la place de la Madeleine, prendre la rue Paul-Riquet. Contourner la place Semard par la droite et prendre la rue Tourventouse. Un passage sous voûte mène à la rue du Capus où se trouve l'**hôtel Fayet**, annexe du musée des Beaux-Arts *(voir description dans « visiter »).*

Prendre à droite la rue du Gén.-Pailhès puis à gauche la rue du Gén.-Crouzat. On débouche sur la place des Bons-Amis où chante une petite fontaine, puis sur la place de la Révolution.

Ancienne cathédrale St-Nazaire★

Perchée sur une terrasse au-dessus de l'Orb, la cathédrale fut le symbole de la puissance des évêques du diocèse de Béziers de 760 à 1789. L'édifice roman, endommagé en 1209 lors de la croisade contre les Albigeois, reçut des modifications dès 1215 et jusqu'au 15ᵉ s.

Dans la façade occidentale flanquée de deux tours fortifiées (fin 14ᵉ s.) s'ouvre une belle rose de 10 m de diamètre. Au chevet, les fortifications sont un élément décoratif : les arcs entre les contreforts forment des mâchicoulis.

En contournant la cathédrale par le Sud, on atteint le **cloître**. Les culs-de-lampe des retombées des voûtes sont ornés de belles sculptures du 14ᵉ s.

Entrer par la porte du transept Nord. La travée précédant le chœur, vestige de la cathédrale romane, abrite des chapiteaux sculptés du 11ᵉ s. Les colonnettes qui les surmontent, ornées de chapiteaux à crochets, de même que les voûtes sur croisées d'ogives, ont été ajoutées au 13ᵉ s. Remarquer la belle abside du chœur, du 13ᵉ s., transformé au 18ᵉ s.

La terrasse à proximité de la cathédrale offre une **vue★** intéressante sur la plaine biterroise. On découvre au premier plan l'Orb courant parmi les vignes, le canal du Midi bordé d'arbres et l'oppidum d'Ensérune. Au loin émergent le mont Caroux, à l'Ouest le pic de Nore et, par temps clair, le Canigou.

> **VUE**
> Du cloître et par un escalier, on gagne le jardin de l'Évêché : jolie vue sur l'église St-Jude et sur l'Orb qu'enjambe le Pont vieux du 13ᵉ s.

*De la place de la Révolution, prendre la rue de Bonsi : à l'angle, l'**hôtel Fabrégat** abrite le musée des Beaux-Arts (voir description dans « visiter »). Prendre ensuite à droite la rue Massot que prolonge la rue des Drs.-Bourguet. Place St-Cyr, prendre la rue St-Jacques.*

On entre alors dans le quartier dit « des arènes romaines » : Julia Baeterrae fut en effet en 36 ou 35 avant J.-C. une colonie romaine intégrée à la province Narbonnaise.

Église St-Jacques

Bien qu'en piteux état, cette église possède une abside à cinq pans (12ᵉ s.), inspirée de l'antique, plutôt remarquable. Mais le détour jusqu'à cette église tient essentiellement dans la **vue★** inespérée que l'on a, depuis les jardins St-Jacques, sur la cathédrale St-Nazaire posée au sommet de la ville.

Passer devant le musée du Biterrois et suivre l'avenue de la Marne jusqu'à la place Garibaldi. Là, prendre à droite l'avenue du Mar.-Joffre.

BÉZIERS

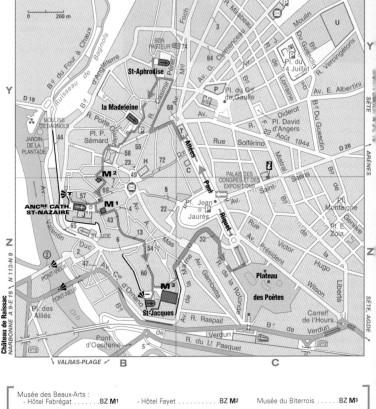

Musée des Beaux-Arts :
- Hôtel Fabrégat .... BZ **M¹**   - Hôtel Fayet .... BZ **M²**   Musée du Biterrois ..... BZ **M³**

Plateau des Poètes

Dans le prolongement des allées Paul-Riquet, ce joli parc paysager, très accidenté, a été aménagé au 19e s. par les frères Bühler. Planté d'espèces comme les ormes du Caucase, les séquoias de Californie, les magnolias ou les cèdres du Liban, il doit son nom aux bustes de poètes biterrois ornant ses allées. Fontaine du Titan par Injalbert.
Revenir à la place Jean-Jaurès par les allées Paul-Riquet.

visiter

Musée des Beaux-Arts

Juil.-août : tlj sf lun. 10h-18h ; avr.-juin et sept.-oct. : tlj sf lun. 9h-12h, 14h-18h ; nov.-mars : tlj sf lun. 9h-12h, 14h-17h. Fermé 1er janv., dim. de Pâques, 1er mai, 25 déc. 2,35€. ☎ *04 67 28 38 78.*

Le musée des Beaux-Arts est installé dans deux anciens hôtels particuliers du quartier de la cathédrale : l'hôtel Fabrégat *(pl. de la Révolution)* et l'hôtel Fayet *(r. du Capus).*

◄ L'**hôtel Fabrégat** renferme, entre autres, des œuvres de Martin Schaffner, le Dominiquin, Guido Reni, Pillement, J. Gamelin, peintre languedocien, Géricault, Devéria, Delacroix, Corot, Daubigny, Othon Friesz, Soutine, De Chirico, Kisling, Dufy, Utrillo. Il abrite également une centaine de dessins de J.-M. Vien, une grande partie des dessins de Jean Moulin et une importante donation Maurice Marinot (peintures, dessins, verreries).

L'hôtel Fayet présente des peintures du 19e s., la donation J.-G. Goulinat (1883-1972) et le fonds d'atelier de **J.-A. Injalbert**, sculpteur biterrois (1845-1933).

Musée du Biterrois★

♿ *Mêmes conditions de visite que le musée des Beaux-Arts.*
☎ 04 67 36 71 01.

Aménagé dans l'ancienne caserne St-Jacques, il regroupe d'importantes collections d'archéologie, d'ethnologie et d'histoire naturelle propres au Biterrois : faune terrestre et aquatique de la mer et des étangs présentée dans des dioramas, série d'amphores grecques, ibériques et romaines provenant des fonds proches du Cap-d'Agde, qui vit se briser de nombreux navires. S'ouvrant sur le hall, les différents espaces *(commencer à droite de l'entrée)* traitent de thèmes variés : géologie et volcanisme propres à cette région du Languedoc, vie préhistorique de l'âge du bronze à l'âge du fer.

Une section importante est consacrée à l'héritage gallo-romain : céramiques sigillées provenant des ateliers de la Graufesenque *(voir Millau)*, bornes milliaires jalonnant la voie Domitienne.

Le fleuron est le « trésor de Béziers », composé de trois grands plats en argent ciselé, découverts en 1983 dans une vigne aux alentours de la ville. Cippes, stèles et autels votifs témoignent des rites funéraires des 1er et 2e s.

Enfin, la vie économique est aussi évoquée (pêche, viticulture, creusement du canal du Midi).

Studio Tref/Musée du Biterrois, Béziers

Matras de foudre du 19e s. (musée du Biterrois).

alentours

Château de Raissac

Route de Lignan. Tlj sf lun. et dim. 14h-18h, se renseigner av. pour confirmation. 4€ (-12 ans : gratuit). ☎ 04 67 49 17 60.
Quelques selles d'équitation et d'anciennes stalles rappellent la vocation des anciennes écuries du château aujourd'hui dédiées à la faïence. Christine Viennet, artiste contemporaine, y expose en effet ses œuvres ainsi que d'importantes collections de **céramiques européennes★** du 19e s. : arts de la table, barbotines, trompe-l'œil... Les grandes manufactures françaises sont particulièrement bien représentées et hommage est rendu à Bernard Palissy qui inspire beaucoup la maîtresse des lieux. Possibilité de voir l'atelier de fabrication. Boutique. La visite peut être complétée par celle des caves du domaine.

Sérignan

11 km au Sud par la D 19 en direction de Valras. Sur la rive droite de l'Orb s'élève l'**église**, ancienne collégiale, des 12e, 13e et 14e s. À l'intérieur, la nef principale, flanquée de collatéraux voûtés d'ogives et couverte d'un plafond à caissons, se termine par une élégante abside à sept pans. Dans une petite chapelle à gauche du chœur, beau crucifix en ivoire attribué à Benvenuto Cellini (16e s.).

> **REMARQUER**
> Traces de fortifications, archères, mâchicoulis et vestiges d'échauguettes sur les murs extérieurs de l'église de Sérignan.

Valras-Plage⛩

15 km au Sud par la D 19. Port de pêche et de plaisance à l'embouchure de l'Orb doté d'une plage de sable s'étendant jusqu'au grau de Vendres, à l'embouchure de l'Aude. Les animations pour enfants lui ont valu le label « Station Kid ». Le théâtre de la Mer sert de cadre à divers spectacles en été.

Abbaye de Fontcaude

18 km au Nord-Ouest de Béziers par la D 14. ♿ Juin-sept. : 10h-12h, 14h30-19h, dim. et j. fériés 14h30-19h ; oct.-mai : lun. et w.-end 14h30-18h ; vac. scol. : 10h-12h, 14h30-18h, dim. 14h30-18h. Fermé janv. (sf dim. ap.-midi). 4€. ☎ 04 67 38 23 85.
Placée sur le chemin de St-Jacques, l'abbaye connut un grand rayonnement au Moyen Âge avant d'être ruinée par la lutte contre l'hérésie vaudoise. En été, elle accueille des concerts.

A. Thuillier/MICHELIN

Détails des ruines de l'abbaye de Fontcaude.

De l'**abbatiale** restent à peu près intacts le transept et le chevet. L'abside centrale, voûtée en cul-de-four, est largement éclairée par trois baies encadrées de colonnettes à chapiteaux. Contourner l'église pour une vue plus intéressante du chevet.

Le **musée** est installé dans la grande salle où les religieux copiaient les manuscrits et les enluminaient. Il conserve les fragments de **chapiteaux** provenant du cloître : d'une grande finesse, ces derniers sont attribués au maître de Fontcaude et auraient été exécutés à l'époque de saint Louis (13e s.).

Une fonderie de cloches du 12e s. existe encore ainsi que le moulin à huile des chanoines.

Le Boulou⚓

Station thermale et lieu de départ de nombreuses excursions dans le Roussillon, Le Boulou, au pied des Albères et sur la rive gauche du Tech, occupe une position de carrefour sur les axes Perpignan-Espagne et Argelès-Amélie-les-Bains. Fréquenté par les curistes ou les touristes en balade vers le Perthus, Le Boulou reste rarement inanimé, surtout en été.

La situation

Carte Michelin Local 344 I7 – Pyrénées-Orientales (66). On y arrive par la N 9 ou par l'A 9 (sortie « Le Boulou », la dernière en France) depuis Perpignan ou par la D 618 depuis Argelès-sur-Mer.

🛈 *Pl. de la Mairie, 66160 Le Boulou, ☎ 04 68 87 50 95. www.ot-leboulou.fr*

Le nom

L'ancienne locution *El Voló*, usitée chez les Celtibères, désigne une falaise. Le Boulou se trouve au pied des Albères, ne l'oublions pas !

POUR EN SAVOIR PLUS
Le massif des Albères constitue la dernière avancée de la chaîne pyrénéenne à l'Est. Cette montagne, à peine découpée, avant de s'engloutir dans la mer, isole deux compartiments affaissés : au Nord, le Roussillon, au Sud (en Espagne), l'Ampurdan. Le point culminant, le pic Neulos, atteint 1 256 m.

---

carnet pratique

VISITE

Circuit culturel – Visite guidée des monuments du Boulou (1h1/2), les jeu. à partir de 15h sur demande. Possibilité de découvrir ces sites grâce à un circuit fléché au sol et un baladeur. Mise à disposition d'un dépliant à l'Office de tourisme.

RESTAURATION

🍴🍴 **Le Canigou** –*7 r. Jean-Baptiste-Bousquet - ☎ 04 68 83 15 29 - 22€.* L'ambiance familiale, la lumineuse salle à manger, une terrasse si prisée qu'il convient de réserver longtemps à l'avance si l'on veut y avoir sa « place au soleil » et les goûteux plats traditionnels mitonnés par le chef : tout incite les gourmands à revenir ici d'une année sur l'autre. Petites chambres bien tenues.

🍴🍴 **Belladona** – *Mas d'En Baptiste - 66480 Maureillas - 4 km au S du Boulou dir. Barcelone par N 9 - ☎ 04 68 83 41 65 - mars-avr. et oct.-nov. : ven. soir au dim. midi ; mai-août : tlj sf lun. et mar. - ✄ - réserv. obligatoire - 26€.* Et pourquoi ne pas tenter un voyage culinaire dans le temps ? Ici, vous ne goûterez que des recettes antiques, piochées dans des livres anciens. Au menu, des plats à base de plantes aromatiques, cultivées par les propriétaires, des soixante-huitards éclairés...

🍴🍴 **Hostalet de Vivès** – *66490 Vivès - 5 km à l'O du Boulou par D 115 et D 73 - ☎ 04 68 83 05 52 - fermé 12 janv. au 6 mars -20€ déj. - 29€.* Un nom qui fleure bon le terroir pour cette jolie auberge de village nichée dans une maison catalane du 12e s. Vous pourrez y découvrir de copieuses spécialités du pays servies en costume traditionnel dans un cadre simple. Chambres fonctionnelles logées dans une annexe.

HÉBERGEMENT

🛏🛏🛏 **Relais des Chartreuses** – *106 av. d'En-Corbouner - 4,5 km au SE du Boulou par N 9, D 618 et rte secondaire - ☎ 04 68 83 15 88 - relais.des.chartreuses@wanadoo.fr - fermé 4 nov. au 13 mars -* 🅿 *- 10 ch. : 78/95€ - ☕ 10€.* La tranquillité est l'un des atouts de cette bâtisse dont les origines remonteraient au 17e s. Un charmant jardin et des chambres personnalisées grâce à des tissus fleuris et des meubles de style participent au charme de l'hôtel où l'on cultive avec bonheur une ambiance de maison d'hôte.

LOISIRS-DÉTENTE

Casino – *RN 9 - Espace des Thermes - ☎ 04 68 83 01 20 - 11h-4h.* Machines à sous, roulette, black-jack.

Thermes du Boulou – *Rte du Perthus - ☎ 04 68 87 52 00 - fév.-nov. : 7h-13h.* Voir le chapitre des informations pratiques en début de guide, rubrique « Forme et santé ».

Les gens

Le Boulou, situé en lisière des bois de chênes-lièges, compte deux usines importantes de fabrication de bouchons. Quelques-uns des 4 428 Boulounencs y sont employés.

se promener

De son passé médiéval, la cité conserve à l'Est, non loin du Tech, une tour quadrangulaire, vestige de l'enceinte du 14e s., ainsi que la chapelle St-Antoine, du début du 15e s.

Église Notre-Dame d'El Voló

8h-12h. Visite guidée jeu. 15h. ☎ 04 68 87 50 95 ou 06 08 15 83 03.

De l'édifice roman du 12e s. subsiste le beau **portail** en marbre blanc du maître de Cabestany. Au-dessus de l'arc décoré d'entrelacs, sept corbeaux sculptés supportent une frise illustrant des scènes de l'enfance du Christ.

Remarquer, à l'intérieur, le retable baroque du maître-autel ainsi que sur le mur gauche de la nef une prédelle du 15e s., surmontée de deux panneaux représentant à gauche saint Jean Baptiste et à droite saint Jean l'Évangéliste (15e s.).

circuits

LA ROUTE DES ALBÈRES ☐

49 km – compter une demi-journée. Quitter Le Boulou à l'Ouest par la D 115.

Céret★ *(voir ce nom)*

Quitter Céret au Sud-Ouest par la D 13F, route de Fontfrède. Laissant la route de las Illas au col de la Brousse (alt. 860 m), prendre à droite une route en sous-bois, très sinueuse. On atteint le **col de Fontfrède** (stèle juin 1940-juin 1944 : par cette montagne, les évadés de France rejoignirent l'armée de la Libération), puis la fontaine *(coin pour pique-niquer).*

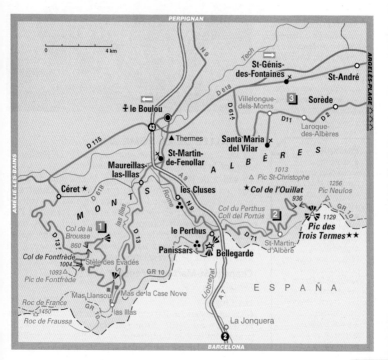

Revenir au col de la Brousse et prendre à droite vers las Illas.
La route serpente à travers une végétation touffue. Puis
des jardins en terrasses, des fermes éparpillées à flanc
de pente, chacune avec son petit chemin d'accès, des
troupeaux de chèvres à clarines signalent la présence
humaine à chaque tournant. Le mas de la Case Nove, sur
la gauche de la route, dans un grand virage, puis le
mas Llansou, tout de suite après, sur la droite, sont
caractéristiques de l'habitat traditionnel des Albères.
Après la traversée de las Illas, la route suit la rivière du
même nom, parcours en corniche offrant de bonnes
vues sur les gorges.

Maureillas-las-Illas

Dans cette agréable villégiature, située au milieu de
forêts de chênes-lièges (appelées suberaies) et de vergers, d'anciens bouchonniers ont créé un **musée du
Liège** retraçant le travail de cette matière, depuis la
levée sur l'arbre jusqu'au marquage du bouchon. *De mi-
juin à mi-sept. : 10h30-12h, 15h30-19h ; de mi-sept. à mi-
juin : tlj sf mar. 14h-17h. Fermé fév., 1er janv., 1er mai,*
1er nov., 25 déc. 3€. ☎ 04 68 83 15 41.

À voir, les étonnantes
sculptures en liège ainsi
que les six magnifiques
foudres en chêne servant
d'écrin à des produits
régionaux (musée du
Liège, Maureillas).

A. Thuillier/MICHELIN

Chapelle St-Martin-de-Fenollar

De mi-juin à mi-sept. : 10h30-12h, 15h30-19h ; de mi-sept.
à mi-juin : tlj sf mar. 14h-17h. Fermé 1er janv., 1er mai,
1er nov., 25 déc. 3€. ☎ 04 68 87 73 82.
Fondée au 9e s. par les bénédictins d'Arles-sur-Tech, elle
conserve, dans le chœur, d'intéressantes **peintures mura-
les★** du 12e s. illustrant le mystère de l'Incarnation : au
registre inférieur, l'Annonciation, la Nativité, l'Adoration
des Mages et le Retour des Mages dans leur pays ; au-dessus, les 24 Vieillards de l'Apocalypse ; à la voûte, le Christ
en majesté entouré des quatre Évangélistes, figurés par
des anges tenant chacun un livre et le symbole approprié.

La N 9, passant devant les Thermes, ramène au Boulou.

*Rois Mages sur une des
fresque de la chapelle
St-Martin-de-Fenollar ; ce
décor peint, caractérisé
par la vigueur du trait et
la fraîcheur des tons ocre,
rouge, vert et bleu,
séduisit des artistes
comme Picasso et Braque.*

PRATIQUE
● Route très
encombrée en été
par les touristes allant
se ravitailler en
alcools au Perthus…
● Visite guidée de la
vallée de la Rome au
dép. du Boulou
organisée par
l'Association pour le
patrimoine de la
vallée de la Rome.
*Renseignements et
inscriptions : Maison
de l'Histoire,
1 r. des Écoles,
66160 Le Boulou,
☎ 06 08 15 83 03.*

LA VALLÉE DE LA ROME ②

*53 km – compter une demi-journée. Quitter Le Boulou au
Sud par la N 9, en direction du Perthus.*
La vallée de la Rome, empruntée depuis plus de 2 000
ans par la voie Domitienne (via Domitia, construite
entre 177 et 120 avant J.-C.), reste toujours une voie de
communication très importante entre la France et l'Espagne. Délaissant l'autoroute « La Catalane », on y
découvre un ensemble de sites mégalithiques, gallo-
romains et médiévaux dans de superbes paysages, où
tous les verts de la végétation sont mêlés.

Chapelle St-Martin-de-Fenollar *(voir ci-dessus)*
Revenir à la N 9.

Les Cluses

Ce nom désigne un ensemble de hameaux situés de part
et d'autre du défilé étroit (ou *clusa*, en latin) qu'em-
pruntaient la voie Domitienne et la vallée de la Rome à
cet endroit. De part et d'autre subsistent des vestiges de

fortifications romaines des 3e-4e s. : sur la rive gauche, le **château des Maures** ou « Castell dels Moros » ; sur la rive droite, le **fort de la Cluse Haute**. Du belvédère aménagé sur la « Dressera » (ancienne voie de crête romaine), on surplombe les ruines d'une porte, peut-être ancien poste de péage où était perçu le « quarantième des gaules » sur les marchandises transitant entre la Narbonnaise et la Tarraconaise.

Contiguë à ce dernier fort, l'**église St-Nazaire** est une construction préromane à trois nefs (fin 10e-début 11e s.) se terminant par des absides en cul-de-four (restes de fresques dans la médiane : Christ Pantocrator dans une mandorle et un ange ailé, sans doute exécutés par le maître de Fenollar). *8h-12h, 14h-17h, w.-end et j. fériés sur demande à la mairie.* ☎ *04 68 87 77 20.*

Le Perthus

Depuis la préhistoire, le Perthus (mot dérivé d'un verbe latin signifiant « ouvrir à coups de pic ») n'a cessé de connaître le flux et le reflux des hordes, des armées, des réfugiés, des touristes enfin. Le bourg a succédé au 19e s. à un simple village de cabanes de douaniers.

Du centre du Perthus, prendre à gauche la direction du fort de Bellegarde.

Fort de Bellegarde

Juin-sept. : 10h30-18h30 (dernière entrée 1/2h av. fermeture). 3€. ☎ *04 68 83 60 15.*

Isolé sur un rocher au-dessus du Perthus, à 420 m d'altitude, cet ouvrage de grande puissance a été reconstruit par Vauban entre 1679 et 1688 à l'emplacement d'un fort espagnol. Le bastion St-André conserve dans une salle basse le puits utilisé depuis le 18e s. entièrement creusé dans le rocher et parementé sur 50 m de hauteur.

De la grande terrasse, vaste **panorama**★★ découvrant : à l'Ouest le Canigou et le pic de Fontfrède, au Nord la vallée de la Rome et son étranglement au défilé des Cluses, la pyramide de Ricardo Bofill qui, en bordure de l'autoroute, symbolise la jonction des deux Catalognes, le village étiré du Perthus, au Sud le site de Panissars, et en Espagne la vallée du Rio Llobregat avec, en arrière-plan, la ville de La Jonquera.

A. Thuillier/MICHELIN

On accède au fort de Bellegarde par un pont-levis suivi d'une rampe qui débouche sur la place d'armes, vaste cour intérieure.

Site archéologique de Panissars

Le col de Panissars constitua dans l'antiquité, sous le nom de « Summum Pyrenaeum », la voie principale de franchissement des Pyrénées. Il marque la limite de partage des eaux, la frontière franco-espagnole et le point de jonction des voies Domitienne et Augustéenne (la via Augusta rejoint Cadix en Espagne). On y a retrouvé en 1984 les soubassements d'un monument romain enjambant la voie tracée dans le rocher : on pense qu'il s'agit des vestiges du trophée de Pompée érigé au retour de sa campagne victorieuse en Espagne sur Sertorius (71 avant J.-C.).

Faire demi-tour et, au Nord du Perthus, prendre à droite la D 71 vers le col de l'Ouillat. D'abord ombragée de châtaigniers, la route s'attarde un instant sur le replat cultivé de St-Martin-de-l'Albère (magnifiques chênes). La vue se dégage sur le Canigou et le versant Sud des Albères ; au Nord, la montagne St-Christophe dessine un profil humain regardant le ciel. Dans un virage à droite, vue sur le pic des Trois Termes.

> **FORT INTÉRESSANT**
> Dans les bâtiments de la cour intérieure, expositions sur la via Domitia, l'histoire du fort ou encore les trophées de Pompée.

Col de l'Ouillat★

Alt. 936 m. Lieu de halte en lisière de la forêt domaniale de pins laricio de Laroque-des-Albères, dans un site frais (terrasse-belvédère).

Passant dans la zone du hêtre puis du pin, la route débouche au pied du pic des Trois Termes.

VARIANTE

On peut aussi regagner Le Boulou par Sorède, sachant que le chemin non revêtu entre le pic des Trois Termes et Sorède n'est accessible qu'aux véhicules tout terrain.

Pic des Trois Termes★★

Alt. 1 129 m. **Panorama** sur les ravins et les crêtes des Albères, la plaine du Roussillon et son chapelet d'étangs côtiers, les coupures du Conflent et du Vallespir.

Du côté de l'Espagne, vue sur la Costa Brava, au-delà du cap de Creus, jusqu'à la courbe de la baie de Rosas.

◀ *Faire demi-tour pour regagner Le Boulou.*

AU PIED DES ALBÈRES ③

Circuit de 32 km au départ de St-Génis-des-Fontaines. Voir ce nom.

Canet-Plage⚐⚐

C'est la station préférée des Perpignanais qui s'y précipitent dès les premiers rayons de soleil. Il faut dire que Canet-Plage n'est qu'à 15 km de la capitale catalane française et qu'elle bénéficie de belles et longues plages de sable fin. De quoi égayer les fins de semaine et, pour ceux qui viennent de plus loin, plusieurs semaines de vacances.

A. de Valroger/MICHELIN

Le port de Canet ne cesse de se développer.

La situation

Carte Michelin Local 344 J6 – Pyrénées-Orientales (66). Traverser Canet-en-Roussillon pour gagner la station (se diriger vers le port ou le front de mer). Nombreux parkings au port (parkings Barcelone, Bastia et Ajaccio) et le long de la mer (Espace Méditerranée, parking de la Côte Vermeille et parking du Front de Mer). L'été, inutile de vouloir se rendre à St-Cyprien en voiture : stress et bouchons sont garantis.

🛈 *Pl. de la Méditerranée, 66140 Canet-en-Roussillon,* ☎ *04 68 73 61 00. www.ot-canet.fr*

carnet pratique

RESTAURATION

♨♨ **Le Don Quichotte** – *22 av. de Catalogne -* ☎ *04 68 80 35 17 - ledonquichotte@wanadoo.fr - fermé 12 janv. au 10 fév., mar. midi, mer. midi en juil.-août et lun. - 22,50/46€.* Une jolie couleur saumonée et des expositions de tableaux égayent la salle à manger de ce restaurant situé à deux pas de la poste. Les recettes du patron restent dans un registre classique qui sied à une clientèle d'habitués et de touristes.

HÉBERGEMENT

♨♨ **Hôtel La Lagune** – *66750 St-Cyprien - 9 km au S de Canet sur D 81ᴬ -* ☎ *04 68 21 24 24 - contact@hotel-lalagune.com - fermé 1ᵉʳ oct. au 25 avr. -* 🅿 *- 36 ch. : 65/89€ -* ⯀ *8€ - restaurant 24/28€.* Un hôtel de vacances entre mer et terre. Ici, vous goûterez aux plaisirs de la plage, juste au bout du jardin fleuri, en famille ou en solo. Les chambres, sobres et fonctionnelles, datent de la construction du bâtiment, au début des années 1990. Deux piscines.

♨♨ **La Vieille Demeure** – *4 r. Llobet - 66440 Torreilles - 7 km au N de Canet par D 11 à Torreilles-village -* ☎ *04 68 28 45 71 - fermé janv. et nov. -* 🍽 *- 5 ch. : 75€.* Cette maison située au cœur du village, a beaucoup de cachet : patio de style andalou, verger d'agrumes (oranges, citrons, pamplemousses), chambres raffinées et personnalisées mariant à merveille sols en terre cuite, tissus, bibelots et mobilier choisis. Certaines jouissent d'une terrasse privative donnant sur le jardin.

LOISIRS-DÉTENTE

Plages – Desserte des plages en juil.-août en bus entre Cerbère et Barcarès, en tram et petit tram dans Canet. Renseignements à l'Office de tourisme.

Club nautique Canet-Perpignan – *Zone technique - Le Port -* ☎ *04 68 73 33 95 ou 04 68 73 56 86.* École de voile agréée par la Fédération française de voile.

Aéro Service Littoral – *Rte de Ste-Marie - 66440 Torreilles -* ☎ *04 68 28 13 73 - aero.services@club-internet.fr - 8h-12h30, 14h-19h - baptême de l'air 30€.* Cours d'ULM et de parapente motorisé.

École d'équitation du Mas Pilou – *Mas Pilou - 66750 St-Cyprien-Plage -* ☎ *04 68 21 27 51 - mar.-dim. 8h-19h.* Cours d'équitation et promenades d'une heure à 2 journées. Accueil très sympathique.

Capitainerie – *2 bd de la Jetée -* ☎ *04 68 73 58 73.*

Club Omnipêche Plaisance – *66750 St-Cyprien -* ☎ *06 09 54 78 12.* Parties de pêche en mer d'une demi-journée. Apprentissage des techniques de pêche côtière.

Le nom

C'est l'étang de Canet et plus particulièrement les roseaux qui y poussent qui nous éclairent sur l'étymologie du nom de la station : en effet, Canet vient du latin *canna*, qui signifie « roseau ».

Les gens

10 182 Canétois, chiffre qui passe à 80 000 en saison car la station, comme ses voisines, attire un grand nombre d'estivants alléchés par la perspective de farniente sur sa longue plage de sable.

séjourner

La station classique des Perpignanais doit son animation intense à un port de plaisance très actif (voile), à de nombreux clubs sportifs et à son casino.

Plages

Au Nord du port, on trouve la plage du Sardinal qui accueille surtout les campeurs (terrains juste à côté). Au Sud du port vous attend une succession de 7 plages : dans l'ordre, plage des Enfants, plage du Roussillon, plage Centrale, plage du Grand Large (minigolf à proximité), plage de la Marenda, plage Sud et plage du Marestang. Location de parasols et de matelas sur chacune d'elles.
Les plages où l'on peut jouer au volley ou autre sport d'équipe : toutes sauf la plage du Sardinal, la plage Sud et la plage du Marestang.

Aquarium

Bd de la Jetée, sur le port. &. *Juil.-août : 10h-20h ; sept., mars-juin et oct.-déc. : tlj sf lun. 10h-12h, 14h-18h. Fermé janv. et 25 déc. 5,20€ (enf. : 3,20€). ☎ 04 68 80 49 64.*
☉ Espèces locales et tropicales. Toutes les couleurs et les formes du monde du silence.

> **NAUTISME**
> Les plages où l'on peut pratiquer la voile (présence d'un chenal de navigation et de clubs de voile) : du Grand Large, du Marestang et plage Sud.

La vue du Canigou que l'on a depuis l'étang de Canet : on dirait la montagne sortie des eaux...

Étang de Canet

À l'Ouest de la station par la D 81 en direction de St-Cyprien. On peut se rendre à l'étang de Canet en voiture (parking), à pied ou à bicyclette. Location de jumelles au point d'accueil (en saison), situé dans une des cabanes de pêcheurs. Possibilité de visite guidée. ☎ 04 68 80 89 78.
D'une superficie de 956 ha, il est classé zone naturelle protégée. Sur ses rives, un village de dix cabanes de pêcheurs en sanils (roseaux réputés pour leur solidité et leur étanchéité) a été reconstitué. Un sentier de 2,5 km permet de découvrir la faune (dont 300 espèces d'oiseaux) ainsi que la flore de l'étang.

alentours

St-Cyprien

Cette pimpante petite cité résidentielle aux rues bordées ▶ de palmiers, un peu à l'écart de l'agitation estivale des stations voisines, a conservé un petit centre, l'ancien village, d'aspect très catalan.

> **O**utre le musée Desnoyers, Saint-Cyprien possède également un **centre d'Art contemporain** *(pl. de la République)*, précédé d'une magnifique tonnelle, où sont présentées chaque été des « installations » d'artistes contemporains.

Musée François-Desnoyers – *R. Émile-Zola, près de la mairie. De mi-juin à mi-sept. : 10h-12h, 15h-19h, w.-end et j. fériés 15h-19h ; de mi-sept. à mi-juin : 10h-12h, 14h-18h, w.-end et j. fériés 14h-18h. Fermé 1er janv., 1er mai, 11 nov., 25 déc. 2€.* ☎ *04 68 21 06 96.*

Né en 1894 à Montauban, François Desnoyers, installé dans la région de Perpignan où il mourut en 1972, a voulu cette fondation aujourd'hui remise à neuf. Vous y verrez un ensemble d'œuvres retraçant son cheminement artistique (voir les *Joutes à Sète*, plein de couleurs et de mouvement) ainsi que des tableaux et dessins de sa collection personnelle : Gleizes, Picasso, Pierre Ambroggiani, etc.

St-Cyprien-Plage⚐⚐

Trois quartiers constituent la station : un quartier résidentiel au Nord, le port et le plan d'eau artificiel des Capellans, séparé de la mer par un cordon de plages. L'animation est surtout concentrée dans le quartier du port de plaisance, le 2e du bassin méditerranéen, et aux Capellans où ont poussé dans les années 1960 immeubles de 5 à 10 étages et marinas. Les plages de sable (3 km) offrent tous les plaisirs de la baignade et des sports nautiques ; les nombreuses activités programmées en saison pour les enfants ont valu à St-Cyprien le label « Station Kid ».

PARC DE LOISIRS
Aqualand – 🅰 -
66750 St-Cyprien -
☎ *04 68 21 49 49 -*
août : 9h30-19h30 ;
juil. : 10h-19h ; de mi-
juin à fin juin et de
déb. sept. à mi-sept. :
10h-18h. 18,50€
(-12 ans : 15,50€). Au
Sud des Capellans :
piscine à vagues, bains
bouillonnants,
toboggans à virages.

Le Canigou★★★

Le Canigou dresse au-dessus des vergers sa cime enneigée, élégante variation de blancs entre neige et arbres en fleurs. Que l'on soit sur les sommets des Corbières, du Conflent, de Cerdagne, dans la plaine perpignanaise et même sur les plages du Roussillon, on ne voit que lui. Emblématique des Pyrénées orientales, on le donna longtemps pour le point culminant de la chaîne, faute de relevés précis pour les autres massifs, mais surtout parce que sa grandeur majestueuse s'imposait comme une évidence. Qui aurait eu l'outrecuidance de dire que le Canigou n'était pas le plus haut, le plus beau ?

La situation

Carte Michelin Local 344 F7 – Pyrénées-Orientales (66). Le sommet du Canigou ne peut être atteint qu'à pied et pour s'en approcher sur quatre roues, ce sera en voiture tout terrain car il n'y a pas de route goudronnée. Tant mieux, au moins sa beauté sauvage est à peu près protégée.

« Le Canigou est un immense magnolia, S'épanouissant sur un rameau des Pyrénées, Ses abeilles en sont les fées, Ses papillons les cygnes et les aigles, Ses crêtes écorchées forment un calice D'argent l'hiver, et d'or l'été. » Verdaguer, « Canigó » (traduction du catalan).

carnet pratique

QUAND FAIRE L'ASCENSION ?

Au début de l'été, quelques pans de neige subsistent sur le flanc Nord et les rhododendrons fleurissent sur les hauteurs. L'automne est agréable pour la douceur des températures et pour la parfaite visibilité que l'on a en haut du pic. L'été est à éviter pour tous ceux qui redoutent la chaleur et la foule.

HÉBERGEMENT EN MONTAGNE

Pour ceux qui envisagent l'ascension à pied, il peut être intéressant de faire une halte, soit pour le repas du midi, soit pour la nuit, dans un refuge. Il est conseillé de réserver à l'avance.
Refuge de Mariailles – *66820 Casteil -*
☎ *04 68 05 57 99 ou 04 68 96 22 90 (répondeur).* Refuge de 55 pl. de mi-mai à mi-nov., w.-end et vac. scol. le reste de l'année. Fermé en janv. Repas assuré, réservation obligatoire.
Refuge pastoral de Mariailles (maison forestière) – *ONF - 54 bd Jean-Bourrat - 66026 Perpignan Cedex -* ☎ *04 68 35 21 63.* 20 pl.
Chalet des Cortalets – De mi-juin à mi-oct. Souvent plein à midi en été. Chambres et dortoir (85 pl.). *Club Alpin Français, 2 r. San-Juan-de-Porto-Rico, 66500 Prades.* ☎ *04 68 96 36 19.*

D. Lérault/PHOTONONSTOP

Refuge des Cortalets – ☎ *04 68 96 36 19.* Plutôt destiné aux randonneurs ; 12 pl. tte l'année, gardé de mi-mai à mi-oct.
Refuge de Balatg – *ONF - 54 bd Jean-Bourrat - 66026 Perpignan Cedex -* ☎ *04 68 35 21 63.* 20 pl.

REJOINDRE LE CANIGOU EN VOITURE

Quelques règles à respecter – L'accès au Canigou à partir des cols de Jou et de Vernet (circuits 1 et 2) ou de Prades (circuit 3) est déconseillé aux voitures « de ville » : il s'agit de pistes où le croisement est difficile. On peut néanmoins les emprunter à bord de véhicules tout terrain. Sachez toutefois que la piste empruntée par l'itinéraire 2 est interdite à la montée de 13h à 18h, à la descente de 8h à 15h. Le stationnement est interdit en dehors des parkings aménagés et signalés. La circulation hors des pistes ouvertes est également interdite.

La solution ? Des sociétés se chargent d'amener les randonneurs et les touristes au Canigou au départ de Vernet, Corneilla-de-Conflent et Prades :
Au départ de Vernet-les-Bains : *Garage Villacèque,* ☎ *04 68 05 51 14. Taxi de la gare,* ☎ *04 68 05 62 28. Tourisme Excursions,* ☎ *04 68 05 54 39. S'adresser à l'Office municipal de tourisme au sujet des autres possibilités,* ☎ *04 68 05 55 35.*
Au départ de Corneilla-de-Conflent : **Transports Circuits Touristiques** – *M. Cullell -* ☎ *04 68 05 64 61. De mi-juin à fin-sept. : dép. en 4X4 8h, 11h. 16€ A.R.*
Au départ de Prades : **Excursions La Castellane** – *M. & Mme Colas - La Riberette - rte nationale - 66500 Ria-Sirach -* ☎ *06 14 35 70 65. De déb. juil. à mi-sept. : dép. à 8h15 et 11h30 ; mai-juin et de mi-sept. à mi-oct. : dép. à 9h30. 23€/pers. pour 1 à 3 pers. (tarifs dégressifs suivant nombre de pers.).*
Se renseigner à l'Office de tourisme au sujet des autres possibilités.

Le nom
On peut rapprocher le nom du Canigou de la racine pré-indo-européenne : *kan-* qui désigne une montagne.

Les gens
Le Canigou est la montagne sacrée des Catalans qui viennent y allumer le premier des feux de la St-Jean et y cueillir, à l'aube du 24 juin, les herbes « de bonne aventure » : immortelle, orpin, millepertuis et feuilles de noyer sont assemblés en forme de croix ; placées sur la porte des maisons, ces croix fleuries assurent bonheur et protection.

> **GÉANTS**
> Géant catalan, il répond au géant de Provence, le Ventoux : l'hiver, lorsque le mistral glacial a nettoyé le ciel de l'un, on peut apercevoir l'autre (et réciproquement !) comme deux vigies des terres d'oc.

circuits

AU DÉPART DE VERNET-LES-BAINS, PAR MARIAILLES 1

12 km – environ 3/4h en voiture puis 10h à pied AR pour marcheur confirmé. Gagner Casteil au Sud par la D 116 puis le col de Jou. Prendre à pied la piste forestière jusqu'à Mariailles où se trouve un refuge. Continuer sur le sentier de la Haute Randonnée Pyrénéenne jusqu'au sommet du Canigou.

Pic du Canigou★★★

 Alt. 2 784 m. Une croix et les décombres d'une cabane en pierre utilisée aux 18e et 19e s. pour le observations scientifiques couronnent le sommet. A Sud, les sonnailles des troupeaux montent du vallo du Cady.

Le **panorama** est immense, au Nord-Est, à l'Est et au Sud Est, vers la plaine du Roussillon et la côte méditerra néenne. Le faible écran des Albères, largement dominé n'empêche pas la vue de porter très loin en Catalogne, l long de la Costa Brava. Au Nord-Ouest et à l'Ouest se suc cèdent sur plusieurs plans les chaînons du socle cristalli des Pyrénées orientales (Madrès, Carlit, etc.), contrastan avec les crêtes calcaires plus tourmentées des Corbière (Bugarach).

AU DÉPART DE VERNET-LES-BAINS, PAR LE CHA-LET DES CORTALETS 2

23 km – environ 1h1/2 en voiture et 3h1/2 à pied AR. L piste au départ de Fillols est interdite à la montée de 13h 18h, à la descente de 8h à 15h.

La vieille route des Cortalets, construite en 1899 pour l Club Alpin par l'administration des Eaux et Forêts, es un chemin de montagne accidenté mais ô, combie beau !

Prendre la D 27 vers Prades. Après Fillols, tourner à droite

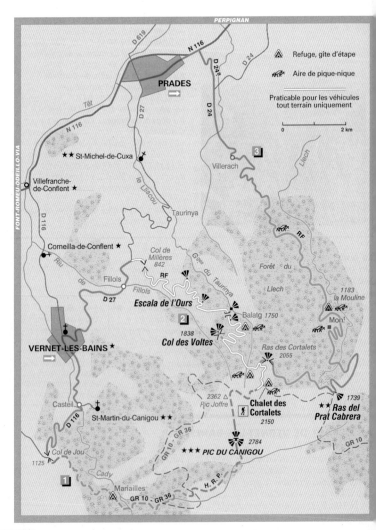

Dès le départ du col de Millères (alt. 842 m), la route monte en lacets très rapprochés le long de la crête rocailleuse séparant les vallées de Fillols et de Taurinya. Sur la gauche, des vues se dégagent sur Prades et St-Michel-de-Cuxa. La route adopte un tracé hardi parmi les pins laricio et les chaos rocheux. Dans un grand lacet à gauche, vue grandiose sur la Cerdagne et le Fenouillèdes. Prades disparaît dans le lointain.

Escala de l'Ours

Parcours en haute corniche, le plus spectaculaire du tracé. La route franchit un passage rocheux, étroit, sous voûte, dominant de plusieurs centaines de mètres les gorges du Taurinya (rochers-belvédères de part et d'autre du tunnel).

Après le refuge forestier de Balatg, les arbres sont de moins en moins denses, de plus en plus pelés (pins arolles). La route pénètre dans l'étage pastoral des prairies.

Col des Voltes

Alt. 1 838 m. Vue sur le versant Nord du Canigou et sur le bassin du Cady.

Au ras (col) des Cortalets (alt. 2 055 m), où se trouve une aire de pique-nique, laisser la route des gorges du Llech et prendre à droite.

Chalet des Cortalets

Il se dresse à 2 150 m d'altitude au débouché du cirque formé par le Canigou et ses deux contreforts Nord : le pic Joffre et le pic Barbet.

Prendre à pied à l'Ouest du chalet le GR 10, longeant un étang puis s'élevant sur le versant Est du pic Joffre. Abandonner ce sentier à la fontaine de la Perdrix lorsqu'il redescend vers Vernet et continuer la montée à gauche sous la crête. ⚠ *Un sentier en lacet parmi les rochers permet l'ascension de la cime (3h1/2 à pied AR ; pour tout marcheur).*

Pic du Canigou★★★ *(voir ci-dessus)*

AU DÉPART DE PRADES PAR LE CHALET DES CORTALETS ③

20 km – environ 2h en voiture et 3h1/2 à pied AR. Quitter Prades par la N 116, direction Perpignan, puis prendre à droite la D 24ᴮ.

Après Villerach, la route traverse les vergers du Conflent, puis domine le fond des gorges du Llech de 200 à 300 m. La route se poursuit en terrain plus accidenté, avant d'atteindre le refuge forestier de la Mouline (alt. 1 183 m – aire de pique-nique).

Ras del Prat Cabrera★★

Alt. 1 739 m. Beau lieu de halte (banc), au-dessus de la sauvage vallée de la Lentilla. Les crêtes de la serra del Roc Nègre limitent la vue en amont. Panorama sur la plaine du Roussillon, les Albères et la Méditerranée.

La route se déploie dans le cirque supérieur de la vallée du Llech boisée de pins de montagne. Elle procure des **vues**★★★ immenses : au Nord, on reconnaît la barrière Sud des Corbières, coupée par l'entaille des gorges de Galamus. Après avoir traversé les vergers du bas Conflent, on atteint les contreforts du Canigou.

Gagner à l'Ouest le chalet des Cortalets par la route dite « balcon du Canigou ».

Chalet des Cortalets *(voir ci-dessus)*

Pic du Canigou★★★ *(voir ci-dessus)*

CONSEIL

La route, praticable l'été seulement et par temps sec, devient raboteuse dans les gorges du Llech ; parcours en corniche de 10 km. En raison de l'état très accidenté de la route, préférer les excursions en véhicule tout terrain organisées à partir de Prades *(voir le carnet pratique).*

Le Capcir★

Les montagnes du Capcir sont couvertes d'un épai
manteau de pins constellé par le bleu profond de
lacs. En toute saison, c'est un lieu paradisiaque pou
les randonneurs : l'hiver, ils sillonnent les pistes d
ski (le plus important domaine de ski de fond de
Pyrénées y est implanté) et l'été, ils lacent leur
chaussures de marche. Région la plus élevée de la
Catalogne Nord, à 1 500 m d'altitude, elle réserve d
surprenantes rencontres avec des animaux sauvage
comme l'isard et le mouflon.

La situation

Carte Michelin Local 344 D7 – Pyrénées-Orientales (66). A
Nord, on l'aborde par la vallée de l'Aude, au Sud pa
Mont-Louis (D 118 dans les deux cas).
🚩 *Maison du Capcir, 66210 Matemale,* ☎ *04 68 04 49 86.*

Le nom

Au Moyen Âge, le Capcir était connu sous le nom d
« montagne d'Aude », à juste titre puisque le fleuve pren
sa source à 2 377 m dans le massif du Carlit.

Les animaux

Vive la nature et les animaux sauvages ! Si vous avez encor
du mal à repérer ces derniers dans le lointain des forêts o
sur le flanc des montagnes, retrouvez-les au parc animalie
des Angles. Toute la faune pyrénéenne rassemblée su
37 ha de forêt, une aubaine à ne pas manquer !

carnet pratique

RESTAURATION

🍽 **Crêperie La Grange** – *Pl. du Coq-d'Or -
66210 Les Angles -* ☎ *04 68 30 90 98 -
fermé juin et nov., lun. - réserv. conseillée -
10,50/18€.* Une ravissante terrasse en bois
devance cette jolie bâtisse montagnarde située
face à la mairie. Elle abrite un restaurant
atypique où les clients peuvent voir les
cuisiniers à l'ouvrage. Plats traditionnels
assortis de nombreuses crêpes sucrées-salées,
mais ne partez pas sans faire un sort à la
raclette maison et au camembert rôti !

LOISIRS-DÉTENTE

Aérodrome du col de la Quillane – *66210
La Llagonne -* ☎ *04 68 04 28 02 -
www.ifrance.com/planeur-la-llagonne.* Survol
de la Cerdagne et du Capcir en planeur.
Stage de vol à voile de juillet à septembre.
Club nautique de l'Ourson – *66210 Les
Angles -* ☎ *04 68 04 30 77 - mi-juin- mi-
sept.* Nombreuses activités nautiques
(baignade surveillée, voile, planche à voile,
catamaran) sur le lac de Matemale.
**Compagnie des guides des Pyrénées
catalanes** – *2 av. de l'Aude - 66210 Les
Angles -* ☎ *04 68 04 39 22 - www.guide-
montagne-pyrenees.com - tte l'année - 15 €*

(enf. : 10 €). Activités accompagnées
(initiation ou perfectionnement) : ski de
randonnée, escalade, canyoning, alpinisme,
via ferrata, randonnées pédestres ou en
raquette et parcours d'aventure.
École de parapente Vol'Aime –
*« Les Ramiers » - Avenue des Érables, à
Espousouille - 66210 Fontrabiouse -*
☎ *04 68 30 10 10 - volaime@volaime.com -
8h-17h - fermé nov. à mars.* L'école propose
des stages de découverte ou d'apprentissage
du parapente, ou simplement des baptêmes
de l'air (accompagnés de pilotes qualifiés).
Équi'Sud – *66210 Les Angles -* ☎ *04 68 04
43 62 - www.equisud.com - à partir de 9h -
1/2 j. 31€ ; 1 j. 61€.* Randonnées et raids
équestres sur le Canigou, en Cerdagne,
Capcir, le Conflent et le Cadi.
Les Chevaux de la Tramontane – *66210
La Llagonne -* ☎ *04 68 04 17 98 -
www.equipyrene.com/tramont - 1h 12€ ;
1/2 j. 32€ ; 1 j. 58€.* Promenades et
excursions montagnardes de plusieurs jours à
cheval dans le Capcir.
Montagne et Découvertes – *4 pl. de
l'Église - 66210 Formiguères -* ☎ *04 68 04
48 44 - www.ecole-de-la-nature.com.*
Randonnées équestres organisées.

comprendre

De la source calme au torrent impétueux – L'Aud
prend naissance sur le versant Est du Carlit et coul
d'abord parallèlement à la Têt puis s'oriente au Nord. L
col de la Quillane (alt. 1 714 m) marquant la ligne d
partage des eaux, l'Aude traverse ensuite la haute plain
du Capcir que des montagnes boisées, longuemen
enneigées, isolent.

Le torrent est soumis à des crues considérables. L'abondance du torrent, au moment de la fonte des neiges, a justifié l'aménagement de deux barrages-réservoirs – Matemale et Puyvalador – régularisant le flot destiné à un escalier de centrales hydroélectriques.

Les forêts du bassin supérieur de l'Aude – Dans le Capcir, les arbres sont partout présents. Recouvrant des versants plus ou moins accidentés, les massifs boisés du Capcir, peuplés de pins à crochets, pins sylvestres ou sapins, sont desservis par des routes forestières offrant de multiples itinéraires d'excursions : étang de Balcère en forêt des Angles, étangs de Campoureils, à plus de 2 200 m d'altitude, route du col de Sansa par le col de Creu, en forêt de Matemale, etc.

Les forêts du Capcir invitent à d'agréables promenades.

séjourner

LES DOMAINES SKIABLES

Espace nordique du Capcir
Alt. 1 500 m. Il s'agit d'un vaste domaine de ski de fond qui recouvre 20 000 ha de forêt préservée autour des Angles, Puyvalador, Formiguère, La Quillane et Matemale.

Les Angles✳
🛈 *Av. de l'Aude, 66210 Les Angles, ☎ 04 68 04 32 76. www.les-angles.com*
Alt. 1 600-2 400 m. Le domaine de ski alpin s'étend sur 40 km de pistes et comprend quatre secteurs pour skieurs de tous niveaux : débutants sur le plateau de Bigorre, amateurs de glisse sportive sur le Pla del Mir, les secteurs de Balcère et de Jassettes.
Les quatre secteurs de la Matte, de Calvet, de la Llose et du Galbe comptent 102 km de pistes de ski de fond auxquels s'ajoutent des pistes pour chiens de traîneaux et des sentiers de randonnée pédestre. L'intensité de l'ensoleillement est compensée par 255 canons à neige. En outre, la station est équipée d'une « base de l'extrême » unique en France : plongée sous glace, ski *joering* (tiré par un cheval) et traction par cerf-volant, *skimbat* (tracté par une voile delta) ou *ice-surfing* (planche à voile sur neige).

Formiguères
🛈 *1 pl. de l'Église, 66210 Formiguères, ☎ 04 68 04 47 35. www.station-formigueres.com*
Alt. 1 750-2 400 m. Au cœur du Capcir, la station de Formiguères dispose de 18 pistes de ski alpin de tous niveaux avec 2 télésièges et 6 téléskis. Les pistes de ski de fond font partie de l'Espace nordique du Capcir.

Puyvalador
Alt. 1 770-2 400 m. Face au lac de Puyvalador, les 16 pistes de ski alpin traversent une forêt de pins. Des randonnées accompagnées hors pistes et des balades en raquettes sont proposées aux vacanciers.

LES LACS ET PLANS D'EAU

Lac des Bouillouses★
14 km au Nord-Ouest de Mont-Louis par la route de Quillan (D 118) ; 300 m après un pont sur la Têt, tourner à gauche dans la D 60. En hiver, route enneigée, accès en ski de fond ou raquettes. En juil.-août, fermeture de la route d'accès au lieu dit « Pla de Barrès » de 7h à 19h. Accès au site à pied, par télésiège de Font-Romeu / Pyrénées 2000 et de Formiguères ou par navettes routières (Point infos : juil.-août). ☎ 04 68 04 24 61.
Alt. 2 070 m. Un barrage a transformé le lac en un impressionnant réservoir de 180 ha permettant d'alimenter les canaux d'irrigation et les usines hydroélectriques de la vallée de la Têt. Du lac démarre la randonnée au pic Carlit (🚶 *3h à pied pour tout marcheur : 14 km avec dénivelé de 340 m*).

> **CALENDRIER**
> Tous les ans ont lieu plusieurs grandes manifestations sportives comme la Trace Catalane (coupe de France de ski) ou l'unique étape pyrénéenne de la Coupe de France de surf.

Le lac des Bouillouses cerné par les sapins et prolongé par un chapelet de petits lacs fait songer au Canada.

Lac de Matemale

Retenue artificielle de 240 ha où l'on peut pratiquer quelques activités nautiques, la randonnée pédestre et équestre, la pêche (parcours aménagé). La forêt, tout à côté, est un atout supplémentaire pour quelques heures de détente en pleine nature.

Lac de Puyvalador

Retenue artificielle de 100 ha accueillant planches à voile et pédalos en été.

circuit

DE MONT-LOUIS À PUYVALADOR

26 km au départ de Mont-Louis (voir ce nom) – compter une demi-journée. Quitter Mont-Louis au Nord par la D 118.

S'élevant en douceur, la route offre une jolie vue sur la citadelle émergeant d'une couronne de bois, devant le massif du Cambras d'Azé.

La Llagonne

Le nom de ce village du haut Conflent (alt. 1 680 m) signifie « la lagune ». Et, de fait, avant la construction du barrage des Bouillouses, le terrain était souvent marécageux après l'arrivée des eaux de printemps. Près de l'église St-Vincent, fortifiée, qui abrite un superbe Christ roman-byzantin en bois, remarquez la tour à signaux avec son mur d'enceinte.

Au col de la Quillane marquant l'entrée dans le Capcir, prendre à gauche la D 32^F.

Les Angles✳

Surplombant le plateau du Capcir, cette importante station des Pyrénées a été créée en 1964 autour d'un vieux village qui a conservé son clocher à campanile.

Parc animalier des Angles – *De mi-juin à fin sept. : 9h-18h ; de déb. oct. à mi-juin : 9h-17h. 8€ (enf. : 6,50€).* ☎ *04 68 04 17 20.*

⌂ À l'entrée Sud du village des Angles s'embranche, à gauche, le chemin d'accès au Pla del Mir. Un grand circuit de 3,5 km et un circuit de 1,5 km permettent de faire connaissance avec les animaux spécifiques de la faune pyrénéenne vivant dans leur cadre montagnard : mouflons, sangliers, bouquetins, ours bruns, etc.

Formiguères

Le long de la forêt de la Matte, cette petite station de sports d'hiver abrite un Christ roman dans son église.

Prendre à gauche la D 32^B et suivre la signalisation « Grotte de Fontrabiouse ».

Grotte de Fontrabiouse

Visite guidée (1h, dernière entrée 1h av. fermeture) 10h-12h, 14h-17h. Fermé de mi-nov. à mi-déc. 6€ (enf. : 3,50€). ☎ *04 68 30 95 55.*

L'ours brun est le prince du parc animalier des Angles, comme il le fut autrefois dans toutes les Pyrénées.

Juil.-août : randonnée souterraine, 10h-19h (*dernière entrée 1h av. la fermeture*) ; *de déb. sept. à mi-nov. et de mi-déc. à fin juin* : 10h-12h, 14h-17h. *Se renseigner à la mairie* ☏ *04 68 30 95 55.*

Elle fait découvrir des fistuleuses, des orgues, des draperies, des cascades de méduses, des disques-colonnes mais aussi des formations plus fines en forme de choux-fleurs ou de bouquets d'aragonites. Une aragonite en forme de papillon sert de logo à la grotte.

Puyvalador

Ce village (station de sports d'hiver), surveillant l'entrée du défilé de l'Aude et situé au-dessus du barrage du même nom, mérite bien son nom catalan, signifiant « montagne sentinelle ».

Le Cap-d'Agde ☼☼☼

À l'origine, le site du Cap-d'Agde est un promontoire formé par une coulée de lave descendue du mont St-Loup. Créée dans les années 1970, la station est devenue un pôle d'attraction touristique de premier plan sur le littoral méditerranéen ; elle s'agrémente en outre d'un centre de thalassothérapie et d'un quartier naturiste. C'est enfin un site reconnu pour la pratique du cerf-volant.

La situation

Carte Michelin Local 339 G9 – Hérault (34). Rien de plus facile que de rejoindre le Cap-d'Agde : soit par les terres et la Languedocienne (autoroute A 9) que l'on quitte sortie 34, soit par la côte que longe la N 112.
🛈 *Rd-pt Bon Accueil, 34300 Le Cap-d'Agde,* ☏ *04 67 01 04 04. www.capdagde.com*

Le nom

On s'en doute, la station est située au cap d'Agde, sa voisine. Ce qu'on sait moins, c'est qu'Agde fut fondée il y a 2 500 ans par les Phocéens et qu'elle s'appelait alors Agathé Tyché, c'est-à-dire la « bonne fortune ».

Les gens

19 988 Agathois, en comptant les « vrais », ceux d'Agde, et l'Éphèbe, dont les disciples sont plus de 30 000 à y cultiver l'art du bronzage intégral... Mais ils sont loin d'être les seuls Agathois d'été.

carnet pratique

VISITE

Petit train touristique – *Pl. du Barbecue, quai Jean-Miquel* – ☏ *04 67 94 90 81.* Visite commentée (1h) de la station en deux circuits séparés. *6,50€ (enf. : 4,50€)*

RESTAURATION

• *Sur le pouce*
Restaurant-bar Casa Pepe – *29 r. Jean-Roger* - ☏ *04 67 21 17 67* - *8h-0h (sf mer. sept.-juin)* - *fermé nov.* - *12/20€*. Petit bar populaire du centre d'Agde. Clientèle d'habitués, de pêcheurs, de rugbymen et de jouteurs qui en ont fait leur quartier général. Le patron, Aimé Catanzano, pêcheur de métier, est une figure de la ville. Derrière son bar, dans une petite salle pleine de charme au fond d'une cour, il propose une restauration de poissons et crustacés. Ambiance très chaleureuse.

HÉBERGEMENT

🏕 **Camping Neptune** – *34300 Agde - 2 km au S d'Agde près de l'Hérault* - ☏ *04 67 94 23 94* - *info@campingneptune.com - avr.-sept. - réserv. conseillée - 165 empl. : 24,50€*. Dans ce terrain boisé et fleuri près de l'Hérault, rien n'est laissé au hasard, et surtout pas le jardinage ! Piscine entourée d'une belle plage, jeux pour petits et grands. Locations de mobile homes. Accostage en bateau possible.
🏕 **Camping Californie-Plage** – *34450 Vias - 3 km au SO de Vias par D 137ᴱ et chemin à gauche, bord de plage* - ☏ *04 67 21 64 69 - californie.plage@wanadoo.fr - 5 avr. au 10 oct. - réserv. conseillée - 371 empl. : 30,60€ - restauration*. Lieu agréable et ombragé situé en bord de mer. Piscine et accès gratuit à l'espace aquatique du Cap Soleil, autre camping situé à 100 m. Locations de mobile homes, chalets, bungalows et studios.

D. Pazery/MICHELIN

🛏🍽🏨 **Les Grenadines** – *6 imp. Marie-Céleste - 34300 Agde -* ☎ *04 67 26 27 40 - hotelgrenadines@hotelgrenadines.com - fermé 16 nov. au 28 fév. -* 🅿 *- 19 ch. : 84/111€ -* 🍽 *11€.* Au bout d'une impasse, non loin de la plage Richelieu, cet hôtel bénéficie du calme du quartier résidentiel dans lequel il se trouve. Chambres nettes, crépies de blanc et carrelées. Piscine partagée avec la résidence voisine.

SORTIES

La Guinguette – *Rte de Marseillan -* ☎ *04 67 21 24 11 - mai : 8h-20h ; juin-sept. : 8h-0h.* Depuis onze ans, M. Dubois anime cette charmante guinguette située à l'écluse Prades, près du canal du Midi et de l'Hérault sur la route de Marseillan. Difficile de résister au sortilège de l'accordéon, aux tangos, valses et autres javas du diable...

Le Palma – *Pl. de l'Arbre - Quai du cap d'Agde -* ☎ *04 67 01 24 83 – d'avr. à fin sept. : 23h-5h ; hiver : ven.-sam., veille de fête.* Avec son style Art déco, ses colonnes couvertes de mosaïques, ses rideaux de plâtre rouge, le Palma est l'une des rares discothèques hors de l'Île des Loisirs, et c'est la plus sympa. Un bon DJ mixe techno, house et variétés qui se conjuguent pour créer une très bonne ambiance. Selon la formule du patron : « *Que viva la fiesta !* »

Mamita Café – *41 quai Jean-Miquel -* ☎ *04 67 26 92 84 - mai-déc. : 11h-2h ; janv., mars-avr. : w.-end 11h-2h ; avr.-sept. : 11h-2h - fermé déc.-janv. sf w.-end.* L'ambiance musicale latino-salsa, l'accueil simple et cordial, le caractère intimiste du lieu offrent un cadre idéal pour une pause autour de quelques tapas et d'un cocktail au rhum. Terrasse.

SPORTS & LOISIRS

Centre archéologique de plongée et d'études sous-marines – *Av. Pasteur-Challiès - Bassin n° 4 -* ☎ *04 67 26 40 14.* Baptêmes ou stages de plongée.

Centre nautique du Cap d'Agde – *Plage Richelieu-Est -* ☎ *04 67 01 46 46 - www.capdagde.com/nautisme - lun.-sam. 9h12h30, 14h-18h30 ; juil.-août : 9h-20h - fermé 15 déc.-15 janv.* École française de voile. Stages, cours, location, baptême d'Optimist, planche à voile et catamaran habitable toute l'année.

Club international du tennis – *Av. de la Vigne -* ☎ *04 67 01 03 60 - www.ville-agde - 9h-20h.* Ce club sportif ne se limite pas à la location de courts, ni aux stages de tennis. Vous pourrez aussi pratiquer badminton, squash et gymnastique. Une boutique, un bar et un espace restauration sont également à votre disposition.

Golf – *4 av. des Alizés -* ☎ *04 67 26 54 40 - www.ville-agde.fr - tte l'année.* Beau parcours de 18 trous situé à proximité de la mer. Exercez-vous sur le compact (9 trous), lieu privilégié pour apprendre toutes les astuces du « parfait golfeur ». Également sur place : practice, bar, restaurant...

Société de protection de la nature d'Agde – *Aquarium du Cap-d'Agde - Stand SPN - 11 r. des Deu -* ☎ *04 67 01 60 23.* Si les fonds marins vous attirent, suivez le sentier sous-marin partant des plages du Môle et de la Grande-Conque ou encore du parking du Fortin. Un masque et un tuba suffisent. Deux possibilités : suivre le sentier seul mais en suivant les instructions données sur une plaquette-guide imperméable, ou alors se faire accompagner par des guides de la SPN.

Thalacap Languedoc – *Pl. de la Falaise -* ☎ *04 67 26 14 80.* Toutes sortes de cures sont proposées : remise en forme, cures « esthétique », minceur, jeune maman, diététique. Forfaits thalasso et week-end également. De quoi se détendre tout en prenant soin de son corps.

Balade sur le canal du Midi – ☎ *04 67 94 08 79.* Balade (3h, dép. Béziers) en péniche tirée par des chevaux, comme cela s'est fait jusque dans les années 1960. *13€ (-10 ans : 6,50€).* Renseignements : Les Bateaux du Soleil.

SARL Trans.Cap.Croisière – *Quai Jean-Miquel - BP 631 -* ☎ *06 08 47 22 32 ou 06 08 31 45 20 - de mi-juin à mi-sept. : 10h30, 14h30, 16h, 17h30, 21h, 22h30 ; d'avr. à mi-juin, de mi-sept. à déb. nov. : 14h30 et 16h - fermé mi-nov. à mars.* Vous voici embarqué sur le catamaran Cap'Nemo pour une promenade en mer autour du **fort Brescou.** Très dépaysant, et les explications du capitaine sur ce fort qui servit de prison aux 17e et 18e s. sont captivantes.

comprendre

Antiquité – Agde fut dès l'Antiquité un refuge pour les navigateurs qui repéraient le cap de loin grâce au mont St-Loup. De cette occupation nous sont parvenus de nombreux témoignages présents au musée de l'Éphèbe.

17e s. – Richelieu décide de créer un port à cet endroit. Il fait donc construire un môle qui doit relier le cap à l'île Brescou et former ainsi une grande rade ; à sa mort, les travaux sont abandonnés.

Les années 1970 – La construction de la station balnéaire est décidée en 1963, période au cours de laquelle le littoral languedocien est assaini et aménagé pour le tourisme. Aujourd'hui, le Cap-d'Agde est une des stations les plus fréquentées du Languedoc-Roussillon.

séjourner

La station

Depuis 1970, la station nouvelle du Cap-d'Agde tire parti ▶ de ce site exceptionnel sur la côte du Languedoc. Les travaux de dragage ont ouvert là un vaste havre abrité, dont les rives sinueuses n'accueillent pas moins de huit ports de plaisance, publics ou privés, pouvant accueillir 1 750 bateaux.

Le style architectural du centre urbain est inspiré de l'architecture languedocienne traditionnelle. Les immeubles de 3 ou 4 étages, aux toitures de tuiles, reflètent leurs teintes pastel dans l'eau des ports, ou se protègent du soleil le long de ruelles tortueuses aboutissant à des *piazzas*.

Les plages de la station

14 km de sable fin sont accessibles par des sentiers piétonniers, ce qui exclut de votre séance de bronzage les désagréments des routes longeant habituellement les plages. La plage **Richelieu** est la plus vaste ; celle du **Môle** la plus fréquentée ; celle de **Rochelongue** la plus à l'Ouest ; la **Plagette**, près des falaises, la plus petite ; la **Grande Conque** est une plage de sable noir et enfin la **Roquille** est couverte de coquillages. Plus au Nord, le port Ambonne et la plage naturiste font partie d'un quartier dont l'accès est réglementé.

Les plages aux alentours

Au **Grau-d'Agde** *(5 km à l'Ouest, à l'extrémité du port)*, belle plage de sable fin où viennent surtout des familles. De l'autre côté du chenal du Grau-d'Agde, plage de la **Tamarissière**, adossée à une pinède.

Enfin, à l'Est du Grau, petite plage de **Saint-Vincent**, dans une anse.

Île des Loisirs

🖼 Elle porte bien son nom puisqu'on y trouve largement de quoi occuper de jour comme de nuit les petits et les grands : discothèques, casino, cinéma, minigolf, parcs d'attraction, bars et restaurants.

Aquarium

♿ *Juil.-août : 10h-23h ; mai-juin et sept. : 10h-19h ; oct.-avr. : 14h-18h, dim. et j. fériés 11h-19h. Fermé 1er janv. 6€ (enf. : 4€).* ☎ *04 67 26 14 21.*

🖼 Pieuvres, dorades, requins, murènes et coraux de toutes les couleurs évoluent sous vos yeux dans une trentaine de bassins. Un instant de calme et de contemplation dans ce monde silencieux, à deux pas du quai d'Honneur et de son tumulte. Activités pour les enfants en été.

Aqualand

Juin-août : 10h-18h. 18,50€ (enf. : 15,50€). ☎ *08 92 68 66 13.*

🖼 S'étendant sur 4 ha, ce parc de loisirs aquatiques est un complexe de piscines à vagues où l'on plonge après de grisantes descentes sur des toboggans géants. Il comprend un ensemble de jeux et d'animations aquatiques pour adultes et enfants ainsi que des boutiques, une cafétéria, un snack, etc.

visiter

Musée de l'Éphèbe (archéologie sous-marine)

♿ *9h-12h, 14h-18h (dernière entrée 1/2h av. fermeture). 4€.* ☎ *04 67 94 69 60.*

En 25 ans, les fouilles du delta de l'Hérault ont livré une foule de trésors ; rassemblés ici, ils permettent de tout savoir sur l'histoire de la navigation, depuis l'Antiquité :

À SAVOIR

🖼 Le Cap est une station Kid, label garantissant un accueil, une animation et des équipements spécialement destinés aux enfants.

PRATIQUE

Sur les plages du Cap-d'Agde, on trouve des locations de pédalos, de planches à voile, de catamarans, de canoës, de scooters de mer, des terrains de volley-ball, des clubs pour les enfants. On peut aussi pratiquer le ski nautique et le parachute ascensionnel. Elles sont toutes équipées de postes de secours, de douches et WC ; certaines sont aménagées pour l'accès des handicapés (♿) au bord de l'eau (Roquille et plage du Grau-d'Agde).

Musée de l'Éphèbe. Le Cap-d'Agde

Revêtu du costume local, un charmant habitant du Cap : l'Éphèbe d'Agde.

entre autres, bateaux de la période gréco-romaine et belles amphores. Au milieu des œuvres d'art étincelle le magnifique **Éphèbe d'Agde**★★, statue en bronze de style hellénistique repêchée par bonheur en 1964. L'épopée des navigateurs ne s'arrête pas en aussi bon chemin elle est retracée jusqu'au 18e s.

alentours

Agde

5 km au Nord par la D 32E. Agde est toute proche du mont St-Loup, butte d'origine volcanique, dont elle a largement utilisé la lave pour sa construction.

L'**ancienne cathédrale St-Étienne**★ est une église fortifiée, reconstruite au 12e s. Ses murs, épais de 2 à 3 m sont couronnés de mâchicoulis sur arcs et de créneaux Le clocher, haut de 35 m, est un beau donjon carré à mâchicoulis, garni à ses angles d'une tourelle et d'échauguettes (14e s.). L'intérieur présente une nef couverte d'un berceau brisé soutenu par un seul arc doubleau. On remarque dans la voûte un œil-de-bœuf par lequel, à l'aide d'une corde, les défenseurs montaient vivres et munitions. Dans le chœur rectangulaire, retable du 17e s. en marbre polychrome. *Juil.-août : possibilité de visite guidée sur demande à l'Office de tourisme.* ☎ 04 67 94 29 68. Installé dans un ancien hôtel Renaissance, le **Musée agathois** rassemble d'importantes collections d'arts et de traditions populaires. Les activités traditionnelles (navigation, pêche, viticulture, artisanat) ainsi que la vie quotidienne des Agathois sont illustrées à l'aide de tableaux, faïences et costumes (collection de *sarrets*, coiffes en dentelle de la région), de reconstitutions d'intérieurs, maquettes de bateaux, œuvres d'artistes régionaux, souvenirs de navigateurs agathois, pièces liturgiques, ex-voto et une belle collection d'amphores provenant de l'ancien port grec et l'ancienne pharmacie de l'hôpital *Juil.-août : 9h-12h, 14h-18h ; sept.-juin : tlj sf mar. 9h-12h 14h-18h. 3,80€.* ☎ 04 67 94 82 51.

Vias

8 km au Nord-Ouest par la N 112. Ancien bourg fortifié, Vias est un lieu de pèlerinage. On vient encore prier la Vierge antique et miraculeuse de Vias, belle statue de bois sculpté, recouverte de dorure sur plâtre. Elle aurait été rapportée de Syrie par des marins.

De style gothique (fin 14e-début 15e s.), l'**église** est construite en pierre noire d'origine volcanique. Sur la façade Ouest, une très belle rose était encadrée autrefois de deux tourelles polygonales crénelées dont une seule subsiste.

CALENDRIER

Les joutes nautiques d'Agde donnent lieu, comme à Sète, à des compétitions qui passionnent la population. Elles ont lieu de mi-juillet à mi-août.

On trouve la Vierge miraculeuse dans l'église de Vias (chapelle du Saint-Sacrement, à droite du maître-autel).

Carcassonne★★★

Lorsqu'on parvient aux abords de Carcassonne ou que, depuis l'autoroute, on aperçoit sa silhouette, on ne peut s'empêcher d'éprouver un sentiment d'admiration face à cette cité qui s'impose d'emblée dans la plaine viticole derrière laquelle se profilent les montagnes de garrigue des Corbières. Tant pis pour les détracteurs qui pensent que Viollet-le-Duc n'a pas été fidèle à l'histoire lorsqu'il a reconstruit Carcassonne ; cette ville reste dans la mémoire de tous ceux qui ont arpenté ses petites rues, longé ses remparts et pénétré dans son château.

La situation

Carte Michelin Local 344 F3 – Aude (11). La cité médiévale se trouve sur la rive droite de l'Aude, au sommet d'une colline tandis que la ville basse, la bastide Saint-Louis, est située sur la rive gauche, dans la plaine. Laisser la voiture sur les nombreux parkings aménagés aux abords de la Cité, notamment près de la Porte narbonnaise qui y donne accès.

🛈 *15 bd Camille-Pelletan, 11000 Carcassonne, ☎ 04 68 10 24 30. Tour narbonnaise (cité médiévale), Carcassonne, ☎ 04 68 10 24 36. www.carcassonne-tourisme.com*

Le nom

Son origine reste obscure bien que certains parlent d'une dame Carcas qui, par une ruse bien avisée, mit fin au siège de la ville par les troupes de Charlemagne. Mais les racines *car-* et *cas-*, qui désignent des hauteurs rocheuses, semblent vouloir dissiper cette légende...

Les gens

43 950 Carcassonnais. Après la chute de Carcassonne durant la croisade contre les Albigeois, ses habitants furent contraints à l'exode pendant sept années. Autorisés à revenir, ils bâtirent sur la rive opposée une ville nouvelle au plan quadrillé, celle qu'on appelle aujourd'hui la ville basse.

▶ Depuis 1997, la cité de Carcassonne est inscrite au Patrimoine mondial de l'UNESCO.

comprendre

Un cœur fier – Pendant 400 ans, Carcassonne reste la capitale d'un comté, puis d'une vicomté sous la suzeraineté des comtes de Toulouse. Elle connaît alors une époque de grande prospérité, interrompue au 13e s. par la croisade contre les Albigeois.

Il faut prendre un peu de hauteur pour avoir une vue d'ensemble de l'inoubliable Cité de Carcassonne.

A. Thuilier/MICHELIN

VISITE

Tour des remparts en petit train –
☎ 04 68 24 45 70 - mai-sept. : visite
(20mn, dép. Pte narbonnaise) avec
explications sur le système défensif 10h-12h,
14h-18h30 - 5€ (enf. : 3€).
Les calèches de la Cité – 3 r. du Prés.-
Fallières - ☎ 04 68 71 54 57 - avr.-sept. :
découverte des remparts en calèche (20mm)
avec commentaires historiques 10h-18h.
5,5€ (enf. : 4€).

RESTAURATION

• *Sur le pouce*
Le Bar à Vins – 6 r. du Plô - ☎ 04 68 47
38 38 - rigaudis-calvet@wanadoo.fr - 9h-2h
- fermé nov.-fév. - 9/20€ Situé au cœur de
la cité médiévale, ce bar à vin séduit par son
jardin ombragé et la vue qu'il offre sur la
basilique St-Nazaire. Tapas et restauration
rapide.

• *À table*
Auberge de Dame Carcas – 3 pl. du
Château - ☎ 04 68 71 23 23 - fermé janv.
et mer. - 13,50/23€. Une adresse
sympathique dans la Cité. Ambiance bon
enfant et carte copieuse contribuent à son
succès et ses salles, installées sur deux
niveaux, sont régulièrement bondées... Grill-
rôtisserie au rez-de-chaussée.
Chez Fred – 31 bd Omer-Sarraut -
☎ 04 68 72 02 23 - contact@chez-fred.fr -
fermé 9 fév. au 2 mars, 20 oct. au 3 nov.,
sam. midi, mar. soir et mer. en hiver - 12€
déj. - 18/27€. Non loin de la gare, ce bistrot
moderne de la ville basse a de l'allant. Sa
cuisine, qui navigue entre plats du terroir et
influences andalouses, est servie dans une
salle à manger aux murs colorés ou sur sa
plaisante terrasse d'été ombragée.
L'Écurie – 43 bd Barbès - ☎ 04 68
72 04 04 - tlj sf dim. - 21/26€. Une table
gourmande lotie dans de superbes anciennes
écuries : son cadre original, où les stalles des
chevaux séparent les convives, et sa cour-
jardin très agréable en été sont appréciés des
habitants de la ville qui la comptent parmi
leurs bonnes adresses.
La Tête de l'Art – 37 bis r. Trivalle -
☎ 04 68 47 36 36 - j.m.tilcke@libertysurf.fr
- fermé dim. en hiver - ☑ - réserv. conseillée
le w.-end - 30€. Tête de lard ou tête de
l'art ? Les deux, puisque l'on fait ripaille

autour de belles cochonnailles dans ce
restaurant tenu par un amateur d'art qui
expose dans ses salles tableaux et sculptures
modernes... au milieu des figurines de
l'animal fétiche !

HÉBERGEMENT

Bon week-end à Carcassonne ! – Nov.-
mars : Carcassonne participe à l'opération
« Bon week-end en ville » qui propose deux
nuits pour le prix d'une dans certains hôtels.
À la deuxième nuit d'hôtel offerte s'ajoutent
des cadeaux, ainsi que des réductions pour
les visites de la ville et des musées. Pour
obtenir la liste des hôtels et les conditions de
réservation, se renseigner à l'Office de
tourisme.
Montségur – 27 allée d'Iéna -
☎ 04 68 25 31 41 -
reservation@hotelmontsegur.com - fermé
22 déc. au 28 janv. - 🅿 - 21 ch. : 55/88€ -
☲ 9€. Cette maison de maître de la fin du
19e s. dispose de chambres personnalisées
par de beaux meubles anciens. Deux salons
de style dont un où l'on sert les petits-
déjeuners. À 150 m, le restaurant Le
Languedoc, est géré par la même famille.
Hôtel Espace Cité – 132 r. Trivalle -
☎ 04 68 25 24 24 - hotel-espace-
cité@wanadoo.fr - 🅿 - 48 ch. : 58/73€ -
☲ 6€. Cet hôtel moderne situé au pied de
la Cité propose un hébergement
économique. Ses petites chambres sont
fonctionnelles et nettes, sans luxe mais
claires. Accueil sympathique. Petit-déjeuner
servi sous forme de buffet.
**Chambre d'hôte La Maison sur la
Colline** – Lieu-dit Ste-Croix - 1 km au S de la
Cité par rte de Ste-Croix - ☎ 04 68 47
57 94 - contact@lamaisonsurlacolline.com -
fermé 1er au 15 fév. - ☑ - réserv. conseillée
en saison - 5 ch. : 60/80€ - repas 26€.
Perché en haut d'une colline, le jardin de
cette vieille ferme restaurée offre un point de
vue enchanteur sur la cité... Ses chambres
spacieuses, meublées d'objets chinés, ont
chacune leur couleur : bleu, jaune, beige,
blanc... Petit-déjeuner au bord de la piscine
en été.
Hôtel Donjon et les Remparts –
2 r. du Comte-Roger - ☎ 04 68 11 23 00 -
info@bestwestern-donjon.com - 🅿 -
62 ch. : 70/200€ - ☲ 10€. En partie

É. Lambère/MICHELIN

installé dans un orphelinat du 15e s. au cœur de la Cité, cet hôtel marie vieilles pierres et décor rénové. Trois types de chambres vous y attendent : meubles cérusés ou rustiques et, à l'annexe les Remparts, un cadre plus moderne. Restaurant de type brasserie.

Sorties

Le Métronome – *3 av. du Mar.-Foch - ☎ 04 68 71 30 30 - lun.-sam. 11h30-15h30, 18h30-2h ; été : tlj - fermé 1 sem. en janv.* Avec sa terrasse au bord du canal, son grand bar central et ses banquettes en moleskine beige très confortables, le Métronome est l'un des endroits branchés de Carcassonne. Concerts fréquents et longue carte de tapas.

Achats

Cabanel – *7 allée d'Iéna -* ☎ *04 68 25 02 58.* Cette liquoristerie n'a jamais changé d'enseigne depuis 1868. Aujourd'hui encore, la société Cabanel propose un grand choix de spiritueux originaux comme l'Or-Kina, à base de plantes et d'épices. À chaque boisson correspond une histoire que l'on se fait un plaisir de vous conter dans la superbe salle 1900. Une autre pièce est réservée aux vins de la région.

Marché aux fleurs, légumes et fruits – *Pl. Carnot - mar., jeu. et sam. 8h-12h30.*

Calendrier

Spectacles médiévaux « Carcassonne, terre d'histoire » – *En août.*

Tournois de chevalerie – *En août.*

Embrasement de la Cité – *14 Juil. 22h30.*

Démonstrations de fauconnerie *(3/4h)* – *Juil.-août : 15h-19h ; avr.-juin et sept.-nov. : 15h, dim. et j. fériés 15h et 16h30. À 800 m de la Cité, colline Pech Mary.* ☎ *04 68 47 88 99.*

Les croisés du Nord, descendus par la vallée du Rhône, pénètrent en Languedoc en juillet 1209, pour châtier l'hérétique. Le comte Raimond VI de Toulouse ayant été obligé, pour sauver l'essentiel, de se croiser, le poids de l'invasion retombe sur son neveu et vassal **Raimond-Roger Trencavel**, vicomte de Carcassonne. Après le sac de Béziers, l'armée des croisés investit Carcassonne le 1er août. Malgré l'ardeur de Trencavel – il n'a que 24 ans –, la place est réduite à merci au bout de quinze jours par le manque d'eau. Le Conseil de l'armée investit alors Simon de Montfort de la vicomté de Carcassonne, en lieu et place de Trencavel. L'année n'est pas terminée que ce dernier est trouvé sans vie dans la tour où il était détenu.

Une mère et cinq fils (13e s.) – En 1240, le fils de Trencavel tente en vain de recouvrer son héritage. Saint Louis fait alors raser entièrement les bourgs formés au pied des remparts pour construire une ville sur l'autre rive de l'Aude. La cité est remise en état et renforcée. L'œuvre est continuée par Philippe le Hardi. La place est désormais si bien défendue qu'elle passe pour imprenable. Cinq forteresses royales sont disposées le long de la frontière aragonaise avec mission de protéger la cité ; il s'agit des « cinq fils de Carcassonne ».

Décadence et résurrection – Après l'annexion du Roussillon suite au traité des Pyrénées, le rôle militaire de Carcassonne se trouve amenuisé : cinquante lieues la séparent désormais de la frontière franco-espagnole. Perpignan prend la garde à sa place et la cité tombe en ruine. Mais le romantisme remet le Moyen Âge à la mode. Prosper Mérimée, inspecteur général des Monuments historiques, s'intéresse aux ruines. Un archéologue local, Cros-Mayrevieille, passe sa vie à plaider en faveur de sa ville. Viollet-le-Duc décide la commission des Monuments historiques à entreprendre, en 1844, la restauration de Carcassonne.

Avis à la population
« Il est de sçavoir que aux Marches, par-deçà sur la frontière d'Aragon, est la cité de Carcassonne, qui est la mère et a cinq fils, c'est de sçavoir, Puilaurens, Aguilar, Quierbus, Pierrepertuse et Terme... et sont à gages du Roy. » (Bib. nat. collection Doat. vol. 64, folio 165).

découvrir

LA CITÉ★★★

Visite : 2 h. La Cité de Carcassonne, bâtie sur la rive droite de l'Aude, est la plus grande forteresse d'Europe. Elle se compose d'un noyau fortifié, le Château comtal, et d'une double enceinte : l'enceinte extérieure, qui compte 14 tours, séparée de l'enceinte intérieure (24 tours) par les lices.

Une ville dans la ville
La Cité garde une population résidante de 139 habitants disposant d'une école, d'une poste, etc., échappant ainsi au sort des villes-musées uniquement animées par le tourisme.

Porte narbonnaise

C'est l'entrée principale, la seule où passaient les chars. Un châtelet à créneaux, édifié sur le pont franchissant le fossé, et une barbacane percée de meurtrières précèdent les deux Tours narbonnaises, de part et d'autre de la porte, massives constructions à éperons (ou à becs) destinés à repousser l'assaillant ou à faire dévier les projectiles. Entre les tours, au-dessus de l'arche, statue de la Vierge.

> **À VOIR**
> À l'intérieur des tours de la Porte narbonnaise, expositions temporaires de peinture moderne.

Rue Cros-Mayrevieille

Elle permet d'accéder directement au château. On peut cependant préférer flâner à son gré dans le bourg médiéval en empruntant ses ruelles tortueuses, bordées de nombreuses boutiques (artisanat, souvenirs).

À droite de la place du Château se situe un grand puits profond de près de 40 m. Juste à côté, dans la rue St-Jean, se trouve l'**Imaginarium**. Ici pas de collection mais une présentation interactive de la croisade albigeoise : spectacle historique (1/4h), salle de 13 enluminures sonores, espace multimédia. *Juil.-août : 10h30-19h ; reste de l'année se renseigner.* 7€ (enf : 4,50€). ☎ 04 68 47 78 78.

Château comtal

Avr.-sept. : visite guidée (1/2h) 9h30-18h ; oct.-mars : 9h30-17h. Fermé 1ᵉʳ janv., 1ᵉʳ mai, 1ᵉʳ et 11 nov., 25 déc. 5,50€, gratuit 1ᵉʳ dim. janv.-mars. ☎ 04 68 11 70 70. *www.monum.fr*

Érigé au 12ᵉ s. par Bernard Aton Trencavel, le château était à l'origine le palais des vicomtes, adossé à l'enceinte gallo-romaine. Il fut transformé en citadelle après le rattachement de Carcassonne au domaine royal en 1226. Depuis le règne de saint Louis, un immense fossé et une grande barbacane de plan semi-circulaire le protègent et en font une véritable forteresse intérieure. Du pont, remarquer les hourds, à droite.

La visite commence par le musée. Des vestiges provenant de la Cité et de la région sont exposés dans le **Musée lapidaire** : lavabo (12ᵉ s.) de l'abbaye de Lagrasse, **calvaire★** de Villanière (fin 15ᵉ s.), belles fenêtres du couvent des Cordeliers, petits personnages finement sculptés, bornes milliaires... Salle d'iconographie de la Cité.

> **CATHARE**
> Dans le musée, stèles funéraires discoïdales du Lauragais, dites quelque peu abusivement « cathares », et gisant d'un chevalier mort au combat.

Spacieuse, la **cour d'honneur** est entourée de constructions modernes. Du côté Sud, le bâtiment présente une façade romane dans sa partie inférieure, gothique au milieu et Renaissance dans sa partie supérieure. Des colombages sont bien visibles. Sur la droite, portes de cachots.

À l'angle Sud-Ouest de la **cour du Midi** s'élève la plus haute des tours, la tour de Guet, très bien conservée, desservie par un unique escalier de bois.

Sortir du château et prendre à gauche la rue de la Porte-d'Aude.

Les puissants remparts de la Cité défient le temps et impressionnent les visiteurs.

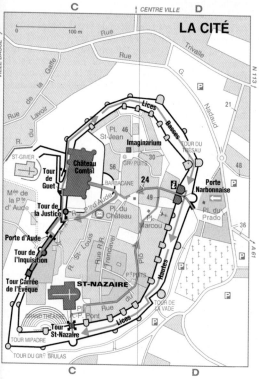

Porte d'Aude

C'est l'élément majeur des lices, partie comprise entre les deux enceintes. Un chemin fortifié, la Montée de la Porte d'Aude, qui part du pied de la colline (du côté Ouest, où s'élève l'église St-Gimer) y donne accès depuis la ville basse. De tous côtés, elle est puissamment défendue : grand châtelet, petit châtelet, place d'armes et portes.

Les lices basses

Accès par la porte d'Aude à droite. Elles sont comprises entre la porte d'Aude et la Porte narbonnaise, au Nord-Ouest. À l'Ouest, elles se rétrécissent jusqu'à devenir inexistantes au niveau de la tour de l'Évêque qui barre le passage.

On rencontre d'abord la **tour de l'Inquisition**. Comme son nom l'indique, elle était le siège du tribunal de l'Inquisition. Un pilier central, avec des chaînes, et un cachot témoignent des tortures subies par les hérétiques. Plus loin s'élève la **tour carrée de l'Évêque**. Elle est construite à cheval sur les lices, empêchant ainsi toute communication entre la partie Nord et la partie Sud de celles-ci. Comme elle était réservée à l'évêque – sauf le chemin de ronde supérieur –, elle fut aménagée plus confortablement. Depuis la deuxième salle, bonne vue sur le château.

Revenir vers la porte d'Aude et continuer dans les lices basses. On passe au pied de la **tour de la Justice**. C'est une tour ronde dont les ouvertures étaient protégées par des volets roulants permettant de voir le pied des murailles sans être vu.

On passe ensuite devant le Château comtal pour circuler sur le front Nord, wisigoth, partie la plus ancienne des lices. Là, les courtines et les tours de l'enceinte intérieure sont très élevées ; les toitures d'origine, plates, de style méridional, sont bien visibles sur les tours de l'enceinte extérieure (alors que celles refaites par Viollet-le-Duc sont pointues).

Passer sous le pont-levis, à hauteur de la Porte narbonnaise et continuer vers le Sud-Est.

> **FROID DANS LE DOS**
> Dans la tour de l'Inquisition, chaînes et cachot sombre témoignent encore des tortures infligées aux hérétiques.

> **CROISADE**
> C'est dans la tour de la Justice que les Trencavel, vicomtes de Béziers et de Carcassonne, protecteurs des cathares, se réfugièrent avec le comte de Toulouse pour échapper à l'armée de Simon de Montfort lors de la croisade contre les Albigeois.

Les lices hautes

Elles commencent, côté Est, à la tour du Trésau (ou Trésor), sont très larges et bordées de fossés. Après la Porte narbonnaise, à gauche, remarquer sur l'enceinte extérieure la tour de la Vade, donjon avancé, haut de trois étages, destiné à la surveillance de tout le côté Est. La promenade sur le front Sud jusqu'à la tour d'Angle du Grand Brulas, face à la tour Mipadre, présente, elle aussi, beaucoup d'intérêt.

Tour St-Nazaire

C'est là que se termine le tour des lices. Bel ouvrage de plan carré dont la poterne – masquée par une échauguette d'angle – n'était accessible qu'avec des échelles. La tour conserve un puits et un four (au 1er étage). Elle protégeait l'église, placée en arrière dans la Cité. Table d'orientation au sommet.

Rentrer dans la cité par la porte St-Nazaire.

Basilique St-Nazaire★

De l'ancienne église consacrée en 1006 ne subsiste que la nef, mais la basilique reste une totale réussite architecturale.

En pénétrant à l'intérieur, on est saisi par le contraste entre la nef centrale, échantillon d'art roman méridional, simple et sévère sous sa voûte en berceau, et le chevet gothique, illuminé par les baies de l'abside et de six chapelles. Cet ensemble, ajouré à l'extrême, présente des proportions parfaites, des lignes pures et légères joliment décorées.

Les vitraux★★ de St-Nazaire (13e et 14e s.) sont considérés comme les plus intéressants du Midi.

◀ De remarquables **statues★★** – rappelant celles de Reims et d'Amiens – ornent le pourtour du chœur. Dans la chapelle du croisillon droit, plusieurs tombeaux d'évêques, dont celui de Pierre Roquefort (14e s.), retiennent l'attention.

C'est à Viollet-le-Duc que l'on doit les modifications Ouest : il crut par erreur que l'église appartenait à une enceinte fortifiée « wisigothique » et s'autorisa donc à couronner le clocher-mur de créneaux.

Revenir à la Porte narbonnaise par la rue du Plô.

visiter

Musée des Beaux-Arts

Entrée r. de Verdun. De mi-juin à mi-sept. : 10h-12h, 14h-18h ; de mi-sept. à mi-juin : tlj sf dim. 10h-12h, 14h-18h. Fermé j. fériés. Gratuit. ☎ *04 68 77 73 70.*

REMARQUER
Portrait de la mère d'André Chénier, dans son costume national grec : le père remplissait les fonctions de consul à Constantinople où il s'était marié.

Peintures des 17e et 18e s. (maîtres flamands et hollandais) présentées avec raffinement, en harmonie avec des porcelaines. La touche régionale est donnée par de grands portraits de Rigaud et Rivalz et par des scènes de ◀ batailles du peintre carcassonnais Jacques Gamelin (1738-1803). Peinture de Chardin, *Les Apprêts d'un déjeuner*. La peinture du 19e s. est bien représentée avec notamment Courbet et des artistes académiques.

Portrait de Joë Bousquet, l'habitant du 53 rue de Verdun.

JOË BOUSQUET

Paralysé à la suite d'une grave blessure par balle en 1918, sur le front de Vailly, Joë Bousquet (1897-1950) se réfugie au 53 de la rue de Verdun, à Carcassonne, et ne bougera plus de sa « chambre aux volets clos ». Là, il partage son temps entre l'écriture, la réflexion et les entretiens avec de grands noms de la littérature (André Gide, Paul Valéry, Aragon, Michaux...), qui viennent lui rendre visite. Il s'intéresse très tôt au surréalisme et se lie d'amitié avec Paul Éluard et Max Ernst. Avec d'autres figures intellectuelles de Carcassonne, comme l'écrivain François-Paul Alibert, le philosophe Claude-Louis Estève et le poète René Nelli, Joë Bousquet forme le « groupe de Carcassonne » et collabore à une revue, les *Cahiers du Sud*. Il a laissé des recueils de poésie (*Traduit du silence*, 1936, *Le Meneur de lune*, 1946, *La Connaissance du soir*, 1947) ainsi qu'une importante *Correspondance*.

Maison des Mémoires Joë-Bousquet

53 r. de Verdun. &. *Tlj sf dim., lun. et j. fériés 9h-12h, 14h-18h. Gratuit.* ☎ *04 68 72 50 83 ou 04 68 72 45 55 (accueil)*
Situé dans l'immeuble où vécut Joë Bousquet de 1918 à 1950, ce lieu de mémoire évoque la vie et l'œuvre de l'écrivain à travers une exposition. On visite à l'étage la fameuse « chambre aux volets clos » où l'on découvre les objets familiers qui peuplèrent l'univers de Joë Bousquet pendant près de 30 années.

circuit

LE CABARDÈS★

Schéma p. 279. Quitter Carcassonne par la D 118 (au Nord) en direction Mazamet. À Villegailhenc, prendre à gauche la D 935 vers Aragon.

Aragon

Fièrement dressé sur son éperon rocheux, ce petit joyau du Cabardès (vignoble AOC) offre aux visiteurs le charme de ses étroites ruelles et de son patrimoine préservé. Il faut gagner les hauteurs du village pour découvrir la façade de son château (16ᵉ s., chambres d'hôte), l'église (14ᵉ s.), l'**Espace Pierre Sèche**. *Renseignements à la mairie.* ☎ *04 68 77 17 87.*

Prendre la D 203 au Nord-Ouest vers Fraisse-Cabardès, puis la D 148 à gauche en direction de Montolieu.

Montolieu★

Dominant le confluent de la Dure et de l'Alzeau, Montolieu s'affirme fièrement comme le village du livre et la moindre maison recèle une librairie ou l'étal d'un bouquiniste. Consacré aux métiers du livre et aux rencontres autour du livre, ce village de pierres sèches du Cabardès est animé par une vingtaine de libraires (dont certaines anglophones), des artisans d'arts graphiques (relieur, copiste-calligraphe, graveur) et un **conservatoire des Arts et Métiers du livre**. &. *10h (9h hors-sais.)-12h30, 14h-18h30 (18h hors-sais.) w.-end et j. fériés. Fermé 1ᵉʳ janv., 1ᵉʳ mai, 25 déc. 1,50€.* ☎ *04 68 24 80 04.*

Une petite route (D 64) au Sud du village mène à l'ancienne abbaye de Villelongue.

> **CALENDRIER**
> Foire aux livres à Pâques et en août. Renseignements : Montolieu, Village du livre, r. de la Mairie, 11170 Montolieu.
> ☎ *04 68 24 80 04.*

Ancienne abbaye de Villelongue

Mai-oct. : 10h-12h, 14h-18h30, 4€. ☎ *04 68 76 92 58.*
Elle connut une période de prospérité au 13ᵉ s. puis le déclin. De l'ensemble monastique, il subsiste quelques vestiges intéressants : le réfectoire, grande pièce couverte de croisées d'ogives dont le mur Sud est percé de trois baies surmontées d'un oculus, l'aile méridionale du cloître, la salle capitulaire.
L'ancienne abbatiale de plan cistercien a été rebâtie à la fin du 13ᵉ s. et au début du 14ᵉ s., conservant de l'ancien édifice le chœur à chevet plat, flanqué de chapelles rectangulaires, deux croisillons, le carré du transept.

Prendre la D 164 à droite en direction de Saissac.

> ◄ **DOUX AGNEAU**
> Remarquer dans l'église la clef de voûte du chœur représentant l'agneau pascal ainsi que les têtes au pilier Sud-Ouest de la nef.

Saissac

Le village est perché au-dessus du ravin de la Vernassonne que dominent les ruines d'un **château** du 14ᵉ s. Une petite route, contournant le village au Nord, offre une bonne vue sur ce site pittoresque.
Pour contempler le panorama lointain, monter à la plate-forme de la plus grosse tour de l'ancienne enceinte. Dans les salles de cette tour, un **musée des Vieux Métiers** présente divers objets et outils évoquant l'histoire de Saissac et les métiers traditionnels qui y étaient pratiqués. *De déb. juil. à mi-août : 9h-13h, 14h-18h ; avr.-juin et de mi-août à fin sept. : mer., jeu. et w.-end 9h-13h, 14h-18h. Fermé 1ᵉʳ mai. 2,50€.* ☎ *04 68 24 47 80.*

Prendre à l'Est la D 103.

Brousses-et-Villaret

Un **moulin à papier** du 18ᵉ s. perpétue la fabrication manuelle de papier. Son musée Gutenberg témoigne de l'histoire de la typographie ainsi que de ses techniques ; des documents sont imprimés sur des presses anciennes. *De déb. juil. à mi-sept. : visite guidée (1h) à 11h, 15h, 16h, 17h et 18h (de mi-juil. à fin août 10h-19h) ; de mi-sept. à fin juin : à 11h et 15h30, w.-end, j. fériés 11h, 14h30, 15h30, 16h30, 17h30. Fermé 1ᵉʳ janv., 25 déc. 4€ (-7 ans : gratuit).* ☎ 04 68 26 67 43.

Continuer sur la D 103 pour rejoindre la D 118 que l'on prend à droite. Après Cuxac-Cabardès, tourner à droite dans la D 73 puis la D 9 en direction de Mas-Cabardès.

Mas-Cabardès

Ce village a gardé une fière allure, blotti au pied des ruines de son château fort. Les rues étroites mènent à l'**église** dont le clocher, terminé par une tour octogonale, a conservé une empreinte romane, bien que datant du 16ᵉ s. *9h-12h.* ☎ 04 68 26 30 77.

Prendre au Sud la D 101.

◄ **REMARQUER**
En bas de la rue à gauche de l'église, carrefour avec croix de pierre sur laquelle on distingue une navette sculptée, emblème des tisserands et témoignage de l'activité textile dans la vallée de l'Orbiel.

Châteaux de Lastours★

Avant la visite des châteaux, il est conseillé d'aller au belvédère (même billet) situé à la sortie du village : très belle vue d'ensemble sur le site. Rejoindre ensuite l'ancienne usine Rabier (accueil) au centre du village. Juil.-août : 9h-20h ; avr.-juin et sept. : 10h-18h ; oct. : 10h-17h ; nov.-mars : w.-end et vac. scol. 10h-17h. Fermé janv. et 25 déc. 4€. ☎ 04 68 77 56 02.

Entre les profonds vallons de l'Orbiel et du ruisseau de Grésillou, une arête rocheuse porte les ruines de quatre châteaux dans un site sauvage. Nommés Cabaret, Tour Régine, Fleur d'Espine et Quertinheux, ces châteaux constituaient au 12ᵉ s. la forteresse de Cabaret dont le seigneur, Pierre-Roger de Cabaret, était un ardent défenseur de la cause cathare. Pendant la croisade contre les Albigeois, en 1210, Simon de Montfort dut reculer devant ces murailles, alors que Minerve puis Termes capitulaient. Les rescapés venaient se réfugier à Cabaret qui résistait à toutes les attaques. Simon de Montfort n'en prit possession qu'en 1211 à la suite de la reddition volontaire de Pierre-Roger de Cabaret.

Revenir à la D 701 en direction de Salsigne.

Salsigne

L'exploitation minière y est très ancienne. Déjà Romains et Sarrasins y extrayaient le fer, le cuivre, le plomb et l'argent. En 1892, on y découvrit de l'or. Actuellement, des concessions se trouvent sur les territoires de Salsigne, Lastours et Villanière. Depuis 1924, elles ont produit 10,5 millions de t de minerai qui ont donné 92 t d'or, 240 t d'argent, 30 000 t de cuivre et 400 000 t d'arsenic. Depuis 1992, la mine ne produit plus que de l'or et de l'argent.

À partir de Salsigne, suivre la signalisation vers la grotte de Limousis.

Lastours, un site d'exception qui regroupe pas moins de quatre châteaux.

Grotte de Limousis

Juil.-août : visite guidée (1h) 10h-18h ; avr.-juin : 10h-12h, 14h-18h ; sept. : 10h-12h, 14h-17h30 ; oct et de mi-mars à fin mars : 14h-17h. Fermé 1ᵉʳ janv., 25 déc. 6,10€ (enf. : 3,05€). ☎ 04 68 77 50 26.

Son entrée se trouve dans un paysage calcaire, aride et dénudé, où poussent la vigne et l'olivier. Découverte en 1811, cette grotte présente une suite de salles qui s'étirent sur 663 m, où se succèdent concrétions curieusement ouvragées et miroirs d'eau limpide. Dans la dernière salle, un énorme **lustre**★ de cristaux d'aragonite de 10 m de circonférence d'une remarquable blancheur constitue le principal intérêt de la grotte.

Revenir, par la D 511, à la D 111 et là, prendre la direction de Villeneuve-Minervois.

CASTELET

Dans la grotte de Limousis, un merveilleux spectacle s'ouvre devant nos yeux : stalactites et stalagmites se défient.

Villeneuve-Minervois

En arrivant à Villeneuve, la silhouette d'un **moulin à vent** (restauré) se détache au milieu des vignes. 🖸 La visite offre l'occasion de voir sa restauration (vidéo) avant de découvrir les secrets de son fonctionnement grâce à d'intéressantes démonstrations. *Juil.-août : visite guidée (3/4h) 10h-18h30 ; mai-juin et sept. : 10h-12h, 14h-17h30. 5€ (+7 ans : 3€). ☎/fax 04 68 26 57 56.*

Traverser le village et prendre la D 112 en direction de Cabrespine.

Gorges de la Clamoux

Elles permettent de saisir le contraste qui marque les deux versants de la Montagne noire. Jusqu'à Cabrespine, la route suit le fond du vallon cultivé en vergers et vignes.

Gouffre de Cabrespine

 Juil.-août : visite guidée (3/4h) 10h-19h ; mars-juin et sept.-nov. : 10h-12h, 14h-18h. 7€ (enf. : 3,50€). ☎ 04 68 26 14 22.
Safari souterrain (5h) sur réservation préalable. 39€. ☎ 04 67 66 11 11.

Ce gouffre constitue la partie supérieure d'un vaste ▶ ensemble de galeries souterraines drainées par les eaux de la Clamoux. Le long balcon de la visite en offre une spectaculaire vue générale alors que les concrétions composent à proximité des parois un ensemble spéléologique caractéristique : coulées de calcite colorées par des oxydes minéraux, stalactites et stalagmites, buissons ou rideaux éblouissants d'aragonite, excentriques paraissant défier les lois de la pesanteur, disques, etc. La visite des salles rouges et de la salle aux cristaux parachève la découverte.

Regagner la D 112. Elle atteint Cabrespine, dominé par le roc de l'Aigle à gauche, puis s'élève rapidement en lacet à travers les châtaigniers et surplombe de profonds ravins au creux desquels se nichent quelques rares hameaux.

À Pradelles-Cabardès, prendre la D 87 à droite vers le pic de Nore.

Pic de Nore★

Alt. 1 211 m. Point culminant de la Montagne noire, il ▶ émerge dans un paysage aux formes arrondies, couvert de lande.

Redescendre à Pradelles-Cabardès et prendre à gauche la D 89 en direction de Castans. Tourner ensuite à droite dans la D 620, vers Caunes-Minervois.

Lespinassière

Bâti sur un piton, dans un cirque de montagne, Lespinassière est dominé par son château fort dont subsiste une imposante tour carrée du 15ᵉ s.

GÉANT ?

Le gouffre doit à ses dimensions (hauteur atteignant jusqu'à 250 m) son appellation de « géant ».

PANORAMA

Non loin des installations de l'émetteur de télévision, une table d'orientation permet de jouir d'un **panorama**★ qui s'étend amplement des monts de Lacaune, de l'Espinouse et des Corbières jusqu'au Canigou, au massif du Carlit et au pic du Midi de Bigorre.

Gorges de l'Argent-Double

La rivière de l'Argent-Double, qui prend sa source près du col de Salette, a creusé des gorges profondes et sinueuses.

Caunes-Minervois

Le village a connu une certaine notoriété grâce à l'exploitation de son marbre rouge orangé, veiné de gris et de blanc, très recherché au 18e s. et qui fut utilisé pour la décoration du Grand Trianon à Versailles ainsi que pour le palais Garnier à Paris et la basilique St-Sernin à Toulouse. Deux beaux hôtels bordent la place de la Mairie : l'hôtel Sicard (14e s.), avec sa fenêtre d'angle à meneaux, et l'**hôtel d'Alibert** (16e s.), qui s'ouvre sur une ravissante cour Renaissance d'influence italienne présentant des galeries superposées décorées de bustes dans des médaillons.

Levez les yeux, on vous observe... (hôtel d'Alibert, Caunes-Minervois).

L'abbatiale de l'**ancienne abbaye bénédictine** conserve du 11e s. un beau chevet roman orné de colonnes engagées et d'arcatures aveugles. Le clocher carré qui s'élève à l'extrémité du croisillon Nord comporte trois niveaux de baies géminées reposant pour certaines sur des chapiteaux mérovingiens de réemploi. ♿ *Juil.-août : 10h-19h ; avr.-juin et sept.-oct. : 10h-12h, 14h-18h ; nov.-mars : 10h-12h, 14h-17h. Fermé 1er janv., 24, 25, 30 et 31 déc. 3,50€.* ☎ *04 68 78 09 44.*

Prendre au Sud-Ouest la D 620. Après Villegly, tourner à droite dans la D 35.

Conques-sur-Orbiel

Ce pittoresque village conserve quelques vestiges de fortifications, dont la porte méridionale surmontée d'une statue de la Vierge, du 16e s. Le clocher-porche de l'**église**, sous lequel passe une rue, a l'aspect d'une construction fortifiée.

Prendre la D 201 au Sud pour rejoindre Carcassonne.

Castelnaudary

La ville sait tirer parti de sa situation sur le canal du Midi, patrimoine d'exception, et aime plonger son reflet dans le Grand Bassin. Une série d'écluses et de petits ponts balise agréablement la navigation de plaisance. Aujourd'hui, le trafic commercial y est moins dense, mais les sources de plaisir toujours aussi intenses : cassoulet au délicieux fumet, poteries, céramiques et briques pour des décorations de choix.

La situation

Carte Michelin Local 344 C3 – Aude (11). Excellente halte pour tous ceux qui ont choisi de visiter le coin en péniche sur le canal du Midi : le Grand Bassin peut accueillir de nombreuses embarcations. Pour ceux qui continuent à pratiquer le tourisme automobile, parkings place de la République ou place de la Liberté. 🛈 *Pl. de la République, 11400 Castelnaudary,* ☎ *04 68 23 05 73. www.ville-castelnaudary.fr*

La tradition veut que la « cassole » (qui a donné son nom au cassoulet) soit en argile d'Issel, que les haricots aient poussé sur le sol de Lavelanet, qu'ils soient cuits dans l'eau très pure de Castelnaudary ; enfin, que des ajoncs de la Montagne noire alimentent le feu du four.

Le nom

« Castelnau d'Arri » : un château neuf, bien sûr ; mais qui était donc cet Arri ? Mystère ! Quoi qu'il en soit, le nom évoque surtout un bon cassoulet, accompagné d'un verre de vin des Corbières ou de fitou !

Les gens

10 851 Chauriens. Jadis rugbymen de légende, les **frères Spanghero** se sont reconvertis dans le cassoulet. Leur usine se trouve à l'entrée Est de la ville. Des grands gaillards comme ça, ça sait de quoi ça parle en matière de gastronomie.

carnet pratique

RESTAURATION

Le Petit Gazouillis – 5 r. de l'Arcade - 04 68 23 08 18 - Fermé mar.-mer. sf sais. - réserv. conseillée - 10,50/15,50€. Si un petit gazouillis vous chatouille l'estomac vers midi, soyez sûr que cette table saura le faire taire. Le chef, après des pérégrinations en Afrique, s'est tourné vers les recettes de ce petit coin de France. Cuisine simple et bien faite, prix plus que raisonnables, agréable salle aux tons pastel : que demander de plus ?

Le Tirou – 90 av. Mgr-de-Langle - 04 68 94 15 95 - tirou@ataraxie.fr - fermé 23 au 30 juin, 20 déc. au 20 janv., mer. soir, jeu. soir hors sais., dim. soir et lun. - 15€ déj. - 20/40€. Certes, la situation de ce restaurant, derrière une station-service à la sortie de la ville, n'est guère engageante. Pourtant, sa salle à manger est largement ouverte sur un jardin et une terrasse... où il n'est pas désagréable de manger, entre autres, un cassoulet !

Le Vieux Four – 11410 Payra-sur-l'Hers - 16 km au SO de Castelnaudary dir. Mirepoix par D 6 puis D 15 - 04 68 60 36 34 - restolevieuxfour@wanadoo.fr - fermé dim. soir et lun. - réserv. obligatoire - 21,34€. Au royaume du cassoulet, le Vieux Four s'est fait une spécialité du gratin dauphinois... Quel toupet ! Installé dans une boulangerie de 1917, ce restaurant cuit le pain et les plats (dont le cassoulet sur commande) dans le foyer de son ancien fournil... Cuisine et décor rustiques.

HÉBERGEMENT

Hôtel du Canal – 2 ter av. Arnaut-Vidal - 04 68 94 05 05 - 38 ch. : 40/50€ - 8€. Non loin du centre, cette grande maison ocre, ancienne usine à chaux, vous accueille dans son joli jardin tranquille, le long du canal du Midi. Ses chambres modernes, sans avoir le cachet de la bâtisse, sont bien équipées. Quelques grandes chambres pour les familles.

CALENDRIER

Fête du cassoulet – Dernier week-end d'août. Des chapiteaux accueillent des milliers de convives venus fêter et déguster le cassoulet de Castelnaudary. Animations sur le canal, concerts gratuits sur plusieurs scènes en centre-ville, spectacles de rues, bodegas, marché gourmand, produits du terroir, corso fleuri...

se promener

Église St-Michel

Avr.-nov. : possibilité de visites guidées de la collégiale. S'adresser à Stéphanie Tonon 04 68 94 15 88.
Érigée en collégiale au début du 14e s., elle fut reconstruite à l'emplacement d'un édifice antérieur. Le clocher-porche haut de 56 m, la façade Nord percée de deux portails (gothique et Renaissance) et ajourée de roses sont remarquables.

Prendre la rue du Collège puis à droite la rue Goufferand. Traverser la rue de Dunkerque et atteindre le Grand Bassin par la rue Paul-Riquet. On en fait le tour par les quais Edmond-Combes et Canelot.

> **À VOIR**
> Dans la deuxième chapelle de la nef gothique, à droite : belle croix de pierre sculptée du 16e s. Orgues (18e s.) de Cavaillé-Coll.

Le Grand Bassin

Plan d'eau formé par le canal du Midi, il constitue une retenue pour les quatre écluses de St-Roch *(à l'extrémité Est, en traversant l'avenue des Pyrénées et en suivant le chemin de halage)* et une base de navigation de plaisance.

Remonter un peu l'avenue des Pyrénées et prendre à droite la rue de la Haute-Baffe puis la rue des Batailleries. Tourner à gauche dans la rampe du Présidial.

Présidial

Édifié à la fin du 16e s. à l'emplacement du château qui donna naissance à la ville, le présidial (tribunal sous l'Ancien Régime) fut en partie détruit sous Louis XIII. Sur la façade, seule la partie gauche aux trois grandes fenêtres à meneaux date du 16e s.

Reprendre la rue des Batailleries sur la gauche.

Chapelle Notre-Dame-de-la-Pitié

Elle abrite un bel ensemble de boiseries dorées du 18e s. qui évoque dans le désordre dix épisodes de la vie du Christ.

Par la rue de l'Hôpital, on rejoint l'église St-Michel.

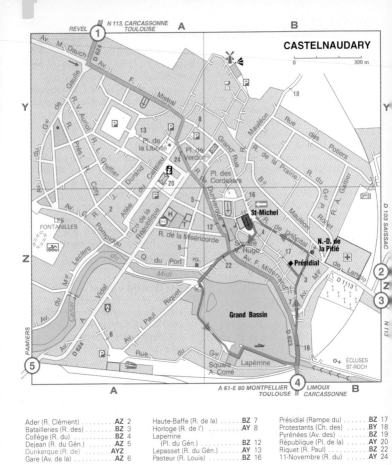

CASTELNAUDARY

visiter

Musée archéologique du Présidial

*Juil.-août : visite guidée 10h-12h, 15h-18h30, dim. et lun.
15h-18h30. (7€ haute-sais.) 6€* ☎ *04 68 23 05 73.*

Il retrace l'évolution de l'occupation du pays au cours de
la protohistoire, de l'époque gallo-romaine, du Moyen
Âge et de l'époque moderne (formes d'habitat, nécro-
poles, lieux de culte...). Une salle est également consacrée aux diverses productions et techniques céramiques
régionales.

Moulin de Cugarel

*Juil.-août : visite guidée (1/4h) 10h-12h, 15h-18h30, dim. et lun.
15h-18h30. Pour les tarifs, se renseigner.* ☎ *04 68 23 05 73.*

Au début du siècle, une dizaine de moulins était encore
en activité sur les hauteurs de Castelnaudary. Le moulin de Cugarel, bâti sur la butte du Pech, offre une belle
vue sur la plaine du Lauragais. Du 17ᵉ s., il a été restauré
en 1962. La toiture mobile et, à l'intérieur, l'ancien
système de meunerie ont été reconstitués.

alentours

St-Papoul

5 km au Nord-Est par la D 103.

Abbaye – ☺ *Juil.-août : 10h-19h ; avr.-juin et sept.-oct. :
10h-12h, 14h-18h ; nov.-mars : w.-end et j. fériés 10h-12h,
14h-17h. Fermé janv. 3,50€.* ☎ *04 68 94 97 75.*

*Castelnaudary était
autrefois un centre de
minoteries (moulin de
Cugarel).*

A. Thuillier/MICHELIN

Fondée en 768 par Pépin le Bref, elle fut érigée en évêché en 1317. Dans le cloître, au Sud de l'abbatiale, des colonnettes jumelées sont ornées de chapiteaux assez bien conservés. Dans l'abbatiale, le narthex, le chœur et l'absidiole Nord, datant du 12e s., seraient les parties les plus anciennes de l'édifice. Entre l'abside centrale et les absidioles, deux arcs sont supportés par des chapiteaux préromans. Remarquer le tombeau en marbre gris de l'évêque F. de Donnadieu, mort en 1626.

Castelnau-Pégayrols

Ce petit village de grès rose isolé sur le rude versant méridional du plateau du Lévézou est riche de cinq monuments classés dont le château et une belle église romane. Il faut dire qu'il y a quelques siècles, Castelnau, qui s'appelait alors « du Lévézou », était la capitale de ce territoire. Aujourd'hui, la pierre patinée par les ans donne aux étroites ruelles un air de paix et de sérénité absolue.

La situation

Carte Michelin Local 338 J6 – Aveyron (12). Attention, le village est interdit aux voitures ! Garez-vous à l'entrée, sur les places aménagées à cet effet.

🖪 *Mairie, 12620 Castelnau-Pégayrols, ☎ 05 65 62 05 05.*

Le nom

La 1re partie du nom s'explique facilement : Castelnau prit le statut de village grâce à son « château neuf » *(castellum novum)*. Quant à « Pégayrols », ce nom viendrait de la famille de Pégayrolles qui possédait le château.

Les gens

282 Castellévéziens. Le toponyme Castelnau étant assez courant, le conseil municipal a récemment choisi ce nouveau nom pour les habitants ; il situe bien le village dans le Lévézou.

se promener

Juil.-sept. : visite guidée du village, du prieuré, des deux églises et du système hydraulique 10h, 14h, 15h30 et 17h. ☎ *05 65 62 05 05.*

Église St-Michel

Cette ancienne église (fin du 11e s.) a des allures de forteresse avec ses contreforts massifs et son clocher-tour carré. Seuls quelques motifs ornent les piliers de la nef. Dans la première travée, une tribune, ajoutée au 15e s., s'ouvre en deux étages sur la nef. Sous le chœur, crypte, fait rare en Rouergue.

Église Notre-Dame

Situé dans le cimetière, ce modeste édifice a été habilement disposé sur un terrain accidenté. Au chœur, voûté en cul-de-four (11e s.), une fausse croisée d'ogives témoigne de la volonté d'appliquer les règles gothiques.

Château

Juin-juil. : tlj sf mar. 14h30-18h30. 5€. ☎ 05 65 62 00 94.
L'ancien château des seigneurs de Lévézou (11e s.) puis d'Arpajon a été réaménagé au 18e s. par le marquis de Pégayrolles qui en fit son palais d'été. Dans les cuisines, deux immenses cheminées de pierre. Une terrasse s'ouvre sur le formidable paysage de la vallée de la Muse et, au-delà, sur les Cévennes et les causses.

A. Thuillier/MICHELIN

Au pied du château de Castelnau-Pégayrols.

circuit

VALLÉE DE LA MUSE

40 km – environ 2h. Quitter Castelnau au Sud-Ouest par la D 515.

Montjaux

Accroché au plateau, ce village possède quelques belles maisons anciennes le long des rues qui descendent vers l'église romane (12ᵉ s.), ornée de chapiteaux historiés.

Table d'orientation – *Prendre la D 993 en direction de St-Beauzély. À la première intersection sur la droite (rte de Marzials, calvaire), un sentier monte vers le site de l'ancien château (attention, ruines non sécurisées) qui offre un magnifique* **panorama** *sur les monts environnants et jusqu'au viaduc de Millau.*

Perchées au-dessus de la Muse, les maisons caussenardes de Montjaux.

Faire demi-tour. À Castelnau, prendre vers Estalane puis tourner à droite dans la D 30.

Prieuré de Comberoumal★

Visite : environ 1h. Laisser la voiture à l'entrée du chemin d'accès au prieuré. 10h-18h. Gratuit. ☎ 05 65 62 02 28.

Le prieuré, d'époque romane, se compose de quatre bâtiments disposés en carré autour d'un petit cloître malheureusement détruit. Au Nord s'élève l'église. Une seule fenêtre, au fond, éclaire la nef, tandis que le chœur, plus large et percé de trois baies largement ébrasées, concentre la lumière. L'aile Ouest, modifiée, était réservée aux hôtes (cheminée romane à conduit circulaire). L'aile Sud, transformée lors de la construction de l'étage, conserve au rez-de-chaussée le réfectoire et la cuisine (un passe-plat ouvre encore sur le passage du cloître). À l'Est se succèdent depuis l'église un passage couvert sur le cimetière, la salle capitulaire et une salle commune – ou cellier.

Faire demi-tour et continuer sur la D 30.

Saint-Beauzély

Le centre du village est occupé par un château féodal réaménagé au 15ᵉ s. : c'est une grande bâtisse rectangulaire, qui abrite le **musée « Mémoire de la vie rurale »** (agriculture, métiers...). *Juil.-août : 10h30-12h30, 14h30-18h30 ; mai-juin et sept. : 14h30-18h30. 3,50€. ☎ 05 65 62 03 90.*

Quitter Saint-Beauzély au Nord. Après la sortie, dans un virage, prendre à gauche une petite route longeant la Muse.

St-Léons

St-Léons est la ville natale de **Jean-Henri Fabre**, dont on peut voir la maison, juste à côté du petit **musée** qui présente sa vie et son œuvre, tandis qu'un sentier botanique a été aménagé sur les chemins parcourus jadis par le célèbre entomologiste. *Juil.-août : 10h-19h ; juin et sept. : tlj sf lun. 10h-12h30, 13h30-18h ; mars-mai et oct.-déc : tlj sf lun. 11h-12h30, 13h30-17h. 3,50€. ☎ 05 65 58 80 54.*

Micropolis★ – &. *Juil.-août : 10h-18h ; mars-juin, sept.-oct. et vac. scol. : tlj sf lun. 11h-16h, w.-end et j. fériés 10h-17h ; nov.-déc. : tlj sf lun. 12h-15h, mer., w.-end et j. fériés 11h-16h. Fermé 24, 25 et 31 déc. 9,20€ (enf. : 7€). ☎ 05 65 58 50 50.* Compter 2h. Bienvenue dans le monde des insectes, un monde étrange, méconnu, fascinant, auquel cet espace est consacré. Salle après salle, vous découvrirez ce qu'est un insecte, comment il se comporte, où il vit, ce qu'il mange, ce qu'il apporte à l'homme et à l'environnement. Tout cela, en le vivant, le touchant, l'entendant grâce à diverses animations et autres bornes interactives... Vous pouvez observer l'organisation d'une fourmilière ou d'une ruche géante sans craindre la moindre piqûre ; n'hésitez pas à rendre visite aux phasmes, scorpions et même aux impressionnantes mygales qui vous attendent sagement dans la salle voûtée des vivariums. Après la serre tropicale et un film extrait de *Microcosmos*, des hublots dévoilent les salles d'élevages des charmants petits pensionnaires du lieu. Bref, une véritable plongée dans le monde du très petit, pour apprendre à ne pas se croire trop grand.

Une des salles de Micropolis, où l'on découvre qu'un insecte a six pattes, un corps en trois parties, des antennes et une double paire d'ailes.

G. Tordjeman/Micropolis, St-Léons

La Cerdagne★

La Cerdagne bénéficie d'un ensoleillement optimal... et elle sait en profiter puisqu'elle s'est montrée pionnière dans l'utilisation de l'énergie solaire. Sa plaine déploie un damier de moissons et de prairies, tamisé par une lumière dorée, craquelé de ruisseaux bordés d'aulnes et de saules. De majestueuses montagnes encadrent avec vigueur ce bassin : au Nord, le massif du Carlit, au Sud le chaînon de Puigmal. L'air y est pur et transparent. Du haut des ravins, le regard suit l'ombre infinie des forêts de sapins.

La situation
Carte Michelin Local 344 C/D 7/8 – Pyrénées-Orientales (66). La Cerdagne assure la transition entre la France et l'Espagne : la N 116 qui la traverse relie Perpignan à la frontière espagnole en 1h.

Les gens
Gloire au chimiste **Félix Trombe** qui, entre 1948 et 1968, conçut et construisit les fours solaires de Mont-Louis et surtout d'Odeillo, qualifié de « cathédrale solaire » !

Calme et dépaysement garantis dans le village de Valcebollère.

A. de Valroger/MICHELIN

comprendre

Meitat de Franca, meitat d'Espanya, « Moitié de France, moitié d'Espagne », la Cerdagne partage son histoire entre ces deux nations.

Le berceau de l'État catalan – Après la reconquête sur les Arabes du Roussillon et de la Catalogne, la Cerdagne est de moins en moins liée à l'administration franque de la Marche d'Espagne. L'un de ses seigneurs, **Wilfred le Velu**, est investi en 878 des comtés de Barcelone et de Gérone. Au 10e s., ses héritiers contrôlent la haute vallée du Sègre, le Capcir, le Conflent, le Fenouillèdes et la plaine du Roussillon. Cette dynastie s'éteint en 1117.
Le souvenir des comtes de Cerdagne reste vif dans l'histoire religieuse : Wilfred le Velu avait fondé les abbayes de Ripoll, de Sant Joan de les Abadesses et l'évêché de Vic (en Catalogne espagnole) ; au 11e s., le comte Guifred agrandit l'abbaye St-Martin-du-Canigou ; son frère, l'abbé Oliva, fait de Ripoll et de St-Michel-de-Cuxa d'incomparables foyers de culture.

TRANSPORTS

Le Train Jaune – 66500 Eus - ☎ 08 92 35 35 35. Voir le « carnet pratique » du Conflent.

RESTAURATION

La Brasserie – 66800 Saillagouse - ☎ 04 68 04 72 08 - hotelplanes@wanadoo.fr - fermé 15 oct. au 20 déc. - 13€. À l'hôtel Planes, installé dans un ancien relais de diligence, La Brasserie propose une formule plus simple que son restaurant, qui a par ailleurs grand succès. Petits plats catalans, omelettes et salades.

Can Ventura – Pl. Major 1 - 17527 Llívia (Espagne) - ☎ 972 89 61 78 - Fermé nov. et mar. - réserv. conseillée - 25/35€. Impossible de rater cette jolie maison (qui daterait de 1612) avec sa façade rouge, ses balcons fleuris et son toit en équerre. L'intérieur n'est pas en reste : pierres et poutres apparentes, beau mobilier régional et mise en place très soignée. À table, recettes catalanes, espagnoles et françaises.

HÉBERGEMENT

Marty – 66760 Dorres - ☎ 04 68 30 07 52 - fermé 25 oct. au 20 déc. - ▣ - 21 ch. : 40/57€ - ☲ 5,80€ - restaurant 15/29€. Dans ce village perché, l'ambiance de cette pension de famille est appréciée des habitués. Chambres anciennes, parfois avec loggia ; celles du troisième étage offrent une vue dégagée. La grande salle à manger marie avec bonheur objets agraires, fresque murale et poutres. Terrasse d'été. Copieuse cuisine régionale.

SPORTS & LOISIRS

Guide de pêche Marc Ribot – 16 av. des Lupins - 66210 Bolquère - ☎ 04 68 30 30 93 ou 06 89 99 22 64 - a-lamouche.com - fermé de déb. nov. à déb. mars - 92€ (1 j.) 240€ (3 j.) 417€ (6 j.). Stages et séjours pour apprendre à pêcher à la mouche tout en découvrant la région.

ACHATS

Charcuterie Bonzom – N 116 - 66800 Saillagouse - ☎ 04 68 04 71 53. Voici, au cœur du centre de production de charcuterie catalane, une boutique où vous trouverez de quoi remplir votre besace : saucissons secs, boles de picolat, fuets... À voir également salle d'exposition et séchoir naturel aux 1 500 jambons.

Charcuterie catalane.

A. Cassaigne/MICHELIN

LE SORT DE LLÍVIA
En 1660, 33 villages ont été choisis parmi les plus proches de la frontière pour devenir français, mais Llívia, arguant de son statut de « ville », a échappé à ce décompte et est restée espagnole, formant depuis une **enclave** en territoire français.

La Cerdagne française – En 1659, le traité des Pyrénées ne donne pas de détails précis sur la nouvelle frontière franco-espagnole en Cerdagne, un désaccord intervenant sur le choix des monts à délimiter. C'est en 1660, à Llívia, que le traité de division est signé : l'Espagne a la possession du comté, exception faite de la vallée du Carol et d'une portion ménageant aux Français la libre circulation entre la vallée du Carol, le Capcir et le Conflent.

séjourner

LES DOMAINES SKIABLES

Espace Cambre d'Aze

🛈 Mairie, av. de Catalogne, 66800 Eyne, ☎ 04 68 04 78 66. Alt. 1 640-2 400 m. Les stations d'Eyne et de St-Pierre-dels-Forçats se sont associées pour former l'Espace Cambre d'Aze. Les 25 pistes de ski alpin de tous niveaux s'étalent dans un très beau décor de forêts de pins.

Err-Puigmal 2600

🛈 Mairie, 1 carrer del Ajuntament, 66800 Err, ☎ 04 68 04 72 94.
Alt. 1 850-2 520 m. Étagé sur les flancs du mont Puigmal, ce paisible centre de sports d'hiver comprend 18 pistes de ski alpin de tous niveaux, parmi lesquelles quelques belles pistes noires. 10 km de pistes de ski de fond occupent le bas du domaine, à la lisière d'une forêt de sapins.

Porté-Puymorens

🏠 *Lou Casteil, 66760 Porté-Puymorens,* ☎ *04 68 04 82 16.*
Alt. 1 600-2 500 m. Étendu, le domaine comporte
16 pistes de ski alpin de tous niveaux. Les pistes de ski
de fond totalisent 21 km répartis sur 3 boucles. Véloski
et surf sont également pratiqués.

CALENDRIER
En mars se déroule le
Grand Prix Porté-
Puymorens, compétition
de ski alpin.

circuits

VALLÉE DU CAROL★★ ①

Du col de Puymorens à Bourg-Madame – 27 km – environ 1h.

Col de Puymorens★

Alt. 1 920 m. Le col constitue le seuil de partage des
eaux : celles de l'Ariège, tributaires de la Garonne, vont
vers l'Atlantique, celles du Sègre, affluent de l'Èbre, coulent vers l'Espagne et la Méditerranée.

Après un pont sur un couloir d'avalanche, la route, en
descente, permet d'apprécier le site ensoleillé du village
de Porté-Puymorens, la vallée du Carol, plus humanisée,
et le verrou glaciaire surmonté des ruines rousses de la
tour Cerdane.

Au-delà de Porté, la route pénètre dans le défilé de la Faou.
Jolie vue à gauche sur le hameau de Carol et les deux tours
en ruine derrière le viaduc. Le parcours encaissé se termine aux abords d'Enveitg. On arrive dans une plaine
riche, haut perchée (moyenne d'altitude : 1 200 m).

Avant Bourg-Madame, on voit à gauche le Grand Hôtel
de Font-Romeu, en avant, Llivia. Sur sa butte se hausse
Puigcerdà.

REMARQUER
Au-dessus de l'entrée du
tunnel de Puymorens,
côté Pyrénées-Orientales,
la « cascade de
lumière », sculpture en
verre polychrome de
16 m de haut, est
l'œuvre de Josette Rispal.

Bourg-Madame

Avant de devenir Bourg-Madame, le hameau des Guinguettes d'Hix avait su tirer parti de sa situation au bord
du ruisseau frontière de la Rahur pour développer ses
activités : industrie, colportage et contrebande.

ROUTE DE LA SOULANE★ ②

*De Bourg-Madame à Mont-Louis – 36 km – environ 2h.
Quitter Bourg-Madame par le Nord (N 20).*

Ur

L'**église** possède un chevet roman à bandes lombardes
surmontées d'une frise en dents d'engrenage. À l'intérieur, retable baroque de Sunyer.

*À Ur, prendre à droite la D 618 et à Villeneuve-des-Escaldes
prendre à gauche la D 10.*

MADAME EST SERVIE
Bourg-Madame est le
nom donné à la localité
en 1815, en l'honneur de
Madame Royale, par le
duc d'Angoulême, son
époux, rentré en France
par cette route après le
séjour qu'il fit en
Espagne, à la chute
de l'Empire.

Dorres

Dans l'**église**, on peut voir à l'autel latéral de gauche un
témoin typique du goût du peuple catalan pour les sta-
tuettes parées : une Vierge des Douleurs *(soledat)* ; dans
la chapelle de droite, impressionnante et anguleuse
Vierge noire. *Se renseigner à la Mairie* ☎ *04 68 04 60 69.*

Revenir à la D 618.

D. Faure/PHOTONONSTOP

> **DÉTENTE**
>
> **Bains chauds de Dorres** – *66760 Dorres - ☎ 04 68 04 66 87 - janv. 9h-20h, fév.-juin 8h-20h, juil.-août 8h-21h, sept. 8h-20h30, oct. et w.-end de nov. 8h-19h45, déc. 8h30-19h45 - 3,50 €.* Descendant le chemin cimenté, en contrebas de l'hôtel Marty à Dorres, on atteint (1/2h à pied AR) une source sulfureuse (41 °C) où les Cerdanais et les estivants viennent pratiquer le thermalisme de plein air.

Angoustrine

Monter à pied à l'**église** haute, romane, pour admirer ses **retables**★, surtout celui dédié à saint Martin : cavalier de la niche centrale et, sur les panneaux peints, sauvetage d'un marin, d'un pendu, etc., prodiges du saint. *Juil.-août : visite guidée tlj sf w.-end 10h-12h.*

Chaos de Targasonne

Gigantesque amoncellement de blocs granitiques roulés par les glaciers quaternaires, ce chaos constitue un fantastique amas rocheux aux formes tourmentées.

En continuant vers Font-Romeu, une route sur la gauche conduit au site de l'ancienne centrale électrosolaire Thémis.

Thémis

Vac. scol. d'été : 10h-19h ; autres vac. scol. : 14h-17h ; reste de l'année : sur demande. 6€. ☎ 06 09 85 40 92.

Beaucoup d'expériences sur l'énergie solaire ont été menées dans la région comme en témoigne ce prototype d'**usine solaire à tour** fermé depuis 1986. Il reste d'imposants bâtiments dont une haute tour de 100 m qui domine le paysage catalan. La reconversion touristique du site est en cours avec une présentation des installations, une exposition sur les énergies renouvelables et un spectacle de type « cathédrale d'images » dans le grand hangar.

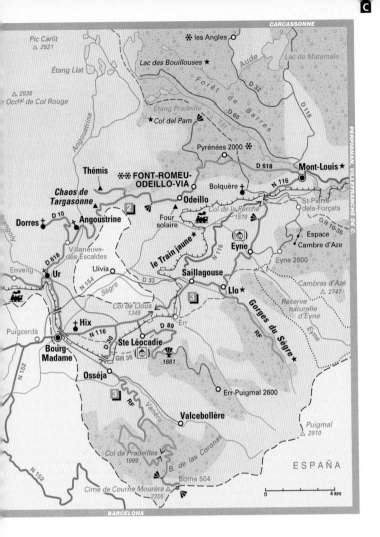

Odeillo

Le **four solaire** a été mis en service en 1969. Étagés à flanc de pente, 63 héliostats (miroirs plans orientables) dirigent les rayons solaires sur le miroir parabolique (près de 2 000 m^2) fait de 9 130 petites glaces concaves. L'énergie solaire (1 000 kW thermiques) est ainsi concentrée sur un foyer où la température peut dépasser 3 200 °C. L'installation permet de mener des études sur la mise au point de matériaux de haute performance pour l'espace, l'environnement et l'énergie. **Exposition** permanente sur le fonctionnement du four solaire et sur son rôle dans la recherche scientifique ; également des informations sur l'énergie renouvelable, la lumière et l'énergie solaire appliquée à l'habitat. ♿ *Juil.-août : 10h-19h30 ; janv.-mai et oct.-déc. : 10h-12h30, 14h-18h ; juin et sept. : 10h-18h. Fermé 1er janv., 25 déc. 6€ (gratuit : enf. - de 9 ans).* ☎ 04 68 30 77 86.

Font-Romeu✱✱ *(voir ce nom)*

La route traverse la forêt de pins de **Bolquère**, dont on aperçoit la petite église perchée sur un promontoire. On atteint le plateau de Mont-Louis, point de départ pour la vallée de l'Aude et pour le Conflent.

Au carrefour de la N 116 s'élève le monument d'Emmanuel Brousse (1886-1926), député catalan : « le ministre mort pauvre », affirme une inscription.

Mont-Louis★ *(voir ce nom)*

> **HORMIS LE FOUR...**
> L'**église** d'Odeillo abrite, en dehors de la saison pastorale (juin-sept.), la Vierge de Font-Romeu, du 13e s. En été, la Vierge de l'Ermitage (15e s.) prend sa place.

> **LOISIRS**
> **Compagnie des guides des Pyrénées catalanes** – *Av. Serrat-de-l'Ours - 66210 Bolquère* - ☎ 06 75 50 26 27. Stages d'initiation et de perfectionnement, sorties accompagnées : escalade, VTT, randonnées, sports d'eau vive, via ferrata.

171

*Le grand miroir concave
du four solaire d'Odeillo
reflète le versant
de la Soulane.*

ROUTE DE L'OMBRÉE ③

De Mont-Louis à Bourg-Madame – 112 km – une demi-journée.

Au départ de Mont-Louis *(voir ce nom)*, la N 116, en palier, atteint le large seuil herbeux du col de la Perche faisant communiquer, à 1 579 m d'altitude, les bassins de la Têt (Conflent) et du Sègre (Cerdagne). Au Sud s'élève le Cambras d'Azé, évidé d'un cirque glaciaire très régulier. En progressant dans la haute lande le long de la route d'Eyne, le **panorama★** d'ensemble sur la Cerdagne prend de l'ampleur ; de gauche à droite on identifie la Sierra del Cadi, relativement dentelée, Puigcerdà sur sa butte morainique surgissant du fond du bassin, le massif frontière de l'Andorre (pic de Campcardos) et le massif du Carlit.

Tourner à gauche dans la D 29.

Eyne

Ce joli site de village étagé dans une conque s'est reconverti en un petit centre de ski.

☉ À l'entrée du village, une antenne du **musée de Cerdagne**, consacrée au thème de l'eau, est installée dans l'ancienne ferme Cal Martinet. On y trouve également un jardin ethnobotanique (plantes endémiques). *De déb. juil. à mi-sept. : 11h-19h ; le reste de l'année possibilité de visite sur demande tlj sf w.-end 8h-12h, 14h-18h. Visite guidée du jardin botanique. Fermé j. fériés sf 14 juil., 15 août. 3,50€ (-12ans : gratuit). ☎ 04 68 04 78 66.*

Prendre la D 33 au Sud en direction de Llo.

Llo★

Ce bourg hérissé de tours s'échelonne sur des pentes escarpées à la sortie d'un ravin affluent du Sègre. Une *atalaye*, ou tour de guet, domine le paysage.

En contrebas, l'église romane montre à son portail une voussure médiane décorée de motifs en tête de clou, de têtes d'hommes et de spirales.

Gorges du Sègre★

Partir de l'église de Llo. Le Sègre s'échappe du massif du Puigmal par des gorges que l'on peut remonter jusqu'au troisième pont sur le torrent. Au passage, on admire un beau rocher, formant une aiguille, vu de l'aval.

Saillagouse

C'est l'un des centres de production des célèbres charcuteries cerdanes : *butifarre*, *fuet* et *llonganisse* : vous en conserverez un souvenir divin !

Continuer sur la N 116 en direction de Puigcerdà.

Ste-Léocadie

☉ La ferme Cal Mateu, qui abrite le **musée de Cerdagne** (antenne à Eyne), est le lieu par où passe l'histoire du rattachement de la Cerdagne à l'État français. Ce beau bâtiment des 17e-18e s. sert d'écrin à diverses expositions sur les bergers, la *matança* (tuée du cochon), la tradition d'élevage de chevaux, la fabrication des gourdes en peau. *De mi-juil. à fin sept. : visites guidées. 3,50€ (enf. : 1,50€). ☎ 04 68 04 95 54.*

Rejoindre à gauche la route de la station du Puigmal (D 89) : arrivant en lisière de la forêt, aussitôt après un lacet, prendre à droite la route forestière, revêtue.

DÉTENTE

Les Bains de Llo – *Rte des Gorges de Llo - 66800 Llo - ☎ 04 68 04 74 55 - 10h-19h30. ; juil.-août : 9h30-19h45 - fermé nov. à mi-déc. - 6€ (enf. : 4€).* Vous vous baignerez ici dans des sources d'eau sulfureuse à 37 et 35 °C. Également sur place, hammam, sauna et jacuzzi. Snack avec fruits pressés, crêpes et gaufres.

Table d'orientation de Ste-Léocadie

Alt. 1 681 m. Elle se dresse à gauche, à l'entrée du virage, en contrebas. **Panorama**★ sur la Cerdagne, face à la trouée de la vallée du Carol par laquelle apparaît le pic de Fontfrède.

Revenir à la D 89 et prendre à droite.

La route de montagne remonte la vallée de l'Err.

De retour à la N 116, prendre à gauche et encore à gauche (D 30).

Routes forestières d'Osséja★

En amont d'Osséja, laisser la route de Valcebollère pour ▶ suivre la route forestière qui se scinde à la lisière d'un des plus importants massifs de pins de montagne des Pyrénées. Par la branche de droite, on aboutit, après le col de Pradeilles, sur la croupe du Puigmal, à la borne 504 (cime de Courne Mourère, alt. 2 205 m environ). **Vues**★ sur la Cerdagne, les montagnes frontières de l'Andorre et, au Sud, les sierras catalanes.

Redescendre à Osséja par la branche de la route forestière non empruntée à la montée et rejoindre la N 116. La prendre à gauche.

Hix

Ancienne résidence des comtes de Cerdagne et capitale commerciale du pays jusqu'au 12e s., Hix a été ravalée au rang de simple hameau lorsque le roi Alphonse d'Aragon fit transférer la ville sur le site moins vulnérable du « Mont Cerdan » (Puigcerdà), en 1177, et surtout après la consécration du quartier des « guinguettes » comme siège de la municipalité en 1815, sous le nom de Bourg-Madame.

La petite **église** romane abrite deux œuvres d'art. À droite, l'important retable peint au début du 16e s. et dédié à saint Martin incorpore une Vierge assise du 13e s. Du Christ roman aux cheveux épars (sur la prédelle) se dégage une certaine douceur. *Hors saison, sur demande à l'Office du tourisme de Bourg-Madame.* ☎ 04 68 04 55 35.

> ### VALCEBOLLÈRE
> Perdu au bout d'une route en-cul-de-sac, Valcebollère est le plus méridional des villages catalans. Agréablement restauré, il est dominé par d'anciennes ruines qui s'accrochent à une austère montagne de schiste. Les sportifs apprécient les lieux qui sont un bon point de départ pour des randonnées à pied ou à ski.

Détail du retable de l'église romane de Hix, dédié à saint Martin.

Céret★

Avec ses corridas et ses sardanes, Céret est un vivant foyer de la tradition catalane d'autant que la petite ville est placée sous le signe des couleurs : celles que les peintres cubistes surent si admirablement coucher sur leurs toiles, comme celles des vergers irrigués, où domine le rouge des cerises. Primeurs et artisans d'art se partagent de nos jours la douceur de vivre de cette cité du Vallespir.

La situation

Carte Michelin Local 344 D5 – Schéma p. 137 – Pyrénées-Orientales (66). Par la D 618, on pénètre directement dans le Vieux Céret.

🛈 *1 av. G.-Clemenceau (saison), 66400 Céret,* ☎ *04 68 87 00 53. www.ot-ceret.fr*

Le symbole

Les cerises y mûrissent dès la mi-avril et sont parmi les premières sur le marché français. À l'entrée de la ville, un panneau a baptisé Céret la « Capitale de la cerise ».

Les gens

Au début du 20e s., les 7 291 Cérétans virent accourir une foule d'artistes à la suite du sculpteur catalan Manolo Hugué (1872-1975) : le compositeur Déodat de Séverac (son monument avec médaillon, réalisé par Manolo, se dresse à côté de l'Office de tourisme), Picasso, Braque, Juan Gris, mais aussi Herbin, Kisling et Max Jacob, poète et peintre. L'« École de Céret » était née.

carnet pratique

RESTAURATION

Le Chat qui Rit – À la Cabanasse, 1,5 km de Céret par rte d'Amélie - ☎ 04 68 87 02 22 - jean-paul.vander-elst@tiscali.fr - fermé 7 janv. au 5 fév., 24 nov. au 3 déc., dim. soir sf juil.-août et lun. - 13€ déj. - 20/31€. Cette maison bâtie en 1884 au bord de la route abrite aujourd'hui un restaurant où l'on propose une cuisine traditionnelle complétée par de copieux buffets de hors-d'œuvre et de desserts. Accueil attentionné et atmosphère conviviale.

Hostal dels Trabucayres – 66480 Las Illas - 17 km au SE de Céret par D 618 et D 13 - ☎ 04 68 83 07 56 - fermé 1er janv. au 20 mars, 25 au 30 oct., mar. et mer. hors sais. - 11/39€. Dans ce charmant village au milieu des chênes-lièges, cette auberge campagnarde accueille les voyageurs depuis le milieu du 19e s. Chambres modestes et menus régionaux simples contentent les randonneurs de passage sur le GR 10. Un gîte à louer.

Brasserie Le Carré – 1 bd La Fayette - ☎ 04 68 87 37 88 - contact@les-feuillants.com - fermé dim. soir et lun. sf du 16 juin au 14 sept. - 22€. Le second restaurant de l'enseigne Les Feuillants vous accueille dans une véranda de style contemporain où La Corrida, tableau de Michel Becker, capte l'attention des convives. Plats de brasserie et, ponctuellement, menus à thèmes régionaux.

Toutes fraîches, ce sont les premières de l'année, les cerises de Céret.

E. Larrière/MICHELIN

HÉBERGEMENT

Hôtel Les Arcades – 1 pl. Picasso - ☎ 04 68 87 12 30 - fermé 21 déc. au 4 janv. - 30 ch. : 40/54€ - 🖵 6€. Au cœur du village, cet hôtel familial tenu par deux frères à une amusante collection d'affiches, lithos et tableaux laissés ici par des peintres de passage... Préférez les chambres de derrière, plus calmes que celles de la façade.

SORTIES

Bigaro Bar – 14 r. Mirabeau - ☎ 04 68 87 09 04 - bigaro@club-internet.fr - été : 16h-5h, hiver : 18h-5h - fermé lun. en hiver. Pierre et Nathalie vous accueillent chaleureusement dans le plus ancien bar de Céret (1928). Ils y organisent des expositions de peintures et des concerts.

La Chunga – 6 pl. des Tilleuls - ☎ 04 68 87 34 68 - juil.-août : lun.-jeu. 21h-6h, ven.-dim. 18h30-6h ; juin-sept. : mar.-jeu. 21h-6h, ven.-dim. 18h30-6h - tapas à 3,05€ et pression à partir de 2,29€. Ce bar musical se transforme tous les soirs en discothèque. Musique rock et funk, mais aussi flamenco et variétés françaises sont au programme.

LOISIRS-DÉTENTE

Delta Club Aude et Po – 64 r. de la République - ☎ 04 68 87 25 54. Vols en deltaplane et parapente.

VISITE

Usine Sabaté – Espace Tech Ulrich - ☎ 04 68 87 20 20 - tlj sf w.-end et j. fériés 9h-17h sur demande - fermé en août. Visite technique de l'usine qui fabrique 500 millions de bouchons de liège par an.

CALENDRIER

Céret de Toros – Céret de Toros, c'est le nom de la féria qui se tient durant le 2e week-end de juillet : lâchers de vachettes, animations diverses dans les rues, corridas (les Cérétans apprécient les élevages réputés difficiles).

Festival folklorique de sardane – Cette grande rencontre de colles (équipes de danseurs), qui a lieu durant la 2e quinzaine de juillet, en nocturne, est aussi un concours. Après le défilé dans les rues, les danseurs, réunis dans les arènes, exécutent différentes sardanes, pour lesquelles ils sont jugés au son d'une cobla (orchestre catalan). Tout s'achève par la sardane de Germanor (de fraternité) où quelques centaines de danseurs se retrouvent en cercles concentriques pour célébrer l'amitié après la compétition. Depuis quelques années, cette dernière sardane se fait aux lampions.

se promener

Le Vieux Céret

Entre la place de la République et la place de la Liberté, ▶
les cours ombragés de gigantesques platanes sont favorables à la flânerie. Des remparts, il reste, place de la République, une porte fortifiée, la porte de France, et place
Pablo-Picasso, un vestige restauré de la porte d'Espagne.

Vieux Pont★

Nullement déprécié par le voisinage du pont routier
moderne et du pont ferroviaire, ce « pont du Diable »
(14ᵉ s.) à une seule arche de 45 m d'ouverture enjambe
le Tech, à 22 m au-dessus de la rivière. Belle vue, d'un
côté sur le massif du Canigou et, de l'autre, sur les
Albères qui s'abaissent vers le col du Perthus. Descendre
à pied, vers l'aval, à une scierie, pour admirer le pont.

> **SYMBOLE**
> Un monument dédié à
> Picasso (1973),
> la *Sardane de la paix*,
> en fer forgé soudé sur
> inox, a été édifié d'après
> un dessin du maître, face
> aux arènes.

visiter

Musée d'Art moderne★★

&. *De déb. juil. à mi-sept. : 10h-19h ; de mi-sept. à fin juin :
10h-18h (oct.-avr. : tlj sf mar.). Fermé 1ᵉʳ janv., 1ᵉʳ mai, 1ᵉʳ
nov., 25 déc. 5,50€ (-12 ans : gratuit). ☎ 04 68 87 27 76.*
À l'intérieur, les volumes spacieux se répartissent de ▶
façon harmonieuse autour de patios. Le rez-de-chaussée
abrite des céramiques de Picasso, des pièces de la période
cérétane (1909-1950) et des années 1960-1970. L'art
contemporain occupe tout le 1ᵉʳ étage : Toni Grand, Joan
Brossa, Perejaume, Viallat, Tàpies, Dominique Gauthier,
Jean-Louis Vila, Susana Solano, Jean Capdeville...

> **TOUT MODERNE**
> Le bâtiment moderne a
> été conçu par l'architecte
> barcelonais Jaume Freixa.
> La porte d'entrée est
> flanquée d'un diptyque
> d'Antoni Tàpies réalisé
> avec brio sur des plaques
> de lave émaillée.

Châteauneuf-de-Randon

Châteauneuf est perché au sommet d'une butte granitique, dans un site très pittoresque du versant Sud-Est
de la verte Margeride. Les séjours y sont agréables été
comme hiver : à travers bois, genêts et bruyères, les
randonnées à pied, à cheval ou les excursions à skis de
fond permettent de s'imprégner profondément du
paysage... et du bon air pur et tonique.

La situation

Carte Michelin Local 330 K7 – Lozère (48). Très belle **vue
panoramique★** depuis le sommet du village (table
d'orientation).
🛈 *Mairie, pl. Du-Guesclin, 48170 Châteauneuf-de-Randon,
☎ 04 66 47 99 52.*

Le nom

En haut du village, les ruines de la tour de l'Anglais sont
les seules traces d'un ancien château qui fut un temps
« neuf ». Le nom de Randon, ajouté comme déterminant,
désigne une fortification à l'époque médiévale.

Les gens

536 Castelrandonniers. C'est sous les murs de Châteauneuf
que le valeureux connétable **Bertrand Du Guesclin**
mourut. Tel un chapelet, son corps allait être égrené sur
l'interminable route qui le conduisait à son tombeau
breton.

comprendre

Un héros en pièces détachées – En 1380, l'Auvergne était
en proie aux déprédations des compagnies de brigands et
aux incursions anglaises. Les États demandèrent alors l'en-
voi d'une armée royale et St-Flour insista pour qu'elle fût
confiée à Bertrand Du Guesclin. Ce dernier commença à

> **HÉBERGEMENT ET
> RESTAURATION**
> 🍴 La Poste –
> *48170 L'Habitarelle -
> ☎ 04 66 47 90 05 -
> contact@hoteldelaposte
> 48.com - fermé 24 oct.
> au 3 nov. et 19 déc. au
> 31 janv. - 🅿 - 16 ch. :
> 42,50/49€ - ☕ 6,20€
> - restaurant 13,50/28€.
> Une maison bien
> nommée... Ancien relais
> de poste, la tradition de
> l'accueil des voyageurs
> y est perpétuée. La
> grange s'est
> transformée en une
> originale salle à manger
> sous une charpente
> apparente. Les petites
> chambres blanches sont
> meublées de bois.*

MIEUX QU'UN ROI !

Alors que les rois de France n'avaient que trois tombeaux (cœur, entrailles et corps), Du Guesclin eut donc quatre monuments funéraires, dont deux avec des gisants : l'un au Puy représentant le connétable avec la barbe qu'il devait porter au moment de sa mort et l'autre à St-Denis où il montre un visage imberbe.

mettre son projet à exécution en réduisant Chaliers après six jours de siège, puis il se rendit à Châteauneuf-de-Randon, tenu par les Anglais, pour investir la ville. C'est sous ses murs que Bertrand Du Guesclin mourut d'une congestion pulmonaire le 14 juillet 1380.

Avant de mourir, Du Guesclin avait demandé à être enterré près de sa terre natale, à Dinan, en Bretagne. Le cortège se met donc en route. Au Puy, le corps est embaumé ; les entrailles sont prélevées et enterrées dans l'église des Jacobins, aujourd'hui St-Laurent. À Montferrand, l'embaumement se révèle insuffisant : il faut faire bouillir les chairs pour les détacher des os et les ensevelir dans l'église des Cordeliers, détruite en 1793 par les révolutionnaires qui dispersèrent les cendres du connétable. Au Mans, qu'on gagne par voie d'eau, un officier du roi apporte l'ordre de conduire le corps à St-Denis : le squelette lui est alors remis. Enfin, le cœur, seul rescapé du voyage, arrive à Dinan où il est déposé dans l'église des Jacobins ; il est aujourd'hui dans la basilique St-Sauveur.

découvrir

DU GUESCLIN À L'HONNEUR

Le **Centre socio-culturel** abrite le **musée Du Guesclin**. &
Juil.-août : 10h-12h, 14h30-18h30. Gratuit. ☎ 04 66 47 91 43.
La statue du connétable, œuvre d'Henri Lemaire que l'État offrit à la commune en 1888, se dresse sur la grande place du bourg.

Mausolée

Au hameau de **l'Habitarelle**, au pied de la butte, a été élevé un mausolée de granit à la mémoire du grand homme de guerre. Près de là coule la source de la Glauze qui serait responsable de la mort de Du Guesclin, car, en buvant de son eau glacée au cours d'un combat, le connétable aurait contracté la maladie qui devait l'emporter.

A. Thuiller/MICHELIN

Le mausolée de Du Guesclin a été élevé à l'endroit même où, après la prise de Châteauneuf par ses troupes, les clés de la petite ville auraient été déposées sur son cercueil.

Grotte de la **Cocalière**★

La Cocalière, avec sa galerie horizontale de 1 200 m, est sans doute l'une des grottes les plus faciles à visiter. Ce qui n'enlève rien à son exceptionnelle beauté.

La situation

Carte Michelin Local 339 J3 – Gard (30). Lorsqu'on vient de St-Ambroix, on accède à la grotte par la D 904, direction d'Aubenas, puis par une petite route à droite, après l'embranchement vers Courry.

Le nom

Il vient de l'occitan et signifie « l'aven couvert de lierre », allusion à l'entrée naturelle de la grotte.

Les gens

Sans petit train ni aménagements touristiques, nos ancêtres préhistoriques appréciaient déjà Cocalière puisque le site a révélé une occupation très dense allant du paléolithique (40 000 avant J.-C.) à l'âge du fer (400 avant J.-C.).

visiter

Température : 14 °C. Juil.-août : visite guidée (1h) 10h-18h ; de mi-mars à fin juin et de déb. sept. à mi-oct. : 10h-12h, 14h-17h. 7€ (enf. : 5€). ☎ 04 66 24 34 74.
La grotte se distingue par la richesse et la variété des concrétions qui se réfléchissent de part et d'autre de la piste dans des plans d'eau ou des petits bassins

alimentés par des cascatelles. De nombreux disques – concrétions aux diamètres impressionnants dont la formation demeure mystérieuse – sont suspendus ou rattachés à la paroi en porte-à-faux. Certaines voûtes présentent un cloisonnement géométrique de fines stalactites, blanches s'il s'agit de calcite pure, ou colorées par des oxydes métalliques.

Après le Camp des spéléologues et la salle du Chaos, on pénètre sous des voûtes tourmentées par l'érosion dans le domaine des draperies et des excentriques. On surplombe une imposante cascade de gours aux mille scintillements, ainsi que des puits reliés aux étages inférieurs et à leurs rivières. La traversée d'un gisement préhistorique précède le retour au hall d'accueil par un petit train.

À l'extérieur, on peut apercevoir un dolmen, des *tumuli* (amas de terre ou de pierres élevés au-dessus des tombes), des capitelles, des abris préhistoriques et différents phénomènes karstiques (avens, lapiés, failles).

> **NE PAS MANQUER**
> La formation *in situ* d'une perle de caverne (peu avant le camp des spéléologues) et les niphargus (petits crustacés cavernicoles) se déplaçant sous l'eau (au bas du même camp).

Collioure★★

Ah ! Collioure ! Son église fortifiée, avançant si près de la côte qu'on la croirait dans la mer, ses deux petits ports séparés par le vieux château royal, avec leurs filets étendus et leurs barques catalanes aux couleurs vives et à la mâture typique, ses vieilles rues aux balcons fleuris, aux escaliers pittoresques, sa promenade du bord de mer, ses terrasses de cafés et ses boutiques aux vitrines colorées ! Un véritable tableau où la rencontre du soleil avec le bleu du ciel et de la mer ne peut que faire rêver...

La situation
Carte Michelin Local 344 J7 – Schéma p. 190 – Pyrénées-Orientales (66). Il faut gravir les terrasses du jardin public Gaston-Pams, dominé par un moulin à vent, pour avoir une très belle vue sur la jolie baie de Collioure et la cité.
🏛 *Pl. du 18-Juin, 66190 Collioure, ☎ 04 68 82 15 47. www.collioure.com*

L'emblème
Le port abrite d'authentiques barques catalanes repérables à leurs couleurs vives. Ce sont là les derniers témoins de l'époque où la pêche à l'anchois battait son plein à Collioure.

Les gens
2 763 Colliourencs. Désespéré après la chute du régime républicain, le poète andalou **Antonio Machado** (1875-1939), chantre des rudes paysages castillans, s'est éteint à Collioure aux premiers jours de son exil. Il repose aujourd'hui dans le cimetière de sa ville d'accueil.

Des barques catalanes colorées attendent sereinement, dans le port de Collioure, les pêcheurs d'anchois.

A. Thuillier/MICHELIN

LES ANCHOIS DE COLLIOURE
L'anchois salé, spécialité de Collioure, est préparé de la même façon depuis des générations. Dès leur arrivée au port, les poissons sont brassés avec du sel. Étêtés et éviscérés, ils sont ensuite placés en saumure dans des tonneaux, de mai à août : une lente fermentation doit s'opérer. À maturation, les anchois sont lavés et leur arête centrale enlevée. Placés sur des buvards, ils sont égouttés. La dernière opération consiste à les ranger dans des boîtes ou des pots en verre avec de l'huile ou bien roulés autour d'une câpre.

Face à la concurrence de produits venus, entre autres, du Maroc, deux dérivés de l'anchois ont vu le jour : la crème d'anchois en tube et les olives fourrées aux anchois. L'anchois salé de Collioure reste un ingrédient très utilisé dans la cuisine catalane.

carnet pratique

VISITE

Petit train touristique – De Collioure à Port-Vendres, en passant par le fort St-Elme. *Juil.-août : 10h-20h ; avr.-juin et de déb. sept. à déb. nov. : 10h-11h, 14h-18h. Départ parking de la Poste, durée (3/4h). 6€ (4-12 ans : 4€).* ☎ 06 15 15 66 04.

RESTAURATION

☺☺ **La Frégate** – *24 quai Camille-Pelletan - ☎ 04 68 98 09 08 - fermé 6 janv. au 7 fév. - 20/60€.* Ici, c'est à l'intérieur que ça se passe, dans les deux jolies salles aux murs couverts de carreaux de style *azulejos*, réalisés par des artisans espagnols et portugais. Pas de vue sur mer, certes, mais une jolie terrasse ! Côté cuisine, l'influence reste méditerranéenne. Quelques chambres.
☺☺☺ **Neptune** – *Rte de Port-Vendres - ☎ 04 68 82 02 27 - smourlane@yahoo.fr - fermé 2 au 31 janv., 8 au 19 déc., lun. en juil.-août, mar. et mer. de sept. à juin - 29,50€ déj. - 44,50/55€.* Vue imprenable sur le vieux port, des deux terrasses de ce restaurant, qui propose aussi une formule « moulerie », pour profiter du paysage à moindre coût. À l'intérieur, la décoration s'inspire élégamment du style régional. Produits de la mer et spécialités d'ici.

HÉBERGEMENT

☺☺ **Ambeille** – *Rte d'Argelès - ☎ 04 68 82 08 74 - fermé déb. oct. à fin mars -* 🅿 *- 21 ch. : 52/60€ -* ☲ *6€.* Construction des années 1970 abritant un hôtel familial tout simple. Les chambres, de bonne ampleur, bénéficient en façade d'une agréable vue sur la mer et les toits du pittoresque village catalan.

LE TEMPS D'UN VERRE

Bar des Templiers – *12 quai de l'Amirauté - ☎ 04 68 98 31 10 - info@hotel-templiers.com - 7h30-2h.* L'hôtel des Templiers est l'établissement le plus prestigieux de Collioure : les plus grands artistes (Derain, Picasso, Matisse) y sont descendus. Les nombreuses toiles qui couvrent les murs du bar témoignent de cette époque. Un lieu authentique et plein de poésie où habitués et touristes se côtoient.
Le Petit Café – *Bd du Boromar - de mi-juin à sept. : 9h-2h ; oct.-déc., de mi-fév. à mi-juin : jeu.-dim. 9h-2h.* Décoré par un peintre de la région dans un style très inspiré de Mucha, ce petit bar à cocktails a un charme fou. Il n'est pas rare de rencontrer ici des artistes résidant à Collioure. La musique en sourdine offre un cadre propice à la discussion et aux rencontres.
Le Piano Piano – *18 r. Rière - ☎ 04 68 98 07 23 – d'avr. à fin oct. : 18h30-1h - fermé oct.-avr.* Dans ce pub très convivial, la musique passe du jazz au flamenco, en faisant des détours par la world music ou les années 1970 ! Plaisante décoration africaine et expositions de peintures. À la carte, bières, vins, champagnes et tapas pour apaiser les petits faims.

ACHATS-VISITE

Anchois Desclaux – *RN 114 - ☎ 04 68 82 05 25 - 9h-12h, 14h-18h (9h-20h en été).* Visite technique artisanale de salaisons et de conserves d'anchois. Dégustation gratuite.
Maison Roque – *17 Rte d'Argelès - ☎ 04 68 82 22 30 - roque.collioure@wanadoo.fr - 8h-19h30 ; visite de l'atelier : lun.-ven. 8h-12h, 14h-17h.* Fondée en 1923, la Maison Roque perpétue la tradition de la préparation artisanale des célèbres anchois de Collioure. Une boutique vous accueille au rez-de-chaussée, mais il serait dommage de ne pas monter à l'atelier du premier étage pour observer les mains expertes qui manipulent les savoureux petits poissons.
Le Dominicain Cave – *Pl. Orphila, Port d'Avall - ☎ 04 68 82 05 63 - 8h-12h, 14h-18h.* Installée dans un ancien couvent de dominicains du 13e s., cette cave coopérative propose des vins de Banyuls et de Collioure. Accueil sympathique et dégustation.

LOISIRS

C I P de Collioure – *15 r. de la Tour-d'Auvergne - 25 km au S de Perpignan, sur RN 114 - ☎ 04 68 82 07 16 - www.cip-collioure.com - 9h-12h, 14h-18h.* Ce centre de plongée met à votre disposition un équipement et un encadrement professionnel pour l'apprentissage et la pratique de ce sport (baptêmes, enseignement, formation au métier de moniteur). Également, promenades en mer.

Fresque au-dessus du bar des Templiers.

comprendre

Le Collioure médiéval est avant tout le port de commerce du Roussillon, d'où s'exportent les fameux draps « parés » de Perpignan. C'est l'époque où la marine catalane règne sur la Méditerranée, jusqu'au Levant.
En 1463, l'invasion des troupes de Louis XI inaugure pour la ville une période troublée. Le château se développe sur l'éperon rocheux séparant le port en deux anses, autour

Les pieds dans l'eau, Notre-Dame-des-Anges veille sur le port. Le clocher, d'un cachet si particulier avec son dôme rose, était le phare du Vieux Port.

L. Campion/MICHELIN

du donjon carré élevé par les rois de Majorque. Charles Quint et Philippe II le transforment en une citadelle renforcée par le fort St-Elme et le fort Miradou. Après la paix des Pyrénées, Vauban met la dernière main aux défenses : la cité enclose est rasée à partir de 1670 et laisse la place à un vaste glacis. La « ville » basse devient désormais l'agglomération principale.

se promener

Gagner à pied le Vieux Port ou « port d'Amont » par le quai de l'Amirauté, le long du ravin du Douy, généralement à sec.

Chemin du Fauvisme
Visite libre ou guidée. Se renseigner à l'Office de tourisme ou à l'Espace Fauve. ☎ *04 68 98 07 16.*
Ce chemin permet de découvrir des vues peintes par Henri Matisse et André Derain. Chaque étape (20 au total) est signalée par la reproduction d'un tableau affichée sur un panneau.

Église N.-D.-des-Anges
Elle a été construite entre 1684 et 1691 pour succéder à ▶ l'église de la ville haute, rasée sur l'ordre de Vauban. L'intérieur, sombre, surprend par la richesse de ses neuf **retables**★ sculptés sur bois et dorés *(éclairage par minuteries, payant)*. Celui du maître-autel (1698) est l'œuvre du Catalan Joseph Sunyer. C'est un immense triptyque de trois étages qui occupe tout l'arrière-chœur, cachant entièrement l'abside. Toutes les statues sont finement ▶ sculptées et suscitent l'admiration. De Joseph Sunyer également, remarquer le retable du Saint-Sacrement, à gauche du chœur, de taille plus modeste mais tout aussi délicatement sculpté. La sacristie abrite le **trésor** : beau meuble-vestiaire d'époque Louis XIII, peintures du 15e s., reliquaire du 16e s. et Vierge du 17e s. qui aurait appartenu à l'église sacrifiée.

Ancien îlot St-Vincent
Il est relié à l'église par deux plages dos à dos. Derrière la petite chapelle, le vaste panorama s'étend sur la Côte Vermeille. Une digue mène au phare.
Revenir sur ses pas.

Vieux quartier du Mouré
Flâner dans les ruelles escarpées et fleuries de ce vieux quartier situé près de l'église est un vrai régal.
Traverser le Douy, au fond du port de plaisance.
On contourne alors, en suivant le quai, les impressionnantes murailles du Château royal.
Du parking Ouest, côté Douy, bonne **vue** sur la ville et le port ; en arrière, les Albères, au-dessus de la mer.
Poursuivre jusqu'à la plage de port d'Avall, dite du Faubourg. ▶

Église de l'ancien couvent des Dominicains
Elle est située à droite sur la route de Port-Vendres. Désaffectée, elle abrite désormais une cave coopérative.

COLLIOURE

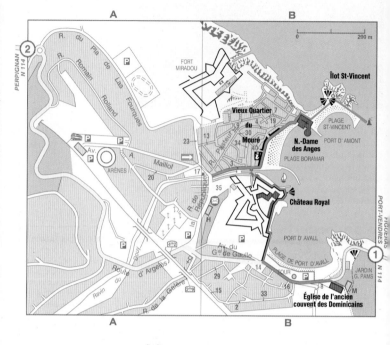

visiter

Château royal

Préférer les visites guidées. Juin-sept. : 10h-18h (dernière entrée 3/4h av. fermeture) ; oct.-mai : 9h-17h. Fermé 1er janv., 1er mai, 25 déc. 3€. ☎ 04 68 82 06 43. www.cg66.fr
Construit sur un site d'occupation romain, ce château, qui dresse sa masse imposante au pied de la mer entre le port d'Amont et le port d'Avall, fut la résidence d'été des rois de Majorque entre 1276 et 1344 avant de revenir au roi d'Aragon. Vauban fit ajouter l'enceinte extérieure. La visite fait découvrir les souterrains, la place d'armes, la prison du 16e s. (présentation d'une forge catalane), la chapelle du 13e s., la cour d'honneur, la chambre de la reine, les salles hautes, les remparts et le chemin de ronde. Une partie de la visite est également consacrée au patrimoine maritime catalan.

> **EXPO**
> Les casernements du 17e s. reçoivent des expositions de peinture en saison.

Musée d'Art moderne

Juin-août : 10h-12h, 14h-19h (juin 18h) ; sept.-mai : tlj sf mar. 10h-12h, 14h-18h. Fermé 1er janv., 1er mai, 1er nov., 25 déc. 2€. ☎ 04 68 82 10 19.
Le succès artistique de Collioure justifiait bien un musée et c'est le peintre **Jean Pesqué** (1870-1949) qui en a été l'initiateur. Après des débuts difficiles, les collections ont trouvé place dans le cadre agréable de la villa Pams, au pied d'un jardin en terrasses où règnent les oliviers. Son fonds, enrichi régulièrement par des donations, fait l'objet d'intéressantes expositions.

Le Conflent

C'est la plus longue vallée du département, qui s'enfonce inexorablement dans la montagne, vers la Cerdagne. La région est riche, pourvue en rivières et torrents abondants, bariolée de cultures maraîchères et de vergers. Intrépide, le petit Train Jaune saute de part et d'autre de la vallée sur d'improbables ouvrages d'art, semblant montrer du doigt des églises méconnues, petits bijoux d'art roman.

La situation

Carte Michelin Local 344 E/F/G7 – Pyrénées-Orientales (66). La N 116 longe la vallée de la Têt sur toute la partie du Roussillon qui forme le Conflent.

Le nom

Toutes les hypothèses sont permises : la vie quotidienne gallo-romaine a fourni, comme désignation topographique de « confluent », le gaulois *condate* puis le latin *confluentes* : on n'est plus très loin de Conflent, non ?

Le symbole

Construit à l'instigation du député Emmanuel Brousse, le petit **Train Jaune** part vaillamment à l'assaut du Conflent et de la Cerdagne en 650 ouvrages d'art, sur un dénivelé de 1 165 m en 30 km et des pentes parfois supérieures à 6 %.

carnet pratique

Le Train Jaune sur le viaduc Séjourné.

L. Campion/MICHELIN

dont 13 arrêts facultatifs), sur un parcours de 62 km. La section de Mont-Louis à Olette est la plus pittoresque, empruntant le pont Giscard et le viaduc Séjourné. Ce train touristique aux couleurs catalanes (le jaune et le rouge), surnommé le « canari », existe depuis 1910. Services réguliers assurés. Dépliants disponibles dans les gares SNCF de la région.

TRANSPORTS

Le Train Jaune – *66500 Eus* - ☎ *08 92 35 35 35.* Le Conflent et la Cerdagne peuvent se visiter en train : une ligne SNCF à voie métrique rejoint les gares de Villefranche-de-Conflent et de Latour-de-Carol (21 stations

DÉTENTE

Bains de St-Thomas – *Village de St-Thomas - À 2 km de Fontpédrouse - 66360 Fontpédrouse -* ☎ *04 68 97 03 13 - www.bains-saint-thomas.com - 10h-20h (juil.-août : 21h) - fermé 12 au 28 nov. et 1er mai - adulte 4,50€ (enf. 2€).* Source d'eau chaude naturelle aménagée en bains de plein air et couverts. Espace hammam ; massages et soins.

Établissement thermal de Molitg-les-Bains – *66500 Molitg-les-Bains.*
Voir le chapitre des Informations pratiques en début de guide, rubrique « Forme et santé ».

circuits

VALLÉE DE LA TÊT

De Mont-Louis à Villefranche-de-Conflent

30 km – environ 4h. Quitter Mont-Louis (voir ce nom) par la N 116 en direction de Prades.

Dans la descente, à chaque virage apparaissent les hauts sommets de la rive droite de la Têt : Cambras d'Azé, pic de Gallinas et pic Redoun, sommets aux lignes calmes encadrant la courbe pure du col Mitja, le Canigou au dernier plan.

Pont Gisclard

Ce pont ferroviaire suspendu à 80 m au-dessus de la rivière, d'une hardiesse remarquable, porte le nom de son créateur, officier du génie, tué accidentellement au cours des essais (monument en bordure de la route).

La route, en forte descente, devient plus sinueuse. À droite, au milieu des cultures en terrasses, s'étagent les hameaux de St-Thomas et de Prats-Balaguer. On passe à **Fontpédrouse**, village qui dévale la paroi rocheuse.

Pont Séjourné

Viaduc élégant et robuste, dédié à son constructeur, l'ingénieur Paul Séjourné (1851-1939). Si l'on a la chance d'y voir passer le petit Train Jaune, le spectacle est particulièrement pittoresque.

Thuès-les-Bains

◄ Modeste station où s'est implanté un centre thermal de rééducation et de réadaptation fonctionnelles.

Gorges de la Carança

🚶 *Quitter le hameau de Thuès-entre-Valls par un chemin longeant la rivière Carança ou garez-vous au parc auto (payant). Début des circuits en haut du parking, après le pont de la voie ferrée.* Attention, les circuits parfois vertigineux peuvent être dangereux ; bonnes chaussures recommandées, animaux interdits.

Une petite boucle d'environ 1h30 longe les gorges, passe devant une cascade et conduit à une passerelle qu'il faut traverser. Le chemin assez raide grimpe sur l'autre rive jusqu'à un croisement où l'on prend à droite *(fléché « parc auto par chambre d'eau »)*. Après un passage assez étroit en corniche, le chemin redescend le long d'une conduite forcée vers le parking.

Une grande boucle de 3h est réservée aux bons randonneurs, bien équipés et peu sujets au vertige. Longer également la rivière jusqu'à la première passerelle mais au lieu de la traverser, continuer tout droit par un chemin qui monte sur les hauteurs. La principale difficulté est le retour sur l'autre rive : pont de singe et parcours sur une corniche assez vertigineuse, équipée de mains courantes. D'autres parcours, d'une journée et plus, sont balisés dans le secteur.

La route pénètre dans le défilé des Graüs. Sur la droite, la rivière de Mantet a creusé un étroit vallon. La vigne et les derniers agaves disparaissent. On traverse **Olette**, village-rue aux hautes maisons adossées au rocher.

On aperçoit bientôt l'usine et les ruines du château de la Bastide. Jusqu'à Serdinya, le paysage change de caractère : les hameaux s'étagent en terrasses.

De Villefranche-de-Conflent à Ille-sur-Têt

68 km – environ 6h. Quitter Villefranche-de-Conflent (voir ce nom) au Sud par la D 116.

Corneilla-de-Conflent

Église Ste-Marie★ – *Juil.-sept. : visite guidée (toutes les heures) 10h-13h, 15h-19h, dim. 15h-19h ; avr.-mai et oct. : 10h-12h, 14h-18h, fermé 1 w.-end sur 2 (quand dim. j. pair); juin : 10h-12h, 14h-19h, fermé 1 w.-end sur 2 (quand dim. j. pair); nov.-mars : 9h-12h, 14h-17h, fermé 1 w.-end sur 2 (quand dim. j. pair). Fermé le mer. Juil.-sept. : possibilité de visite contée pour enf. (se renseigner). 3€ (-12 ans : 1€ ; visite contée : 2,50€).* ☎ 04 68 05 77 59.

Cette belle église romane appartenait à un ancien prieuré de chanoines réguliers de St-Augustin. Flanquée d'un clocher carré en moellons de granit, la courte façade est percée d'un portail de marbre à six colonnes du 12e s. Les trois fenêtres du chevet, sous une bande en dents d'engrenage, sont embellies de colonnettes, de chapiteaux à décor floral ou animal richement sculptés, et de voussures comprimées dans les embrasures. Le chœur conserve trois **Vierges★** assises romanes en bois

A. Cassaigne/MICHELIN

N.-D.-de-Corneilla est une œuvre en bois, caractéristique de l'école catalane du 12e s.

sculpté, la plus ancienne, N-D-de-Corneilla, datant du 12e s ; la seconde, la « Barcelonaise », date du 13e et la dernière (14e), provient de la chapelle de Cuxa où elle était vénérée au Moyen Âge. Dans le bas-côté gauche, remarquer l'ancien **retable gothique**★ du maître-autel, daté de 1345, bel ensemble sculpté en marbre blanc illustrant la vie de la Vierge et de Jésus. À noter, quelques détails insolites...

La route remonte la vallée du Cady, domaine des vergers de pommiers et de poiriers. Le torrent s'épanche sur un lit caillouteux.

Vernet-les-Bains★ *(voir ce nom)*

Dans la descente vers le col d'Eusèbe, la D 27, encadrée de pommiers puis de chênes, procure de très jolies vues sur la vallée du Cady. Après Fillols, on atteint le col de Millères, d'où part la route vers le Canigou *(voir ce nom)*. La descente s'accentue dans la vallée de la Taurinya, avec de belles échappées sur St-Michel-de-Cuxa et Prades.

Abbaye St-Michel-de-Cuxa★★ *(voir Prades)*

Prades *(voir ce nom)*

Traverser Prades et aller jusqu'à Catllar par la D 619. Prendre ensuite la D 14 jusqu'à Mosset.

Pour finir votre circuit dans le Conflent, faites demi-tour. À Catlar, prendre à gauche la D 24.

Eus★

Le village s'étage entre la grande église supérieure bâtie au 18e s. et la chapelle romane St-Vincent gardant le cimetière au fond de la vallée. On fera quelques pas dans les ruines de la cité fortifiée, autour de l'église. Par les brèches des murailles, belles échappées sur le Canigou et la plaine du Conflent.

Poursuivre le parcours le long de la D 35 en laissant à droite le pont de Marquixanes enjambant la Têt.

Eus est un beau village étagé dont les maisons dévalent la soulane parmi les blocs de granit et les genêts.

A. Thuillier/MICHELIN

Prieuré de Marcevol

Juil.-sept. : 10h30-12h30, 14h30-19h ; avr.-juin et oct.-nov. : tlj sf lun. 10h30-12h30, 14h30-18h ; déc.-mai : w.-end et j. fériés 14h30-17h30. Juil.-sept. : possibilité de visite contée pour enf. (se renseigner). 3€. ☎ 04 68 05 24 25.

🔲 En contrebas d'un minuscule village de bergers et de viticulteurs se trouve un ancien prieuré (12e s.) fondé par les chanoines du St-Sépulcre. Sa façade de marbre rose est surmontée d'un curieux clocher-mur et les vantaux ont conservé leurs pentures à décor de volutes. À l'intérieur, fresque représentant le Christ en majesté.

Cinq kilomètres au-delà de Marcevol, prendre à droite la D 13 qui, par une gorge granitique fleurie de cistes au début de l'été, ramène à la vallée de la Têt en passant au-dessus du **barrage de Vinça** (1977).

Prendre à droite la N 116 et encore à droite la D 25 puis la D 55.

ACTIVITÉS

La Fondation du prieuré de Marcevol reconnue d'utilité publique organise tout au long de l'année des stages, des classes de patrimoine, des manifestations culturelles.

Espira-de-Conflent

Le **mobilier**★ intérieur de la petite **église** romane d'Espira (1165) illustre la grande époque de la sculpture baroque entre 1650 et 1730 : retables, panneaux de la nef inspirés de la suite des *Sept Sacrements* d'après Poussin, retable sculpté *Le Massacre des Innocents* d'après Rubens, confessionnaux, chaire. Le retable du maître-autel, avec son décor architectonique, est une œuvre de Louis Generès. Au fond de l'église, on peut admirer une **Mise au Tombeau** de Sunyer (18e s.), dont les personnages sont habillés avec des vêtements du 19e s. sur lesquels on a appliqué de la peinture.

Vinça

Cette autre cité fortifiée possède une **église** du 18e s. construite dans le style gothique méridional, dont l'intérieur surprend par la richesse de sa décoration : 9 retables baroques, dont celui de Notre-Dame-du-Rosaire par Sunyer, une Pietà et une Mise au Tombeau du 15e s. ainsi qu'un imposant maître-autel dédié à la Vierge de l'Assomption.

> **DÉTENTE**
> Après Vinça, la partie droite de la retenue de la Têt est aménagée pour la baignade.

Les Corbières★★

S. Sauvignier/MICHELIN

Grappes et ceps règnent sur les Corbières donnant d'agréables vins.

Les Corbières, région montagneuse de l'Aude mordant sur les Pyrénées-Orientales, dominent de leurs hautes barres le sillon du Fenouillèdes. C'est là que se dressent les « citadelles du vertige », théâtres d'épisodes fameux du drame cathare. La garrigue épineuse et parfumée est à l'image de la vie de ses habitants : belle, austère et sans artifice... mais bien arrosée. Le vignoble a en effet conquis le fond des vallées qui sont balisées de caves-coopératives.

La situation

Carte Michelin Local 344 C4 – Aude (11). Prenez le temps d'emprunter les toutes petites départementales qui s'enfoncent dans la garrigue. Mais attention, ça tourne et ça monte. D'autre part, les pompes à essence sont plutôt rares : n'oubliez pas de faire le plein avant de partir.

Le nom

Au 8e s., la région était dite Vallis Corbaria, soit « vallée fréquentée par les corbeaux » ; aujourd'hui, ce sont plutôt les rapaces qui sillonnent le ciel des Corbières (buses, aigles...).

Le vin

L'appellation d'origine contrôlée (AOC) est appliquée à des vins rouges, rosés et blancs aux arômes très variés. Les vins de Fitou, dont la finesse est plus accentuée, bénéficient aussi de l'AOC.

comprendre

Le rempart du Languedoc – Position de repli des Wisigoths refoulés du Haut-Languedoc vers le Sud, puis champ de bataille ensanglanté par des combats épiques entre Francs et Sarrasins, les Corbières deviennent sous l'Empire carolingien une « marche » dont les péripéties relèvent surtout des rivalités de vassaux. Mais après l'intégration au domaine royal français en 1229, la prise des châteaux acquis à la cause des Albigeois et la renonciation du roi d'Aragon à ses droits de suzeraineté sur les territoires du Nord de l'Agly en 1258, la frontière entre la France et l'Espagne se stabilise. Les « cinq fils de Carcassonne », deviennent pour cinq siècles des garnisons royales faisant face à la menace espagnole. L'annexion du Roussillon leur fera perdre leur rôle militaire.

> **CINQ FILS**
> Qui sont-ils, ces enfants légitimes de Carcassonne ? Les châteaux de Puilaurens, Peyrepertuse, Quéribus, Termes et Aguilar.

carnet pratique

VISITE

Centre d'Études Cathares – Centre de recherche et de documentation sur le catharisme et les dissidences médiévales. *Maison des Mémoires, 53 r. de Verdun, BP 197, 11004 Carcassonne Cedex. ☎ 04 68 47 24 66. Entrée libre. www.cathares/cec.org*

Carte intersites – Elle permet de bénéficier de réductions pour la visite de 16 sites du Pays cathare : les châteaux de Lastours, Arques, Quéribus, Puilaurens, Termes, Villerouge-Termenès, Saissac, Peyrepertuse, Usson, le château comtal de Carcassonne, les abbayes de Caunes-Minervois, Saint-Papoul, Saint-Hilaire, Lagrasse, Fontfroide et le musée du Quercorb à Puivert. *Cette carte donne également droit à une entrée gratuite pour un enfant. Elle est en vente sur tous ces sites, au prix de 4€.*

« Pays cathare » – La qualité « Pays cathare » marque l'engagement d'hommes et de femmes soucieux d'offrir le meilleur de leur prestation et de leurs produits, mais aussi de faire partager les richesses patrimoniales du territoire sur lequel ils ont choisi de vivre.

LE PAYS CATHARE

RESTAURATION

◖◻ **Auberge du Vigneron** – *2 r. Achille-Mir - 11350 Cucugnan - ☎ 04 68 45 03 00 - auberge.vigneron@ataraxie.fr - fermé 13 nov. au 28 fév., lun. midi en juil.-août, dim. soir et lun. - 19/28€.* Une maison de village où l'on compte bien vous faire découvrir les plaisirs d'une table simple, d'un vin des Corbières et des petites chambres chaleureuses... Son restaurant, dans un ancien chai, s'installe en été sur une belle terrasse avec vue sur les montagnes...

◖◻◻ **Cave d'Agnès** – *11510 Fitou - ☎ 04 68 45 75 91 - fermé 16 nov. au 14 mars, jeu. midi et mer. - réserv. obligatoire - 23/35€.* Dans une ancienne grange, en haut du village, ce restaurant a franc succès ! Il faut dire que sa table est gourmande et que sa salle est fort sympathique : grange authentique, elle est joliment mise en valeur par des éclairages modernes.

◖◻◻ **Le Merle Bleu** – *Pl. de l'Église - 11350 Paziols - ☎ 04 68 45 02 48 - lemerlebleu@hotmail.com - juin-sept. - ⊠ - réserv. obligatoire - 35€.* Niché en haut du village, ce petit restaurant aux murs blancs et meubles bleus offre une belle vue sur la plaine et le château d'Aguilar, depuis sa terrasse. Claude Nougaro, qui connaît l'endroit, lui a dédié un poème, à lire sur la carte. Cuisine familiale méditerranéenne.

HÉBERGEMENT

◖ **La Giraudasse** – *2 pl. de la Fontaine - 11330 Soulatgé - 8 km à l'O du château de Peyrepertuse par D 14 - ☎ 04 68 45 00 16 - fermé mi-nov. à mi-mars - ⊠ - 5 ch. : 56€ - repas 22€.* Monsieur Samoza vous reçoit chaleureusement dans cette maison de maître datant de 1670, bâtie au pied d'un petit cours d'eau. Chambres spacieuses à dominante blanche, jardin incluant un verger et excellente table d'hôte concoctée à partir de produits frais. Dégustation de vins de la région.

◖◻ **Domaine Grand Guilhem** – *11360 Cascatel - ☎ 04 68 45 86 67 - ⊠ - 4 ch. et 1 gîte : 74€.* Vivez au rythme des vignerons dans leur superbe demeure en pierre (19ᵉ s.) entourée d'un parc aux arbres centenaires. Intérieur décoré avec goût, beaux meubles de familles, teintes chaleureuses, terre cuite, carrelages anciens… Soirées « vin et musique » ; week-ends et séjours à thème (initiation à la dégustation, à la viticulture, etc.).

Les abbayes – Les Corbières ont attiré les fondations monastiques et toutes leurs dépendances : prieurés, « granges », moulins à huile ou à blé, hospices, etc. Les bénédictins étaient fixés à Alet, St-Polycarpe, St-Hilaire et Lagrasse ; les cisterciens tenaient Fontfroide.

circuits

LES CORBIÈRES CATHARES★★ ①

Circuit au départ de Duilhac-sous-Peyrepertuse – 177 km – prévoir une étape d'un soir.

Ce circuit au cœur des Corbières permet de visiter plusieurs châteaux ayant participé à l'épopée cathare. Parmi eux se trouvent les « cinq fils de Carcassonne » : Peyrepertuse, Aguilar, Termes, Puilaurens et Quéribus sont les fleurons des châteaux dits « cathares » par la grandeur et la poésie de leurs ruines. Leur situation, tout en haut de pitons rocheux imprenables, leur histoire, souvent tragique, ajoutent à l'immanquable attraction que subit tout visiteur, lancé à l'assaut de ces « citadelles du vertige ».

CONSEILS

Le vent peut, lors de la visite des châteaux cathares, souffler très fort, en particulier le « cers », vent du Sud-Ouest.

En été, il est impératif de se protéger du soleil (chapeau et crème solaire) et d'emporter de l'eau à boire car l'accès aux châteaux est parfois rude.

Il va de soi qu'une paire de bonnes chaussures est recommandée.

Une paire de jumelles peut être utile pour regarder le paysage alentour et observer les rapaces.

Sous la double protection du curé et du château de Quéribus, le village de Cucugnan peut s'occuper tranquillement de ses vignes.

Duilhac-sous-Peyrepertuse

À la sortie Nord du bourg, allez voir la fontaine communale, alimentée par une source d'un débit surprenant pour la région.

Château de Peyrepertuse★★★ *(voir ce nom)*

Revenir à Duilhac et continuer jusqu'à Cucugnan.

Cucugnan

Dominé par le moulin restauré, le village est bien connu pour le sermon de son curé, pièce d'anthologie du folklore d'Oc. Dans le théâtre de poche Achille-Mir, place du Platane, est donné un spectacle de théâtre virtuel sur le thème du « **Sermon du curé de Cucugnan** » selon la version d'Achille Mir, avec la voix de l'écrivain Henri Gougaud. ♿ *Juil.-août : 10h-21h ; avr.-juin et sept. : 10h-20h ; oct. : 10h-19h ; mars : 10h-19h ; fév. : 10h-18h30 ; nov. : 10h-18h. Fermé 3 sem. janv., 1er janv., 25 déc. 4€ (billet combiné avec le château de Quéribus).* ☎ *04 68 45 03 69.*

Continuer sur la D 14.

TRILINGUE

La version provençale par Roumanille du « Sermon du curé de Cucugnan » a été adaptée en français par Alphonse Daudet et traduite en vers occitans par Achille Mir.

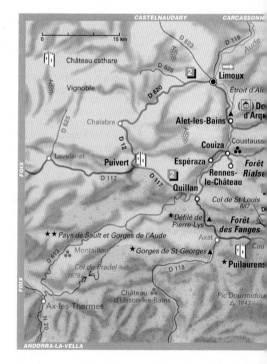

Padern

Pour monter au château, suivre les balises jaunes du « sentier cathare » (🚶 *20mn à pied AR*). *Attention aux ruines dangereuses par endroits.* Le château de Padern, aujourd'hui en ruine, propriété des abbés de Lagrasse jusqu'en 1579, a été totalement reconstruit au 17ᵉ s. On voit encore les vestiges d'une tour circulaire qui donnait accès aux étages du donjon, aujourd'hui ruiné, ainsi qu'un des murs du logis, percé de fenêtres. Belle vue sur le village et le Verdouble.

Au terme de la D 14, prendre à gauche la D 611.

Tuchan

Centre de production de vins d'appellation fitou. Le vignoble du bassin de Tuchan, que l'on peut parcourir par la pittoresque D 39, fait une tache, verte ou mordorée suivant la saison, au pied de l'imposante mais désolée montagne de Tauch.

Un chemin de vignes goudronné, s'embranchant à gauche de la D 39, à l'Est de Tuchan, mène au château d'Aguilar.

Château d'Aguilar

Du parking, 10mn à pied AR. Pénétrer dans l'enceinte par le Sud-Ouest. Aguilar, qui appartenait à la famille de Termes, devint forteresse royale en 1257, sans avoir été l'enjeu de combats avec les croisés. Construite sur un modeste pog (éminence) émergeant d'un océan de vignes, elle fut renforcée au 13ᵉ s., sur l'ordre de Louis IX, par une deuxième enceinte hexagonale flanquée de six tours rondes ouvertes à la gorge et renforcées à la base par un glacis construit en pierre à bossage. Dans l'enceinte primitive, le logis est ► défendu par des archères ébrasées à l'intérieur et couvertes en plein cintre.

Revenir à Tuchan et prendre la D 611 à droite vers Durban.

> **VUE**
>
> Vue agréable sur le vignoble du bassin de Tuchan et, à l'Ouest, sur les ruines du château de Donneuve dont on distingue l'enceinte polygonale presque entière.

Durban-Corbières

Durban compte peu dans l'histoire cathare puisque dès 1229, Guillaume de Durban jure fidélité au roi de France. Situé en haut du village, le château se compose d'un bâtiment rectangulaire à deux étages, percé de fenêtres géminées (13ᵉ s.) ou à meneaux (16ᵉ s.), et crénelé. Quelques autres éléments (pans de courtine, tours, citerne) sont visibles.

Quitter Durban à l'Ouest par la D 40.

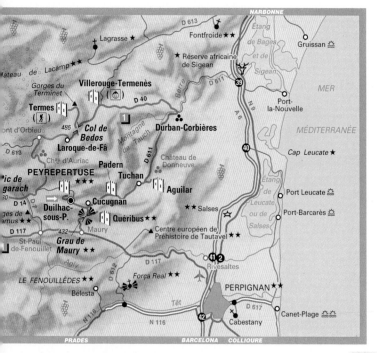

Le château de Villerouge-Termenès ne surveille plus aujourd'hui que les vignes qui l'entourent.

Villerouge-Termenès

⌖ Au cœur du village médiéval s'élève le **château** (12e et 14e s.) cantonné de quatre tours. Propriété des archevêques de Narbonne, il fut le théâtre en 1321 du bûcher du dernier parfait cathare connu, Guillaume Bélibaste, dont la vie de « bonhomme » traqué a été retracée dans un très beau roman d'Henri Gougaud (*Bélisbaste*, Le Seuil, coll. Points). Le château a été réhabilité pour recevoir une exposition audiovisuelle sur la vie de Bélibaste, sur l'archevêque de Narbonne, Bernard de Farges, bailli, et la gestion de sa circonscription, le dernier étage étant consacré à la vie quotidienne du bailli au moyen âge. Du chemin de ronde, vue sur le village et les alentours. Une aile du château abrite un restaurant médiéval (la Rôtisserie) qui propose des mets des 13e et 14e siècles dans le même décorum. *Juil.-août : 9h-19h30 ; avr.-juin, sept. à mi-oct. : 10h-18h, fév.-mars, de mi-oct. à fin déc. : certains w.-end, j. fériés et vac. scol. : 10h-17h. Fermé janv. 4€. ☎ 04 68 70 09 11.*

Prendre au Sud-Ouest de Villerouge la D 613. Au col de Bedos, tourner à droite dans la D 40.

Col de Bedos

Il est situé sur la D 40, **route de crête**★ entre des ravins boisés. Dans l'échancrure de la gorge inférieure du Sou se découpent, sur leur rocher, les ruines du château de Termes.

Château de Termes

Juil.-août : 10h-20h ; avr.-juin et de déb. sept. à mi-oct. : 10h-18h ; mars et de mi-oct. à fin déc. : w.-end, j. fériés et vac. scol. 10h-17h. Fermé janv.-fév. 3,50€. ☎ 04 68 70 09 20.

Tenu par Raymond de Termes, hérétique notoire, le château ne tomba entre les mains de Simon de Montfort qu'à l'issue d'un siège de 4 mois, d'août à novembre 1210. La garnison, exposée au tir de nombreuses machines et minée par la dysenterie, ne survécut pas à une tentative de sortie générale. Le château fut cédé au roi de France en 1228, fortifié durant la seconde moitié du 13e s. ou au début du 14e s., puis détruit en 1653.

Défendu par le formidable fossé naturel du Sou (gorges du Terminet), le site du promontoire a plus d'intérêt que les ruines de ce « fils de Carcassonne » qui couvrait 16 000 m^2 de superficie.

Le château est composé de deux enceintes. À l'Ouest, à l'intérieur de la 2e enceinte, se trouve la chapelle castrale dont la voûte s'est écroulée. On voit, sur le mur Ouest, une ouverture cruciforme ébrasée vers l'intérieur. Parmi les vestiges, peu d'éléments sont antérieurs à la croisade.

Des abords de la poterne Nord-Ouest *(pentes dangereuses)* et du sommet du roc, vues impressionnantes sur les **gorges du Terminet**.

Revenir au col de Bedos et prendre à droite la D 613.

Laroque-de-Fâ

Site pittoresque d'éperon fortifié, rafraîchi par le ruisseau du Sou dont on va suivre, de loin, la plongée vers l'Orbieu.

Après Mouthoumet, au pont d'Orbieu, prendre à gauche la D 212 passant devant les ruines du château d'Auriac. À Soulatgé, prendre la D 14 à droite vers Cubières. Juste avant Bugarach, tourner à gauche dans la D 45.

Pic de Bugarach

Par des vallons relativement frais mais déserts, on admire les différentes faces de la montagne (alt. 1 230 m) aux escarpements tourmentés. La montée au col du Linas à travers la vaste combe du haut Agly est particulièrement imposante. En arrière, les ruines de St-Georges – éperon Ouest de la citadelle de Peyrepertuse – se confondent avec leur socle rocheux.

Avant St-Louis, la D 46 à gauche rejoint la D 9 en direction de Caudiès-de-Fenouillèdes.

ACCÈS

Le bureau d'accueil du château de Termes se trouve en bas de la colline, après le pont du village. 🚶 Pour accéder au château : 1/2h à pied AR par un chemin en forte rampe puis en gravissant les gradins marquant les enceintes successives.

Forêt domaniale des Fanges

Massif de 1 184 ha connu pour ses sapins de l'Aude exceptionnels. Le **col de St-Louis** (alt. 687 m) est un point de départ de promenades (terrain calcaire souvent chaotique).

Aller jusqu'à Caudiès et tourner à droite dans la D 117 jusqu'à Lapradelle.

Château de Puilaurens★ *(voir ce nom)*

Revenir à la D 117 que l'on suit à droite jusqu'à Maury. Là, prendre à gauche la D 19.

Grau de Maury★★

Ce petit col offre un admirable **panorama**. Les chaînes s'échelonnent en profondeur derrière la crête dentelée qui domine, au Sud, la dépression du Fenouillèdes.

Tourner à droite dans une petite route en forte montée.

Château de Quéribus★★ *(voir ce nom)*

Rejoindre Cucugnan et tourner à gauche dans la D 14 pour retourner à Duilhac.

LE RAZÈS CATHARE ②

Circuit de 120 km au départ de Limoux (voir ce nom).

La Côte Vermeille★★

Côte Vermeille, côte merveille, le slogan est lancé. Après les longues plages de sable des côtes langue-dociennes et roussillonnaises, nous voici au pays des rochers où viennent se briser les vagues, où les ports de pêche et de plaisance se nichent au fond des anses protégées des tempêtes. Et la mer, la mer jouant sur toute la gamme des bleus ! L'Antiquité avait élu cette côte pour y fonder de véritables petites cités maritimes, le 20ᵉ s. en a fait des pôles touristiques. Le 21ᵉ s. saura-t-il en préserver l'authenticité et le charme ?

La situation

Carte Michelin Local 344 J/K 7/8 – Pyrénées-Orientales (66). Deux routes permettent de découvrir la Côte Vermeille : la route des crêtes (N 114) ou la route du littoral qui passe par Collioure et Port-Vendres. Attention, ces deux routes, et en particulier celle qui longe la côte, sont très encombrées l'été.

carnet pratique

RESTAURATION

◖◗ **La Côte Vermeille** – *Quai Fanal - 66660 Port-Vendres -* ☎ *04 68 82 05 71 - fermé 5 janv. au 5 fév., dim. et lun. - 25/42€.* Sur le port de pêche, juste avant la criée, cette construction abrite en fait un restaurant tenu par deux frères. Au menu, des produits de la mer, bien sûr, servis dans un cadre moderne, avec une belle vue sur le port.

◖◗ **Les Clos de Paulilles** – *66660 Port-Vendres - 3 km au N de Banyuls par N 114 -* ☎ *04 68 98 07 58 - daure@wanadoo.fr - le soir de juin à sept. et dim. midi - réserv. obligatoire - 32€.* Au cœur d'une propriété viticole, ce restaurant sert une cuisine campagnarde... et arrose chaque plat d'un vin du domaine différent ! Pour ne pas vous enivrer trop vite, installez-vous sur la terrasse ombragée, rafraîchie brise marine salvatrice !

HÉBERGEMENT

◖◗ **Domaine de Valcros** – *Paulilles - 66660 Port-Vendres - 3 km au S de Port-Vendres par RN 114, dir. Banyuls et à gauche après le pont de chemin de fer -* ☎ *04 68 82 04 27 ou 06 85 87 14 23 - ✉ - 3 ch. : 75€.* Ce vieux mas catalan, rénové depuis peu, se situe entre mer et montagne, au cœur du vignoble de Banyuls. Ses chambres climatisées, spacieuses et élégantes, associent sol en terre cuite, murs blancs, voilages et tissus rouge et or. Il est possible de rejoindre la plage (300 m) par un chemin privé.

Le nom

Cette portion de littoral très rocheux a été baptisée « Côte Vermeille » au 19ᵉ s. Aux premiers ou aux derniers rayons de soleil, la roche prend en effet une teinte rouge rosé.

Les gens

Cette côte est le royaume des pêcheurs du dimanche qui trouvent à l'abord des rochers une foule d'appétissants autochtones. Plus au large, les pêcheurs professionnels vont tâter l'anchois et le thon. Enfin Port-Vendres fera le bonheur de tous les amateurs de criées.

circuits

LA ROUTE DES CRÊTES 1

D'Argelès-Plage (voir ce nom) à Cerbère – 37 km – environ 2h1/2.
Après Argelès, la route (N 114) s'élève sur les premiers contreforts des Albères. Elle ne cessera désormais d'en recouper les éperons, à la racine des caps baignés par la Méditerranée.

À l'entrée de Collioure, au rond-point, prendre à gauche la D 86. La route, en montée, commence dans le vignoble de Collioure. *Prendre de nouveau à gauche, au premier carrefour, la route en descente.*

N.-D.-de-Consolation

De déb. avr. à mi-nov. : 8h-22h. Gratuit. ☎ *04 68 82 17 66.*
Ermitage célèbre en Roussillon. La chapelle renferme de nombreux ex-voto de marins.

Faire demi-tour et prendre à gauche (route de montagne, sans protection). Les chênes-lièges se multiplient. La roche noire, schiste feuilleté, apparaît.

Suivre la signalisation « Circuit du vignoble » vers Banyuls. Cette belle route de corniche mène à une table d'orientation. En face, au bord de la route, ruines d'anciennes casernes (1885) en brique et en schiste.

Prendre à droite le chemin qui monte à la tour Madeloc (pentes à 23 % – croisements et virages difficiles). La route passe devant deux ensembles fortifiés pour atteindre une plate-forme.

Tour Madeloc

🚶 *1/4h à pied AR.* Alt. 652 m. Ancienne tour à signaux qui, avec la tour de la Massane, à l'Ouest, faisait partie d'un réseau de guet au temps de la souveraineté aragonaise et majorquine : la tour de la Massane surveillait la plaine du Roussillon tandis que la tour Madeloc observait la mer. Elle est précédée par une poterne faisant belvédère et offrant un **panorama**★★ sur les Albères, la Côte Vermeille et le Roussillon. La tour proprement dite est en schiste, ronde et couronnée de mâchicoulis.

Autrefois port commercial, Port-Vendres est aujourd'hui avant tout un grand port de pêche. N'hésitez pas à aller assister au débarquement des poissons.

Dans la descente qui rejoint la D 86, belles **vues**★ dégagées, spectaculaires, sur la mer et Banyuls.

Poursuivre à droite. La route, pittoresque grâce aux vues renouvelées sur les versants, mène à Banyuls. Elle passe devant la cave souterraine du Mas-Reig, aménagée dans le plus ancien domaine vigneron du terroir de Banyuls.

Banyuls☖ *(voir ce nom)*

Cap Réderis★★ *(voir ci-dessous)*

Cerbère
Petite station balnéaire bien abritée au fond de son anse, avec plage de galets en schiste feuilleté. Maisons blanches, terrasses de cafés et allées piétonnières ajoutent une note très espagnole.

EN LONGEANT LA CÔTE ②

De Cerbère (voir ci-dessus) à Argelès-Plage – 33 km – environ 2h.

Après Cerbère, la corniche se déroule parmi les vignes, découvrant un vaste paysage marin. Les plages se succèdent, séparées par des promontoires très pointus.

À LA FRONTIÈRE
Dernière localité en territoire français, Cerbère est desservie par une gare internationale (Paris-Barcelone) : le viaduc du chemin de fer se remarque dès l'arrivée par la route tortueuse.

Cap Réderis★★
Au point culminant de la route, faire quelques pas en direction du cap pour avoir une vue mieux dégagée. Magnifique **panorama** s'étendant sur les côtes du Languedoc et de Catalogne, jusqu'au cap de Creus.

Plus loin, dans un grand virage, vue à gauche sur toute la baie de Banyuls. La route est très sinueuse, la mer toute proche. En contrebas, nombreuses baies et anses rocheuses. La descente sur Banyuls offre une vue dégagée de la ville avec sa plage de galets de schiste et ses palmiers.

Banyuls☖ *(voir ce nom)*
À la sortie de Banyuls, on passe devant le centre héliomarin. Au loin, sur la gauche, la tour Madeloc se dresse fièrement.

Avant Port-Vendres, prendre à droite vers le cap Béar puis, après l'hôtel des Tamarins, traverser la voie ferrée et longer la baie, versant Sud.

Cap Béar
La route *(peu propice à la circulation automobile)* s'élève, en corniche, très étroite et sinueuse. Du sémaphore, qui se dresse à son extrémité, on découvre la côte, du cap Leucate au cap Creus.

Port-Vendres☖
Port-Vendres (Portus Veneris, le « port de Vénus »), né autour d'une anse où les galères trouvaient abri, s'est développé sous l'impulsion de Vauban à partir de 1679, comme port militaire et place fortifiée. C'est aujourd'hui le port de pêche le plus actif de la côte roussillonnaise.

Collioure★★ *(voir ce nom)*
La route quitte les contreforts des Albères avant d'arriver à Argelès.

La Couvertoirade★

Au milieu du plateau du Larzac, cette ancienne possession des templiers dépendant de la commanderie de Ste-Eulalie doit ses fortifications aux hospitaliers : l'enceinte qui la protège presque entièrement fut élevée en 1439 par les chevaliers de Saint-Jean de Jérusalem. De belles demeures aux encadrements de portes remarquables sont toujours visibles et contribuent au charme d'une flânerie intemporelle dans ce minuscule bourg fortifié.

La situation

Carte Michelin Local 338 L7 – 6,5 km au Nord du Caylar – Aveyron (12). Beau panorama sur le Larzac depuis le signal de Montaymat, tout près de La Couvertoirade (alt. 870 m). Laisser la voiture sur les parkings à l'extérieur des remparts.

Le nom

En occitan, il signifie « eau couverte » ou « citerne ». Celle-ci était indispensable à la survie du village étant donné l'absence d'eau sur le causse !

Les gens

La Couvertoirade, à l'exemple des autres villages du Larzac, s'est rapidement dépeuplée. L'agglomération comptait 362 Couvertoiradiens en 1880, 153 aujourd'hui. Quelques artisans s'y sont installés.

Des fortifications de La Couvertoirade, les chevaliers pouvaient guetter le plateau du Larzac.

se promener

Remparts

Mai-août : 10h-19h ; avr. : 10h-12h, 14h-18h ; de déb. sept. à mi-nov. et vac. fév. : 10h-12h, 14h-17h ; de fin vac. fév. à fin mars : w.-end 10h-12h, 14h-17h. 3€. Possibilité de visite guidée sur demande. 5€. ☎ 05 65 58 55 59.

Franchir la porte Nord et prendre l'escalier qui s'amorce au pied d'une maison Renaissance (salle d'exposition). La tour Nord, très haute, de plan carré, semble avoir joué le rôle de tour de guet.

En suivant le chemin de ronde, à gauche, jusqu'à la tour ronde, vue curieuse sur le bourg et la rue Droite.

Revenir au pied de la tour Nord et pénétrer dans le bourg en appuyant sur la gauche.

Église

Avr.-août : 10h-19h ; fév.-mars et de déb. sept à mi-nov. : 10h-12h, 14h-17h. Sur demande au point accueil ou à la mairie. ☎ 05 65 58 55 59.

Église-forteresse édifiée au 14ᵉ s. par les hospitaliers, à l'extrémité de la place d'armes, elle participait à la défense de la cité. Dans le cimetière clos, moulages de stèles discoïdales.

Château

Construit par les templiers aux 12ᵉ et 13ᵉ s., il a perdu ses deux étages supérieurs.

Prendre à gauche jusqu'à une vaste place, ancienne mare asséchée, et là, par la droite, contourner un ensemble de maisons pour gagner la rue Droite.

Rue Droite

Aujourd'hui investies par des artisans (émaux, poterie, verrerie, savonnerie, sculpture), ses maisons sont typiquement caussenardes, avec leurs escaliers extérieurs desservant le balcon d'accès aux pièces d'habitation, et la voûte abritant la bergerie du rez-de-chaussée.

Longer extérieurement les remparts sur la droite pour regagner la voiture.

> **CURIOSITÉ LOCALE**
> Franchir la porte Sud des remparts, dont la tour s'est effondrée, pour voir un bel exemple de **lavogne** (mare aménagée).

Grotte de **Dargilan**★★

Du nom du hameau voisin, la grotte de Dargilan reçoit sa première visite sérieuse en 1888 quand É.-A. Martel et ses compagnons l'explorent de fond en comble. La Société des gorges du Tarn, sous la direction de Louis Armand, aménage ensuite des escaliers de fer, des rampes et des passerelles, puis, en 1910, des éclairages électriques qui permettent, aujourd'hui encore, de circuler sans danger dans ce ventre de la terre.

La situation

Carte Michelin Local 330 I9 – Lozère (48). À Meyrueis, prendre la D 39, puis la D 139. On peut aussi y aller à pied par le GR 62ᴬ. Pensez à prendre une petite laine, il ne fait que 10°.

> **VOIR**
> À la sortie de la grotte, le sentier en surplomb offre un beau panorama sur la vallée de la Jonte.

Le nom

On donne également à cette cavité le nom de « grotte rose » à cause de la couleur de ses concrétions.

Les gens

En 1880, le berger Sahuquet voit entrer un renard dans une fissure : il agrandit l'ouverture, s'y avance et se retrouve dans une immense salle obscure. Aïe ! il se croit dans le vestibule de l'Enfer et détale : la grotte de Dargilan venait d'accueillir son premier visiteur.

visiter

Juil.-août : visite guidée (1h) 10h-18h30 ; avr.-juin et sept. : 10h-12h, 14h-17h30 ; oct. : 10h-12h, 14h-16h30. 8€ (enf. : 4€). ☎ 04 66 45 60 20.

On pénètre directement dans la **Grande Salle du Chaos**, qui se présente comme un chaos souterrain sur lequel se trouvent des concrétions en cours d'édification.

Au fond de la Grande Salle : la salle de la Mosquée, de dimensions plus réduites, est très riche en belles stalagmites. La Mosquée, représentée par une masse de stalagmites aux reflets nacrés, est flanquée du Minaret, belle colonne de 20 m de hauteur.

La « Salle rose » contiguë à la Mosquée doit son nom à la couleur de ses concrétions. Revenu dans la Grande Salle, on entreprend alors la descente, par des escaliers, dans les profondeurs de la grotte.

Un puits naturel de descente conduit au couloir des Cascades pétrifiées où une **magnifique draperie**★★ de calcite, d'un brun-rouge taché d'ocre jaune et de blanc, se déploie sur 100 m de longueur et 40 m de hauteur.

A. Cassaigne/MICHELIN

Célèbre pour ses draperies, la grotte de Dargilan recèle d'autres concrétions monumentales comme ici dans la salle du Clocher.

La salle du Lac tire son nom d'une nappe d'eau peu profonde. Elle est ornée de draperies translucides minces et repliées. Par le Labyrinthe et la salle des Gours, autrefois parcourus par un courant d'eau qui a laissé des traces sous forme de gours, on accède à la salle du Clocher, au centre de laquelle jaillit une pyramide élancée, haute de 20 m : le Clocher. Au-delà, la salle du Cimetière mène à la salle des Vasques, puis à la galerie des 2 Puits. La visite se termine à la salle du Tombeau ornée d'une belle cascade stalagmitique.

Grotte des **Demoiselles**★★★

On pourrait l'imaginer trou béant s'enfonçant dans les entrailles de la terre, elle est anfractuosité dans le plateau de Thaurac dominant la vallée de l'Hérault. Si bien que, chose peu banale, pour atteindre le cœur de cette grotte, il ne faut pas descendre mais monter ! Un funiculaire évite tout effort pour gagner l'intérieur où, si vous vous mettez dans la peau des premiers visiteurs, l'émerveillement sera complet.

La situation
Carte Michelin Local 339 H5 – 9 km au Sud-Est de Ganges – Schéma p. 211 – Hérault (34). À St-Bauzille-de-Putois, prendre la route (sens unique) qui s'élève en lacet à flanc de montagne et conduit aux deux terrasses (parking) près de l'entrée de la grotte. De là, belle vue sur la montagne de la Séranne et la vallée de l'Hérault.

Le nom
On raconte qu'un des premiers explorateurs, un dénommé Jean, aurait dégringolé dans la grande salle. À son arrivée un peu bousculée, il ne vit pas « 36 chandelles » mais mille et une demoiselles, petites fées dansant tout autour de lui... La légende fit le reste.

Les gens
On se presse en masse pour venir assister à la messe de minuit dans la grotte chaque 24 décembre.

visiter

Température : 14 °C. Juil.-août : visite guidée (1h, dernier dép. 1/2h av. fermeture) 9h-19h ; avr.-juin et sept. : 9h45-18h30 ; oct.-mars : 9h45-12h, 13h30-17h30. Fermé 1er janv., 25 déc. 7,50€ (enf. : 3,90€). ☎ 04 67 73 70 02. www.demoiselles.com
◄ De la gare supérieure du funiculaire, forée en pleine montagne au niveau de la voûte, on gagne, par une série de salles, l'orifice naturel de l'aven. On est frappé dès l'abord par l'abondance et les dimensions des concrétions qui tapissent les parois. La sensation d'écrasement que l'on éprouve devant cette grandiose architecture persiste durant toute la visite.

De l'aven, par une série de couloirs étroits, on débouche en surplomb sur la partie centrale de la grotte proprement dite : une immense salle longue de 120 m, large de 80 m et haute de 50 m. Ces dimensions imposantes, les énormes colonnes qui semblent soutenir la voûte, un silence impressionnant et jusqu'à la légère brume qui flotte dans l'atmosphère composent le saisissant tableau d'une gigantesque « cathédrale ».

◄ On fait le tour de cette salle magnifique en descendant par paliers jusqu'à la légendaire stalagmite de la **Vierge à l'Enfant** juchée sur son piédestal de calcite blanche. On se retourne alors pour admirer l'imposant buffet d'orgue qui décore la paroi Nord de la grotte.
Le cheminement se poursuit entre de belles draperies, soit translucides, soit formant tribunes pour de curieux personnages de théâtre.

AU VERT
Après les merveilles souterraines, un peu de botanique : les escaliers en terrasses menant du parking à l'entrée de la grotte sont plantés d'une multitude de plantes bien d'ici... ou d'ailleurs : sauge, verveine, iris, cistes, lavatère, agave, cyprès, etc.

SENSATIONS FORTES ?
Quelques belvédères aménagés au-dessus du vide entretiennent jusqu'à la fin de la visite l'impression d'irréalité de ce fabuleux décor de pierre.

Elne★

Cette petite ville emprisonnée par des remparts est la capitale spirituelle mais aussi la cité la plus ancienne du Roussillon. Elle a eu le privilège d'en abriter le siège épiscopal (du 6e s. à 1602) ce qui lui a valu de briller, plus intensément même que Perpignan. Vestige de cette splendeur : le superbe cloître de sa cathédrale. Aujourd'hui, le regard aime à dévaler les collines orangées couvertes d'abricotiers et de pêchers.

La situation

Carte Michelin Local 344 I7 – Pyrénées-Orientales (66). À 6 km de la mer, entre les vergers d'abricotiers et de pêchers qui bordent la D 4 et la D 612, routes d'accès Est et Ouest, Elne est une ville-étape sur le chemin de l'Espagne. Cernée par des restes de murailles, la ville haute semble sommeiller, écrasée par la chaleur : c'est dans le lacis de ses ruelles que vous trouverez le cloître qui fait la renommée de la cité.

🎫 *Pl. Sant Jordi, 66200 Elne, ☎ 04 68 22 05 07. www.ot-elne.fr*

Le nom

Ancienne Illibéris au temps des Ibères, Elne doit son nom à l'impératrice Hélène, mère de Constantin.

Les gens

6 410 Illibériens. L'iconographie religieuse qui orne le cloître est extraordinaire : griffons, sirènes, béliers et lions entourent les personnages de la Genèse.

visiter

Cathédrale Ste-Eulalie-et-Ste-Julie★

Sa construction remonte au 11e s. puis fut complétée aux 14e-15e s., montrant les trois phases d'évolution de l'art gothique. Le plan primitif prévoyait deux clochers : seul fut réalisé le clocher carré de droite, en pierre.

Dans la chapelle à côté du portail Sud (chapelle n° 3), retable peint par un maître catalan du 14e s. : les apparitions et les miracles de saint Michel ; en face de la porte d'entrée Sud-Est, sous la croix de la passion dite des « Impropères », intéressant bénitier de marbre cannelé en creux, évidé dans une vasque antique décorée d'une large feuille d'acanthe.

Cloître★★ – *Accès au cloître en contournant le chevet de l'église par la gauche. Juin-sept. : 9h30-19h ; avr.-mai et oct. : 9h30-18h ; nov.-mars : 9h30-12h, 14h-17h. Fermé 1er janv., 1er mai, 25 déc. 4€ (enf. : 1,50€). ☎ 04 68 22 70 90.*

👁 La galerie Sud, adossée à la cathédrale, fut élevée au 12e s. Les trois autres furent bâties du 13e au 14e s. (mais partie gothique copiée sur la partie romane).

Les très beaux **chapiteaux** des colonnes jumelées sont historiés et portent des animaux fantastiques, des personnages bibliques et évangéliques, des décors végétaux, particulièrement imagés sous les tailloirs des piliers quadrangulaires. La galerie Sud, romane, est la plus remarquable ; le chapiteau n° 12, relatif à Adam et Ève, est la pièce maîtresse du cloître.

De la galerie Est (où sont exposés des sarcophages des 6e et 7e s.), un escalier à vis monte à une terrasse d'où l'on découvre une partie du cloître, les clochers de la cathédrale, au Sud les Albères et la Méditerranée à l'Est.

Musée d'Archéologie – *Accès par l'escalier au fond de la galerie Est (ancienne chapelle St-Laurent).* Poteries du 15e au 17e s., céramiques attiques (4e s. avant J.-C.) et céramiques sigillées d'Illibéris. Au fond, une vitrine sur la culture de Véraza (Aude) avec des reconstitutions de cabanes en bois et roseaux.

Musée d'Histoire – *Accès par la galerie Ouest (salle Louis-Bessède, ancienne salle capitulaire).* Archives, sceaux de la ville. Dans une vitrine : Vierge des Tres Portalets (13e s.) et Vierge du portail de Perpignan (14e s.).

Finesse des décors sculptés et grâce des colonnes font la réputation du cloître d'Elne.

B. Kaufmann/MICHELIN

Musée Terrus

 ♿ *Juin-sept. : 10h-19h ; avr.-mai : 10h-18h ; oct. : 10h-12h30, 14h-18h ; nov.-mars : 10h-12h, 14h-17h. Fermé 1ᵉʳ janv., 1ᵉʳ mai, 25 déc. 1,80€ (billet combiné avec le cloître d'Elne).* ☎ 04 68 22 88 88.

Vous pourrez y voir les œuvres d'un enfant du pays, **Étienne Terrus** (1857-1922), ainsi que celles d'artistes amis comme Luce, Maillol, G. de Monfreid (gravures sur bois). Influencé par les impressionnistes et les fauves, Terrus a toutefois adopté un style personnel qu'on retrouve dans ses paysages roussillonnais (*Vue d'Espira-de-Conflent* ou *Mas d'Adal*) ou ses natures mortes.

Le Tropique du Papillon

Accès par l'avenue Paul-Reig, au carrefour de la route Argelès-Perpignan (N 114). ♿ *Juil.-août : 10h-19h ; mai : 10h-12h30, 14h30-19h (18h en avr.). 5€ (enf. : 3,50€).* ☎ 04 68 37 83 77.

▣ Hétérocères ou rhopalocères ? Papillons de nuit comme de jour volètent en liberté dans la moiteur de cette serre tropicale où ont été aménagées une salle pédagogique et une nursery. Vous y apercevrez quelques spécimens aux ailes délicatement colorées.

Oppidum d'**Ensérune** ★★

RESTAURATION

😊😊 **Restaurant du Château de Colombiers** – *R. du Château - 34440 Colombiers - 2,5 km à l'E de l'oppidum d'Ensérune par rte secondaire -* ☎ *04 67 37 06 93 - fermé janv. - fév., déc. et lun. - réserv. obligatoire hors sais. - 18/40€.* Bâti sur des caves voûtées du 12ᵉ s., ce château fut édifié aux 16ᵉ et 17ᵉ s. Plaisanciers, un ponton sur le proche canal du Midi vous attend. Comme les « terriens » appréciez la belle terrasse sous les marronniers et l'atmosphère châtelaine du restaurant.

À Ensérune somnolent les vestiges mystérieux d'une ville fortifiée où se superposent de nombreuses couches de civilisations préromaines. L'oppidum domine légèrement la plaine biterroise et cet emplacement de choix, bercé par l'influence méditerranéenne, piqué d'une belle pinède, renforce encore l'intérêt du site.

La situation

Carte Michelin Local 339 D9 – 14 km au Sud-Ouest de Béziers – Schéma p. 264 – Hérault (34). En basse saison, possibilité de monter en voiture jusqu'à l'entrée de l'oppidum ; sinon, de mai à août, garez la voiture sur les parkings aménagés et montez à pied.

Le nom

Un oppidum sur une hauteur, voilà le lieu idéal pour se pencher sur les origines, celles du nom, par exemple : le préceltique *set*, qui a évolué en *seduna* signifie justement « hauteur ».

Les gens

Au musée, une petite cornaline (gemme), ciselée en creux et représentant un Grec armé terrassant une femme, évoquerait le combat d'Achille contre Penthésilée, la reine des Amazones.

comprendre

Au 6ᵉ s. avant J.-C., des cabanes, probablement en pisé, s'étalaient sur la partie haute de la colline ; il ne reste de cette époque que des fonds de cabanes. En relation commerciale avec la Grèce par l'intermédiaire de Marseille, Ensérune se développe. Le vieux village devient une véritable cité aux maisons de pierre. Dans le sol de chaque maison, on enfonce une grande jarre *(dolium)* destinée aux provisions. Un vaste espace est réservé aux incinérations funéraires. À partir du milieu du deuxième âge du fer, la cité s'agrandit, les pentes de la colline sont aménagées en terrasses. Sur le versant Sud-Est, on installe un grenier constitué de nombreux silos. Détruit à la fin du 3ᵉ s. avant J.-C., l'oppidum retrouve la prospérité avec les Romains qui, en 118 avant J.-C., fondent leur première colonie à Narbonne : construction de citernes, aménagement des égouts, pavage des sols, peinture des murs... L'oppidum se dépeuple progressivement et disparaît définitivement au cours du 1er s. après J.-C., la « paix romaine » permettant aux populations de s'installer sans danger dans les plaines.

visiter

Visite libre ou avec audioguide. Compter environ 1h1/2. Mai-août : 10h-19h (dernière entrée 1h av. fermeture) ; sept. et avr. : tlj sf lun. 10h-12h30, 14h-18h ; oct.-mars : tlj sf lun. 9h30-12h30, 14h-17h30. Fermé 1er janv., 1er mai, 1er et 11 nov., 25 déc. 4,60€ (-18 ans : gratuit). ☎ 04 67 37 01 23.

Un parcours balisé (plan ou audioguide) présente les principaux éléments découverts au cours des fouilles.

Le long de l'enceinte Nord, d'intéressants vestiges de colonnes et de murs ont été mis au jour.

Musée★

Bâti sur l'emplacement de la vieille cité, il rassemble les objets trouvés au cours des fouilles évoquant la vie quotidienne du 6e s. avant J.-C. au 1er s. après J.-C.

Au rez-de-chaussée sont exposés des *dolia* (jarres) trouvés dans le sol des maisons, des céramiques, coupes, vases, amphores, des poteries d'origines phocéenne, ibérique, grecque, étrusque, romaine et indigène. Le 1er étage abrite le mobilier funéraire de la nécropole, du 5e au 3e s. avant J.-C. : vases, cratères grecs ayant servi d'urnes à incinération ou à offrande. Dans une petite vitrine, remarquer la célèbre coupe attique de « Procris et Céphale ».

> **SYMBOLE**
> Dans la salle Mouret *(vitrine centrale)*, un œuf, trouvé dans une tombe : le symbole de la vie qui renaît !

La colline de l'oppidum d'Ensérune dévoile de très belles vues sur l'étang asséché de Montady.

Panorama

Des tables d'orientation aménagées aux quatre points cardinaux de l'oppidum, on découvre un vaste panorama, des Cévennes au Canigou, sur toute la plaine côtière.

La vue sur l'ancien **étang de Montady**★ asséché depuis 1247 est exceptionnelle. La division rayonnante des parcelles est due à des fossés qui drainent ses eaux dans un collecteur. De là, par un aqueduc passant sous la colline *(Malpas, voir canal du Midi)*, elles s'écoulent dans les basfonds de l'ancien étang de Capestang, asséché au 19e s. En fonction des cultures et de la période de l'année, le tableau est parfois vraiment superbe.

Espéraza

Petit bourg étalé au bord d'une boucle de l'Aude, Espéraza rend hommage au centre chapelier qu'il a été par un instructif musée installé dans l'ancienne gare de marchandises. À côté de celui-ci, le musée des Dinosaures est bien plus notoire, qui fait état de la découverte d'intrigants reptiles préhistoriques. À Espéraza, on mesure combien l'Aude s'apaise, loin des canyons, pour agrémenter un décor champêtre et adouci.

La situation
Carte Michelin Local 344 E5 – Aude (11).
Après Quillan, suivre l'Aude par la D 118 en direction de Limoux et Carcassonne, en dépassant Campagne-sur-Aude.

Le nom
Il dérive de celui d'un certain Exuperatus, propriétaire terrien de la région.

Les gens
2 250 Espérazanais. En 1804, des habitants de Bugarach (Corbières), de retour de captivité en Haute-Silésie, s'établirent au bord de l'Aude, à Espéraza, pour y développer le savoir-faire qu'ils avaient appris là-bas. Ce fut le début des florissantes fabriques de couvre-chefs.

visiter

Musée des Dinosaures
♿ *Juil.-août : 10h-19h (dernière entrée 3/4h av. fermeture) ; sept.-juin : 10h-12h, 14h-18h. 4,50€. ☎ 04 68 74 26 88.*
L'extinction, à la fin de l'ère secondaire, des dinosaures est restée inexpliquée. Aussi est-ce avec un vif intérêt que les chercheurs se penchent sur les restes fossilisés qu'ils découvrent, notamment sur le plateau surplombant Espéraza. Installé dans l'ancienne gare, le musée présente entre autres la reconstitution d'une zone de fouilles, des ossements (pour la plupart des moulages) et des œufs à demi fossilisés, dans des vitrines. Le squelette d'un dinosaure de 11 m de long, trouvé dans la région et se rattachant à l'espèce américaine des titanosaures, a été reconstitué.

> **TOUCHANT**
> Un **diorama** montre, dans son environnement, un titanosaure femelle de la vallée de l'Aude, aux quatre pattes griffues, protégeant une aire de ponte où l'éclosion fait apparaître cinq petites têtes.

Musée de la Chapellerie
♿ *Juil.-août : 10h-19h ; sept.-juin : 10h-12h, 14h-18h. Fermé janv. 3,05€. ☎ 04 68 74 00 75.*
Aménagé comme une véritable usine, ce musée vous fera découvrir les différentes opérations entrant dans la confection des chapeaux de feutre : traitement de la laine (par cardage, enroulage sur deux cônes, foulage, etc.), « clochage » ou moulage du chapeau, enfin finition (dégageage du bord, garnissage, etc.). Une exposition de couvre-chefs (bicorne de polytechnicien, borsalino...) et un film vidéo ajoutent à l'intérêt de la visite.

A. Thuillier/MICHELIN

Une des opérations de fabrication du feutre : le « clochage », à l'origine sur une forme en bois, puis à l'aide de machines.

> #### LA CHAPELLERIE DANS L'AUDE
> Espéraza fut la première ville où s'installa la chapellerie, bientôt suivie par Quillan, Couiza et Chalabre. Au début, les ressources locales en laine et en poil de lapin suffirent, mais bientôt les centres chapeliers importèrent leurs matières premières et exportèrent des chapeaux finis et des « cloches » (chapeaux semi-finis). Cependant l'abandon du port du chapeau par les jeunes générations a provoqué une régression du marché. Une seule usine reste en activité à Montazels ; la plupart des autres ont été converties en fabriques de chaussures, de meubles, de mousse plastique (Espéraza) ou de panneaux décoratifs lamifiés (revêtement Formica à Quillan).

Fanjeaux★

Lieu sacré dès l'époque romaine, le bourg de Fanjeaux garde de beaux témoignages des premières prédications de saint Dominique en pays cathare. Joliment perché, il se repère de loin et permet aussi d'y lancer son regard dans le lointain.

La situation

Carte Michelin Local 344 D3 – Aude (11). Depuis l'éperon de Fanjeaux, on a un immense **panorama** sur la plaine du Lauragais et la Montagne noire.

🅱 *Pl. Treil, 11270 Fanjeaux,* ☎ *04 68 24 75 45.*

Le nom

Le nom de Fanjeaux vient de *Fanum Jovis* : « temple de Jupiter ». Déjà à l'époque, c'était un lieu sacré. On ne peut échapper à la fatalité des dieux antiques...

Les gens

775 Fanjuvéens. En avril 1207, après la célèbre dispute qui eut lieu à Montréal avec les cathares, Dominique se fixe au pied de la colline de Fanjeaux, foyer actif de l'hérésie, et fonde à Prouille une communauté de femmes converties. Il part ensuite pour Toulouse, où naîtra, en 1215, l'ordre des prêcheurs ou ordre dominicain.

L'ÉCHEC DE SAINT DOMINIQUE

Arrivé en terres cathares en 1206, Dominique de Guzmán avait choisi de combattre les « bonshommes » sur leur terrain : celui de la pauvreté et de la non-violence. La croisade de Simon de Montfort, déclenchée en 1209, marqua l'échec de son entreprise de conversion. Ironie du sort, en 1223, les dominicains seront chargés de diriger l'Inquisition.

---

découvrir

SOUVENIRS DE SAINT DOMINIQUE

Maison de saint Dominique

Lors de ses séjours à Fanjeaux, Dominique s'installait dans la sellerie du château aujourd'hui disparu. La « chambre de saint Dominique » a gardé ses vieilles poutres et une cheminée. Transformée en oratoire en 1948, elle a été dotée de vitraux de Jean Hugo représentant les miracles de la mission du saint.

Église

Juil.-août et dim. le reste de l'année : 10h30-12h, 15h-18h, sur demande préalable. ☎ *04 68 24 70 01.*

C'est un grand édifice méridional de la fin du 13e s. Le chœur, raffiné, présente un bel ensemble décoratif de six peintures du 18e s. La chapelle de saint Dominique *(2e à gauche)* abrite la poutre, témoin du « miracle du feu ». Remarquer encore les vitraux et le beau bénitier. Dans le **trésor**, bustes-reliquaires de saint Louis d'Anjou, l'un des patrons de l'ordre franciscain (vers 1415), et de saint Gaudéric, protecteur des paysans (1541).

Le Seignadou★

À 5mn à pied de l'église. C'est le promontoire-belvédère d'où saint Dominique vit par trois fois un globe de feu descendre sur le hameau de **Prouille** *(au premier plan).* Ce prodige le décida à fonder là sa première communauté, perpétuée par un couvent de dominicaines (contemplatives). Du haut de cette colline, vues lointaines sur le Lauragais, la Montagne noire, les Corbières et les Pyrénées.

Saint Dominique (détail de mosaïque au Seignadou).

A. de Valroger/MICHELIN

Le Fenouillèdes★★

Le Fenouillèdes surprend, entre les Corbières méridionales et le Conflent, par sa beauté sauvage. À partir d'Estagel, le sillon évidé se consacre aux vignobles de Maury et des côtes du Roussillon. Le visiteur qui se penche dans le profond ravin en est vivement impressionné. Entre Sournia et Prades, le massif présente un visage plus dur de garrigues de chênes verts et d'épineux gagnées peu à peu par la progression des vignes. Une poussière ocre balaie l'ensemble, chassant même l'ombre que l'on espère en vain trouver.

La situation

Carte Michelin Local 344 F/G6 – Pyrénées-Orientales (66). Depuis Perpignan, suivre la D 117 vers Estagel. Prudence ! dans les gorges de Galamus, la route est sinueuse et plus qu'étroite !

Le nom

Le Fenouillèdes évoque le *fenolhet* occitan, lieu où le fenouil pousse en abondance, mais également le nom latin *fenuculum*, « petit foin ».

Les gens

À Estagel se trouve la maison natale du grand **François Arago** (1786-1853). Il œuvra au ministère de la Guerre et de la Marine pour l'abolition de l'esclavage tandis que ses travaux sur l'électromagnétisme laissaient une profonde marque sur le monde scientifique : un homme complet !

carnet pratique

RESTAURATION

😊 **Le Relais des Corbières** –
10 av. Jean-Moulin - 66220 St-Paul-de-Fenouillet - ☎ 04 68 59 23 89 - relais.corbieres@free.fr - fermé 2 au 28 janv., dim. soir et lun. sf juil.-août et j. fériés - 15/39€. Certes la route est proche mais poussez la porte vous ne serez pas déçu. Un accueil charmant et une cuisine sans chichis vous attendent dans une salle aux allures rustiques. Terrasse sur le côté de la maison. Une adresse qui rend bien service dans la vallée.

HÉBERGEMENT

😊😊 **Le Domaine de Coussères** –
66220 Prugnanes - 5 km au NO de St-Paul-de-Fenouillet par D 117 et D 20 - ☎ 04 68 59 23 55 - Fermé du 15 nov. au 1er mars - 6 ch. : 60/65€ - repas 23€. Posée sur une butte au milieu des vignes, cette superbe bastide domine un majestueux paysage de montagne et de garrigue. Grandes chambres personnalisées, joliment décorées et accueillante table d'hôte. Calme absolu, beau jardin, piscine et multiples terrasses ajoutent au charme du lieu.

circuit

Circuit au départ de St-Paul-de-Fenouillet – 60 km – environ 4h.

St-Paul-de-Fenouillet

Bourg de la rive gauche de l'Agly, peu avant son confluent avec la Boulzane.

Clue de la Fou

Cluse forée par l'Agly. Franchir la rivière ; un violent courant d'air souffle en permanence. La D 619 suit la rivière de près.

Pittoresque et toute en virages, la route court face au sillon du Fenouillèdes viticole avec, à l'arrière-plan, l'aiguille rocheuse du château de Quéribus. Dans le lointain surgit le Canigou. On passe la route, de plus en plus sinueuse, qui atteint Sournia par Pézilla-de-Conflent.

Prendre à droite la D 7 vers le Prats-de-Sournia. La vue se développe sur les Corbières, au Nord, et sur la Méditerranée visible, en deux pans, par la trouée du bas Agly.

Après Le Vivier, prendre à gauche la D 9 vers Caudiès.

Au cœur des gorges de Galamus, l'ermitage St-Antoine se confond avec la paroi blanchâtre de la corniche.

N.-D.-de-Laval

L'église gothique de cet ancien ermitage dresse sur une esplanade plantée d'oliviers son vaisseau au toit rose flanqué d'une tour à couronnement octogonal et toiture de briques en éteignoir. Au pied de la rampe, la porte inférieure forme un oratoire abritant une statue de la Sainte Parenté, du 15e s. ; la porte supérieure dédiée à Notre-Dame « de Donne-Pain » (Vierge à l'Enfant, également du 15e s.) montre des colonnes et chapiteaux romans réemployés.

De jolies vues sur l'ermitage N.-D.-de-Laval et, à l'horizon, sur le pic de Bugarach se succèdent au cours de la montée vers **Fenouillet**, village dominé par deux ruines, et qui a donné son nom à la région. On atteint **Caudiès-de-Fenouillèdes**, porte du Fenouillèdes.

Continuer au Nord sur la D 9. Au col de St-Louis, prendre à droite la D 46 et encore à droite la D 45.

Pic de Bugarach *(voir les Corbières)*

Tourner à droite dans la D 14. **Cubières** offre un terrain privé aménagé pour la halte et le pique-nique, dans un site frais au bord de l'Agly ombragé.

Prendre à droite la D 10 qui suit le ruisseau de Cubières puis l'Agly.

Gorges de Galamus★★

La route, en corniche, très étroite (2 m), est accrochée à la verticale de la paroi rocheuse. On n'aperçoit que très rarement le torrent tant le trait de scie au fond duquel il coule est étroit et abrupt.

Ermitage St-Antoine-de-Galamus

🚶 *Laisser la voiture au parking de l'ermitage situé avant le tunnel. 1/2h à pied AR.* On y descend depuis le terre-plein de l'ermitage (vue sur le Canigou). La construction de l'ermitage masque la chapelle aménagée dans la pénombre d'une grotte naturelle.

La D 7 vers St-Paul suit un tracé sinueux avant de se faufiler parmi les vignes. Dans un grand virage, vue à droite sur le Canigou.

Encastré pour l'éternité dans le mur de l'église N.-D.-de-Laval, un chevalier attend.

Florac

Cette jolie petite ville s'élève au pied des falaises dolomitiques de Rochefort. Elle est à la fois au contact du causse Méjean, des Cévennes et du mont Lozère, à l'entrée des gorges du Tarn. Véritable carrefour, elle a donc été choisie comme siège de la direction et de l'administration du Parc national des Cévennes. Florac est aujourd'hui une bourgade sympathique, renommée pour sa table, son animation estivale et son site naturel.

carnet pratique

RESTAURATION

◉ Auberge Cévenole - Chez Annie –
48400 La Salle-Prunet - 2 km au S de Florac dir. Alès - ☎ 04 66 45 11 80 - fermé mi-nov. à déb. fév., dim. soir et lun. hors sais. - 15/34€. Cette vieille maison cévenole cache en son cœur une jolie salle campagnarde avec cheminée. La cuisine est bien ancrée dans le terroir, une bonne occasion de découvrir le fameux aligot. Agréable terrasse et quelques chambres simples et proprettes.
◉◉ La Source du Pêcher – *1 r. Remuret - ☎ 04 66 45 03 01 - fermé Toussaint à Pâques et mer. sf juil.-août - ✄ - 15€ déj. - 23/40€.* Au centre du vieux Florac, dans un quartier piétonnier, ce restaurant est installé au bord de la rivière du Vibron. La cuisine régionale est bien dans le ton de sa petite salle ocre et verte au décor d'inspiration Art déco. Terrasse ombragée par un grand saule.

HÉBERGEMENT

◉◉ Lozerette – *48400 Cocurès - 5,5 km au NE de Florac par N 106 et D 998 - ☎ 04 66 45 06 04 - lalozerette@wanadoo.fr - fermé Toussaint à Pâques - 🅿 - 21 ch. : 50/69€ - ⌑ 7,50€ - restaurant 15/40€.* Dans un petit village au cœur du Parc des Cévennes, cette grande maison a bien du charme. Au bord de la route, elle jouit pourtant du calme environnant et ses chambres proprettes sont agréablement meublées. Menu d'un bon rapport qualité/prix.

ACHATS

Atelier du sucre et de la châtaigne –
64 av. Jean-Monestier - ☎ 04 66 45 28 41 - 9h-12h, 15h-19h - fermé mi-janv. à fin fév., dim. ap.-midi et lun. hors sais. Fabrication artisanale de produits cévenols à base de châtaignes, miel, fruits rouges... Ne manquez pas le pain à la châtaigne.

LOISIRS-DÉTENTE

Sporting club Florac – *R. Célestin-Freinet - ☎ 04 66 45 00 71.* Club agréé par la Fédération française de spéléologie.
Tramontâne – *La Rouvière - ☎ 04 66 45 92 44.* Louer un âne : la solution idéale pour vos randonnées pédestres, en particulier avec vos enfants. Formules très souples avec itinéraires adaptés à la demande.

ACHATS

La Maison du Pays Cévenol –*3 r. du Pêcher - ☎ 04 66 45 15 67.* M. Digaro apprécie beaucoup le fonctionnement à caractère familial de sa quarantaine de fournisseurs de Lozère et des Cévennes : producteurs de miels, de conserves à base de gibier, d'escargots ou de truites, de fromages, de vins, d'huiles. Quant aux confitures, sirops et champignons séchés ou en bocaux, personne ne vous en parlera mieux que le patron, puisque c'est lui qui les fabrique !

CALENDRIER

Chaque année se déroule déb. sept. la course d'endurance équestre « les 160 km de Florac » : les cavaliers parcourent le mont Lozère, l'Aigoual et le causse Méjean.

A. Cassaigne/MICHELIN

On oublie parfois que Florac était la capitale d'une des huit baronnies du Gévaudan.

La situation

Carte Michelin Local 330 J9 – Lozère (48). La vieille ville de Florac se concentre autour du château (parking). La ville moderne se trouve en contrebas, lorsqu'on suit la N 106 (grands parkings accessibles depuis cette route). **🄯** *33 av. Jean-Monestier, 48400 Florac, ☎ 04 66 45 01 14. www.ville-florac.fr*

Le nom

C'est un Romain répondant au doux nom de Florus qui aurait donné son nom à la ville en construisant à cet endroit une *villa*.

Les gens

1 996 Floracois. Gloire à l'auteur de *L'Île au trésor*, l'écrivain écossais **Robert-Louis Stevenson** et surtout à sa sympathique ânesse Modestine qui, en 1878, parcoururent ce qui est devenu le GR 70 lors d'un périple qui les conduisit du Monastier-sur-Gazeilles à St-Jean-du-Gard !

se promener

À proximité du château démarre le sentier dit « de la Source », balisé de panneaux explicatifs, permettant de découvrir l'environnement naturel de la source-résurgence du Pêcher.

Château

Juil.-août : 9h30-18h ; avr.-juin et oct. : 9h30-12h30, 13h30-17h30 ; nov.-mars : tlj sf w.-end 9h30-12h30, 13h30-17h30. Fermé 1ᵉʳ janv., 25 déc. 3,50€. ☎ 04 66 49 53 00. Cette longue bâtisse du 17ᵉ s., flanquée de deux tours rondes, abrite le **centre d'information** du Parc national des Cévennes : exposition sur les paysages, la faune, la flore et les activités ; renseignements sur la randonnée, les visites accompagnées, les sites de l'écomusée du Parc et l'hébergement.

Couvent de la Présentation

Ancienne commanderie des templiers ; belle façade et portail monumental datant de 1583.

Source du Pêcher

Au pied du rocher de Rochefort, c'est l'une des principales résurgences du causse Méjean ; elle jaillit à gros bouillons au moment de fortes pluies ou de la fonte des neiges. Les eaux alimentent des bassins de pisciculture (truite), gérés par la fédération départementale de pêche.

alentours

La Cham des Bondons

12 km au Nord par Cocurès. Parking au croisement de la D 35 et de la route des Combes. Sentier réalisé par le Parc national des Cévennes (doc disponible au Pont-de-Montvert). Deux circuits (2h ou 6h) invitent à découvrir cet exceptionnel ensemble de 150 menhirs. Le premier parcours descend jusqu'aux Combettes et remonte vers le site de « Pierre des trois paroisses » où se trouvent les blocs les plus importants. La promenade dévoile des paysages de causse dominés par d'étranges reliefs : l'Eschino d'Ase (dos d'âne) et les « puechs » des Bondons.

Gorges du Tapoul★

25 km. Quitter Florac au Sud par la D 907 puis prendre à droite la D 996 en direction de Meyrueis. Aux Vanels, prendre à gauche la D 907 jusqu'à Rousses. Là, tourner à droite dans la D 119. Le petit ruisseau du Trépalous, descendu de l'Aigoual, a creusé dans le granit rose un lit très profond aux berges escarpées, entre Massevaques et son confluent avec le Tarnon. Ce sont les gorges du Tapoul, où se glisse la D 119, route étroite et impressionnante par endroits.

En suivant le ravin, on voit de belles cascades bondissantes, les Escouffourens, et des excavations géantes creusées dans le lit de la rivière. Le ruissellement de l'eau sur le granit coloré donne des tons très particuliers.

> **ATTENTION**
>
> La route des gorges du Tapoul peut être obstruée par la neige de la mi-décembre à fin mars entre Massevaques et Cabrillac.

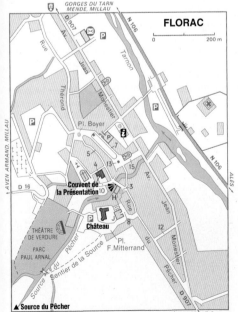

FLORAC

0   200 m

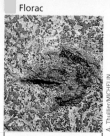

Sur le promontoire calcaire qui domine le village ont été découvertes des traces de dinosaures datant de 190 millions d'années. De ce site s'offre une très belle **vue★** sur le causse Méjean, les monts Aigoual et Lozère.

circuits

LA CORNICHE DES CÉVENNES★ ①

De Florac à St-Jean-du-Gard – 58 km – environ 2h. Quitter Florac au Sud par la D 907.

La route remonte d'abord la vallée du Tarnon, au pied des escarpements du causse Méjean, puis s'élève vers St-Laurent-de-Trèves.

St-Laurent-de-Trèves

◉ À cette époque s'étendait là une lagune où vivaient des « grallators », bipèdes d'environ 4 m de haut. Dans l'ancienne église est proposé un **spectacle audiovisuel** intitulé les « Empreintes du Temps » et consacré à la vie des dinosaures en général et au site en particulier. *Juil.-août : tlj sf sam. 10h-13h, 14h-17h ; mai-juin : dim. et j. fériés 13h30-16h30. 3,50€. ☎ 04 66 49 53 00.*

Au col du Rey commence la corniche des Cévennes proprement dite. La route s'engage sur le plateau calcaire, balayé par les vents, de la **Can de l'Hospitalet**. C'est dans ce paysage sauvage de landes parsemées de rochers que se réunissaient les camisards au 18e s. Puis la route suit le rebord du plateau dominant la vallée Française qu'arrose le Gardon de Ste-Croix. Au **col des Faïsses**, flanqué d'un à-pic des deux côtés, belle vue sur les Cévennes.

On traverse l'Hospitalet. Du plateau dénudé où la roche affleure, on a ensuite une vue magnifique sur le mont Lozère, la petite ville de Barre-des-Cévennes, la vallée Française et le massif de l'Aigoual. Au Pompidou, on laisse les calcaires pour les schistes. Puis la route suit une crête, à travers des bois de châtaigniers et de maigres prairies où fleurissent au printemps des narcisses.

Avant St-Roman-de-Tousque, prendre à gauche la D 140 puis à droite la D 983.

On pénètre alors dans la **vallée Française** qu'empruntèrent Robert-Louis Stevenson et Modestine ; il faut lire à tout prix le récit qu'il en fit dans son *Voyage avec un âne à travers les Cévennes*. Côté « histoire de France », la vallée Française constituait une enclave franque en territoire wisigoth, d'où son nom ; enfin, elle fut et reste une vallée très protestante.

Notre-Dame de Valfrancesque

Autrefois dédiée à la foi catholique, aujourd'hui temple protestant, cette petite église romane (11e s.) reste en tout cas bien charmante, au milieu des fleurs, aux beaux jours du printemps.

La route qui descend vers St-Jean-du-Gard en longeant le Gardon de Mialet passe par St-Étienne-Vallée-Française puis devant la grande ferme de Marouls, aujourd'hui transformée en gîte d'étape.

CONSEIL

Partir de préférence par temps clair et à la fin de l'après-midi, à l'heure où l'éclairement oblique fait le mieux ressortir les découpures des crêtes, la profondeur des vallées. Sous un ciel orageux, le spectacle est encore plus impressionnant.

LOISIRS

Ânes en Vallée Française – *48330 St-Étienne-Vallée-Française* - ☎ *04 66 45 75 30.* Location d'ânes pour la randonnée… sur les pas de Stevenson et de Modestine.

La route de la Corniche des Cévennes a été aménagée au début du 18e s. pour permettre le passage des armées de Louis XIV pénétrant dans les Cévennes pour lutter contre les camisards.

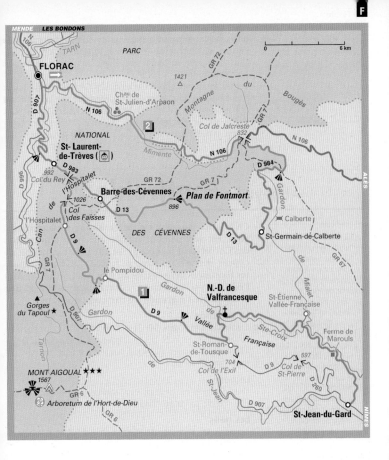

LE PAYS CÉVENOL [2]

75 km – environ 3 h. Quitter Florac par la D 907 et la N 106 ▶
au Sud en direction d'Alès.

La route suit d'abord la vallée de la Mimente, entre des
falaises de schiste. Après les ruines perchées du château
de St-Julien-d'Arpaon, à gauche de la route, jeter un coup
d'œil à gauche sur la montagne du Bougès qui culmine
à 1 421 m d'altitude.

Au col de Jalcreste, prendre à droite la D 984 vers St-Ger-
main-de-Calberte. Aussitôt une vue intéressante s'offre
sur la vallée naissante du Gardon de St-Germain. Passé
le col, la descente vers **St-Germain-de-Calberte** commence parmi les châtaigniers, les chênes verts et les
genêts. Des maisons cévenoles aux toitures de lauzes,
surmontées d'une cheminée décorative, bordent la
route. Dans un virage apparaît le château de Calberte
juché sur un piton.

Au-delà de St-Germain-de-Calberte, prendre à droite la D 13.

Plan de Fontmort

Alt. 896 m. Dans la forêt domaniale de Fontmort, à un
croisement, s'élève l'obélisque qui a été inauguré en
1887 pour fêter le centenaire de l'édit de Tolérance, signé
par Louis XVI. Belle vue à l'Est sur les serres cévenoles.

Du plan de Fontmort à Barre-des-Cévennes, on suit une
crête étroite offrant de belles vues sur les vallées cévenoles au Sud, avec, au premier plan, des landes de
bruyère.

Barre-des-Cévennes

Cette petite ville commande l'accès à toutes les routes
des Gardons. Sa position en a fait un centre de défense
et de surveillance important pendant la guerre des

TYPIQUE

Vallées profondes et
enchevêtrées dominées
par des serres ravinées,
toitures de schiste, routes
bordées de châtaigniers,
villages qui tous gardent
un souvenir de la guerre
des camisards, voilà le
paysage que l'on
découvre en suivant ce
circuit au cœur du pays
cévenol.

camisards. Sur la colline du Castelas, on voit encore
des vestiges d'anciens retranchements. Empruntant le
sentier de Barre-des-Cévennes, long de 3 km, le visiteur découvre le passé du village et la nature de son
environnement.

On rejoint la route de la Corniche des Cévennes (voir circuit
précédent) au col du Rey où l'on prend à droite la D 983 qui
offre des vues à gauche sur le massif du mont Aigoual et à
droite sur la massive dorsale du mont Lozère. Regagner
Florac par St-Laurent-de-Trèves et la vallée du Tarnon.

Abbaye de **Fontfroide**★★

Cette ancienne abbaye cistercienne, restaurée avec
goût, est secrètement nichée au creux d'un vallon
des Corbières. Elle occupe un site paisible, peuplé de
cyprès, digne d'un paysage toscan. Les belles tonali-
tés flammées ocre et rose du grès des Corbières, dont
l'édifice est construit, contribuent à créer une
atmosphère de grande sérénité au couchant.

La situation

Carte Michelin Local 344 I4 – Aude (11). Après Narbonne,
court trajet sur la N 113 puis prendre à gauche la D 613
avant de s'engager (22 km), toujours à gauche, sur une
toute petite route.

Le nom

Font désigne en occitan une source ; on devine qu'ici,
elle n'était pas bien chaude !

Les gens

Aymeric Ier, vicomte de Narbonne, est le propriétaire de
la terre sur laquelle a été fondée l'abbaye en 1093. Rattachée à l'ordre de Cîteaux en 1145, elle envoie
12 moines pour fonder en Catalogne le monastère de
Poblet.

visiter

L'accueil est situé dans la ferme de l'abbaye, à une centaine
de mètres en contrebas de celle-ci. Ce bâtiment, édifié à par-
tir du 13e s., comprend la billetterie, une librairie, une cave
et un restaurant. De mi-juil. à fin août : visite guidée (1h)
9h30-12h30, 13h30-18h ; sept.-oct. et de déb. avr. à mi-juil. :
10h-12h15, 13h45-17h30 ; nov.-mars : 10h-12h,
14h-16h ; janv. : sur demande. 7€. ☎ 04 68 45 11 08.
www.fontfroide.org

L'essentiel des bâtiments a été érigé aux 12e et 13e s. Les
bâtiments conventuels ont été restaurés aux 17e et 18e s.

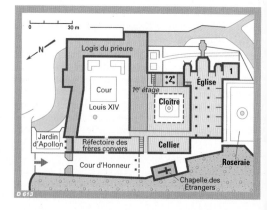

Des cours fleuries, aux allées bien entretenues, de beaux jardins en terrasses en font un cadre enchanteur.

La visite commence par la Cour d'honneur, œuvre des abbés commendataires au 17ᵉ s. Dans la salle des Gardes (13ᵉ s.) voûtée d'ogives, on remarque une belle grille en fer forgé du 18ᵉ s. et une cheminée monumentale. Cette salle était le réfectoire des convers et des pèlerins.

On visite ensuite les bâtiments du Moyen Âge, remarquables par la beauté de leur appareil très régulier.

Cloître

Ses galeries sont voûtées d'ogives : celle qui jouxte l'église est la plus ancienne (milieu du 13ᵉ s.). Elles s'ouvrent par des arcades reposant sur de fines colonnettes de marbre décorées de chapiteaux à motifs végétaux et encadrées d'un arc de décharge. Les tympans s'ajourent d'oculi ou d'une rose. L'ensemble est d'une extrême élégance. Au-dessus des galeries courent des toits en terrasses.

Église abbatiale

Commencée au milieu du 12ᵉ s., elle est de proportions admirables ; l'élégante simplicité cistercienne est rarement plus émouvante. La nef, en berceau brisé, est flanquée de collatéraux voûtés en quart de cercle. Les chapelles méridionales sont une adjonction des 14ᵉ-15ᵉ s. Dans la salle des Morts **(1)** (13ᵉ s.) a été déposé un beau calvaire en pierre du 15ᵉ s. Dans le transept gauche s'ouvre la tribune qui permettait aux pères malades d'assister aux offices.

Salle capitulaire (2)

Elle est couverte de neuf voûtes romanes disposées sur des croisées d'ogives décoratives reçues par de délicates colonnettes de marbre.

Dortoir des moines

Il est situé au-dessus du cellier et couvert d'une belle voûte du 12ᵉ s. en berceau brisé.

Cellier

Belle salle, de la fin du 11ᵉ s., séparée du cloître par une étroite ruelle, voûtée probablement au 17ᵉ s.

Roseraie

On y admire un ensemble de plus de 3 000 rosiers.

Ces délicats piliers de marbre habillent, avec finesse, la salle capitulaire de l'abbaye de Fontfroide.

B. Kaufmann/MICHELIN

Vue générale de l'abbaye de Fontfroide entourée de cyprès vert sombre.

B. Kaufmann/MICHELIN

alentours

Monastère de Gaussan

8 km à l'Ouest de Frontfroide sur la D 423. Messe chantée en latin et en grégorien à 10h. Vente de vins et de productions monastiques à l'accueil.

Les bâtiments d'origine de cette ancienne métairie de l'abbaye de Fontfroide furent édifiés aux 12ᵉ, 13ᵉ et 14ᵉ s. Les moines y demeurèrent jusqu'à la Révolution. Au 19ᵉ s., une restauration importante fut entreprise sous l'égide d'un disciple de Viollet-le-Duc qui nantit les façades de créneaux et autres décorations de style néogothique. Une communauté monastique bénédictine l'occupe depuis 1993.

Font-Romeu-Odeillo-Via**

La station occupe un site admirable en Cerdagne, protégé des vents du Nord, à la lisière d'une forêt de pins. Son altitude, son ensoleillement, la qualité exceptionnelle de son air, tout a concouru à ce qu'elle soit choisie dès l'origine pour des séjours climatiques de grande qualité. Ses imposantes installations sportives (piscine, patinoire, centre équestre, etc.) permettent aux athlètes du monde entier de s'y entraîner. Font-Romeu est un bel exemple de création touristique artificielle (1920).

90 km de pistes de fond de tous niveaux réparties sur 18 boucles : voilà l'étendue des domaines associés de Font-Romeu et Pyrénées 2000.

La situation

Carte Michelin Local 344 D7– Schéma p. 171 – Pyrénées-Orientales (66). Au-dessus de Mont-Louis, à 9 km par la D 618.

🛈 *38 av. Emmanuel-Brousse, 66120 Font-Romeu-Odeillo-Via, ☎ 04 68 30 68 30. www.font-romeu.com*

carnet pratique

RESTAURATION

☺ **Complexe Casino** – *Fermé oct. et lun. - 13/45€.* Casino, cinéma, discothèque et restaurant vous attendent dans cette construction moderne de type chalet, située au centre-ville. À table, on savoure une cuisine traditionnelle soignée dans un cadre agréable. Formule déjeuner à prix serrés.

☺☺ **Chalet à Fondue** – *Av. du Mar.-Joffre - ☎ 04 68 30 26 63 - fermé 15 nov. au 1er déc. - 12,10€ déj. - 21€.* Le restaurant de l'hôtel La Montagne sert une cuisine qui navigue entre spécialités catalanes, fondues et raclettes. À savourer dans un chalet au décor montagnard, comme il se doit... Menu enfant. Prix raisonnables.

HÉBERGEMENT

☺ **Hôtel de la Poste** – *2 av. Emmanuel-Brousse - ☎ 04 68 30 01 88 - http://hoteldelaposte.free.fr - réserv. conseillée - 23 ch. : 38,50/55€ - ☒ 6€ - restaurant 14/20€.* La façade de cet hôtel familial est ornée de peintures figurant des animaux de montagne. Les chambres, bien tenues, offrent calme et confort. Au restaurant, la cuisine est généreuse et s'inspire du terroir. Le personnel entretient ici une ambiance bon enfant et une vraie convivialité.

☺☺ **Sun Valley** – *Av. d'Espagne - ☎ 04 68 30 21 21 - pierre.mitjaville@wanadoo.fr - 41 ch. : 59/70€ - ☒ 9€.* En pleine station, bâtisse où toutes les chambres – vastes et avec balcon orienté au Sud – profitent du soleil. Salon avec cheminée, inséparable des soirées montagnardes.

LOISIRS-DÉTENTE

Bureau des guides – *90 av. Emmanuel-Brousse - ☎ 04 68 30 23 08 - lun.-sam. 10h-12h, 16h-18h30.* Le bureau des guides organise du rafting, de l'hydrospeed, du canyoning, de la spéléologie et encadre les activités d'escalade à Font-Romeu.

Centre européen canin en altitude – *Les Airelles - BP 27 - ☎ 06 84 84 05 00 ou 06 17 03 67 11.* Après une visite commentée du parc et des chiens, vous pourrez vous initier à la conduite d'un attelage de chiens de traîneaux.

Ozone 3 Montagne et Loisirs – *40 av. Emmanuel-Brousse - ☎ 04 68 30 36 09 - fermé en mai.* Sorties en VTT, randonnées pédestres et escalade. Sports d'eaux vives sur l'Aude.

Le nom

Font-Romeu signifie « fontaine du Pèlerin », nom donné à l'ermitage qui se trouve entre l'agglomération touristique et le lycée.

Les gens

2 003 Romeufontains. Selon la légende, Notre-Dame de Font-Romeu a été « inventée » (trouvée) par un taureau. La bête restait près d'une fontaine, grattant le sol et poussant des beuglements retentissants. Intrigué et lassé, le bouvier finit par examiner le lieu et découvrit, dans une anfractuosité, une statue de la Vierge.

séjourner

Domaines skiables de Font-Romeu et Pyrénées 2000✳✳

Accessibles par route ou par télécabine depuis le centre de Font-Romeu, les domaines associés de Font-Romeu et de Pyrénées 2000 s'étagent entre 1 600 m et 2 250 m d'altitude, dans un paysage de forêts de pins. Grâce aux 460 canons à neige, qui couvrent 85 % de la superficie, les skieurs ne manquent pas de neige. Les 40 pistes de ski alpin présentent tous les niveaux, du plateau des Airelles, idéal pour les débutants, au versant des Bouillouses, plus difficile. Une piste est éclairée. À la station Pyrénées 2000, des moniteurs sont spécialisés dans l'enseignement du ski aux handicapés.

Les stations de Font-Romeu et de Pyrénées 2000 possèdent par ailleurs l'un des plus grands domaines de ski nordique des Pyrénées. En février, Pyrénées 2000 accueille la Transpyrénéenne, épreuve de ski de fond ouverte à tous les amateurs.

> **ACCÈS**
> Pour accéder à Pyrénées 2000 depuis Font-Romeu : 2,5 km par la route des pistes, après le calvaire.

découvrir

LA FONTAINE DU PÈLERIN

Ermitage★

Il abrite la Vierge de l'Invention et attire, les jours d'*aplech* (pèlerinage), une foule considérable. Le 8 septembre, fête *del Baixar* (« de la descente »), la Madone est portée solennellement à l'église d'Odeillo où elle reste jusqu'au dimanche de la Trinité (fête del Pujar, « la montée »), date à laquelle elle est ramenée à la chapelle de l'Ermitage avec la même solennité. Les autres *aplechs* ont lieu le 3e dimanche après la Pentecôte (*cantat* des malades) et le 15 août.

Chapelle★ – *Juil.-août : 10h-12h, 15h-18h.* ☎ *04 68 30 68 30.* Elle date des 17e et 18e s. La fontaine miraculeuse encastrée dans le mur, à gauche, alimente un bassin dans lequel se baignaient les pèlerins, situé à l'intérieur du bâtiment au pignon dirigé vers la montagne.

À l'intérieur, on voit un magnifique **retable★★** de Joseph Sunyer datant de 1707 : la niche centrale abrite la statue de Notre-Dame de Font-Romeu ou, quand celle-ci est à Odeillo, celle de la Vierge dite de l'Ermitage (15e s.).

Camaril★★★ – Prendre, à gauche du maître-autel, l'escalier qui conduit au *camaril*, le petit « salon de réception » de la Vierge, aménagé typiquement espagnol, d'une inspiration touchante ; c'est le chef-d'œuvre de Sunyer. L'autel, aux panneaux peints, est surmonté d'un Christ encadré par la Vierge et saint Jean. Deux délicats médaillons, la Présentation au temple et la Fuite en Égypte, ornent les dessus de porte.

Calvaire

Alt. 1 857 m. À 300 m de l'ermitage, vers Mont-Louis, prendre à droite un sentier jalonné par les stations d'un chemin de croix. Du calvaire érigé au sommet, le **panorama★★** est très étendu sur la Cerdagne et les montagnes environnantes.

A. Thuillier/MICHELIN

Un ange musicien veille sur la Vierge de l'ermitage de Font-Romeu (dans le camaril).

alentours

Col del Pam★

🚶 *Du calvaire, prendre au Nord la route des pistes, puis 1/4h à pied AR.* Alt. 2 005 m. Du balcon d'orientation aménagé au-dessus de la vallée de la Têt, **vue** sur le massif du Carlit, le plateau des Bouillouses, le Capcir (haute vallée de l'Aude) et le Canigou.

Llivia

9 km au Sud de Font-Romeu par la D 33^E. La ville, **enclave espagnole** en territoire français, possède de pittoresques ruelles, les restes d'un château médiéval, sur une colline qui surplombe la ville, et quelques tours anciennes.

◄ **Musée municipal** – *Avr.-sept. : tlj sf lun. (hors juil.-août) 10h-13h, 15h-19h, dim. et j. fériés 10h-14h ; oct.-mars : tlj sf lun. 10h-13h, 15h-18h, dim. et j. fériés 10h-14h.* 0,90€. ☎ *(00-972) 89 63 13.*

Il abrite, parmi d'autres pièces intéressantes, la célèbre **pharmacie de Llivia★** qui est l'une des plus anciennes qui soient conservées en Europe. Les pots en céramique et tout le matériel d'apothicaire (flacons, récipients et balances des 17e et 18e s.) méritent un intérêt particulier. Dans l'**église fortifiée** au portail orné de ferronneries typiquement catalanes, beau retable de 1750.

DE L'ART DE JOUER SUR LES MOTS
L'existence de cette enclave (12 km²) espagnole en territoire français résulte d'une fantaisie de langage administratif. Le traité des Pyrénées stipulait que 35 villages de Cerdagne devaient être cédés à la France en même temps que le Roussillon. Ayant rang de ville, Llivia ne fut donc pas comprise dans la cession.

Ganges

La petite ville industrielle de Ganges est un bon centre d'excursions, au confluent de l'Hérault et du Rieutord. Autrefois, au contraire, on ménageait ses jambes pour les couvrir des bas de soie confectionnés ici même. Les mûriers ont aujourd'hui disparu et c'est sous les « belles » platanes des promenades que le touriste flâne aujourd'hui, nonchalant.

La situation

◄ *Carte Michelin Local 339 H5 – Hérault (34).* Ganges occupe une place de choix aux portes de la vallée de l'Hérault où l'on peut pratiquer les sports d'eaux vives et la randonnée.

🛈 *34190 Ganges,* ☎ *04 67 73 00 56.*

Le nom

Il faut chercher de l'aide du côté de la Grèce pour mieux comprendre l'origine de Ganges : Agantica (1073) renverrait à un mot grec signifiant « épineux », : il suffit de fréquenter les abords du château pour vérifier la justesse de l'appellation.

Les gens

3 502 Gangeois. On raconte que c'est à Ganges que les protestants, après avoir saccagé à leur usage une fabrique de chemises, auraient pris le surnom de « camisards ».

LE BAS DE LUXE
Le bas de soie naturelle a fait la gloire de Ganges depuis l'époque de Louis XIV. Une main-d'œuvre hautement qualifiée s'y consacrait de père en fils, utilisant la matière première fournie par la région. La rayonne puis le nylon ont remplacé la soie naturelle, et de petites industries diverses maintenant aujourd'hui péniblement l'emploi à une partie de la main-d'œuvre.

carnet pratique

LA VALLÉE DE L'HÉRAULT★

94 km – environ une journée. Quitter Ganges au Sud-Ouest par la D 4.

Brissac

En arrivant, une belle vue s'offre sur ce village pittoresque dont la partie la plus ancienne est dominée par un château des 12e et 16e s.

La D 4 rejoint l'Hérault qui coule entre des escarpements calcaires. De la route, on aperçoit, à gauche, la chapelle romane de **St-Étienne-d'Issensac** et un pont du 12e s. qui enjambe la rivière. Après Causse-de-la-Selle, la route s'engage dans une combe creusée par un cours d'eau aujourd'hui disparu. Par les journées torrides de plein été, ce paysage d'éboulis de rochers, sans eau, est empreint d'une désolation intense.

Gorges de l'Hérault★

Dominées par des versants escarpés, ces gorges, encore assez évasées jusqu'à St-Guilhem-le-Désert, se rétrécissent de plus en plus jusqu'au pont du Diable. L'Hérault creuse, au fond de la vallée, un canyon dans lequel il coule étroitement encaissé. Çà et là, une petite terrasse soutenue par un mur, quelques pans de vigne, un petit pré ou quelques oliviers accrochés au-dessus du fleuve représentent les seules cultures.

St-Guilhem-le-Désert★★ *(voir ce nom)*

Grotte de Clamouse★★★ *(voir St-Guilhem-le-Désert)*

On traverse l'Hérault sur un pont moderne construit près du **pont du Diable**, œuvre de moines bénédictins au début du 11e s. Vue sur les gorges de l'Hérault et le pont-aqueduc qui permet d'irriguer les vignobles de la région de St-Jean-de-Fos.

Par la D 27, gagner le bourg d'Aniane.

L. Campion/MICHELIN

L'Hérault offre de nombreuses plages où il fait bon se baigner en été.

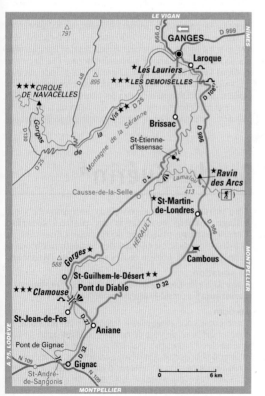

Une chapelle avec des airs d'Italie, dans la vallée de l'Hérault : N.-D.-de-Grâce de Gignac.

H. Payelle/MICHELIN

Aniane

Petite cité viticole tranquille, Aniane ne conserve plus rien de la prospère abbaye fondée au 8ᵉ s. par saint Benoît. En flânant dans les ruelles, on découvre l'église St-Jean-Baptiste-des-Pénitents, ensemble architectural hétéroclite abritant des expositions temporaires, l'église St-Sauveur à la façade solennelle (17ᵉ s.) et l'hôtel de ville du 18ᵉ s. aux fenêtres d'angle galbées.

Gignac

Surplombant Gignac, la **chapelle N.-D.-de-Grâce**, construite au 17ᵉ s., possède une façade originale qui rappelle l'architecture italienne.

En direction de Lodève, la N 109 franchit l'Hérault sur le **pont** de Gignac. Construit au 18ᵉ s. sur les plans de l'architecte Garipuy, cet ouvrage est considéré comme l'un des plus beaux ponts français de l'époque. D'une plate-forme située sur la rive gauche, admirer sa grande arche, en anse de panier.

Faire demi-tour. À Aniane, prendre la D 32 vers St-Martin-de-Londres.

Cambous *(voir St-Martin-de-Londres)*

St-Martin-de-Londres★ *(voir ce nom)*

Suivre au Nord la D 986 en direction de Ganges.

Ravin des Arcs★ (⚐ *voir St-Martin-de-Londres)*

Grotte des Demoiselles★★★ *(voir ce nom)*

La route s'engage dans une gorge creusée par l'Hérault, véritable canyon aux parois très abruptes.

Laroque

Une flânerie à travers les ruelles pavées fait découvrir le beffroi coiffé d'un campanile, le château, et, surplombant la rivière, l'ancienne magnanerie percée de baies en plein cintre.

Grotte des Lauriers★

Accès par un petit train partant du parking situé à l'entrée Nord du village de Laroque, côté gauche. Fermé pour travaux.
Comme sa voisine la grotte des Demoiselles et d'autres cavités, la grotte des Lauriers s'ouvre sur le plateau de Thaurac. Découverte en 1930 par Édouard-Alfred Martel, elle est ornée de gravures rupestres de l'époque magdalénienne (non visibles actuellement). On découvre d'abord la partie fossile de la grotte : la grande salle de l'Éboulis, la salle du Lac. L'autre partie, où les eaux de ruissellement continuent d'exercer leur travail d'érosion, offre au regard l'étonnante variété de ses concrétions de calcaire : salle des Gours, dôme stalagmitique, fistuleuses.

> **CHIMIE**
> Les teintes blanches, orangées et noires sont des formations de calcite, d'oxyde de fer et de manganèse.

La Garde-Guérin★

Derrière les maisons de La Garde, le donjon, seul survivant du château fort.

A. Thuillier/MICHELIN

Une imposante tour signale aux alentours ce vieux village fortifié et escarpé du plateau lozérien. Cernée par une multitude de ruisseaux chantant, La Garde-Guérin est au contact des majestueux blocs de granit du mont Lozère et des schistes de l'Ardèche.

La situation

Carte Michelin Local 330 L8 – Lozère (48). Du donjon, le **panorama★** s'étend jusqu'au mont Ventoux.

Le nom

L'ancienne **voie Régordane**, créée par les Romains, fut longtemps la seule voie de communication entre le Languedoc et l'Auvergne. Au 10ᵉ s., pour débarrasser la région des brigands qui détroussaient les voyageurs, les évêques de Mende décidèrent d'établir, dans la partie la plus sauvage du plateau, un poste de garde, comme l'évoque encore le nom du village.

Les gens

Une communauté de nobles, les « pariers », disposant d'un statut original, se fixa ici. Au nombre de 27, ils escortaient les voyageurs moyennant un droit de péage. Ils possédaient chacun, à La Garde, leur maison forte ; l'ensemble, entouré d'une enceinte, était défendu par un château fort.

se promener

Le village

L'ensemble des maisons de ce village, où seuls habitent quelques éleveurs de bétail, bâties en gros moellons de granit, présente un caractère montagnard accusé. Vous reconnaîtrez les demeures des pariers : ce sont des logis plus élevés, percés de fenêtres à meneaux. L'église montagnarde, à clocher-peigne, est de construction particulièrement soignée.

Donjon

Accès par un porche à gauche de l'église. C'est le seul vestige important du château fort primitif. Du sommet, vue sur le village et la trouée du Chassezac.

Belvédère du Chassezac★★

1/4h à pied AR. Laisser la voiture au panneau « belvédère », à gauche de la D 906. Un sentier mène à une étroite plate-forme. Le site est saisissant : le regard plonge à pic au-dessus des gorges du Chassezac ; le grondement des eaux répercuté par les parois, l'aspect chaotique ou déchiqueté des roches, la profondeur de l'abîme vertical laissent une impression très vive.

La Grande-Motte

Les hautes pyramides de La Grande-Motte frappent le regard habitué au paysage horizontal du rivage languedocien. Cette réalisation phare de l'aménagement concerté du littoral Languedoc-Roussillon, installée contre vents et marées, fait désormais partie de l'identité du littoral pour le meilleur comme pour le pire.

La situation

Carte Michelin Local 339 J7 – Hérault (34). Depuis l'A 9, prendre la sortie 29 qui débouche sur une voie rapide (D 62) desservant La Grande-Motte. Sinon, de Montpellier, on atteint la station par cette même voie rapide (suivre les panneaux « Les plages »). Vastes parkings en centre-ville.

Allée des Parcs, 34280 La Grande-Motte, ☎ 04 67 56 42 00. www.ot-lagrandemotte.fr

L. Campion/MICHELIN

Les pyramides de La Grande-Motte surveillent les bateaux sagement rangés dans le port.

RESTAURATION

La Cuisine du Marché – 89 r. du Casino - ☎ 04 67 29 90 11 - fermé 12 nov. au 27 déc., lun. et mar. de sept. à juin - réserv. conseillée - 24/32€. Il faut repérer ce petit restaurant avec sa façade modeste. Le patron y cuisine de bons produits et limite le nombre de tables dans ses deux petites salles pour bien servir ses clients. Menus plus abordables que la carte.

HÉBERGEMENT

Golf – 1920 av. du Golf - ☎ 04 67 29 72 00 - golfhotel.34@wanadoo.fr - 🅿 - 44 ch. : 93/115€ - ☑ 11€. D'un côté le golf, de l'autre l'étang du Ponant, faites votre choix pour l'orientation de votre chambre. Elles disposent toutes d'un balcon pour lézarder au soleil et profiter du calme. Le style est plutôt récent et les pièces sont régulièrement rafraîchies.

SORTIES

Indian Café – 117 quai d'Honneur - ☎ 04 67 29 19 97 - été : tlj sf mar. 8h30-2h ; reste de l'année : 8h30-1h - fermé déb. janv. à mi-janv. Installé sur des chaises ou dans de profonds canapés, vous pourrez déguster cocktails, glaces et crêpes en méditant le proverbe indien inscrit sur la carte : « La Terre n'est pas un don de nos parents. Ce sont nos enfants qui nous la prêtent. » Malgré le sérieux de la devise, l'ambiance est légère, et la clientèle plutôt jeune et familiale.

ACHATS

Marché provencal – Pl. de la Mairie - dim. 8h-12h30.

LOISIRS-DÉTENTE

Blue Dolphin – 71 av. Robert-Fages - centre commercial Le Miramar - ☎ 04 67 56 03 69 - www.perso.wanadoo.fr/bluedolphin.plongee - 9h-12h, 14h-19h - fermé janv. et mer. Club de plongée : encadré par des professionnels. Après un bon briefing dispensé par Pascal Jard, plongeur très expérimenté et maître des lieux, vous pourrez goûter au spectacle des fonds marins. Du simple baptême au stage de niveau 4.

Centre nautique – Esplanade Jean-Baumel - ☎ 04 67 56 62 64 - centrenautique@lagrandemotte.fr - été : 8h30-20h ; le reste de l'année 8h30-18h - fermé de mi-déc. à mi-fév. Location et stages de dériveur, planche à voile et catamarans.

Club omnisports – 34280 Carnon-Plage - ☎ 04 67 68 28 88.

Capitainerie de La Grande-Motte – Capitainerie - ☎ 04 67 56 50 06.

Étrave croisières – Quai d'Honneur - ☎ 04 67 29 10 87 - 7h-20h - fermé nov.-fév. Depuis une trentaine d'années, Étrave Croisières vous embarque pour des croisières-découvertes du littoral. Vous sont également proposées des pêches en mer et des locations de bateaux avec ou sans permis.

Institut de thalassothérapie – Le Point Zéro BP 43 - ☎ 04 67 29 13 13 - www.thalasso-grandemotte.com - 9h-18h - fermé mi-déc. à mi-janv. On se presse des quatre coins de l'hexagone pour passer quelques jours... ou plusieurs semaines à l'institut de La Grande-Motte. Si vous êtes de passage, vous pouvez vous offrir une simple journée de remise en forme à 63€, et découvrir ainsi les bienfaits de la piscine d'eau de mer chauffée, la volupté des hammams, des salles de massages et autres cabines de relaxation.

Capitainerie de Carnon – Capitainerie - 34280 Carnon-Plage - ☎ 04 67 68 10 78 - www.sivom-etang.or.fr

Le nom

Pas de grande motte à La Grande-Motte ? C'était pourtant ainsi que se nommait un mas parmi les vignes qui ont aujourd'hui cédé la place aux « pyramides ». Avec un peu d'imagination, elles vous donneront l'illusion d'un relief montagneux !

Les gens

6 458 Grands-Mottois. L'architecte **Jean Balladur** (à l'époque le membre le plus célèbre de la famille) dessina les immeubles d'habitation et dirigea l'équipe d'ingénieurs et d'architectes qui conçut la station, audacieuse pour l'époque.

séjourner

La station

Dans cette station créée de toutes pièces en 1967, les bâtiments principaux se présentent comme des **pyramides** alvéolées exposées au midi tandis que les **villas**, disséminées dans une verdure qui apparaît aujourd'hui comme la vraie réussite de la station, adoptent un style provençal ou s'ordonnent autour de cours intérieures.

Son développement se poursuit vers l'Ouest par le quartier piéton de la Motte du Couchant dont l'architecture présente des conques arrondies tournées vers la mer, et vers le Nord autour du plan d'eau du Ponant. De nombreux espaces verts ont été aménagés un peu partout pour la circulation piétonne.

La plage

L'immense plage de sable fin s'étend sur 6 km, avec accès direct à la ville. Elle est équipée de sanitaires avec douches. L'accès aux chiens est, en principe, interdit (il existe cependant une plage les accueillant) : mais comme ils ne savent pas lire les panneaux...

Le port et les plans d'eau

Encadré par les pyramides, le port peut accueillir 1 410 bateaux. Le plan d'eau du Ponant est dévolu aux sports nautiques, l'étang de l'Or à la pêche.

Aquarium panoramique

  De mi-juin à mi-sept. : 10h-12h30, 14h-19h30, nocturnes à partir de 21h ; de mi-sept. à mi-juin : 10h-12h, 14h-18h. 5€ (enf. : 3,50€). ☎ *04 67 56 70 31.*

Plus de 100 espèces de poissons et d'invertébrés de Méditerranée et des étangs de Camargue y nagent tranquillement.

Espace Grand Bleu

De mi-juin à mi-sept. : 10h-20h, w.-end 10h-19h ; de mi-sept. à mi-juin : mar. et jeu. 12h-14h, 16h-20h, lun. et mer. 12h-20h, ven. 12h-14h, 16h30-22h, w.-end et j. fériés 10h-18h ; vac. scol. : 10h-20h. 4€ basse sais., 9,50€ haute sais. ☎ *04 67 56 28 23.*

Espace de loisirs aquatiques avec toboggan géant, rivière à bouées, piscine à vagues (ouvert à partir de mi-juin), jacuzzi, sauna ou aquagym.

alentours

Carnon-Plage

8 km à l'Ouest. Entre La Grande-Motte et Palavas-les-Flots, cette station est très appréciée des Montpelliérains, grands et petits (Station Kid). La plage est séparée de la route par des dunes. Port de plaisance avec accès au canal du Rhône à Sète.

Gruissan ☼

Gruissan n'est plus isolé au milieu des étangs comme il l'était autrefois, défendant l'accès au port de Narbonne. Autour des ruines de son château s'enroulent aujourd'hui des maisons de pêcheurs et de vignerons au fort cachet. Un chenal relie la terre à la mer, où une station nouvelle, au bord de l'étang du Grazel, déploie ses terrasses de café pour les estivants assoiffés.

carnet pratique

RESTAURATION

⊖⊖ **Le Lamparo** – *Au village -* ☎ *04 68 49 93 65 - fermé 17 déc. au 27 janv., dim. soir et lun. - 17/28€.* Modeste restaurant situé sur les quais, au pied du village de pêcheurs, face aux étangs. Salle à manger simplement aménagée où l'on sert une cuisine bien tournée qui met le poisson à l'honneur. Prix doux.

⊖⊖ **Le Souquet's** – *Domaine de la Pierre Droite - 5,5 km au NO de Gruissan dir. Narbonne par D 32 et rte secondaire -* ☎ *04 68 49 13 23 - fermé 1er oct. au 15 avr. et le midi sf w.-end -* 🚭 *- 17/40€.* Restaurant installé dans un mas viticole au pied du massif de la Clape. À l'intérieur ou sur la superbe terrasse, face au vignoble et à la montagne, vous dégusterez poissons et viandes grillés aux ceps de vigne. Deux gîtes pour prolonger l'étape.

HÉBERGEMENT

⊖⊖ **Hôtel de la Plage** – *À la plage -* ☎ *04 68 49 00 75 - fermé mi-sept. à Pâques -* 🅿 *- 17 ch. : 55€* 🖵. Cet hôtel est loti dans un petit immeuble des années 1960. Pas très chères, ses chambres sont bien tenues et modestement meublées. De sa terrasse, on aperçoit les fameuses maisons sur pilotis du film de J.-J. Beineix, « 37°2 le matin ».

LOISIRS-DÉTENTE

Gruissan Thon Club – *Quai des Palmiers -* ☎ *04 68 49 14 41.* Avis aux amateurs de pêche au gros en mer ! Ils pourront apprendre les techniques de pêche à la traîne et participer à des compétitions. Thons, requins et espadons, soyez sur vos gardes ! Sous réserve de l'état de la mer, dép. 7h retour 19h. Sais. de pêche : de mi-juin à mi-oct.
Gruissan Windsurf-OMT – *BP 49 -* ☎ *04 68 49 88 31 - www.gruissan-windsurf.com - 9h-19h - fermé déc.-fév.* Stages et cours de voile, planche à voile, char à voile.

La situation

Carte Michelin Local 344 J4 – Aude (11). Attention en fin d'après-midi au trafic entre Gruissan et Narbonne-Plage. 🖪 *Bd du Pech-Meynaud, 11430 Gruissan,* ☎ *04 68 49 09 00. www.ville-gruissan.fr*

Le nom

Il perpétue la mémoire, par ailleurs obscure, d'un certain Crocius qui y établit son domaine aux bons temps de la Gaule narbonnaise.

Les gens

3 061 Gruissanais. Souvenez-vous des maisons sur pilotis dans « 37°2 le matin » : c'est ici, à Gruissan-Plage, que Jean-Jacques Beineix planta le décor de son film.

VISITE
Salins de l'Île St-Martin –
Chemin de l'Ayrolle -
☎ *04 68 49 59 97 -*
20 mars au 26 juin et du 8 sept. au 26 oct. : visite à 10h30 et 14h30, 27 juin au 7 sept. : visite à 9h30, 11h, 14h30, 16h, 17h30 - 6€ (enf. : 3,50€). L'eau de mer chemine environ 35 km à travers les Salins pour venir y déposer son or blanc. La récolte se fait en septembre.

séjourner

La station nouvelle

Elle s'est développée à la suite de l'ouverture d'un chenal maritime faisant communiquer l'étang du Grazel avec la mer. De petits immeubles disposés autour du bassin d'honneur du nouveau port de plaisance (voile, pêche) en forment, depuis 1975, le noyau. Leur crépi ocré, leurs toitures à faîtes multiples dessinés en berceau les caractérisent. L'attrait de la station nouvelle réside non seulement dans son ouverture vers le grand large mais aussi dans son site favorable aux promenades dans la montagne de la Clape *(voir Narbonne)*. Elle bénéficie du label « Station Kid ».

Gruissan-Plage

Cette station balnéaire conserve un curieux lotissement de maisons montées sur pilotis, afin d'éviter d'être inondées par la mer. Construites à la fin du 19e s., elles servaient d'habitations aux pêcheurs.

se promener

Le vieux village

Le vieux village de pêcheurs et de sauniers, aux maisons emboîtées en cercles concentriques, est dominé par les ruines de la tour Barberousse. À l'écart de la côte, entre les eaux dormantes des étangs, il semble définitivement tourner le dos à la mer. Pourtant ce fut un port d'une certaine importance dont les bateaux partaient pêcher au large de l'Espagne et de l'Algérie. Les pêcheurs fêtent toujours la Saint-Pierre fin juin.

Le vieux village de Gruissan enroulé autour du château.

alentours

Cimetière marin

🚶 *4 km, puis 1/2h à pied AR. Sortir de Gruissan par la D 32 vers Narbonne ; au carrefour suivant les tennis, prendre la route signalée N.-D.-des-Auzils qui pénètre dans le massif de la Clape. Continuer toujours à gauche. Laisser la voiture au parking (avant la pépinière du Rec d'Argent) et monter à pied jusqu'à la chapelle. Ou bien prendre, en voiture, la piste forestière des Auzils sur 1,5 km ; laisser la voiture sur un terre-plein, puis continuer à pied. Le long d'un chemin pierreux, parmi les genêts, les pins parasols, les chênes verts et les cyprès, d'émouvantes stèles rappellent le souvenir des marins disparus en mer. De la* **chapelle N.-D.-des-Auzils**, *au sommet de la montée, au cœur d'un bosquet, vue étendue sur le site de Gruissan et la montagne de la Clape.*

Ille-sur-Têt

Petite ville de plaine, Ille est le siège d'un marché aux fruits et légumes des plus animés : rien d'étonnant si l'on considère le beau verger d'abricots et de pêches irrigué par la Têt et le Boulès, son affluent, qui entoure la cité. C'est aussi le point de départ d'excursions fortes en émotions architecturales et naturelles : il suffit pour cela d'emprunter la route du Conflent vers Prades ou celle des Aspres vers Amélie-les-Bains.

La situation

Carte Michelin Local 344 G6 – Pyrénées-Orientales (66). En ville, suivez la « ligne verte » qui vous permettra de vous promener sans omettre aucune de ses richesses.
🛈 *1 r. Michel-Blanc, 66130 Ille-sur-Têt,* ☎ *04 68 84 02 62.*

Les gens

4 995 Illois. En 1834, lors d'une mission d'inspection des Monuments historiques, **Prosper Mérimée** séjourna à Ille-sur-Têt. Il en fit alors le cadre de l'une de ses plus célèbres nouvelles, *La Vénus d'Ille.* Dans ce récit fantastique, un jeune homme, à la veille de son mariage, dispute une partie de jeu de paume avec des Aragonais de passage. Pour plus d'aisance, il a passé sa bague au doigt d'une statue de Vénus. Quand il veut reprendre son anneau, il n'y parvient pas. Le lendemain matin, le jeune homme est trouvé mort : tout laisse supposer – mais comment y croire ? – qu'il a été étouffé par l'étreinte de la Vénus de bronze !

se promener

La ville

Remarquer l'imposante silhouette de l'église St-Étienne-del-Padraguet, à façade baroque ; voir en ville, à l'angle de la rue des Carmes et de la rue Deljat, « les Enamourats », sculpture médiévale, et place del Ram une magnifique croix sculptée gothique du 15e s.

Église des Carmes

Juil.-août : visite guidée sur demande à l'Hospici d'Illa, 10 r. de l'Hôpital, 66130 Ille-sur-têt, ☎ *04 68 84 83 96.*
Édifiée au 17e s., l'église des Carmes abrite un ensemble de peintures de l'atelier des Guerra, dynastie d'artistes baroques perpignanais.

visiter

Hospici d'Illa

10 r. de l'Hôpital. De mi-juin à fin sept. : 10h-12h, 14h-19h, w.-end et j. fériés 14h-19h ; de déb. oct. à mi-juin : tlj sf mar. 14h-18h. Juin-sept. : possibilité de visite contée pour enf. (se renseigner). Fermé 1er janv., 1er mai, 25 déc. 3,20€ (-13 ans : gratuit). ☎ *04 68 84 83 96.*
🔊 Il s'agit de l'ancien hospice St-Jacques (corps de logis des 16e et 18e s.). Une série d'alcôves abritent des tableaux, sculptures et pièces d'orfèvrerie romans et baroques. Dans la sacristie sont exposées les fresques (11e s.) de l'église de Casesnoves. Le centre accueille également des ateliers de cuisine catalane. Dans le fond du jardin, l'église romane de la Rodona (11e, 12e et 14e s.) s'ouvre par un portail en arc brisé.

Musée du Sapeur-Pompier

À l'entrée Est de la localité, sur la route de Perpignan. De mi-juin à mi-sept. : 10h-12h, 14h-19h ; de mi-sept. à mi-juin : tlj sf mar. 14h-18h. 2,40€. ☎ *04 68 84 03 54.*
🔊 Rétrospective de matériel antifeu, de l'Empire à nos jours.

Façade de l'Hospici d'Illa, tout en volutes baroques.

A. Thuillier/MICHELIN

Les Orgues d'Ille

Au Nord d'Ille-sur-Têt ; 1/4h à pied pour accéder au site.
Juil.-août : 9h30-20h ; avr.-juin et sept. : 10h-18h30 ; fév.-
mars : 10h-12h30, vac. scol. 10h-17h30 ; oct. : 10h-12h30,
14h-18h ; nov.-janv. : 14h-17h. Juil.-août : possibilité de visite
contée pour enf. (se renseigner). 3,20€ (10-13 ans : 1,60€,
13-18 ans : 2,40€). ☎ *04 68 84 13 13.*

MIEUX VOIR
Un kilomètre plus haut,
après une série de
virages, un **belvédère**
aménagé (table
d'orientation) permet
d'embrasser le site des
Orgues ; à l'horizon,
Ille-sur-Têt.

🔲 La route (D 21), après avoir passé la rivière, se replie
dans un vallon dominé par les « Orgues », étonnante formation géologique constituée de cheminées de fées,
colonnes de roches tendres érodées par les pluies et couronnées d'un conglomérat de galets, roche dure résistant
plus facilement à l'érosion. Les Orgues se groupent sur
deux sites, dont l'un, à l'Est, est accessible au public. Au
centre s'élève une imposante cheminée de fée appelée
« la Sibylle ». Plus loin, à l'Ouest, en allant vers Montalba,
on peut remarquer, à gauche de la route, d'autres
formations, d'une couleur plus ocre.

Les Orgues d'Ille-sur-Têt,
admirable cirque aux
parois blanches ravinées
et déchiquetées.

alentours

Saint-Michel-de-Llotes

3 km au Sud d'Ille par la D 2. Au **musée de l'Agriculture**
catalane, vous saurez tout sur le temps des labours, la
taille des vignes, l'élevage... grâce aux multiples outils
exposés. *De déb. juin à mi-sept. : tlj sf mar. 10h-12h, 14h-*
19h, j. fériés 14h-19h ; de mi-sept. à fin mai : tlj sf mar. 14h-
18h. Fermé 1er janv., 25 déc. 3€. ☎ *04 68 84 76 40.*

circuit

LES ASPRES★

56 km d'Ille-sur-Têt à Amélie-les-Bains (voir ce nom) – envi-
ron 3h. Quitter Ille-sur-Têt au Sud (D 2) pour rejoindre
Bouleternère par la D 16.

La D 618, prise à gauche, au sortir des vergers de la vallée
de la Têt, s'enfonce dans les garrigues, le long des gorges
du Boulès. *À 7,5 km, prendre à droite vers Serrabone.*

À SAVOIR
Les Aspres doivent leur
nom à l'aridité, à
l'« âpreté » de leurs
terres pierreuses
couvertes de garrigues.

Prieuré de Serrabone★★ *(voir ce nom)*

Col Fourtou

Alt. 646 m. Vue en arrière sur le Bugarach, point culminant
des Corbières (alt. 1 230 m), en avant sur les monts frontière du Vallespir : roc de France et, plus à droite, pilon de
Belmatx, à l'arête dentelée. À droite apparaît le Canigou.

Prunet-et-Belpuig

La **chapelle de la Trinité** s'ouvre par une porte à pentures à volutes. À l'intérieur, Christ habillé du 12e s. et
retable baroque de la Trinité, représentant le Saint-Esprit
sous l'aspect d'un adolescent, à côté du Christ, adulte, et
du Père Éternel, vieillard. *Tlj sf mar. 9h-18h.*

🚶 *De la chapelle, traverser la lande (1/2h à pied AR).* Le village est dominé par les ruines sombres du **château** (13ᵉ s.), très bien situé sur un piton commandant un vaste **panorama**★ : Canigou, Albères, côtes du Roussillon et du Languedoc, Corbières (pic de Bugarach).

Après le col Xatard, la route en descend vers Amélie-les-Bains, jalonnée par les seuls villages de St-Marsal et de Taulis, et contourne le bassin supérieur de l'Ample, sur des pentes où foisonnent les chênes verts et les châtaigniers.

Lagrasse★

É. Larribère/MICHELIN

La cité médiévale de Lagrasse vit encore autour de sa vénérable halle du 14ᵉ s.

Avec ses ponts délicats, ses vestiges de remparts et ses maisons anciennes à pans de bois, Lagrasse ménage bien ses effets. Posée au bord de l'Orbieu, la ville sert d'écrin à la célèbre abbaye, qui doit son aspect majestueux aux travaux défensifs exécutés au 14ᵉ s. et aux embellissements apportés au 18ᵉ s.

La situation
Carte Michelin Local 344 G4 – Aude (11). Dans sa descente finale vers Lagrasse, la D 212, venant de Fabrézan, offre une belle vue d'ensemble de l'agglomération.
🛈 *6 bd de la Promenade, 11230 Lagrasse, ☎ 04 68 43 11 56. www.lagrasse.com*

Le nom
Pour les uns, il dérive de celui d'un dénommé Crassus ; pour d'autres, il est dû à la terre fertile *(grassa)* de la contrée.

Les gens
615 Lagrassiens. On dit que Charlemagne aurait créé l'abbaye après sa rencontre avec un ermite qui avait accompli devant lui le miracle de la multiplication des pains.

se promener

LA CITÉ MÉDIÉVALE
Vous prendrez d'autant plus plaisir à flâner dans les ruelles de la cité, dont le tracé, par sa régularité, laisse supposer qu'elle a été créée de toutes pièces autour du monastère, que nombre d'artisans se sont installés dans les échoppes des maisons médiévales.
Pénétrer à l'intérieur des remparts par la porte du Consulat, suivre la rue du même nom, puis prendre à gauche la rue Paul-Vergnes.

Église Saint-Michel
Gothique à nef unique voûtée d'arêtes, dotée de neuf chapelles latérales. Remarquez, aux clés de voûtes, les emblèmes des corporations.

carnet pratique

RESTAURATION
🍴 **Auberge St-Hubert** – 9 av. de la Promenade - ☎ 04 68 43 15 22 - fermé 15 nov. au 15 fév. et mar. sf juil.-août - 12€ déj. - 17/22€. Derrière cette maison de pays, la terrasse ouvre sur les vignes au pied d'une colline. En hiver, les repas sont servis dans une salle aux couleurs méditerranéennes ou au milieu des vitrines d'objets africains et des pièces de sellerie... Chambres simples et proprettes.

HÉBERGEMENT
🛏️🍴 **Hôtel La Fargo** – 11220 St-Pierre-des-Champs - 5 km au S de Lagrasse par D 23 et rte secondaire - ☎ 04 68 43 12 78 - de fin mars au 15 nov. - 🅿 - 6 ch. : 66/73€ - restaurant 24/73€. Ancienne forge catalane nichée dans un magnifique parc boisé, bâtie au bord d'une petite rivière. Cette adorable maison entièrement rénovée, dispose de chambres de grand standing, pourvues de meubles de style colonial. Accueil prévenant et restaurant ouvert uniquement le soir.

Revenir sur vos pas et prendre à gauche la rue de l'Église, puis la place de la Bouquerie et la rue des Mazels (maison Lautier, du 16e s.).

Place de la Halle

Au centre, s'élève la Halle (14e s.) constituée de dix piliers de pierre soutenant une charpente. Tout autour, façades médiévales, dont certaines à pans de bois. Remarquez en particulier la **maison Maynard** (14e s.). Après avoir jeté un coup d'œil, rue Foy, à la maison Sibra (16e s.), prendre la rue des Deux-Ponts qui conduit au **Pont vieux**, qui donne accès à l'abbaye.

visiter

Abbaye Sainte-Marie-d'Orbieu

Visite : 3/4h. Juil.-août : 10h30-18h15 ; mai-juin et oct. : 10h30-12h, 14h-18h ; fév.-avr. : 14h-17h15 ; de déb. nov. à mi-déc. : 14h-17h. 4,50€. ☎ *04 68 43 15 99.*

Palais vieux – Ses bâtiments sont ordonnés autour ▶ d'une cour aménagée de façon aussi charmante que fantaisiste. Deux galeries plafonnées, reposant sur des colonnes aux chapiteaux romans réemployés, supportent un étage sous charpente, le tout ombragé par un cèdre majestueux, composant un tableau des plus romantiques.

Bien que remanié, le Palais vieux comprend les parties les plus anciennes de l'abbaye. Vous y verrez, à l'étage, un dépôt lapidaire où ont été réunis certains éléments provenant du cloître d'origine ainsi que du portail attribués au maître de Cabestany, puis le dortoir des moines avec sa belle charpente apparente posée sur des arceaux de pierre. Par la « tour préromane », un escalier vous conduira au niveau inférieur où se trouvent les celliers, les caves et la boulangerie.

Cloître – Il fut construit en 1760, à l'emplacement d'un premier cloître de 1280 dont il ne subsiste, hélas, que quelques vestiges.

Église – Souvent remaniée, elle est bâtie sur les fondations d'une église carolingienne. Son aspect actuel date, pour l'essentiel, du 13e s. Dans la nef, à droite, une porte ouvre sur le transept Sud roman, greffé au 11e s. sur l'église préromane. Il comporte trois absidioles voûtées en cul-de-four et décorées à l'extérieur de bandes lombardes.

Tour-clocher – Construit en 1537, de manière à s'intégrer aux fortifications du 14e s., le clocher, haut de 42 m, s'achève par un couronnement octogonal évidé de baies auquel il manque la flèche terminale

> **À** l'angle de la galerie de la cour du Palais vieux, sur deux niveaux, la **chapelle abbatiale**★ présente un précieux pavement de céramique à motifs géométriques du 14e s.

alentours

St-Martin-des-Puits

8 km au Sud de Lagrasse par la D 23 puis la D 212. L'**église** possède un chœur d'époque préromane avec son chevet plat et son arc triomphal outrepassé retombant sur des imposes et des colonnes à chapiteau de type mérovingien (utilisés en réemploi). Sur les murs Est et Sud du chœur apparaissent des peintures murales du 12e s. représentant une Annonciation.

Plateau de Lacamp★★

27 km au Sud-Ouest de Lagrasse par la D 23 puis D 212. Entre Lairière et Caunette-sur-Lauquet, sur la D 40, le col de la Louviéro permet d'accéder au chemin de la « forêt » des Corbières occidentales. Le chemin court, sur 3 km, près du rebord Sud du plateau de Lacamp : **vues** immenses sur le bassin de l'Orbieu, le Bugarach et le Canigou, le St-Barthélemy, l'avant-pays du Lauragais, la Montagne noire.

D. Pazery/MICHELIN

Aménagé dans le clocher, un escalier à vis (150 marches) mène à une galerie d'où l'on découvre une jolie vue.

Villar-en-Val

17 km à l'Ouest de Lagrasse par la D 3 puis, à gauche, la D 603 vers Servès-en-Val et la D 10. Le village natal de **Joseph Delteil** (1894-1978) honore désormais l'enfant du pays grâce à un **« Sentier-en-Poésie »**, tracé entre forêt et garrigue autour de la clairière où Delteil passa ses premières années chez son aïeul *bouscassier* (bûcheron). Des citations de l'écrivain viennent illustrer ce parcours que l'on ne manquera pas de compléter par une lecture de la *Delteillerie*, texte savoureux, sensuel et noueux comme un sarment de sa terre natale.

> #### UNE PLUME ATYPIQUE
>
> Rares sont les écrivains qui, ayant atteint aussi rapidement le succès, renoncent à une carrière toute tracée au sein de l'intelligentsia parisienne. Tel fut pourtant le cas de Joseph Delteil, compagnon de route des surréalistes, auteur en 1920 de *Sur le fleuve Amour* puis d'une *Jeanne d'Arc* assez peu conventionnelle, qui lui valut le prix Femina en 1925. Après avoir épousé Caroline Dudley, la créatrice de la *Revue Nègre* qui avait fait connaître Joséphine Baker, Delteil renia une partie de son œuvre, se retira près de Montpellier afin de cultiver la vigne et mener une vie qu'il qualifiait volontiers de « paléolithique », ne reprenant la plume qu'en 1968 pour publier *La Delteillerie*.

Lamalou-les-Bains ✠

Lamalou-les-Bains est une station thermale dont l'exploitation remonte au 13e s., lorsqu'on s'aperçut du pouvoir sédatif de ses eaux. Aujourd'hui, la station s'est aussi spécialisée dans les soins des maladies de la mobilité, notamment la poliomyélite et les séquelles des accidents de la route. Mais Lamalou n'est pas uniquement intéressante pour les vertus de ses eaux, c'est également un bon point de départ pour des excursions dans le Caroux où marche à pied, balades à VTT et cheval sont de rigueur.

La situation

Carte Michelin Local 339 D7 – Schéma p. 321 – Hérault (34). Pour atteindre le centre-ville depuis la D 908, passer sous la voie de chemin de fer. La station s'étale ensuite le long d'un axe principal que représente la D 22. Les établissements thermaux sont situés à la sortie Nord de la ville, sur cette même route.
🏢 *1 av. Capus, 34240 Lamalou-les-Bains,* ☎ *04 67 95 70 91.*

Le nom

Comme son nom l'indique, Lamalou-les-Bains est vouée au thermalisme. Quant à l'origine de Lamalou, on la trouve peut-être dans Amalo, nom d'homme gaulois, sans aucun doute le premier curiste...

Les gens

2 156 Lamalousiens. Lamalou s'enorgueillit d'avoir reçu d'illustres curistes comme Mounet-Sully, Alphonse Daudet ou André Gide...

L'eau minérale naturelle gazeuse Vernière est puisée aux sources de Lamalou.

M. Guillot/MICHELIN

se promener

St-Pierre-de-Rhèdes★

À 200 m à l'Ouest de l'entrée de la ville, vers St-Pons. Fév.-nov : visite guidée mer. 14h30. S'adresser à l'Office de tourisme.

Située dans l'enceinte du cimetière, cette ancienne église paroissiale fut construite en grès rose dès la première moitié du 12e s. C'est un bel exemple de l'architecture romane rurale du Midi de la France. À l'extérieur, élégante abside décorée d'arcatures lombardes, avec un

carnet pratique

RESTAURATION

◎ **Ferme Piscicole du Pont des 3 Dents** – *34610 St-Gervais-sur-Mare - 15 km au N de Lamalou par D 22 puis rte de Castanet -* ☎ *04 67 23 65 48 - fermé janv., mar. sf juil. à sept. et lun. -* 🍽 *- réserv. obligatoire - 14/20€.* Au menu de cette ferme, truites, saumons de fontaine et surtout écrevisses... Vous pouvez les pêcher ou vous installer directement à table, pour les déguster cuits au feu de bois. Et comme le patron connaît 29 recettes de truites, vous ne risquez pas de vous ennuyer.

HÉBERGEMENT

◎◎ **Hôtel L'Arbousier et Paix** – ☎ *04 67 95 63 11 - arbousier.hotel@wanadoo.fr -* 🅿 *- 31 ch. : 48/55€ -* ☕ *7,20€ - restaurant 14/40€.* Cette grosse maison légèrement excentrée est accueillante avec sa façade pimpante peinte en jaune et ses boiseries vert d'eau. Certes, les chambres sont plus banales que les pièces de réception, claires et joliment décorées, mais elles sont proprettes.

LOISIRS-DÉTENTE

Casino – *26 av. Charcot -* ☎ *04 67 95 77 54 - 11h-2h (3h le w.-end).* Machines à sous, restaurant, bar, repas dansants vendredi et samedi soir.

Établissement thermal – Voir le chapitre des Informations pratiques en début de guide, rubrique « Forme et santé ».

Balladânes – *Mas de Riols - 34260 La Tour-sur-Orb -* ☎ *04 67 23 10 53 - www.balladanes.com.* Randonnées d'une semaine dans le Parc naturel régional du Haut-Languedoc, dans les monts de l'Espinouse, les monts d'Orb et autour du lac du Salagou à pied, avec des ânes ou des lamas, avec ou sans accompagnateurs.

---

archaïque personnage sculpté. Sur la façade Sud, le linteau du portail répète en caractères arabes le monogramme de Dieu, fleurissant en un crucifix. L'intérieur présente des chapiteaux de facture mozarabe et deux bas-reliefs de l'école toulousaine du 12e s. : un visage de Christ en majesté et un saint Pierre.

EN QUESTION
Quel est ce fameux personnage sculpté ? Peut-être s'agit-il d'un pèlerin de Compostelle, avec son sac et son bâton, ou, plus probablement, de saint Pierre, le patron de la paroisse, avec crosse, croix et Bible ouverte.

alentours

Sanctuaire de Notre-Dame-de-Capimont

Au Nord-Ouest d'Hérépian par D 13. Laisser la voiture sur le parking aménagé et monter à pied au sanctuaire. Cette modeste et paisible chapelle de pèlerinage offre une belle vue sur la vallée de l'Orb, de Hérépian au Poujol. Depuis la chapelle Ste-Anne (située derrière N.-D.-de-Capimont), la vue porte amplement sur les monts de l'Espinouse au Nord-Ouest avec Lamalou et la vallée du Bitoulet au premier plan ; au Sud sur le pic de la Coquillade et les ruines de St-Michel.

circuits

ENTRE ORB ET MARE

40 km – 2h. Quitter Lamalou à l'Est par la D 908.

Hérépian

📷 Hérépian conserve l'une des dernières fonderies artisanales de cloches que l'on peut visiter de même que le **musée des Cloches et Sonnailles** qui se trouve juste à côté. Vous y apprendrez la différence entre sonnailles, grelots, clarines et cloches d'église, et y découvrirez comment ces instruments aux sons si divers sont fabriqués et quelles sont leurs utilisations. Bref, de quoi envier ou presque les brebis qui en portent à leur cou... *Sur le site de l'ancienne gare.* ♿ *Juil.-août : 9h-12h, 15h-19h ; mars-juin et sept.-oct. : 9h-12h, 14h-18h ; nov.-fév. : tlj sf mar. 9h-12h, 14h-18h. Fermé janv. et 25 déc. 5€.* ☎ *04 67 95 39 95. Prendre la D 922 au Nord.*

Villemagne-l'Argentière

Villemagne fut le siège d'une abbaye bénédictine du 7e s. à la fin du 18e s. Il doit son nom à ses mines de plomb argentifère.

Dans la rue Droite, belle **maison romane** du 12e s., à la décoration raffinée, improprement nommée « hôtel des Monnaies ».

L'**église St-Grégoire**, qui a conservé son portail roman, abrite une exposition archéologique. *Mai-oct. : mer. et w.-end 15h-18h.* ☎ *04 67 23 06 79.*

Pont du Diable

Ce petit pont assez délabré, datant probablement des 12e-13e s., enjambe la Mare en une arche très prononcée.
Continuer sur la D 922. Avant St-Étienne-Estréchoux, prendre à droite la D 23^E, puis la D 23 vers Boussagues.

Boussagues

Dominé par les ruines de sa citadelle, ce village plein de charme dont on peut faire le tour en suivant un parcours fléché a conservé son château du 14e s., son église romane ainsi que l'élégante **maison du bailli** (16e s.), reconnaissable à sa tour ronde.
Revenir sur ses pas et gagner St-Étienne-Estréchoux. Continuer sur la D 922 vers l'Ouest jusqu'à St-Gervais-sur-Mare.

St-Gervais-sur-Mare

Il faut prendre le temps de découvrir ce paisible village qui a connu des périodes de prospérité grâce aux richesses de son sous-sol (charbon) et aux châtaigniers. Voir notamment les alentours de l'église, la petite chapelle des Pénitents blancs, le clocher de l'ancienne église de Neyran *(direction Plaisance)*. Pour en savoir plus, renseignements et expositions à la **Maison cévenole.** ☎ *04 67 23 68 88.*
Revenir à Lamalou par la D 22. La route, très sinueuse, est bordée de châtaigniers.

A. Thuillier/MICHELIN

On raconte qu'à Boussagues, la maison du bailli aurait appartenu à Toulouse-Lautrec.

MONTS DE L'ESPINOUSE★
80 km au départ d'Olargues (voir ce nom).

Langogne

La citée de Langogne dispose avec une belle régularité ses maisons médiévales autour de l'église, une des « perles du Gévaudan ». Certaines habitations ont été aménagées avec goût dans des tours de l'enceinte d'origine. On change soudain d'époque avec les hautes halles à grains du 18e s., aux piliers ronds et au toit de lauzes, qui abritent aujourd'hui le marché.

ACHATS
Marché – Un marché nocturne aux produits paysans a lieu mi-juillet et mi-août.

La situation
Carte Michelin Local 330 L6 – Lozère (48). Langogne se trouve au Nord de la Lozère. La proximité du lac de Naussac en fait un lieu de séjour intéressant.
🛈 *15 bd des Capucins, 48300 Langogne,* ☎ *04 66 69 01 38. www.langogne.com*

Les gens
3 095 Langonais. La tradition charcutière de la ville n'est pas usurpée ; les bouchers concourent régulièrement avec succès pour le record mondial de la plus longue saucisse (23,161 km en 2000 !).

carnet pratique

LOISIRS
Train touristique des Gorges de l'Allier - Évasion garantie dans ce train qui ne ménage pas ses efforts pour offrir le magnifique spectacle d'une nature restée sauvage, de Langeac à Langogne. En 1h45, il lui faut traverser pas moins de 53 tunnels, affronter des pentes et des tournants difficiles mais le résultat en vaut la peine. Retour sur train régulier SNCF.
Renseignements aux offices de tourisme de Langeac (☎ 04 71 77 05 41) ou de Langogne (☎ 04 66 69 01 38).
Les Terrasses du Lac – ☎ *04 66 69 29 62 - www.naussac.com.* Activités nautiques sur le lac et en eaux vives.

se promener

Halle
Construite en 1742 comme abri pour le bétail, elle est devenue un marché aux grains. Soutenue par 14 colonnes de granit galbées, elle est coiffée d'un toit de lauzes conservant des lignolets dépassant de son arête faîtière.

Église St-Gervais-et-St-Protais
Cet édifice roman (10e s.), remanié du 15e au 17e s., est construit extérieurement en moellons de grès, mêlés de matériau volcanique. L'intérieur est en bel appareil de granit. La façade, fin 16e s.-début 17e s., montre un portail à voussures inscrit sous un arc en anse de panier, surmonté lui-même d'une baie flamboyante.

À l'intérieur, de nombreux **chapiteaux**★ sculptés, à thèmes historiés au riche décor végétal, animent cet édifice austère. Les plus remarquables ornent les piliers de la nef, notamment, première travée à gauche : les anges gardiens, et troisième travée à droite : la luxure.

> **VÉNÉRATION**
> La première chapelle à droite abrite une statue de la Vierge à l'Enfant (Notre-Dame-de-Tout-Pouvoir), objet d'une vénération séculaire qui aurait été rapporté de Rome au 11e s.

Plan d'eau de Naussac
1 km. Quitter Langogne par la D 34. 1080 ha. Afin de contrôler l'Allier, on a construit un barrage qui a enseveli le vieux village de Naussac. Base nautique importante.

Ancien métier à tisser des filatures Engles-Boyer (filature des Calquières).

A. Thuilier/MICHELIN

visiter

Filature des Calquières
De fin janv. à fin déc. : 9h-12h, 14h-18h (dernière entrée 3/4h av. fermeture) ; w-end : se renseigner. Fermé certains j. fériés. 5€. ☎ *04 66 69 25 56.*

Devenue « musée vivant », l'ancienne filature Engles-Boyer, dont les machines sont demeurées en parfait état de marche, renoue avec les procédés traditionnels de transformation de la laine, du dessuintage (dégraissage) de la toison de mouton fraîchement tondue à l'agencement du fil en écheveaux, prêt à être tricoté ou tissé.

Causse du **Larzac**★

Le causse du Larzac s'élève en une véritable forteresse de calcaire, où sont disséminés villages et commanderies templières. Tous les ans, pendant la 1re semaine de juillet, on peut revivre à cheval un trajet haut en couleur : celui emprunté au Moyen Âge par les caravanes de sel venues de Thau, d'Aigues-Mortes ou de St-Gilles vendre leur précieuse marchandise dans le Massif Central.

Perrine/IMAGES DU SUD

Brebis du causse du Larzac en promenade.

La situation

Carte Michelin Local 338 I/L 4/6 – Aveyron (12). Le Larzac est le premier causse atteint depuis Montpellier puisqu'il n'est qu'à 3/4h de route par la N 109 puis l'A 75 (sortie 49, Le Caylar).

Le nom

Le causse doit son nom à l'église de Nant, Sainte-Marie-du-Larzac, elle-même dénommée ainsi en souvenir d'un certain Larisaeus, sans doute un des premiers bergers du lieu...

Les gens

Le Larzac est le royaume du roquefort, fabriqué avec du lait de brebis. Ces dernières sont partout présentes sur le causse, rassemblées en troupeaux de 300 à 1 000 têtes. Ce qui revient à dire qu'elles sont plus nombreuses que les humains (du moins lorsque ceux-ci ne sont pas en train d'effectuer leur transhumance annuelle vers les plages sur la voie rapide qui traverse le plateau) sur ce bout de terre voué à l'élevage.

carnet pratique

RESTAURATION

Ferme-auberge de Jassenove du Larzac – *12100 Millau - 16 km au SE de Millau par N 9 puis à gauche par rte secondaire dir. Jassenove -* ☎ *05 65 60 71 80 - fermé 15 j. en sept. et mer. en juil.-août -* réserv. obligatoire - *15€.* Dans un coin boisé du causse de Larzac, cette belle ferme-auberge a le charme des lieux qui ont gardé leur authenticité. On s'y attable dans une ambiance chaleureuse pour savourer, entre autres, le soufflé au roquefort dont la réputation n'est plus à faire dans la région !

HÉBERGEMENT

Domaine du Luc – *Hameau du Luc - 30770 Campestre-et-Luc -* ☎ *04 67 82 01 01 - domaineduluc@free.fr -* - *8 ch. : 48€ - repas 18€.* Cet ensemble de vieilles maisons en pierre (1850) isolées sur le plateau, était autrefois une colonie pénitentiaire agricole pour enfants. Les anciens dortoirs ont été rénovés et abritent aujourd'hui d'agréables chambres fonctionnelles et modernes. Plaisante salle à manger agrémentée d'une belle cheminée et son chaudron.

Chambre d'hôte Domaine de la Barraque – *12230 Ste-Eulalie-de-Cernon - 4 km de Ste-Eulalie par D 561 puis suivre les indications -* ☎ *05 65 62 77 33 - fermé*

Toussaint à Pâques - 7 ch. : 22/54€ - 6,50€ - repas 15,90/31€. En pleine nature, cette grande ferme a du caractère... Vous y serez accueilli sans chichis dans des chambres simples et claires, meublées à l'ancienne ou, solution économique, dans des dortoirs. Possibilité de louer des chevaux et de loger les vôtres.

Chambre d'hôte Le Barry du Grand Chemin – *88 fg St-Martin - 34520 Le Caylar -* ☎ *04 67 44 50 19 -* - *6 ch. : 38/48€ - repas 17,50€.* Cette maison de 1850 à la façade de pierre se prolonge par une aile qui abrite des chambres de plain-pied fort bien tenues. Dans la petite salle voûtée, appréciée pour sa fraîcheur en été, les maîtres des lieux préparent des grillades pour la table d'hôte.

CALENDRIER

Route du sel – Début juillet, randonnée équestre, à pied ou à VTT, de la Méditerranée à Rodez. ☎ *05 65 76 56 26.*

Les Estivales du Larzac – Animations culturelles sur l'ensemble des sites. Grand spectacle son et lumière à la Couvertoirade en juil. Camp médiéval et animations à la Cavalerie, Sainte-Eulalie-de-Cernon, Saint-Jean-d'Alcas, Viala-du-Pas-de-Jaux en juil., août et sept. *Renseignements : Conservatoire Larzac Templier et Hospitalier,* ☎ *05 65 59 12 22, www.conservatoire-larzac.fr*

comprendre

RUDE

« Énormes rochers pensifs, aux épaules lourdes, aux têtes de lion ou de philosophes, votre échine s'est accoutumée au mauvais temps ». C'est ainsi que l'écrivain occitan Max Rouquette voit la rude terre de ses aïeux.

◄ **Le grand causse** – S'étendant sur près de 1 000 km², c'est le plus grand des causses et son altitude varie de 560 à 920 m. C'est une succession de plateaux calcaires arides et de vallées verdoyantes. Sur les plateaux, des sotchs argileux tapissés de terres rouges ont permis l'installation de domaines agricoles. Les eaux qui tombent sur le Larzac réapparaissent au fond des vallées qui l'entament, en près de soixante résurgences. De même que les autres causses, le Larzac est troué d'avens ; celui de **Mas Raynal**, à l'Ouest du Caylar, exploré en 1889 par une équipe réunissant Martel, Armand, G. Gaupillat et E. Foulquier, s'avéra être un « regard » sur le trajet d'une rivière souterraine qui alimente la Sorgue.

Templiers et hospitaliers – Au 12ᵉ s., l'ordre des Templiers avait reçu en donation une partie du Larzac et installé une commanderie à Ste-Eulalie-de-Cernon avec des dépendances à La Cavalerie et La Couvertoirade. En 1312, à la suite de la dissolution de l'ordre des Templiers, les hospitaliers de Saint-Jean de Jérusalem prirent possession de leurs biens. Au 15ᵉ s., période d'instabilité et de troubles, les hospitaliers élevèrent des fortifications, dont les enceintes, les tours et les portes hérissent encore les paysages du Larzac.

Quand le Larzac faisait la une des journaux – En ▶ 1970, les habitants du Larzac apprennent que la surface occupée par le camp de manœuvres militaires de la Cavalerie (créé en 1903) doit passer de 3 000 ha à 17 000 ha, ce qui signifie l'expropriation d'une centaine d'exploitations agricoles, de 500 paysans et quelque 15 000 brebis. Les paysans se rebellent, montent à pied et en tracteur à Paris pour manifester, construisent la bergerie de la Blaquière sur le territoire revendiqué par l'armée, occupent les fermes déjà achetées, brûlent les dossiers d'enquête... De grands rassemblements les soutiennent. Pendant 10 ans, le Larzac fait la une des médias. Puis, en 1980, la Cour de cassation annule une grande partie des expropriations ; en 1985, une convention est signée, qui permet à la Société civile des terres du Larzac d'exploiter 6 400 ha de terrains dont l'État reste propriétaire.

> **LARZAC, LE RETOUR**
> En 2003, le Larzac
> est revenu sous
> les feux de l'actualité en
> accueillant
> un grand rassemblement
> altermondialiste.

circuit

TEMPLIERS ET HOSPITALIERS
166 km au départ de Millau (voir ce nom) – compter une journée. Quitter Millau par la N 9 en direction de Béziers.

La route franchit le Tarn et s'élève sur le flanc Nord du causse du Larzac, offrant de superbes panoramas sur Millau, le causse Noir, le canyon de la Dourbie. Après un virage au-dessus de la falaise, on découvre l'immense surface dénudée du causse.

Maison du Larzac
♿ *De déb. juil. à mi-sept. : 10h-19h. Gratuit.* ☎ *05 65 60 43 58.*

Sur la droite de la N 9 s'élève une vaste bergerie couverte de lauzes appelée La Jasse (de l'occitan *jaç* signifiant bergerie). C'est le centre d'accueil de l'**écomusée du Larzac**. Créé en 1983, il a pour but de présenter le patrimoine naturel, historique et culturel du causse à travers différentes curiosités dispersées sur un territoire de 35 km de long et 25 km de large. On peut ainsi voir une ferme traditionnelle, une bergerie ultramoderne avec un rotolactor pouvant traire 700 brebis à l'heure, la bergerie de la Blaquière construite au moment des événements des années 1970, des expositions sur l'architecture caussenarde, l'archéologie, les templiers, etc.

Poursuivre la N 9 jusqu'à La Cavalerie. La route longe le camp du Larzac.

La Cavalerie
Créé par les templiers puis fortifié par les hospitaliers, ce gros bourg rappelle le souvenir de la « chevalerie » et conserve encore de vieux remparts (en cours de restauration). Il est animé par le camp du Larzac dont on peut voir les installations en prenant la route vers Nant.

De la N 9 prendre à droite la D 999 vers St-Affrique. Après 3,4 km prendre à gauche la route de Lapanouse-de-Cernon.

Ste-Eulalie-de-Cernon
Ste-Eulalie fut le siège de la commanderie des templiers ▶ dont dépendaient La Cavalerie et La Couvertoirade. De son passé de place médiévale fortifiée, Ste-Eulalie a conservé la plupart de ses remparts, ses tours et ses

> **VISITES**
> Juil.-août : 10h-19h ;
> juin et sept. : 10h-12h,
> 14h-18h ; oct.-mai :
> 10h-12h, 14h-17h.
> Visite guidée 11h et
> 15h sur tous les sites :
> la Cavalerie,
> ☎ 05 65 62 78 73 ;
> la Couvertoirade,
> ☎ 05 65 58 55 59 ;
> Ste-Eulalie-de-Cernon,
> ☎ 05 65 62 79 98 ;
> Viala-du-Pas-de-Jaux,
> ☎ 05 65 58 91 89 ;
> St-Jean-d'Alcas,
> ☎ 05 65 49 09 74.
> Fermé w.-end (oct.-
> mars). Tarification selon
> les sites.

> **CÉLÈBRE NEVEU**
> Au 18ᵉ s., le tribun
> révolutionnaire Mirabeau
> se rendit souvent à
> Ste-Eulalie, en visite chez
> son oncle l'amiral
> de Riqueti-Mirabeau,
> le dernier des
> commandeurs.

Plateau verdoyant du Larzac tacheté d'amas de pierres.

portes (celle qui s'ouvre à l'Est est remarquable). L'église, dont la porte d'entrée est surmontée d'une Vierge en marbre du 17ᵉ s., donne sur une charmante place ornée d'une fontaine.

Prendre la D 561 au Sud puis à droite la D 23. La route passe par un autre village créé par les templiers, **Viala-du-Pas-de-Jaux**.

Roquefort-sur-Soulzon★ *(voir ce nom)*

Quitter Roquefort au Sud par la D 93 vers Fondamente puis tourner à droite au panneau « St-Jean-d'Alcas ».

St-Jean-d'Alcas

Ce beau village fortifié possède une église romane, elle aussi fortifiée, enclose dans les remparts. Certaines maisons, aux porches arrondis et aux fenêtres à meneaux, ont été bien restaurées ; on peut apercevoir de belles voûtes à l'intérieur.

Par la D 516 et la D 7 passer au-dessus de l'autoroute A 75. Continuer tout droit par la D 185 vers La Couvertoirade.

La Couvertoirade★ *(voir ce nom)*

Suivre la D 55 au Sud et poursuivre vers Le Caylar. La route, en légère montée, offre un joli coup d'œil sur le site extrêmement curieux du Caylar et sur le massif de l'Aigoual au loin à gauche.

Le Caylar

De loin, on pourrait croire à une ville aux remparts et aux donjons impressionnants mais en approchant, on s'aperçoit que ce « château » est fait de roches sculptées par les eaux. Parmi ces rochers est blottie la petite chapelle romane **N.-D.-de-Roc-Castel**. *De Pâques à Toussaint : visite sur demande auprès de M. le curé.* ☎ 04 67 44 50 39.

Au pied des rochers, la vieille ville a gardé sa **tour de l'Horloge**, dernier vestige des remparts. Quelques portes et fenêtres datant des 14ᵉ et 15ᵉ s. ornent les maisons anciennes. Enfin, dans l'**église**, on peut voir un Christ mutilé, en bois (17ᵉ s.) et, dans la chapelle de la Vierge, un beau retable en pierre sculpté du 14ᵉ s. dont les panneaux relatent l'enfance du Christ.

Quitter Le Caylar au Sud puis prendre la voie parallèle à l'A 75 puis la D 155ᴱ jusqu'à St-Félix-de-l'Héras. De là, emprunter la D 155. À la bifurcation de l'ancienne N 9, laisser la voiture et continuer à pied jusqu'au pas de l'Escalette.

> **D**u rocher le plus élevé, une vue à ne pas manquer sur les roches dolomitiques.

Pas de l'Escalette★

Alt. 616 m. Ce passage, brèche rocheuse dominée par de hautes falaises, était appelé ainsi car il permettait de descendre du Larzac par des marches taillées dans le rocher. Du Pas, **vue** sur les cascades de la Lergue.

Retourner à l'échangeur du Caylar-Nord pour s'engager sur l'A 75 en direction de Millau.

Lézignan-Corbières

Dans le relief chaotique des Corbières, à mi-chemin entre Carcassonne et la mer, Lézignan s'active autour de ses vignes et de leur commerce. L'église St-Félix est cerclée de placettes et de ruelles où il fait bon déambuler, comme il est doux de se protéger du soleil sous les promenades bordées de larges platanes.

La situation

Carte Michelin Local 344 H3 – Aude (11). En venant de Narbonne, on prend la N 113, mais on peut aussi bifurquer par la D 24 ou tenter sa chance sur la multitude de départementales qui s'étoilent autour de Lézignan. 🛈 *9 cours de la République, 11200 Lézignan-Corbières,* ☎ *04 68 27 05 42.*

Le nom

Il provient de celui d'un citoyen local, Licinianus.

Les gens

8 266 Lézignanais. Natif du pays, **Charles Cros** (1842-1888) mena parallèlement son œuvre littéraire d'inspiration lyrique, la fréquentation de la bohème parisienne et ses travaux scientifiques. On lui doit en effet l'invention du paléophone, précurseur du phonographe d'Edison : en son honneur, l'Académie du disque, qui décerne chaque année des prix prestigieux, l'équivalent du Goncourt des musiciens, a pris son nom.

visiter

Musée de la Vigne et du Vin

En face de la gare. ♿ *9h-19h. 5,35€.* ☎ *04 68 27 07 57.*
Il a pour cadre une ancienne exploitation viticole. Autour de la grande cour, outre la sellerie et l'écurie, on observera un pressoir et, sous un auvent, les outils du métier, aujourd'hui disparu, de tonnelier. La cave de vinification expose un grand cuvier à vendange pour le foulage au pied et une échaudeuse à l'attelage. Au premier étage, les outils nécessaires au travail de la vigne sont rassemblés selon le cycle des saisons : araires, ciseaux à tailler la vigne, couteaux à greffer, hottes et

A. Thuillier/MICHELIN

Un des témoins du travail de la vigne en pays de Lézignan au siècle dernier (musée de la Vigne et du Vin).

carnet pratique

RESTAURATION

🍽 **La Balade Gourmande** – *Bd Léon-Castel - RN 113 -* ☎ *04 68 27 22 18 - fermé lun. soir, mar. soir et mer. soir - réserv. conseillée - 12/20€.* Cette maison moderne de couleur rose abrite deux salles à manger au décor méridional (murs jaunes et tissus provençaux). Cuisine traditionnelle et bons produits du pays – pour les amateurs, cassoulet de rigueur ! – à déguster dans une ambiance animée et conviviale.

🍽 **Le Tournedos** – *Pl. de Lattre-de-Tassigny -* ☎ *04 68 27 11 51 - fermé 25 janv.-9 fév., 28 sept.-14 oct., dim. soir et lun. - 13/38,50€.* Généreuse cuisine traditionnelle avec, entre autres, tournedos et grillades préparés dans la cheminée où crépitent les sarments de vignes. Lumineuse salle à manger méridionale et accueil sympathique. Quelques chambres simples, à choisir de préférence sur l'arrière.

🍽 **Auberge du Domaine des Noyers** – *11700 Montbrun-des-Corbières - 7 km à l'O de Lézignan dir. Carcassonne, puis à Conilhac par D 165 -* ☎ *04 68 43 94 01 - fermé 1er nov. à Pâques -* 🚭 *- réserv.*

obligatoire le soir - 15/22€. Le propriétaire est viticulteur, son épouse cuisinière. Dans une salle empreinte de simplicité, vous dégusterez, entre autres, les légumes du jardin ou les viandes (bœuf, porc, agneau, volailles) grillées au feu de bois... arrosés du vin maison. Quelques chambres et une piscine.

HÉBERGEMENT

🛏 **Chambre d'hôte M. et Mme Tenenbaum** – *5 av. du Minervois - 11700 Azille - 16 km au NO de Lézignan, dir. Homps puis Carcassonne et D 806 -* ☎ *04 68 91 56 90 - pierreetclaudine@tiscali.fr - fermé 1er au 15 nov. -* 🚭 *- 4 ch. : 52€.* Accueil charmant, piscine protégée par de hauts murs et terrasse-jardin sont les atouts de cette maison de maître bâtie en 1835. Chambres climatisées garnies d'un mobilier varié ; deux avec salon et une avec terrasse privative donnent sur l'église du 14e s.

comportes, entonnoirs, marques à feu... Près de l'accueil, une salle est consacrée au transport des vins du Languedoc sur le canal du Midi du 18e s. à nos jours. Le musée propose également une initiation aux goûts et aux odeurs.

circuit

LE PAYS DE LÉZIGNAN

49 km – environ 1h. Quitter Lézignan par la D 24 en direction d'Ornaisons où l'on prend à droite la D 123.

Gasparets

L'espace Octaviana abrite le **musée de la Faune**. Bel ensemble d'animaux naturalisés représentant tous les continents : rapaces, oiseaux nocturnes et oiseaux familiers, mais aussi ours brun des Pyrénées et sangliers de la région. De cette importante collection, on retiendra, pour leurs couleurs vives ou leur envergure : le faisan doré, le coq de bruyère ou grand tétras et la harpie. Également une impressionnante collection de 7 000 insectes du Midi de la France. ♿ *9h30-12h, 14h-18h. Fermé lun. (oct.-mai), 1er janv., 25 déc. 5€ (enf. : 2€).* ☎ *04 68 27 57 02.*

Les D 61, 161 et 611 par Boutenac et Ferrals conduisent à Fabrezan.

Fabrezan

Dominant la vallée caillouteuse de l'Orbieu, ce village typique aux rues étroites et tortueuses abrite, dans la mairie, le petit **musée Charles-Cros** dédié à ce scientifique doté d'une âme de poète (1842-1888). *Tlj sf w.-end et j. fériés 9h-12h, 14h-18h. Gratuit.* ☎ *04 68 27 81 44.*

Prendre la D 212, puis à gauche la D 111 en direction de Moux. Avant cette localité, tourner à droite en direction de Lézignan. À Conilhac, prendre à gauche la D 165.

La route gravit une colline puis débouche sur le vignoble de **Montbrun-des-Corbières** que l'on domine. Continuer vers Escales en faisant un arrêt près de la charmante chapelle romane de **N.-D.-de-Colombier**.

Les D 127 et 611 ramènent à Lézignan.

Limoux

Limoux est réputée facétieuse pour son carnaval, dont les cortèges de « masques » (les « fécos ») dansent tous les dimanches de janvier à avril sous les couverts de la place de la République. La ville n'en a pas moins une silhouette monumentale, qu'elle doit à la flèche gothique de l'église St-Martin, qui s'élance au-dessus de la rivière. Ses petites rues étroites et animées sont encore en partie encloses dans une enceinte élevée au 14e s. suite aux féroces pillages du Prince Noir, fils d'Édouard III, roi d'Angleterre.

UN CARNAVAL DÉBRIDÉ

Les *fécos*, personnages masqués déguisés en pierrots, envahissent la place du Commerce chaque dimanche matin, dansant dans les cafés des arcades au son de musiciens revêtus de la *bloda* (blouse). Deuxième sortie en fin d'après-midi avec force consommations, dégustées aux comptoirs de chacun des cafés, à la paille puisqu'il est interdit de se dépouiller de son masque. Munis d'une *carabène* (roseau), les *fécos* tapent le front de ceux qu'ils reconnaissent dans la foule des consommateurs en prononçant les mots « *Te coneissi* » (« je te reconnais ! »). Enfin, la 3e sortie de ces journées, décidément très chargées, a lieu aux alentours de 22h, à la lueur des *entorches* : il ne faut pas manquer ces moments où la cité baigne dans une atmosphère des plus étranges, créée par les flammes, les incantations et la musique extrêmement lente jouée par l'orchestre.

La lente danse des fécos,
déguisés en pierrots,
est un des moments forts
du carnaval de Limoux.

La situation

Carte Michelin Local 344 E4 – Schéma p. 186 – Aude (11). ▶
L'Aude, franchie par un « Pont neuf » du 14ᵉ s., donne
une certaine noblesse aux perspectives urbaines.
🖪 *Prom. du Tivoli, 11300 Limoux,* ☎ *04 68 31 11 82.*

Le nom

Limoux vient du latin *limosus* qui signifie « bourbeux »,
ce qui arrive fréquemment lorsqu'il pleut sur les sols de
limons...

Les gens

Les 9 411 Limouxins, dont nombre d'ancêtres, adeptes
du catharisme, périrent sur le bûcher, gardent en eux un
fond d'hérésie puisqu'ils pratiquent avec ferveur le jeu
à XIII, surnommé « rugby hérétique » ou encore « sport
des cathares ».

LA BLANQUETTE

Ce vin effervescent AOC
provenant des cépages
mauzac, chenin et
chardonnay, plantés dans
41 communes de la région
de Limoux, doit son nom
au fin duvet blanc couvrant
le dessous des feuilles du
plant mauzac. Dès le
16ᵉ s., les documents
attestent que la blanquette
était livrée en « flascons »
bouchés. Élaborée selon le
procédé de la méthode
champenoise, elle jouit
d'une faveur croissante en
France et à l'étranger.

carnet pratique

RESTAURATION

◯ **La Maison de la Blanquette** – *46 bis
prom. du Tivoli -* ☎ *04 68 31 01 63 -
14,95/30€.* Les boissons sont incluses dans les
menus de ce restaurant : une bonne occasion
de découvrir, ou de redécouvrir, la blanquette
de Limoux et autres crus locaux, tout en
dégustant une cuisine du terroir. Avant de
repartir, ne manquez pas la boutique de vins.

HÉBERGEMENT

◯ **Le Mauzac** – *Av. Camille Bouche, rte de
Carcassonne -* ☎ *04 68 31 12 77 -* 🅿 *-
21ch. : 34/46€ -* ⊑ *5,50€.* Une étape
pratique sur la route de Carcassonne. Bâti à
flanc de colline, cet hôtel entièrement refait,
propose des chambres de bon confort, bien
insonorisées et garnies de meubles en pin ;
préférez celles tournées vers l'arrière. Coquette
salle des petits-déjeuners. Accueil charmant.
◯◯ **Grand Hôtel Moderne et Pigeon** –
1 pl. du Gén.-Leclerc - ☎ *04 68 31 00 25 -
grandhotelpigeon@wanadoo.fr - fermé 15
au 20 janv. - 18 ch. : 50/98€ -* ⊑ *14,50€
- restaurant 28/45€.* Sur la place des Halles,
un peu difficile d'accès, cet hôtel particulier
du 17ᵉ s. a gardé quelques éléments de
décor ancien comme les fresques et les
vitraux de son bel escalier. Ses chambres
sont plus spacieuses au premier étage.
Restaurant avec terrasse.

SPORTS & LOISIRS

Alet Eau Vive – *Allée des Thermes - 11300
Alet-les-Bains -* ☎ *04 68 69 92 67 -
aleteauvive@libertysurf.fr - 9h-19h.* Sport
d'eau vive sur l'Aude (hydrospeed,
rafting, canoë, kayak) et parcours
acrobatiques forestiers (balades
dans les arbres).

ACHATS

Blanquette de Limoux – Pour
connaître les adresses des viticulteurs
qui font visiter leurs caves, s'adresser à
l'Office du tourisme de Limoux ou au
Syndicat des vins AOC de Limoux
(20 av. du Pont-de-France - ☎ 04 68 31
12 83). Les Vignerons du Sieur d'Arques
(av. du Mauzac - ☎ 04 68 74 63 45)
s'occupent des réservations des visites
de caves.

Dégustation de blanquette de Limoux.

visiter

Catharama

47 av. Fabre-d'Églantine. &. *De Pâques à Toussaint : spectacle audiovisuel 10h, 11h, 14h, 15h, 16h et 17h (juil.-août : séances supplémentaires 12h, 13h et 18h). 4,50€.* ☎ *04 68 31 48 42.*

🎧 Ville bien située pour rayonner en pays cathare, Limoux propose d'intéressantes projections audiovisuelles (Catha-Rama, Catha-Rama 2) traitant de la religion cathare, mouvement hérétique qui fut éradiqué par la croisade contre les Albigeois. Programmes enfants simultanés.

Musée Petiet

Prom. du Tivoli. Juil.-août : 9h-19h (dernière entrée 1/2h av. fermeture) ; sept.-juin : 9h-12h, 14h-18h, w.-end 10h-12h, 14h-17h. Fermé 1er janv., 25 déc. 2,90€. ☎ *04 68 31 85 03.*

Installé dans l'ancien atelier de la famille Petiet, il rassemble des œuvres de la 2e moitié du 19e s. : peintures limouxines, délicates et intimistes comme *Les Repasseuses* de Marie Petiet (1854-1893), scènes de batailles de la guerre de 1870 par Étienne Dujardin-Beaumetz. On remarque aussi les travaux d'Henri Lebasque *(La Lecture)* et d'Achille Laugé *(Notre-Dame de Paris).*

Musée du Piano

Place du 22-Septembre, dans le prolongement du Pont Neuf et à côté de l'hôpital psychiatrique. &. *Juil.-août : 10h-12h, 14h-18h, de Pâques à fin juin et de sept. à Toussaint : tlj sf w.-end 14h-17h. 2€.* ☎ *04 68 31 85 03.*

L'ancienne église Saint-Jacques accueille une intéressante exposition de pianos, principalement français, de la fin du 18e s. à nos jours. Droits, forte, carrés, à queue, mécaniques... ils présentent les principales évolutions techniques de cet instrument. Parmi les pièces rares, un Pleyel droit (1825) est le seul au monde à bénéficier du brevet unicorde de ce facteur.

alentours

N.-D.-de-Marceille

MIRACLE

À mi-pente de la « voie sacrée », rampe empruntée par les pèlerins, un édicule abrite la fontaine miraculeuse. André Chénier enfant parcourut ce chemin et laissa une description élégiaque de cette promenade.

◄ *2 km au Nord de Limoux par la D 104.* Cette église de pèlerinage a été reconstruite au 14e s. dans le style gothique. Vignobles et cyprès conservent au site son caractère languedocien. À l'intérieur, la Vierge Noire apparaît dans l'unique chapelle latérale de gauche, protégée par une grille Louis XIV. On verra de nombreux et touchants ex-voto dans les absidioles encadrant le chœur. Grands tableaux de peintres carcassonnais.

St-Hilaire

12 km au Nord-Est. Sortir de Limoux par la D 104. La tradition attribue aux moines bénédictins de St-Hilaire la découverte de la montée en mousse de la blanquette.

Du pied de l'abside de l'église, prendre une rampe aboutissant au cloître. En forme de trapèze, ce cloître gothique aux colonnettes géminées soudées au niveau des chapiteaux par un motif en forme de tête d'homme laisse une impression de gracilité. Du cloître, on passe dans l'**église** romane – très remaniée – pour y voir surtout, dans la chapelle orientée de droite, l'« ossuaire de saint Sernin », sarcophage à l'antique exécuté au 12e s. par le maître de Cabestany : vie et martyre du fondateur de l'église de Toulouse vers le milieu du 3e s.

St-Polycarpe

8 km au Sud-Est par la D 129. L'**église fortifiée** montre son chevet roman dont des bandes lombardes forment la membrure. Sous le maître-autel sont exposées des pièces de l'ancien trésor : chef-reliquaire (tête nue) de saint Polycarpe, chef-reliquaire de saint Benoît, reliquaire de la Sainte-Épine, toutes œuvres du 14e s. ; tissus du 8e s. Les deux autels latéraux présentent un décor carolingien sculpté d'entrelacs et de palmettes. Sur les murs et les voûtes, vestiges de fresques, restaurées, du 14e s.

circuit

LE RAZÈS CATHARE 2

120 km – Schéma p. 186 – compter la journée.

Les châteaux cathares de ce parcours sont peu élevés, contrairement aux « citadelles du vertige » des Corbières montagneuses. Ils n'en constituèrent pas moins de bons sites de défense lors de la croisade contre les Albigeois.

Quitter Limoux au Sud par la D 118. À l'entrée d'Alet, l'Aude écorne un pli du massif des Corbières et la vallée s'encaisse à nouveau : c'est l'**étroit d'Alet**.

Alet-les-Bains

Encore enserré dans ses remparts du 12e s., le vieil Alet ne manque pas de charme. Sur la minuscule **place de la République** se dressent de belles façades à pans de bois, restaurées, et de nobles maisons de pierre du 16e s., à portiques, composant un ensemble plein d'harmonie. De là partent en étoile des rues étroites dont deux, les rues Calvière et la Cadène, aboutissent aux portes des mêmes noms.

Les vestiges de l'**ancienne abbaye** de style roman s'élèvent tout près de la D 118. Triste sort que celui de l'**église abbatiale** : son chœur gothique resté inachevé, elle fut dévastée en 1577 par les huguenots avant d'être amputée des chapelles de son déambulatoire pour laisser place à la route au 18e s., si bien qu'il ne subsiste de l'époque gothique que la tour Nord *(à droite, en regardant le chevet)*. Heureusement pour nous, le **chevet roman** en beau grès rouge ou ocre est, lui, resté en place et lorsque la caresse du soleil couchant vient faire resplendir les pierres, il est absolument magnifique. Dans la salle capitulaire, sur les élégants chapiteaux romans de la porte et des baies, vous reconnaîtrez sans peine une scène de chasse, *la Fuite en Égypte,* deux capricornes qui s'affrontent... *Fermé pour travaux.* ☎ 04 68 69 93 56.

À partir de la D 118, tourner à gauche dans la D 70. Dans un virage, prendre à droite une petite route allant vers Arques.

Donjon d'Arques

À 500 m du village d'Arques, sur la D 613. Juil.-août : 10h-20h ; juin et sept. : 10h30-18h30 ; avr.-mai. : 11h-18h30 ; mars : 11h-17h ; de déb. oct. à mi-nov. : 11h-17h30. 4€. ☎ 04 68 69 82 87.

🔲 Arques fut d'abord un site fortifié qui fut confié à Pierre de Voisins après la croisade contre les Albigeois. L'ensemble que l'on voit aujourd'hui a été construit aux 13e et 14e s. Il s'agit d'une enceinte rectangulaire percée d'une porte en arc brisé et agrémentée en son angle Sud-Ouest d'une tour-logis (14e s.) carrée. Au centre s'élève un donjon quadrangulaire (13e s.) de 25 m de haut. Bâti en beau grès doré et pourvu de très nombreuses meurtrières, il est curieux par le dispositif de ses tourelles d'angle montées sur des socles évidés et s'orne, dans sa partie supérieure, d'un appareil à bossage.

Au village, la maison **Déodat-Roché**, grand spécialiste du catharisme et, peut-être, quelque peu cathare lui-même, abrite une exposition sur la religion cathare.

Peu après le donjon d'Arques, à gauche, une route forestière permet de pénétrer dans la forêt de Rialsesse.

Forêt de Rialsesse

Elle fut plantée il y a un siècle. La D 613, route du col de Paradis, permet de voir nettement, au cours de la montée quand on arrive par l'Ouest, le passage de la futaie de pins d'Autriche aux couverts de feuillus, sur le versant opposé de la vallée.

La D 613 passe par **Coustaussa** et les ruines *(inaccessibles et dangereuses)* de son château. Construit au 12e s. par Raimond-Roger Trencavel, il subit les assauts de Simon de Montfort en 1210 et 1211. La présence de cathares dans le village a été attestée jusqu'au 14e s.

D. Pazery/MICHELIN

De forme rectangulaire, le donjon d'Arques impose le respect avec ses 25 m de haut.

Couiza

Ville industrielle (chaussures, chapeaux). L'**ancien château des ducs de Joyeuse**, du milieu du 16e s., cantonné de tours rondes, se distingue par sa silhouette et
par son bon état de conservation. Très restauré, il abrite
une hôtellerie *(voir adresse à Rennes-le-Château)*.
Prendre à gauche une route étroite en forte montée.

Rennes-le-Château *(voir ce nom)*

Revenir à Couiza et prendre la D 118 en direction de Quillan.

Espéraza *(voir ce nom)*

Quillan *(voir ce nom)*

Prendre la D 117 à l'Ouest vers Puivert.

Puivert *(voir ce nom)*

*Revenir à Limoux par la D 12 jusqu'à Chalabre, puis par la
D 620.*

Lodève★

À la fois proche de la montagne, à deux pas du
causse du Larzac et des monts de l'Orb, et de la
plaine, à quelques minutes du lac du Salagou et de
la vallée de l'Hérault, Lodève possède un passé
assez riche pour passionner petits et grands : des
dinosaures aux manufactures drapières, en passant par les sculptures du Lodévois Paul Dardé, il
y en a pour tous les goûts.

La situation

Carte Michelin Local 339 E6 – Hérault (34). Lodève se
trouve en bordure de la N 9 reliant Millau à Béziers. En
venant du Nord, lorsqu'on quitte la nationale, on peut
entrer dans Lodève par l'avenue de la République qui
mène directement aux parkings publics, tout proches du
centre-ville.
Une vue étendue de la ville s'offre du belvédère
aménagé sur la déviation de la N 9 en venant de Millau.
🚩 *7 pl. de la République, 34700 Lodève,* ☎ *04 67 88 86 44.
www.lodeve.com*

Le nom

Comme Lutèce, Lodève, en latin *Luteva*, doit son nom
aux carrières d'argile (*lutum* signifie « boue ») qui furent
exploitées dès la nuit des temps.

Les gens

6 900 Lodévois. Bien avant cette nuit des temps (fin de
l'ère primaire-début de l'ère secondaire), les premiers
habitants, reptiles et dinosaures, ont laissé dans la roche
leurs empreintes impressionnantes. Pour en juger, allez
donc visiter le musée installé dans l'hôtel du cardinal de
Fleury.

comprendre

Lodève est une ville très ancienne : Néron y faisait frapper la monnaie nécessaire à la paye et à l'entretien des
légions romaines. Au Moyen Âge, la cité et le diocèse ont
pour seigneurs les évêques. Parmi eux, au 10e s., Fulcran
s'illustre par sa sainteté. Très riche, il nourrit les
pauvres, soigne les malades. C'est aussi un guerrier qui
construit des forteresses et défend la ville contre les brigands. Au 12e s., l'un de ses successeurs introduit l'industrie à Lodève : il installe un des premiers moulins
utilisés pour la fabrication du papier de chiffons. Mais
c'est au 18e s. qu'**Hercule André de Fleury**, né à Lodève
en 1653, devenu cardinal et ministre de Louis XV, offre

à sa ville natale le monopole de la fourniture du drap nécessaire à l'habillement de l'armée royale. La prospérité de Lodève est assurée pour quelques décennies jusqu'au déclin, survenu au 19e s.

visiter

Le **pont gothique de Montifort** enjambe la Soulondres en faisant un dos d'âne très prononcé ; on en a une jolie vue depuis le pont piéton en aval.

Ancienne cathédrale St-Fulcran★
La cathédrale primitive constitue la crypte actuelle. L'édifice fut reconstruit une première fois au 10e s. par saint Fulcran et, à nouveau, au 13e s., mais pour l'essentiel, cette église date de la première moitié du 14e s. À l'intérieur, le chœur, très lumineux, est entouré de boiseries du 18e s. et d'une balustrade de marbre ; il est couvert à son extrémité par une élégante voûte en rayons. À l'opposé, orgues du 18e s. Dans la 1re chapelle du bas-côté droit reposent les 84 évêques de Lodève. Dans la 3e chapelle, placée sous le vocable de N.-D.-des-Sept-Douleurs et voûtée en réseau, caractéristique du gothique finissant, une porte donne accès à l'ancien cloître (14e-17e s.).

A. de Valroger/MICHELIN

La cathédrale St-Fulcran en impose avec sa robuste silhouette fortifiée ; la façade est encadrée de deux tours à échauguettes.

Musée de Lodève★
Tlj sf lun. 9h30-12h, 14h-18h. Fermé 1er janv., 1er mai, 1er nov., 25 déc. 3,10€. ☎ 04 67 88 86 10.
Installé dans l'ancien hôtel du cardinal de Fleury (17e-18e s.), il renferme plusieurs collections concernant la ville et sa région : vestiges préhistoriques du Lodévois (paléolithique et néolithique) et présentation de l'histoire locale depuis l'époque gallo-romaine jusqu'à nos jours (souvenirs du cardinal de Fleury) ; évocation de l'art lodévois avec les sculptures de **Paul Dardé** (1888-1963). Belle collection de 38 tableaux (Courbet, Braque, Camoin, Dufy, Caillebotte, Vlaminck, Léger...)
Dans un deuxième corps de bâtiment sont exposées les **stèles discoïdales** d'Usclas-du-Bosc, proche de Lodève (12e-15e s.) : dans l'Antiquité, le disque représentait le soleil, mais à l'ère chrétienne ce symbole devint l'image du Christ ressuscité. Deux salles présentent l'activité textile traditionnelle de Lodève.

> **À VOIR**
> Au deuxième étage, rare collection d'**empreintes fossilisées** de flore et surtout de reptiles (ou de batraciens) de la fin de l'ère primaire et de grands dinosaures de l'ère secondaire.

Manufacture nationale de Tapis
Av. du Gén.-de-Gaulle (au Sud, route de Montpellier). ⏧ Tlj sf w.-end et j. fériés 13h30-15h30, sur demande. Fermé 25 déc.-1er janv. 3,20€. ☎ 04 67 96 40 40.
C'est l'unique annexe de la manufacture des Gobelins à Paris où sont tissées, en particulier, des copies d'anciens modèles destinés aux services du Mobilier national. Visite technique de l'atelier de tissage.

LE DRAP EN QUELQUES MOTS
Les moutons de la région de Lodève ont longtemps constitué la principale ressource du pays. Aussi l'industrie de la laine y fut-elle prospère dès le 13e s. Plus tard, Henri IV transfère à Lodève les fabriques de drap de Semur, avant que Louvois n'adopte ses tissus pour l'habillement des troupes. Sous Louis XV, le cardinal de Fleury accorde à sa ville natale le monopole des fournitures militaires.
Mais la qualité se ressent de cette haute protection. Les surveillants de la fabrication ferment les yeux sur les malfaçons. Les tissus de Lodève se déprécient peu à peu. Un rapport de 1754 s'exprime ainsi à leur sujet : « Ces draps habillent plutôt qui veut être couvert que qui veut être paré. » La fabrication a cessé en 1960. Cette industrie traditionnelle est relayée aujourd'hui par d'autres branches du textile, comme la bonneterie.

A. de Valroger/MICHELIN

Le parc du prieuré de Grandmont conserve d'intéressants vestiges comme ce dolmen christianisé de Coste-Rouge.

alentours

Prieuré St-Michel-de-Grandmont★

8 km. Sortir au Nord en direction de Millau et tourner à droite dans la D 153 vers St-Privat. Juin-sept. : visite guidée (1h1/2) 10h30, 15h, 16h et 17h ; oct.-mai : 10h-18h, visite guidée 15h. 5,40€. ☎ 04 67 44 09 31. www.grandmont.fr.st
Fondé au 12ᵉ s., ce prieuré est un des mieux conservés des 150 monastères grandmontins *(ordre fondé en 1125 par les disciples d'Étienne de Muret)*. L'ensemble architectural se compose, entre autres, d'une **église** à la remarquable acoustique, d'un **cloître** roman surmonté d'un charmant clocheton, d'une salle capitulaire aujourd'hui réunie avec le cellier.
Au pied du Larzac, à quelque 450 m d'altitude, le **parc**★ bénéficie d'une position panoramique exceptionnelle sur la région et jusqu'à la mer. On y trouve d'intéressants dolmens (Coste-Rouge), cupules, pierres sacrées et autres vestiges mégalithiques qui recèlent bien des mystères.

Grotte de Labeil

12 km. Sortir au Nord vers Millau. Quitter la N 9 en direction de Lauroux et prendre la D 151 menant à Labeil. Juil.-août : visite guidée (3/4h) 10h-19h ; de mi-mars à fin juin et sept.-oct. : 11h-17h. 6,40€ (enf. : 3,20€). ☎ 04 67 96 49 47.
Constituant le contrefort Sud du plateau du Larzac, le cirque de Labeil offre une belle vue *(depuis l'entrée de la grotte, à 500 m au-dessus de Labeil)* sur la vallée de Lauroux venant se terminer au pied du belvédère.
Le parcours suit sur 300 m le lit d'une rivière souterraine. Dans cette grotte très humide, qui servait autrefois de cave à roquefort, stalagmites, stalactites et draperies constituent l'essentiel des concrétions, dont une belle cascade ocre et gris colorée par des oxydes métalliques.

circuit

AUTOUR DU LAC DU SALAGOU

65 km – une demi-journée. Quitter Lodève au Sud par la N 9 que l'on laisse après 5 km (sortie 54).

Lac du Salagou★

À la suite de l'édification d'un barrage, une vaste nappe d'eau (750 ha) a envahi le bassin où coulait le Salagou, modeste affluent de la Lergue, créant un paysage insolite. Ses berges, aménagées pour accueillir les pêcheurs, des campings, des bases nautiques, des plages, font un lieu de détente particulièrement agréable, où l'on peut en outre pratiquer l'équitation. Le village de Celles, abandonné depuis la mise en eau, revit pendant l'été.
Vous pourrez faire le tour du lac en voiture en empruntant la D 148 qui procure des **vues**★ superbes sur la vaste étendue d'eau où se reflètent les collines coniques de grès rouge ; ou bien en prenant la route forestière après Celles, à droite juste avant le camping.
À Salasc, prendre sur la gauche la D 8.

Cirque de Mourèze★★ *(voir ce nom)*

Le lac du Salagou, aux contours sinueux, baigne des collines, devenues îles ou presqu'îles, dont la couleur pourpre contraste avec le bleu de l'eau et le vert des collines environnantes.

Reprendre la D 8F1 jusqu'à la D 908 qu'on emprunte à gauche sur 500 m environ, puis prendre à droite la D 15 vers Cabrières. À l'entrée du village, prendre sur la gauche un chemin revêtu, signalisé « Mine de cuivre de Pioch-Farrus » et la suivre sur 1 km.

Mine de cuivre de Pioch-Farrus

♿ *Avr.-oct. : visite guidée (3/4h, dernier dép. 1h av. fermeture) 10h-19h. 7€. ☎ 06 14 91 46 02.*

Il s'agit d'une mine de cuivre qui fut exploitée à l'époque préhistorique, puis sous les Romains, et enfin, sous le 19e siècle. Si cette dernière tentative se révéla infructueuse, on lui doit aujourd'hui la galerie horizontale qui permet d'accéder à la mine depuis la maison d'accueil. Au cours de cette visite guidée, vous découvrirez les méthodes d'extraction de nos lointains ancêtres : marteaux de pierre du 3e millénaire avant J.-C., pointerolles et herbinettes dans l'Antiquité. Le travail n'était pas de tout repos : il fallait lutter continuellement contre les eaux qui s'infiltraient, s'éclairer à la lampe à huile et supporter la raréfaction de l'oxygène dans des conduits exigus.

Revenir à la D 908, que l'on prend en direction de Clermont-l'Hérault.

> **PETITE LAINE**
> Si le casque (indispensable, surtout pour les plus grands !) est fourni aux visiteurs, vous aurez soin en été de vous munir d'une petite laine : quand il fait 40 °C au-dehors, il ne fait que 14 °C dans la mine !

Villeneuvette

Juil.-août : visite guidée de la cité (2h) 15h30, tlj sf lun. matin et w.-end 10h30 ; sept.-juin : sur demande. 4€. S'adresser à la mairie, ☎ 04 67 96 06 00.

Une allée bordée de platanes, donnant sur la D 908, conduit à la porte d'honneur de Villeneuvette marquée de l'inscription : « Honneur au travail ». Cette ancienne manufacture textile royale fut fondée au 17e s. par Colbert. Sa principale activité consistait à transformer la laine des causses languedociens en draps fins destinés au commerce avec l'Orient. Au début du 19e s., la production se spécialise dans la fabrication de draps militaires réservés à l'armée, puis à l'administration. Les ateliers fermèrent en 1954.

La cité a conservé son unité architecturale. L'entrée débouche sur la **place Louis-XIV**, agrémentée d'une fontaine. La place, la rue principale et les abords des maisons d'ouvriers ont été repavés comme au 17e s. et ces dernières, transformées en résidences s'ornent de jardins agréablement fleuris. La maison du Directeur avec sa porte et ses fenêtres encadrées de bossages, et d'anciennes fabriques témoignent de la révolution industrielle du 19e s. Ancien pigeonnier et vestiges du réseau hydraulique, comprenant à l'Ouest, le grand vivier et au Nord, le buffet d'eau.

Sur la place Louis-XIV à Villeneuvette, la fontaine rafraîchira les chauds après-midi d'été.

Clermont-l'Hérault

Les ruelles très étroites du vieux quartier, resté presque intact, escaladent, souvent par des degrés, la colline couronnée des ruines d'un château du 12e s. d'où l'on a une vue agréable sur le village et les environs. Comme Lodève, Clermont-l'Hérault fut longtemps spécialisé dans la fabrication de draps militaires. C'est actuellement un important centre viticole et un marché de raisins de table.

Construite entre 1276 et 1313 sur l'édifice roman précédent, l'**église St-Paul★** fut fortifiée pendant la guerre de Cent Ans (mâchicoulis, échauguettes) ; longtemps elle fut réunie par deux murs aux remparts de la ville. Au 15e s., la façade occidentale s'orna d'une belle rose ; un porche précéda le portail Nord sur lequel fut édifié le clocher octogonal. L'impression de puissance, accentuée à l'extérieur par la présence d'arcs-boutants, conjuguée à la grande harmonie intérieure et à l'élégance de la nef principale en font un intéressant spécimen de l'architecture gothique de l'Hérault.

Retour à Lodève par la N 9/A 75.

> **VISITE TECHNIQUE**
> **Huilerie coopérative** – Av. du Prés.-Wilson - 34800 Clermont-l'Hérault - ☎ 04 67 96 10 36 - tlj sf dim. et j. fériés 9h-12h, 14h-18h.

Mont **Lozère**★★

Entre Florac, Mende, Génolhac et Villefort, ce puissant massif granitique dresse sa masse majestueuse dans le paysage cévenol. C'est en quelque sorte le symbole de la Lozère, à laquelle il a d'ailleurs donné son nom. C'est surtout un point de ralliement de tous les amateurs de randonnée, au cœur des Cévennes lozériennes.

La situation
Carte Michelin Local 330 J/K8 – Lozère (48). On peut contourner le mont Lozère (D 901, 906, 998 et N 106) ou le traverser du Nord au Sud (D 20).

Le nom
On le surnomme le « mont Chauve » car il est constitué de hauts plateaux s'alignant sur 35 km dans un paysage de landes.

Les gens
Dès le mois d'août, le mont Lozère se couvre de bruyères formant un tapis mauve à perte de vue. Profitant de l'aubaine, les abeilles viennent butiner le pollen de la callune (bruyère). Goûter le miel de bruyère fera partie de votre découverte de la région.

H. Payelle/MICHELIN

En août, pas de doute, le mont Lozère est bien mauve.

comprendre

Le « mont Chauve » – Le mont Lozère culmine à 1 699 m au sommet de Finiels, point le plus haut du Massif Central qui ne soit pas d'origine volcanique. Autrefois, il était couvert de hêtres ; aujourd'hui, on rencontre un paysage de landes d'où surgissent quelques chaos de granit. Ses versants, reboisés au cours des dernières décennies, ont retrouvé une parure de pins, sapins et

carnet pratique

RESTAURATION
🍴 **Randals Bison Ferme-auberge** – *30750 Lanuéjols - 6 km au SO de Lanuéjols par D 47, dir. Trèves et D 159, rte de Revens -* ☎ *04 67 82 73 74 - fermé d'oct.-avr. -* ✉ *- réserv. conseillée - 11/24€.* Cette ferme caussenarde se trouve au cœur d'un domaine de 300 ha (élevage de bisons, vaches américaines et chevaux). L'ancienne bergerie abrite le restaurant proposant un bon choix de grillades, à déguster dans une ambiance western. Après le repas, faites la visite en chariot de l'exploitation et assistez au « show » façon grandes plaines de l'Ouest.

LOISIRS
Randonnée pédestre – La physionomie, les paysages du mont Lozère se prêtent merveilleusement aux promenades à pied et de nombreux sentiers de Grande Randonnée le sillonnent. Un **tour du mont Lozère** (6 jours), décrit par le topoguide du GR 68, reste sur ses contours. Le **GR 7**, ancienne draille de la Margeride, le traverse en son centre, permettant de découvrir les paysages et les hameaux si caractéristiques du mont Lozère (surtout dans le tronçon entre le col de Finiels et la ferme de l'Aubaret). Renseignements : centre d'information du Parc national des Cévennes à Florac.

Domaine skiable du Mont Lozère-Le Bleymard – ☎ *04 66 48 66 48. Alt. 1 350-1 560 m.* Pour les amoureux des grands espaces à parcourir en ski de randonnée ou ski de fond (22 km). Itinéraires pour raquettes. Ski alpin : 5 remontées mécaniques, 8 km de pistes tous niveaux.

A. Thuillier/MICHELIN

Domaine skiable du Mas de la Barque – *Alt. 1 340-1 650 m.* 28 km de pistes de ski de fond. Pistes raquettes et randonnées. *Info station,* ☎ *04 66 46 92 72.*

ÉCOMUSÉE DU MONT LOZÈRE

Créé sous l'égide du **Parc national des Cévennes**, l'écomusée a pour but de présenter le milieu naturel et humain du mont Lozère. Il se compose d'un chef-lieu, la Maison du mont Lozère au Pont-de-Montvert *(voir ce nom)*, et de divers éléments d'intérêt architectural et naturel dispersés sur l'ensemble du massif. L'accent est mis sur l'architecture et le fonctionnement d'une exploitation agricole du 19ᵉ s. aux fermes de **Troubat** et de **Mas Camargues**. Les clochers de tourmente, les bornes marquées de croix de Malte ont été recensés. Plusieurs sentiers de découverte ont été aménagés, dont celui du **Mas de la Barque**.

À SAVOIR

La plupart des curiosités de l'écomusée sont décrites dans les circuits ci-dessous.

hêtres au Sud (montagne du Bougès), à l'Est (versant Vivarois) et au Nord. Le granit servait avant tout à construire de robustes maisons capables d'affronter le vent et la neige qui balaient les plateaux. Les clochers de tourmente, dont le son de la cloche était le seul repère pour le voyageur perdu dans la tempête de neige, sont là pour en témoigner.

Autrefois, les troupeaux transhumants peuplaient ces grandes étendues durant l'été. Évalués à une centaine de milliers de têtes au 19ᵉ s., on en compte moins d'une dizaine de milliers aujourd'hui, et les drailles, chemins de transhumance, ont tendance à disparaître sous la végétation. Les moutons ont été remplacés par les troupeaux de vaches des villages du versant Sud, qui viennent paître sur les hauts plateaux du mont Lozère.

REMARQUER

Quelques bornes de granit marquées de la croix de Malte rappellent que les hospitaliers de Saint-Jean-de-Jérusalem, devenus plus tard les chevaliers de Malte, y possédaient une partie des terres.

Paysage du mont Lozère.

circuits

LE MONT LOZÈRE ORIENTAL★ ①

130 km au départ du Pont-de-Montvert (voir ce nom) – une journée. Prendre au Nord la D 20 et tourner tout de suite à droite à la sortie du Pont-de-Montvert.

La route *(étroite, croisements difficiles en saison estivale)* traverse les paysages dénudés de pâtures et de landes parsemées de rochers.

L'Hôpital

Ce hameau fut une commanderie des hospitaliers de Saint-Jean-de-Jérusalem. Quelques estivants restaurent ses bâtisses de granit et l'écomusée a réaménagé le moulin à eau et une vieille grange avec leurs antiques toits de chaume.

Le GR 7 qui traverse l'Hôpital permet d'accéder à Pont-du-Tarn.

Pont-du-Tarn

De l'Hôpital, 1h à pied AR. Suivant la draille de la Margeride qu'emprunte le GR 7, cette promenade offre de belles vues sur les paysages de la plaine du Tarn, nom donné à ce plateau où s'écoule la rivière naissante. Un très joli pont enjambe la rivière qui se faufile à travers les rochers polis, au pied du bois du Commandeur.

Mas Camargues★

Juil.-août : 10h30-12h30, 14h30-18h30. Fermé 14 juil., 15 août (matin). 3,50€ ☎ *04 66 45 80 73.*

◄ C'est une maison de maître de vastes dimensions, dont la façade est constituée de blocs de granit taillés. Un **sentier d'observation** a été aménagé alentour pour expliquer les différents éléments d'une exploitation agricole dans cette région : bergerie, moulin, *béal* (petit canal), réservoir d'eau, ainsi que les paysages qui l'entourent (chaos de boules de granit, hêtraies).

Revenir à la D 20 que l'on prend à droite.

La route, bordée de sorbiers, s'élève sur le versant méridional vers le col de Finiels. Après le village de ce nom, elle traverse de grandes étendues désertes jonchées çà et là de blocs de granit. L'horizon est fermé au Sud par la montagne du Bougès et par le causse Méjean.

Col de Finiels★

Alt. 1 548 m. Des abords du col, et particulièrement des « sommets » qui encadrent le passage, la **vue★** peut par temps clair porter jusqu'à l'Aigoual et aux causses.

Au début de la descente, le massif du Tanargue (Vivarais cévenol) est visible en avant et à droite.

Chalet du mont Lozère

Parmi de jeunes boisements de sapins s'élèvent le chalet-refuge, un hôtel, un vaste bâtiment de l'UCPA et un **centre d'information du Parc national des Cévennes** accueillant randonneurs à pied et à cheval en été. *Juil.-*

PLUS LOIN...
Après avoir visité le Mas Camargues, on peut poursuivre à pied jusqu'à **Bellecoste** (⧖ 1 km), exemple intéressant d'architecture rurale où subsistent un four banal et une chaumière traditionnelle habitée l'été par un berger.

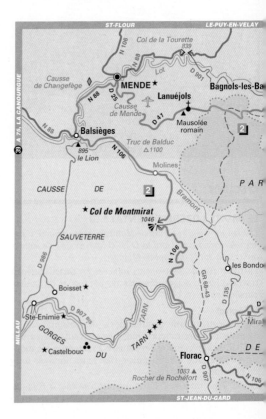

août : 9h30-12h, 13h30-18h30. Gratuit. ☎ *04 66 48 66 48.*
De décembre à avril, le site devient un centre de ski connu surtout pour le ski de fond.

Sommet de Finiels★

⌛ *3h à pied AR.* Du chalet du mont Lozère, prendre le sentier balisé entre la D 20 et la chapelle qui suit une rangée de pierres plantées jusqu'à la crête. Prendre à droite jusqu'à une cabane de pierre en ruine. De là, une **vue★★** étendue vers le Sud-Est montre la succession de sommets arrondis des hauts plateaux jusqu'au pic Cassini, tandis que vers le Nord, le plateau granitique de la Margeride barre l'horizon. Suivre la ligne de crête jusqu'à la borne indiquant 1 685 m et rejoindre, en descendant, la route des Chômeurs qui ramène au point de départ.

Après le chalet du mont Lozère, au moment où la D 20 va quitter le ravin de l'Altier pour repasser sur le versant de l'Atlantique, les monts de la Margeride se déploient au Nord. Plus loin, le village du **Bleymard** conserve de solides demeures aux toitures de lauzes et une église du 13e s.

Prendre à droite la D 901 en direction de Villefort.

Les paysages deviennent plus sauvages et dénudés. La route quitte la vallée du Lot pour suivre, après le col des Tribes, celle de l'Altier sinueuse et boisée. Les tours du **château de Champ** (15e s.) apparaissent en contrebas de la route, sur la droite.

Quelques kilomètres après **Altier**, ancienne place forte, on arrive au bord du lac de Villefort où gisent les ruines du **château** (Renaissance) **de Castanet**.

Lac et barrage de Villefort

Le barrage, long de 190 m à la crête, s'élève à 70 m au-dessus du lit du torrent ; il alimente l'usine de Pied-de-Borne située à 9 km en aval.

> **A**u lieu dit **Le Mazel** se dressent les bâtiments désaffectés d'une mine de plomb et de zinc dont l'exploitation a duré du début du 20e s. jusqu'en 1952.

> **PAUSE SPORTIVE**
> Après le barrage, sur la route de Langogne, une base nautique et une **plage**, très fréquentées l'été, ont été aménagées.

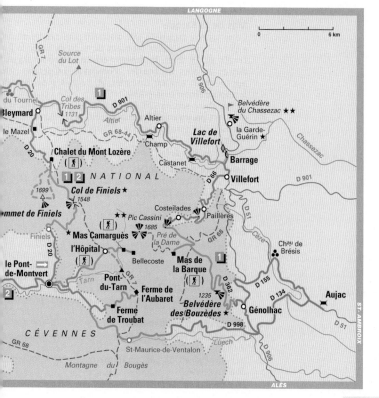

*Le lac de Villefort,
un miroir d'eau encastré
dans les montagnes
cévenoles.*

Villefort

La situation de ce bourg accueillant permet d'entreprendre de nombreuses excursions à pied dans les
Cévennes, le bas Vivarais et le mont Lozère. Villefort
possède en saison un **point d'information sur le Parc
national des Cévennes** au Syndicat d'initiative. &. *Juil.-
sept. : 9h-12h30, 15h-19h, dim. et j. fériés 9h30-13h ; oct.-
juin : tlj sf w.-end 9h-12h, 15h-17h. Fermé 1ᵉʳ mai. Gratuit.
☎ 04 66 46 87 30.*

À la sortie Nord de Villefort, prendre la D 66.

La route s'élève au-dessus d'un ravin ombragé de châtaigniers en procurant de très belles vues sur Villefort et
sa vallée. On traverse les villages de **Paillères** et de
Costeilades, entourés de jardinets en terrasses et dont
les maisons sont couvertes de lauzes ; remarquer la
disposition en épi des lauzes faîtières.

Peu à peu se dégagent au Nord-Est les plateaux qu'entaillent les gorges de la Borne et du Chassezac. Lors de
la traversée d'un chaos de blocs granitiques, les échappées portent jusqu'aux massifs du Tanargue et du
Mézenc, avec les Alpes à l'horizon.

*Peu après le pré de la Dame se détache, à droite, la route du
Mas de la Barque.*

Mas de la Barque

Cette maison forestière, gîte d'accueil pour randonneurs,
s'élève dans un cadre reposant de prairies et de taillis
cernés par la forêt. En hiver, c'est un centre de ski. Au
départ du Mas, un **sentier d'observation** permet une
approche du milieu forestier. 🚶 *3/4h à pied. Sentier
momentanément inaccessible.*

🚶 Un autre sentier *(2h AR)* monte au **pic Cassini**, qui
offre un **panorama**★★ remarquable permettant de distinguer par temps clair la chaîne alpine et le mont
Ventoux.

Revenir au pré de la Dame et poursuivre vers Génolhac.

Belvédère des Bouzèdes★

Alt. 1 235 m. La route décrit ici un lacet en terrain découvert sur le flanc d'une croupe plongeant sur Génolhac
800 m en contrebas. Avec ses toits de tuiles, cette ville
frappe par son aspect méridional.

Génolhac

Pl. de l'Arceau, 30450 Génolhac, ☎ 04 66 61 18 32.
Génolhac est une coquette cité médiévale fleurie, située
dans la vallée de la Gardonnette, au pied du mont
Lozère. Dans la Grand'rue, **point d'information sur le
Parc national des Cévennes** (documentation et
archives). *Tlj sf w.-end, mar. et jeu sur demande préalable
9h-12h, 13h30-17h30. Gratuit. ☎ 04 66 61 19 97.
www.cevennes.parcnational.fr*

*Remonter au Nord par la D 906. À la Banlève, tourner à
droite dans la D 155. La route débouche à **Brésis**, dominé
par les ruines de son **château** médiéval à l'élégant
donjon crénelé.*

Prendre à droite la D 51 qui descend vers Bessèges.

Château d'Aujac

Dans Aujac, prendre à gauche une petite route montant au château. Laisser la voiture au parking et monter à pied (10mn). Juil.-aoút : visite guidée (1h) tlj sf lun. 11h-19h ; mars-juin et sept.-nov. : dim. et j. fériés 14h-18h. 5€.
☎ *04 66 61 19 94.*

Planté sur un éperon rocheux, au carrefour du Gard, de la Lozère et de l'Ardèche, ce château fort surveille, depuis le 11e s., la vallée de la Cèze où passe la voie Régordane qui joint St-Ambroix à Villefort. Grâce à une active et sympathique équipe de bénévoles, il est peu à peu restauré, ainsi que le village qui s'étalait au pied de ses murs. Avec ses massives tours carrée et ronde, son corps de logis en L, c'est un des châteaux médiévaux les mieux conservés de la région.

Prendre à l'Ouest la D 134 en direction de Génolhac puis la route d'Alès à gauche et enfin tourner à droite dans la D 998 vers Florac. L'itinéraire, pittoresque jusqu'à St-Maurice-de-Ventalon, suit la vallée du Luech.

2 km après les Bastides, une route, sur la droite, mène à la ferme de Troubat.

Ferme de Troubat

Juil.-aoút : visite guidée (3/4h) 10h30, 14h30 et 16h30 ; mai-juin : tlj sf mar. 15h-18h. 3,50€. ☎ *04 66 45 80 73.*
Cette ancienne exploitation agricole aux bâtiments de granit rose a conservé sa grange-étable, son four à pain, son moulin et son aire à battre le grain.

Ferme fortifiée de l'Aubaret

Elle apparaît au pied d'un vaste chaos de rochers, sur le tracé de la draille de la Margeride. Ses robustes murs de granit rose ont été percés de fenêtres à meneaux.

Revenir à la D 998 que l'on prend à droite pour rejoindre Le Pont-de-Montvert.

Au cœur des Cévennes lozériennes, la ferme de Troubat.

LE MONT LOZÈRE OCCIDENTAL★★ ②

100 km au départ de Mende (voir ce nom) – une demi-journée. Quitter Mende par la D 25 au Sud-Est en direction de l'aérodrome. À Langlade, prendre à gauche la D 41.

Lanuéjols

Cette localité est bien connue des archéologues pour le **mausolée romain**, situé à la sortie Ouest du village, en contrebas de la route de Mende. Il a été érigé par de riches citoyens romains à la mémoire de leurs deux jeunes fils qui, d'après l'inscription latine gravée sur le linteau, seraient morts d'une même maladie de langueur.

L'église St-Pierre, romaine, ne manque pas de charme quand le soleil couchant illumine ses pierres ocre. À l'intérieur, la nef principale voûtée en plein cintre se termine par une élégante abside en cul-de-four. Quelques chapiteaux intéressants.

Continuer sur la D 41 jusqu'à Bagnols-les-Bains.

Même s'ils sont moins nombreux qu'autrefois, les moutons font partie du paysage.

CURE

Si une cure thermale à Bagnols vous tente, vous trouverez les coordonnées de l'établissement thermal au chapitre « Forme et santé » dans la partie Informations pratiques, au début du guide.

Bagnols-les-Bains

Bagnols-les-Bains, station hydrominérale indiquée pour les rhumatismes et les affections ORL, est bâtie en amphithéâtre sur les pentes de la montagne de la Pervenche et descend jusqu'à la rive gauche du Lot. Les eaux de la source thermale qui y est exploitée furent captées et aménagées par les Romains.

Victime du surmenage, vous serez ici bien soigné : air salubre et vivifiant dû à l'altitude (913 m) et à la proximité des forêts de sapins, calme du pays et régularité de la température sont pour vous.

Prendre une route au Nord de Bagnols, en direction du Villaret.

Le Vallon du Villaret

De déb. mai à mi-sept. et vac. scol. Pâques : 10h-18h45 (dernière visite 16h30) ; de mi-sept. à fin oct. : w.-end 10h-18h, vac. scol. Toussaint : 10h-18h (dernière visite 2h avant fermeture). 8€. ☏ 04 66 47 63 76.

☐ Parc de loisirs sur le thème de la découverte de la nature : en entrant par la « Grande Porte », on empruntera le « Chemin des Filets », puis celui des « Troncs » avant de pénétrer tour à tour dans le « Pays des Sons » et dans celui de l'« Eau ». Le village du Villaret (ateliers d'artistes, expositions, lieu de spectacles et de concerts) se trouve tout au bout de ce vallon interactif.

Revenir à Bagnols et prendre à gauche vers Le Bleymard.

La vallée s'encaisse en défilés rocheux et boisés. Les ruines du château du Tournel se campent fièrement sur un éperon rocheux que contourne le torrent.

Le Bleymard *(voir ci-dessus, circuit 1)*

Prendre à droite la D 20 en direction du Pont-de-Montvert. Entre Le Bleymard et Le Pont-de-Montvert, voir dans le circuit 1 la description du parcours en sens inverse.

Le Pont-de-Montvert *(voir ce nom)*

Prendre à droite la D 998 en direction de Florac.

La route suit la haute vallée du Tarn qui se resserre en gorges sauvages. Sur un promontoire apparaît le château de Miral avec ses vestiges de fortifications du 14e s.

Florac *(voir ce nom)*

Prendre au Nord la N 106 en direction de Mende.

Une fois dépassée la route des **gorges du Tarn★★★** *(voir ce nom)* vers Ispagnac, la route monte en corniche au-dessus de Florac.

Col de Montmirat★

Alt. 1 046 m. Il s'ouvre entre le mont Lozère, granitique, et le causse de Sauveterre, calcaire. Vers le Sud, on embrasse un immense **panorama★** : au premier plan se creusent les *valats* qui vont rejoindre la vallée du Tarn au-delà de laquelle apparaissent les escarpements du causse Méjean ; plus à gauche se dessinent les crêtes des Cévennes ; par temps clair, on aperçoit l'Aigoual.

On descend la vallée du Bramon qui se rétrécit et offre des vues lointaines sur le truc de Balduc, petit causse aux escarpements abrupts, puis sur les contreforts du mont Lozère.

UN TRUC ?

On en rencontre pas mal en chemin par ici... Il s'agit tout simplement d'une colline rocheuse couverte d'herbe.

Balsièges

Le village est dominé au Sud par les falaises du causse de Sauveterre au sommet duquel se dressent deux gros rochers calcaires dont l'un est appelé, en raison de sa forme, le lion de Balsièges.

La N 88 longe le Lot entre les escarpements boisés des causses de Mende et de Changefège avant de rejoindre Mende.

Maguelone★

Une cathédrale sur une île, perdue parmi les étangs, voilà une image d'une beauté aussi insolite que sereine ! C'est Maguelone dont les restes des bâtiments se dressent sur une légère éminence, au milieu d'un bouquet de pins parasols, de cèdres et d'eucalyptus. Le canal du Rhône à Sète, tracé à travers les étangs, a interrompu le chemin qui, jusqu'en 1708, unissait Maguelone à la terre ferme. Aujourd'hui, un mince chemin la relie à Palavas.

La situation

Carte Michelin Local 339 I7 – 16 km au Sud de Montpellier – Hérault (34). La cathédrale se trouve à l'extrémité d'une route en cul-de-sac, longue de 4 km, qui s'amorce à Palavas-les-Flots, à l'extrémité de la rue Maguelone. En période estivale, il faut s'arrêter au parking situé à 2 km et prendre le petit train ; depuis Villeneuve-lès-Maguelone, accès possible par le bac et le petit train. Les plages à proximité sont naturistes.

▶ **PETIT TRAIN DE MAGUELONE**
Parking du Pilou ;
juin-août : 8h-20h30 ;
mai, sept.: 10h-18h ;
oct.-avr. : 13h-17h,
w.-end et jours fériés
10h30-18h.
☎ 04 67 69 75 87.

Le nom

On peut esquisser des hypothèses pour *mag-*, « en hauteur », et pour le suffixe *-al* et *lona*, « les marais », ce qui nous renseigne sur le relief original du lieu.

Les gens

C'est Charles Martel qui a repris Maguelone aux infidèles. De crainte de voir la ville utilisée à nouveau comme port d'attache par les Sarrasins, il l'a aussitôt détruite (en 737) !

comprendre

Après une occupation phénicienne ou grecque, l'invasion sarrasine et enfin la destruction par Charles Martel, l'île est investie par l'évêque Arnaud Ier qui édifie en 1030 la cathédrale à l'emplacement de l'église antérieure, détruite par Martel, et qui la fortifie ; il construit un chemin jusqu'à Villeneuve, ainsi qu'un pont de 2 km, et ferme le grau du port sarrasin, afin de se protéger des attaques.

Au 12e s., l'église est agrandie et ses fortifications puissamment renforcées. Du 13e au 14e s., la cité est en plein essor. Une communauté d'une soixantaine de chanoines y vit, réputée pour sa générosité et son hospitalité. Tour à tour aux mains des protestants et des catholiques durant les guerres de Religion, Maguelone finit par être démantelée en 1622, sur l'ordre de Richelieu. Seuls la cathédrale et l'évêché ont subsisté.

Lors de la construction du canal, Maguelone fut vendue et rachetée plusieurs fois, et ses ruines dispersées ou englouties au fond des étangs. En 1852, Frédéric Fabrège l'acquiert et la restaure. L'église est rendue au culte en 1875.

visiter

Ancienne cathédrale★

Visite : 1/2h. 9h-19h (de déb. juin à mi-sept. : halte obligatoire au parking et poursuite du trajet en petit train - voir plus haut). Gratuit. ☎ 04 67 50 63 63.

L'église était rattachée à un mur d'enceinte, avec portes fortifiées et tourelles, que Richelieu a fait sauter. Les hautes murailles très épaisses (jusqu'à 2,50 m sur le côté méridional) sont percées d'étroites meurtrières asymétriques. Un parapet crénelé surmontait l'édifice dont il ne reste que quelques mâchicoulis. On pénètre dans l'église par un remarquable portail sculpté : le linteau est une ancienne colonne milliaire romaine gravée. Le

Saint Paul, sur le portail de l'ancienne cathédrale de Maguelone.

F. Gégot/MICHELIN

Maguelone au milieu des étangs : une île où se dresse une cathédrale.

tympan est composé de claveaux de marbre (13ᵉ s.) ; il porte un Christ entouré de saints : Marc (le lion), Matthieu (l'être humain ailé), Jean (l'aigle) et Luc (le bœuf). À l'intérieur, dans le mur droit ont été encastrés des fragments de pierres tombales romaines et de sépultures médiévales ; au 11ᵉ s., en effet, le pape Urbain II accorda la rémission de leurs péchés à ceux qui demandaient à être ensevelis ici. Trop heureux de l'aubaine, nombre de Montpelliérains profitèrent de l'occasion de gagner à peu de frais le paradis. La nef, faite de blocs calcaires, est couverte en partie par une vaste tribune qui masque sa voûte en berceau brisé.

Le chœur est sobrement décoré. L'abside s'orne d'arceaux aveugles et s'ajoure de trois baies en plein cintre. Un fin bandeau en dents d'engrenage la surmonte.

Le Malzieu

Au cœur de la haute Margeride, Le Malzieu affiche ses toits rouges, ses maisons anciennes rénovées avec soin aux bords de la bondissante Truyère. L'été, le petit bourg voit sa population quintupler sous l'afflux de visiteurs charmés par les ressources de cette station verte.

La situation
Carte Michelin local 330 I5 – Lozère (48). Par la D 989, dépaysement garanti.
🏠 *Mairie, 48140 Le Malzieu-Ville,* ☎ *04 66 31 82 73.*

La devise
Selon sa devise, *Viretti Gemma,* Le Malzieu, fortifié au Moyen Âge, est la perle de la vallée.

Les gens
On ignore si les 970 Malzéviens croient aux légendes mais à proximité de la ville, il y a la porte des Fées. Et sachez que si vous êtes célibataire, il vous suffit de passer sous cette porte pour que l'âme sœur se manifeste enfin...

se promener

Le bourg
Hautes de 8 à 10 m, les murailles, flanquées de tours massives et ceintes de fossés, formaient au 14ᵉ s. un hexagone qui a compté jusqu'à 2 000 habitants. Il en subsiste plusieurs vestiges. De charmantes rues permettent d'apprécier des maisons à tourelles d'angle, mais surtout plusieurs encadrements de portes conçus par des maçons italiens après que des mesures de désinfection maladroites eurent provoqué un grand incendie suite à la terrible épidémie de peste de 1631. Voir également la porte de Saugues et ses dispositifs défensifs, la tour de

l'Horloge, ancien donjon du château détruit, la place de Rozières, avec son ancien couvent et les bâtiments privés bordant le chemin de ronde ; à l'angle de cette place, on peut encore voir le « Trou de Merle » du nom du terrible capitaine huguenot qui s'introduisit ici dans la ville pour la mettre à feu et à sang en 1573.

Église

Contrairement à la plupart des églises de la région, elle ne possède pas de clocher-peigne. Les coquilles de St-Jacques-de-Compostelle sont visibles sur le mur extérieur du transept Sud. Beau Christ en bois du 13e s.

Mairie

Ancienne chapelle des Pénitents restaurée, l'actuelle mairie abrite une petite **exposition sur la bête du Gévaudan**.

alentours

Fournels
25 km à l'Ouest. Dominé par un imposant château (privé) le village a gardé son église romane et de belles maisons à toits de lauzes.
Un peu plus au Nord (environ 5 km), le site d'**Arzenc d'Apcher** occupe un éperon rocheux au confluent de l'Apcher et du Bès. La chapelle (13e-18e s.) et la tour ruinée d'Arzenc (16e s.) sont les principaux vestiges du château des seigneurs d'Apcher ; derrière la chapelle, très beau **panorama★** sur les gorges sauvages du Bès et la Margeride.

circuit

LA HAUTE MARGERIDE

45 km – environ 2h. Quitter Le Malzieu à l'Est par la D 4 puis prendre à gauche la D 14 puis la D 587 et la D 14 à nouveau jusqu'à Ste-Eulalie ; prendre enfin la D 7 vers Le Chayla.

Réserve de bisons d'Europe

&. *De mi-juin à mi-sept. : visite guidée (1h) 10h-19h ; le reste de l'année : 10h-17h ou 18h. 10€ (enf. : 5,50€). Réservation recommandée.* ☎ 04 66 31 40 40. *www.bisoneurope.com*
🅿 Dans un parc forestier couvrant plus de 200 ha sur le territoire de Ste-Eulalie vit en semi-liberté une colonie de bisons d'Europe originaires de Pologne. C'est uniquement dans ce pays que cette espèce vit encore à l'état sauvage. Deux possibilités de visite : la marche à pied sur une boucle de 1 km balisée de panneaux explicatifs et d'un poste d'observation, ou une promenade en calèche (ou en traîneau) d'une heure environ en compagnie d'un guide.
Revenir vers Ste-Eulalie, reprendre la D 14 puis à gauche la D 987.

St-Alban-sur-Limagnole

Sur la route de Saint-Jacques (voir les coquilles sur l'un des chapiteaux de l'église), Saint-Alban tire son nom du premier martyr de l'Angleterre. Au cœur d'un hôpital psychiatrique « ouvert », le **château** construit en 1245 a hébergé Paul Éluard en 1944. Remarquer le portail et les belles galeries de la cour intérieure, magnifiés par un grès rose local malheureusement très friable. *Tlj sf dim. et j. fériés 9h30-12h30, 14h30-18h30. Gratuit.* ☎ 04 66 31 57 01.

Prendre la D 987, à l'Ouest, vers Rimeize ; avant ce village, prendre à droite la D 75, le long du Chapouillet.

St-Chély-d'Apcher

Cette ville industrielle (fabrication de tôles magnétiques pour transformateurs), connue pour ses foires aux cèpes, propose un **musée de la Métallurgie**. &. *Juin-sept. : tlj sf lun., ven. et dim. 14h-18h 4€.* ☎ 04 66 31 03 67.
Retour au Malzieu par la D 989.

A. Thuillier/MICHELIN

Non, vous n'êtes pas dans le Grand Nord canadien mais en haute Margeride (réserve de bisons d'Europe).

S. Sauvignier/MICHELIN

Le château de St-Alban-sur-Limagnole séduit par sa belle architecture de grès rose.

Marvejols

Niché dans la jolie vallée de la Colagne, Marvejols s'épanouit sous un temps clément qui a conduit de nombreux centres médico-pédagogiques à venir s'y installer. Si la petite cité a aujourd'hui retrouvé le sourire, ses portes fortifiées semblent encore retentir des cris de son passé tourmenté. Faite ville royale en 1307 par Philippe le Bel, Marvejols a joué un rôle important dans les guerres, abritant les protestants en 1586, ce qui entraîna sa destruction par l'amiral de Joyeuse.

La situation

Cartes Michelin Local 330 H7 – Lozère (48). Après Mende, quitter la N 88 à la sortie de Barjac pour emprunter la N 108.
🛈 *Pl. du Soubeyran, 48100 Marvejols,* ☎ *04 66 32 02 14.*

Le nom

Marvejols serait la combinaison de deux mots gaulois, *maros*, qui signifie « grand » et *ialo* qui désigne le « champ », « la clairière ». Nul doute que ce lieu a été choisi parce qu'il offrait un emplacement dégagé idéal pour bâtir un village.

Les gens

5 501 Marvejolais. Marvejols est en quelque sorte la capitale du Gévaudan en Lozère ; on peut aller caresser la célèbre « bête » qui se trouve sur la place des Cordeliers.

se promener

Portes fortifiées

Constituées par deux grosses tours rondes reliées par une courtine faisant office de logis, elles commandent les trois entrées de la vieille ville. La **porte du Soubeyran★** conserve une inscription relatant la reconstruction de la cité par Henri IV – la reconnaissance des Marvejolais a valu à la place, que la porte ferme sur un côté, d'être gratifiée d'une très originale statue du bon roi, œuvre du sculpteur Auricoste.
Les deux autres portes sont la **porte du Théron** et la **porte de Chanelles**, autrefois appelée porte de l'Hôpital. Elles aussi conservent des inscriptions rappelant les bienfaits d'Henri IV.

A. Thuillier/MICHELIN

La porte du Soubeyran, animée par un jour de marché.

carnet pratique

RESTAURATION

🍴 **Auberge des Violles** – *48100 Chirac - 14 km à l'O de Marvejols par N 9 et rte secondaire -* ☎ *04 66 32 77 66 - fermé déc.-janv. et mar. hors sais. -* 🚫 *- réserv. obligatoire - 15€.* Au bout d'une route sinueuse, ces maisons typiques avec leur toit de lauze plairont aux amoureux de la nature. L'ambiance campagnarde de l'auberge est accentuée par les tables en bois brut, œuvres du patron, à la fois berger et ébéniste. Cuisine du marché. Piscine et chambres.
🍴🍴 **« L'Auberge » Domaine de Carrière** – *Quartier de l'Empery - 48100 Marvejols - 2,5 km à l'O de Marvejols, rte de Montrodat -* ☎ *04 66 32 47 05 - aubergedomainedecarriere@wanadoo.fr - fermé 1er au 24 janv., 1 sem. en sept., dim. soir, mer. hors sais. et lun. - 22/30€.* Les anciennes écuries d'un ravissant château servent de décor à ce restaurant. Sa belle salle à manger, décorée de meubles de différentes époques, est en partie à la mezzanine. En été, vous pourrez profiter du parc après un déjeuner en terrasse.

LOISIRS

Les Ailes des Trucs Lozériens – *48100 Le Monastier -* ☎ *04 66 32 74 70.* Deltaplane, parapente, cerf-volant et cage de pilotage (planeur ultraléger composé d'une aile et d'un cadre métallique). S'adresse aux amateurs déjà expérimentés.
Skier – *48250 Nasbinals -* ☎ *04 66 32 56 17.* 15 km de pistes de ski de fond, un itinéraire de randonnée nordique, une piste de chiens de traîneaux , 2 parcours de raquettes, 3 pistes de ski alpin et un téleski.

ACHATS

On trouve des produits du terroir sur le marché du mercredi soir en été.

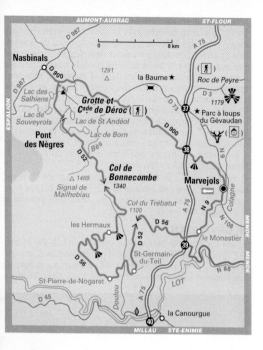

circuits

L'AUBRAC LOZÉRIEN

97 km au Nord-Ouest de Marvejols – environ 4h. Attention, le col de Bonnecombe est obstrué par la neige de décembre à avril. Quitter Marvejols par la D 900 au Nord-Ouest.

Au cours de la montée, la D 900 offre une vue dégagée sur Marvejols, la Margeride, le mont Lozère, les causses et, à l'horizon, les Cévennes ; elle pénètre ensuite dans des bois de pins. Puis leur succèdent champs et prés, bientôt remplacés par les pâturages, très caractéristiques de l'Aubrac.

Nasbinals

Nasbinals, dont la petite **église** romane (12e-14e s.) mérite une halte, est un lieu très fréquenté par les randonneurs et les pèlerins. Le commerce des bestiaux y est très actif et des foires animées ont lieu plusieurs fois par an.

Reprendre en sens inverse la D 900 et à Montgrousset, tourner à droite dans la D 52 dite la « route des lacs ».

LE CANTONNIER MÉDECIN

Nasbinals eut, à la fin du siècle dernier, son heure de célébrité. **Pierre Brioude**, dit « **Pierrounet** », cantonnier du village, avait acquis dans l'art de *petasser* (raccommoder) les membres brisés ou luxés, une réputation qui s'étendait bien au-delà des limites du canton et du département. De toute l'Auvergne, du Languedoc et du Rouergue affluaient les éclopés, les infirmes et jusqu'aux malades, car les clients du célèbre « rhabilleur » lui attribuaient des dons universels. La gare d'Aumont, où les gens débarquaient par dizaines pour gagner en diligence ou en carriole le domicile du rebouteux, était devenue la plus fréquentée de la ligne. Pierrounet, assure-t-on, recevait jusqu'à 10 000 clients par an. Mort en 1907, il a laissé un souvenir vivace à Nasbinals où un monument, dont le socle représente des béquilles, lui a été élevé.

Grotte et cascade de Déroc

1/2h à pied AR. Parking à droite sur la D 52. Traverser la route et prendre, à gauche de la buvette, un chemin bordé de murets en direction d'une ferme. Ce chemin aboutit à un ruisseau qu'on longe à gauche, puis que l'on franchit pour atteindre le bord du ravin où se précipite un affluent du Bès. La cascade tombe d'un rebord de basalte en avant d'une grotte dont la voûte est formée par les

La cascade de Déroc est, avec 32 m de chute, la championne de l'Aubrac.

prismes de la roche. Pour descendre, passer par la gauche.

La D 52 s'élève bientôt vers la sauvage région des lacs, longe celui des Salhiens, passe près de celui de Souveyrols et arrive peu après au **pont des Nègres** ; le site doit son nom aux petits blocs prismatiques de basalte noir qui forment de petites cascades dans le ruisseau. Plus loin, une petite route, sur la gauche, conduit au **lac St-Andéol** et s'approche du lac de Born. La D 52 continue à travers les pâturages pour gagner le **col de Bonnecombe**. La descente sur St-Pierre-de-Nogaret, par les Hermaux, offre de jolies **vues★** sur la vallée du Lot et sur toute la région des causses. Par un parcours très sinueux et très pittoresque qui traverse, au milieu des bois, le vallon du Doulou, la route atteint St-Germain-du-Teil.

Prendre à gauche la D 52 pour gagner le col du Trébatut, carrefour de routes où l'on tourne à droite dans la D 56 pour rejoindre la vallée de la Colagne. Au Monastier, prendre la N 9 jusqu'à Marvejols.

LE GÉVAUDAN

52 km au Nord de Marvejols – environ 3h1/2. De Marvejols, rejoindre l'A 75 que l'on prend en direction de Clermont-Ferrand. Sortir à l'échangeur 37, passer au-dessus de l'autoroute et suivre les panneaux « Château de la Baume ».

Surnommé le « Versailles du Gévaudan », le château de la Baume est sans conteste un des plus beaux de la région.

Château de la Baume★

Juil.-août : visite guidée (3/4h, dernière entrée 1/2h av. fermeture) tlj sf mar. 10h-12h, 14h-18h ; sept.-juin : sur demande. 5€. ☎ 04 66 32 51 59.

Au Nord, le château présente une rude façade (17e s.) en granit avec des toits en pointe couverts de lauzes, au Sud, un corps de bâtiment (18e s.) adouci par une terrasse bordée d'un parc ombragé inattendu sur ces plateaux. À l'intérieur, la plupart des pièces ont gardé leur parquet, notamment celui du grand salon qui représente, en bois de teintes différentes, un dessin géométrique entourant des armoiries. Le cabinet de travail est orné de lambris peints et dorés à la feuille, composés de motifs traités dans les tons pastel. De grandes toiles évoquant des scènes mythologiques en complètent la décoration. Une pièce est consacrée au comte de Las Cases, compagnon de Napoléon à Ste-Hélène.

Revenir vers l'autoroute que l'on enjambe. Au 2e rond-point, prendre la 3e route à droite puis tourner à droite dans la D 53 vers St-Sauveur-de-Peyre. Suivre la signalisation « Roc de Peyre ».

Roc de Peyre

🚶 *1/4h à pied AR.* Aucune trace notable ne permet d'imaginer qu'une forteresse occupait jadis ce piton à l'intérêt stratégique exceptionnel. Pourtant, il ne fallut pas moins de 2 500 boulets à l'amiral de Joyeuse pour abattre, en 1586, le donjon de ce fief protestant. Le temps fit le reste. Du sommet (1 179 m, table d'orientation) que l'on atteint par un chemin et un escalier, on jouit d'un remarquable panorama sur l'Aubrac, le Plomb du Cantal, la Margeride, le mont Lozère, l'Aigoual et les causses.

Faire demi-tour pour rejoindre la N 9 que l'on prend à gauche. Tourner ensuite à gauche en direction de Ste-Lucie et tout de suite à droite en montée (suivre les panneaux).

M

Parc à loups du Gévaudan★

Les loups sont nourris trois fois par semaine (lun., mer. et ven.) au cours des visites. Juin-août : 10h-19h, visite guidée 10h30, 11h45, 14h, 15h15, 16h30 (juil.-août : dép. supplémentaire 17h) ; avr.-mai et sept.-oct. : 10h-18h, visite guidée 10h30, 11h45, 14h15, 15h30, 16h45 ; nov.-mars : 10h-17h, visite guidée 10h30, 11h45, 14h15, 15h30. Fermé janv. 6€ (enf. : 3€). ☎ 04 66 32 09 22.

Aménagé à flanc de montagne, dans un cadre forestier, ce parc animalier de 5 ha présente une cinquantaine de loups originaires d'Europe, du Canada et de Mongolie, dont certains nés à Ste-Lucie. Un film tourné dans le parc, commenté par J.-P. Chabrol et G. Ménatory, est visible dans les salles d'exposition sur le loup. Le parcours pédestre de 1/2h environ permet de se familiariser avec les loups et offre une belle vue depuis la table d'orientation.

La N 9 ramène à Marvejols.

Les meilleures saisons pour aller voir les loups sont l'automne et l'hiver : leur pelage est plus fourni et, ainsi parés contre le froid, ils sortent plus facilement de leur tanière.

B. Dumort/Parc à loups du Gévaudan

Causse **Méjean**★

C'est le causse le plus élevé, et il est connu pour la rudesse de son climat : les hivers y sont rigoureux et les étés torrides, si bien que le thermomètre s'affole continuellement, même entre le jour et la nuit. Le calcaire et la dolomie affleurent successivement sur le plateau. Dans les sotchs, une terre rouge donne une belle alternance de prairies et de labours, arrêtés ici ou là par d'impromptus mégalithes. Très peu peuplé, le causse Méjean s'étend à l'Est en un immense désert tandis qu'à l'Ouest, des ravins profonds viennent l'échancrer. Ici, la brebis est reine, et il n'est pas rare qu'on se trouve nez à nez avec quelque troupeau. Avec les chevaux przewalski, les sculptures ruiniformes et les vautours fauves qui planent, on se croirait volontiers dans un inquiétant western.

La situation

Carte Michelin Local 330 H/I9 – Lozère (48). La D 16 traverse longitudinalement le causse, et la D 986 transversalement. Indispensable : bouteille d'eau et chapeau le jour, pull de laine la nuit. Impératif : faire le plein de carburant avant de monter sur le causse.

Le nom

C'est le causse « du milieu », d'où son nom, qui vient de l'occitan *mejan*, « moyen ».

Les gens

Rarissimes sont les habitants du causse Méjean au point que les moutons et autres brebis sont plus nombreux que les humains...

circuit

87 km au départ de Florac (voir ce nom) – 3h. Quitter Florac à l'Ouest par la D 16 (direction « causse Méjean » indiquée dans Florac). Puis tourner à gauche dans la D 63.
Au croisement entre ces deux routes, alors que tout autour n'est qu'étendues désertiques, on est surpris de trouver un aérodrome, également base de vol à voile. Plus loin sur la D 63, on traverse le hameau du **Villaret** où a été implanté un élevage expérimental de **chevaux przewalski** ; on peut voir ces petits chevaux sauvages originaires de Mongolie galoper dans les prairies alentour. Avec un peu d'imagination, on se croirait en pleine steppe orientale...

Chevaux sauvages przewalski, au hameau du Villaret.

A. Thuillier/MICHELIN

Rude, austère, désertique le causse Méjean dévoile pourtant de superbes paysages.

Aven Armand★★★ *(voir ce nom)*

Hyelzas, ferme caussenarde d'autrefois

Juil.-août : 10h-19h ; avr.-juin et sept.-oct. : 10h-12h, 14h-18h. 4,70€. ☎ 04 66 45 65 25. www.ferme-caussenarde.com Cette ferme restaurée est un excellent exemple de l'architecture traditionnelle des causses. Construite en pierres sèches, elle se compose de plusieurs bâtiments reliés par des escaliers extérieurs. Au rez-de-chaussée se trouve l'étable. Les voûtes supérieures supportent une lourde couverture en lauzes calcaires.

◄ On y visite les pièces d'habitation, au dallage de pierre, qui étaient chauffées en hiver par la présence des vaches dans l'étable au-dessous. La citerne dans la souillarde rappelle l'importance de l'eau dans ce pays où elle est si rare. Le mobilier, les ustensiles ont retrouvé leur place de jadis. Dans un hangar sont regroupées des machines agricoles marquant les étapes importantes de l'évolution dans l'agriculture.

Faire demi-tour jusqu'au croisement avec la D 986 où l'on tourne à droite.

Meyrueis *(voir ce nom)*

Prendre la D 996 en direction de Florac. Le contraste est saisissant entre les étendues arides du causse Méjean (à gauche) et le massif très boisé de l'Aigoual (à droite).

Au col de Perjuret, tourner à gauche.

Chaos de Nîmes-le-Vieux★

◄ *Du col de Perjuret, se diriger soit vers le Veygalier, soit vers l'Hom ou Gally, où on laisse la voiture. Promenade déconseillée par temps de pluie, de brouillard et de vent en hiver (températures pouvant alors descendre à -15°).*

Au départ du Veygalier – 🚶 *Avr.-sept. : visite guidée au dép. du Veygalier, visite libre au dép. de l'Hom ou de Gally. 1,22€ visite guidée (billet combiné avec le petit musée).*

TOUT PETIT

Une exposition présente des reconstitutions en miniature de monuments (tour de l'Horloge de Meyrueis, pont et vieux moulin de Millau) et d'habitats traditionnels (fermes caussenardes, maisons de Lozère) en pierre et lauze et animés par des santons.

ANECDOTE

On raconte que, durant les guerres de Religion, les troupes royales à la recherche des protestants avaient enfin cru atteindre leur but, Nîmes. Cruelle désillusion !

Au cœur du causse Méjean, le temps semble suspendu au pied de la ferme caussenarde d'Hyelzas.

Dans Veygalier, beau village caussenard, une maison a été aménagée pour présenter une **exposition** sur la géologie du causse. Là commence l'itinéraire qui mène à travers des « rues » de pierre surmontées de rochers de 10 à 50 m de haut aux formes étranges. En montant sur la colline au-dessus de Veygalier, belles vues sur le cirque hérissé des rocs dolomitiques, où les maisons de pierre se confondent avec leur curieux décor.

Au départ de L'Hom ou de Gally – 🚶 *Accès gratuit. De Gally au Veygalier : 1h1/2 à pied.* Un intéressant sentier de découverte a été mis en place par le Parc national des Cévennes. Les différentes « tables d'interprétation » permettent de saisir toute l'originalité de ce milieu naturel si typique des causses.

Redescendre vers Florac par la D 907.

randonnées

CORNICHES DU CAUSSE MÉJEAN★★★

🚶 *Circuit pédestre au départ du Rozier (voir les gorges du Tarn) – environ 7h. Derrière l'église du Rozier, prendre le sentier à la jonction des deux routes (GR 6A balisé de marques rouge et blanc).*
Après 1/2h de montée, on atteint le pittoresque hameau de **Capluc**, déserté.

Rocher de Capluc
Déconseillé aux personnes sujettes au vertige. Prendre à gauche, en direction du rocher de Capluc ; repérable grâce à la croix métallique qui le surmonte, il forme l'extrême pointe d'un promontoire qui termine, au Sud-Ouest, le causse Méjean. Après avoir gravi un escalier de pierre, on laisse sur la droite une maison appuyée à la paroi rocheuse. Puis une rampe métallique et de nouveau un escalier de pierre conduisent à la plate-forme en terrasse autour du rocher. La montée au sommet au moyen d'échelles métalliques est vertigineuse ; d'en haut, la vue plonge sur Peyreleau, et le confluent de la Jonte et du Tarn. Très belle vue en face, sur les villages perchés de Liaucous et Mostuéjouls.
Regagner Capluc.

Montée au col de Francbouteille
200 m après le hameau de Capluc, deux possibilités s'offrent pour accéder au col de Francbouteille.
Le sentier dit du « ravin des Échos » *(accessible à tous – section du GR 6A)* s'élève doucement en plusieurs lacets en découvrant de belles vues sur le causse.
Le sentier Jacques-Brunet *(escarpé, parfois vertigineux)*, qui s'amorce par un escalier, s'élève parmi les genévriers, les buis et les pins. Il se faufile à travers de petites cheminées, atteint le sommet d'une crête d'où la vue est merveilleuse sur les deux canyons du Tarn et de la Jonte. Parmi de fantastiques murailles se détache l'« Enclume », que l'on contourne. Après un passage rafraîchissant en sous-bois où les échappées sur la vallée du Tarn sont nombreuses, le sentier atteint le col.

Col de Francbouteille
Encore appelé col des Deux Canyons, il est marqué d'une stèle du Club Alpin. À droite, telle une gigantesque proue, s'élève le rocher de Francbouteille.
Suivre les flèches conduisant au GR 6A. Bientôt, à gauche, sourd la fontaine du Teil. Les sources sont rares sur le plateau du causse Méjean et celle-ci est particulièrement appréciée des marcheurs.
Au col de Cassagnes, laisser à gauche le sentier Martel menant au rocher de Cinglegros (voir ci-dessous) et obliquer à droite vers le village isolé de Cassagnes. La traversée du causse commence, monotone ; seul le cri du vautour fauve, réintroduit sur le Méjean, rompt de temps à autre le silence. On laisse sur la droite une plantation de pins, puis on prend à droite le sentier des corniches de la Jonte.

Vertigineuses gorges et surprenants rochers : un impressionnant spectacle s'offre depuis les corniches du causse Méjean.

> **CONSEIL**
> Sentier bien tracé et entretenu, sans grande difficulté mais comportant certains passages en corniche impressionnants.
> Prévoir des provisions et de l'eau pour la journée.
> Chaussures de marche indispensables.
> Attention, par temps pluvieux ou neigeux, terrain glissant.
> En juillet et août, sentiers surpeuplés.

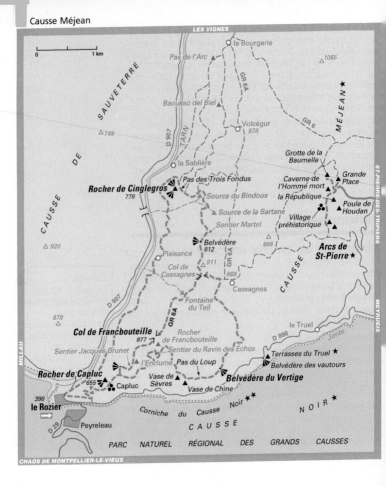

LES VIGNES

la Bourgarie

Pas de l'Arc △ 1065

GR 6A

Baousso del Biel

MÉJEAN ★

Volcégur 878

GR 6

△ 749

la Sablière

D 907

Grotte de la Baumelle

Pas des Trois Fondus

Caverne de l'Homme mort

Grande Place

Rocher de Cinglegros 778

Source du Bindous

la République

Poule de Houdan

Source de la Sartane

Village préhistorique

Sentier Martel

△ 920

Belvédère 812

△ 911

△ 968

GR 6A

Arcs de St-Pierre ★

Plaisance

Col de Cassagnes

△ 869

CAUSSE

Cassagnes

D 907

Fontaine du Teil

678 △

Col de Francbouteille 877

Rocher de Francbouteille

le Truel

D 996

Jonte

Sentier Jacques-Brunet

Sentier du Ravin des Echos

Terrasses du Truel ★

l'Enclume

Pas du Loup

Vase de Sèvres

Belvédère du Vertige

Belvédère des vautours

Rocher de Capluc 655

Capluc

Vase de Chine

398 △

le Rozier

D 29

Peyreleau

Corniche du Causse Noir ★★

CAUSSE NOIR ★

PARC NATUREL RÉGIONAL DES GRANDS CAUSSES

CHAOS DE MONTPELLIER-LE-VIEUX

Belvédère du Vertige

Après 1h de marche environ s'offre une vision grandiose. D'un belvédère, protégé par une rambarde, la vue plonge dans le canyon de la Jonte ; la rivière coule à plus de 400 m en contrebas. Légèrement en amont, on distingue les belvédères des Terrasses, minuscules au bord de la route de la vallée. Au premier plan, tout un énorme roc est détaché de la paroi.

On passe ensuite devant une grotte, naguère aménagée en bergerie, puis entre deux ponts naturels. La descente raide, barrée en son milieu par une grille destinée à protéger les brebis d'un saut dans le ravin, porte le nom de **pas du Loup**. Aussitôt celui-ci franchi, le **vase de Chine**, situé à la sortie même du défilé, puis le **vase de Sèvres** apparaissent, récompense inestimable à l'effort fourni pour les atteindre. Au loin : Peyreleau et Le Rozier, le rocher de Capluc, les escarpements du causse Noir au-dessus de la rive gauche de la Jonte.

Reprendre le sentier qui descend dans un ensemble de blocs dolomitiques extraordinairement déchiquetés. On laisse à droite le sentier qui joint le col de Francbouteille puis, par le ravin des Échos et la Brèche Magnifique, on regagne Capluc et Le Rozier.

ROCHER DE CINGLEGROS

Au départ du Rozier (voir les gorges du Tarn) – une journée. Suivre l'itinéraire des corniches du causse Méjean décrit ci-dessus jusqu'au col de Cassagnes et prendre à gauche en direction du rocher de Cinglegros.

Le sentier, bien tracé, offre d'abord d'excellentes vues sur les falaises qui surplombent la rive droite du Tarn. Après 20mn environ de marche, un **belvédère** naturel de

CONSEIL
Randonnée déconseillée aux personnes peu alertes ou sujettes au vertige.

rochers révèle une vue plongeante dans un ravin impressionnant. Puis on arrive à la source de la Sartane (quelquefois à sec) et, aussitôt après, le sentier s'élargit. De nouveau, à gauche du sentier, une petite mare : c'est la source du Bindous.

À l'embranchement suivant, laisser à droite le sentier vers Volcégure et prendre à gauche dans un sous-bois, en direction du Pas des Trois Fondus. On atteint bientôt, après un passage en descente, une terrasse d'où la vue est très belle sur la brèche de Cinglegros.

Prendre le sentier en descente abrupte, sur la gauche. Le **Pas des Trois Fondus** permet de descendre au fond du ravin qui isole le rocher de Cinglegros. On commence par franchir deux échelles métalliques puis deux passages faits de crampons fixés dans le roc, et des escaliers taillés dans la pierre.

Un sentier en sous-bois conduit au pied du rocher. Les installations qui permettent de monter au sommet sont très bien entretenues, mais le trajet n'en est pas moins impressionnant. Il s'effectue grâce à neuf échelles métalliques et six mains courantes, entre lesquelles s'intercalent des escaliers taillés dans le roc ou des crampons de fer fixés au rocher. Une fois parvenu là-haut, on peut à loisir se promener sur la plate-forme qui occupe le sommet du rocher, d'où la vue est incomparable sur le canyon du Tarn.

Revenir par un sentier descendant vers le hameau de Plaisance et rejoindre Le Rozier par le chemin de la Sablière.

ARCS DE ST-PIERRE★

🚶 *1h1/2 à pied AR. Deux accès sont possibles. Soit par la D 63 qui s'embranche sur la D 986 à Hures-la-Parade ; à 3 km, prendre à droite vers St-Pierre-des-Tripiers, puis 1 km après ce village de nouveau à droite, dans le chemin non revêtu à l'embranchement vers la Viale. Soit par la route étroite, sinueuse et en montée qui s'embranche sur la D 996, au Truel en direction de St-Pierre-des-Tripiers, dans la vallée de la Jonte. À hauteur de l'embranchement vers la Viale, prendre à gauche le chemin non revêtu.*

S'engager dans le sentier en descente *(balisé en rouge)* qui gagne d'abord la **Grande Place**. Au centre de ce cirque rocheux se dresse une colonne monolithe haute de 10 m. Le sentier s'élève sur la gauche et atteint la grotte de **la Baumelle**. On peut encore y voir des murs de pierres sèches, longtemps entretenus par les bergers qui abritaient là leurs brebis.

Revenir à la Grande Place d'où le sentier balisé conduit à la **caverne de l'Homme mort** ; cinquante squelettes s'apparentant à celui de l'homme de Cro-Magnon y furent découverts ; la plupart d'entre eux avaient été trépanés au moyen de silex.

On découvre ensuite sur la gauche d'énormes rochers aux formes évocatrices : l'un d'eux a été surnommé **la poule de Houdan** ; un autre **la République au bonnet phrygien**.

Le sentier décrit un coude à gauche et, 300 m plus loin environ, on arrive sur les lieux d'un **village préhistorique** dont il reste quelques pans de murs ruinés ou à demi enfouis dans le sol. Les cavités que l'on peut distinguer dans les parois ont été identifiées par les préhistoriens comme des encoches destinées à fixer les poutrelles du toit.

On atteint enfin les trois arches naturelles des **Arcs de St-Pierre** : la première, munie d'un éperon en avancée, compte parmi les plus belles des causses. Le vent et les intempéries les ont quelquefois courbées ou brisées. C'est que les terres sur le causse Méjean ne sont jamais bien épaisses.

La deuxième arche de St-Pierre s'ouvre sur un espace boisé de fragiles pins élancés vers la lumière.

A. Thuillier/MICHELIN

Mende★

Préservé par son enceinte de boulevards, Mende garde le fier aspect d'un gros bourg rural veillé par son imposante cathédrale. Vous vous perdrez avec bonheur dans ses rues étroites et tortueuses, bordées de vieilles maisons qui, pudiques, dévoilent à qui sait le mériter une belle porte en bois, un portail ou des oratoires. Ce chef-lieu de la Lozère, département le moins peuplé de France, connaît un petit boom grâce à ses fonctions administratives, scolaires et commerciales.

La situation
Carte Michelin Local 330 J7 – Schéma p. 240 – Lozère (48). Avec la N 106, on aborde Mende par un raidillon. Sur place, nombreux petits parkings. Les jours de marché, inutile de vouloir se garer au parking de la cathédrale. *🅑 Pl. du Gén.-de-Gaulle, 48000 Mende, ☎ 04 66 94 00 23. www.ot-mende.fr*

Le nom
Mende avait autrefois une devise : *Tenebrae eam non comprehenderum* (« Les ténèbres ne l'ont pas envahie ») ; en effet, la ville demeura fermée aux influences protestantes, alors que le reste du Gévaudan était acquis à cette nouvelle religion.

Les gens
11 804 Mendois. Chose rare en France, Mende a son pape, **Urbain V**, qui naquit près du Pont-de-Montvert vers 1310 et fit ses études au Monastier, à côté de Marvejols.

Urbain V mérite bien sa statue. C'est lui qui entreprit la construction de la cathédrale de sa ville natale.

A. de Valroger/MICHELIN

carnet pratique

VISITE
Visite guidée – Mende, qui porte le label Ville d'art et d'histoire, propose des visites-découvertes (1h1/2 à une demi-journée) animées par des guides-conférenciers agréés par le ministère de la Culture et de la Communication. *Juil.-août : horaires et tarifs selon période. Renseignements à l'Office de tourisme ou sur www.ot-mende.fr*

RESTAURATION
🍴🍷 **La Safranière** – *Chabrits -* ☎ *04 66 49 31 54 - fermé 3-31 mars, 8-14 sept., dim. soir et lun. - réserv. obligatoire - 18/44€.* Le jeune chef, après avoir fait ses armes chez les autres, est revenu au pays pour ouvrir son restaurant. Dans la maison de son enfance, il a aménagé une pièce au décor contemporain et y reçoit les gourmets avisés de la région, fort contents de trouver là une table qui a de l'allant...

HÉBERGEMENT
🛏 **Hôtel de France** – *9 bd L.-Arnault -* ☎ *04 66 65 00 04 - fermé 31 déc.-31 janv. - 27 ch. : 40/63€ -* 🍽 *5,80€ - restaurant 20/23€.* Cet ancien relais de poste est au cœur de la ville, sur un axe assez fréquenté. Certes, l'adresse est simplette, mais quelques-unes de ses chambres, remises au goût du jour, sont accueillantes. Les plus anciennes datent, elles, des années 1970...

comprendre

À l'époque romaine, de belles villas occupaient déjà la rive droite du Lot. Au 3e s., l'évangélisateur du Gévaudan, saint Privat, poursuivi par des barbares, vint se réfugier dans une grotte sur le mont Mimat. Il y fut capturé et mis à mort. La grotte qu'il avait habitée et la crypte où il fut enterré devinrent des lieux de pèlerinage très fréquentés autour desquels la ville se développa.

Au moment des guerres de Religion, Mende connut un des épisodes les plus marquants de son histoire quand le capitaine **Merle**, un protestant stratège, profita de la nuit de Noël de 1579 pour l'attaquer. Quelques mois plus tard, les catholiques, voulant réintégrer leur cité, mirent le siège devant Mende, mais le capitaine Merle, décidément spécialiste des attaques de nuit, les tailla en pièces pendant leur sommeil. Cependant, Merle avait fait des envieux et un autre chef protestant, Châtillon, profita de son absence pour s'emparer de Mende. Merle reprit la ville et le futur Henri IV l'en nomma alors gouverneur.

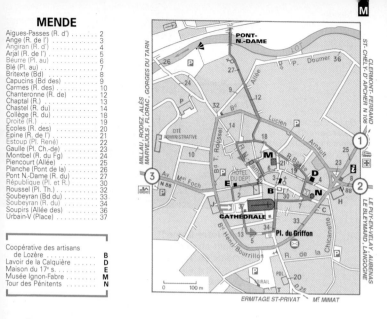

MENDE

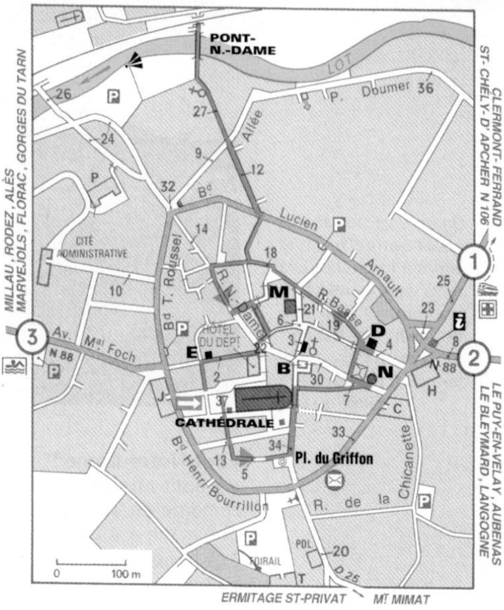

se promener

Cathédrale★

Plusieurs églises ont précédé la cathédrale actuelle, construite en majeure partie au 14e s. par le pape Urbain V. Ses clochers datent seulement du début du 16e s. La façade Ouest, précédée d'un porche construit en 1900 dans le style flamboyant, est encadrée par deux clochers. Celui de gauche, le « clocher de l'Évêque », présente dans les parties hautes une fine colonnade qui semble inspirée de la Renaissance italienne, et contraste nettement avec la sobriété du clocher de droite, dit « clocher des chanoines ».

> **PÉRIODE SOMBRE**
> Quand le capitaine Merle s'empare de Mende en 1579, il fait sauter les piliers de la cathédrale, ne laissant debout que les clochers, les murs latéraux du Nord et les chapelles du chevet. La cathédrale a été restaurée au début du 17e s.

À l'intérieur *(éclairage payant, au fond à droite)* les trois nefs sont entourées de quinze chapelles latérales. Les restes du jubé décorent actuellement la chapelle des fonts baptismaux *(2e chapelle latérale gauche)*. Au même niveau, de l'autre côté, un escalier descend à la **crypte de saint Privat** *(interrupteur à gauche en descendant)*. Ne manquez pas d'admirer les **orgues** des frères Eustache (1653) avant de remonter vers le chœur orné de belles **stalles** (1692). Au-dessus, huit **tapisseries** d'Aubusson (1708) reproduisent les principales scènes de la vie de la Vierge. La chapelle du chevet sur la gauche *(près de la sacristie)*, dédiée à Notre-Dame de Mende, abrite la **Vierge Noire**, sculpture du 11e s. que les croisés, dit-on, auraient rapportée d'Orient où les moines du mont Carmel l'auraient sculptée dans un bois très dur.

> **SON DE CLOCHE**
> La cathédrale de Mende possédait jadis la plus grande cloche de la chrétienté, « la Non Pareille », qui pesait 20 t. Brisée par les hommes de Merle en 1579, il n'en reste que l'énorme battant, haut de 2,15 m, placé sous les orgues (17e s.), à côté de la porte du clocher de l'Évêque.

Prendre, à droite de la cathédrale, la rue de l'Arjal. La rue débouche sur la **place du Griffon** dont la fontaine servait à nettoyer les rues.

Prendre à gauche la rue du Soubeyran, puis à droite, face au chevet de la cathédrale, la très étroite rue de la Jarretière qui débouche sur la place au Blé.

Tour des Pénitents

C'est un vestige de l'enceinte du 12e s. qui occupait l'emplacement des boulevards actuels.

Revenir sur la place au Blé et prendre à droite des halles la rue Charlier-Hugonnet. Prendre ensuite à gauche la rue Basse.

À l'angle des rues Basse et d'Angiran se trouve le **lavoir de la Calquière** : il servait jadis aux tanneurs à nettoyer leurs peaux avec de la chaux, d'où son nom.

Remonter la rue Basse. Au-delà de la place du Mazel, tourner à droite dans la rue du Chou-Vert. Traverser le boulevard et prendre en face la rue de Chanteronne.

On observe, aux abords du pont Notre-Dame, des maisons à toits en carène de vaisseau renversé dit « à la Philibert », du nom de l'architecte Philibert Delorme (16ᵉ s.). Cette forme est typique de la vallée du Lot.

Pont Notre-Dame★

Ce pont en dos d'âne, très étroit, dont la construction remonte au 13ᵉ s., a pu résister aux terribles crues du Lot, grâce à son arche principale largement ouverte.

Faire demi-tour ; au bout de la rue du Chou-Vert, prendre à droite la rue du Collège, puis à gauche la rue Notre-Dame. En remontant la rue, un petit détour à gauche par la rue Traversière Notre-Dame permet de découvrir l'ancienne maison consulaire et un mur en trompe-l'œil.

Place René-Estoup, prendre à droite la rue d'Aigues-Passes. Rue d'Aigues-Passes (nᵒ 7) se trouve une **maison du 17ᵉ s.** avec de faux balustres aux fenêtres. Une pietà rappelle la procession qu'on y faisait pour bénir les pains (la statue porte d'ailleurs le nom de « Vierge des Panets »).

Regagner la place Urbain-V par la rue de l'Ormeau, à gauche.

On raconte que Mandrin, le célèbre brigand qui, au 18ᵉ s., pillait les caisses des impôts, cacha dans cette maison un fabuleux trésor.

visiter

Musée Ignon-Fabre

3 r. de l'Epine. Fermé pour travaux.

Installé dans un hôtel du 17ᵉ s. possédant un beau portail et un bel escalier, ce musée est consacré à la géologie, la paléontologie, la préhistoire, l'archéologie, le folklore de la Lozère. Remarquer les céramiques gallo-romaines de Banassac *(voir causse de Sauveterre)*.

Meyrueis

VISITE
Visite guidée de la ville – Juil.-août : découverte (2h) des vieux quartiers, du temple et de l'église lun., mer. et ven. 17h. Gratuit. *S'adresser à l'Office de tourisme.*

Depuis ce petit bourg baigné par les ruisseaux, on aperçoit l'entrée profonde du canyon de la Jonte, aux confins des causses et de l'Aigoual. L'atmosphère pure qu'on y respire, la robe verte qui lui sied à ravir comme les activités qui y sont proposées, tout semble avoir été organisé par une main bien attentionnée, soucieuse du bon déroulement des séjours touristiques.

La situation

Carte Michelin Local 330 I9 – Schéma p. 105 – Lozère (48). Meyrueis est posé au carrefour de deux voies traversant les causses et les Cévennes : la D 996 qui donne accès à Millau et Florac et la D 986 qui, elle, part de Ste-Enimie et aboutit à Ganges. Pour se garer facilement, mieux vaut rester aux abords des D 996 et 986.

🛈 *Tour de l'Horloge, 48150 Meyrueis,* ☎ *04 66 45 60 33. www.meyrueis-office-tourisme.com*

Le nom

Il dérive du nom d'un certain Maurusius, propriétaire terrien en ces lieux, peut-on supposer.

carnet pratique

se promener

En flânant sur le quai Sully, aux vieux platanes, et dans les ruelles, on pourra voir la maison Belon, qui a conservé de très élégantes fenêtres Renaissance, la **tour de l'Horloge**, vestige des anciennes fortifications, et un rarissime temple octogonal.

alentours

Château de Roquedols
2 km au Sud. Prendre la D 986 et, peu après la sortie de Meyrueis, une petite route à gauche. Laisser la voiture sur le parking et se rendre au château par le sentier de la forêt (1/4h) bordé de beaux arbres. Juil.-août : tlj sf dim. et lun. 10h-13h, 15h-19h. Gratuit. ☎ 04 66 45 62 81.
Ce château (15e-16e s.), vaste quadrilatère flanqué de quatre tours rondes, se pare de la couleur dorée de sa pierre, grès rose taché d'ocre. Il abrite un des **centres d'information** du Parc national des Cévennes. À l'intérieur, bel escalier Renaissance, meubles anciens, calèches et une maquette de l'Aigoual.

Causse Méjean★ *(voir ce nom)*

Aven Armand★★★
11 km, puis 3/4h de visite. Sortir au Nord de Meyrueis par la D 986 dont se détache à 9,5 km la route de l'aven. Voir ce nom.

Grotte de Dargilan★★
8,5 km, puis 1h de visite. Prendre la D 39 à l'Ouest sur 7 km, puis la D 139. Voir ce nom.

A. Thuillier/MICHELIN

Adossée à la maison Belon, la tour de l'Horloge continue à donner l'heure aux Meyrueisiens.

circuits

MASSIF DE L'AIGOUAL★★★ *(voir ce nom)*

GORGES DE LA JONTE★★
De Meyrueis au Rozier – 21 km – environ 1h.
En aval de Meyrueis, la route descend le canyon de la Jonte dont les versants sont surmontés de hautes murailles calcaires bizarrement façonnées par l'érosion. À 5 km environ de Meyrueis, on aperçoit successivement, sur la droite, l'entrée de deux grottes dans la falaise du causse Méjean : la **grotte de la Vigne** et la **grotte de la Chèvre**. Le canyon devient ensuite plus étroit et la Jonte disparaît en été dans les crevasses de son lit.
Aux approches du hameau des Douzes, la rivière, après un long trajet souterrain, réapparaît dans un second canyon si profond que l'on aperçoit à peine les grands peupliers qui l'habitent.
Un gros roc isolé domine le hameau des Douzes, c'est le **roc St-Gervais**, qui porte la chapelle romane de St-Gervais.

CONSEIL
Nous vous conseillons de faire la visite des gorges dans le sens de la descente, de Meyrueis vers Le Rozier : le canyon devient de plus en plus impressionnant à mesure qu'on s'approche du confluent avec le Tarn.

Impétueuse Jonte qui se fraie un chemin à travers les gorges...

Arcs de St-Pierre★
4,5 km puis 1h1/2 à pied AR. Accès au départ du Truel ; voir les randonnées du causse Méjean.

Le Belvédère des vautours
1 km en aval du Truel. ♿ *Juil.-août : 10h-18h ; de mi-mars à mi-juin et de déb. sept. à mi-nov. : 10h-18h. 6€ (enf. : 3€).* ☎ *05 65 62 69 69.*

Les vautours, des sales bêtes ? Si tel est votre avis, il changera vite en allant visiter l'exposition du Belvédère. On y apprend à connaître le mode de vie, de nutrition ou encore de reproduction de ces charmants oiseaux, réintroduits ici dès les années 1970.

Sur le belvédère, un poste d'observation doté de longues vues a été aménagé pour l'observation des vautours ; il offre également une vue imprenable sur les gorges de la Jonte dont les versants présentent deux étages de murailles calcaires, séparés par des pentes marneuses, les « **terrasses du Truel★** ». Sur le bord de la corniche du causse Méjean se détache un bloc très curieux, en forme de vase : le vase de Sèvres. Le rocher de Capluc, à droite, puis le village de Peyreleau, à gauche, et celui du Rozier apparaissent enfin.

Le Rozier *(voir les gorges du Tarn)*

> **DIRECT**
>
> On peut assister en direct à la vie sauvage de ces fabuleux oiseaux grâce à des prises de vues à la caméra retransmises sur écran géant.

Canal du **Midi**★

Grandiose idée que celle de relier l'Océan et la Méditerranée, déjà évoquée à l'époque romaine. Les études successives de François Iᵉʳ, Henri IV et Richelieu ne suffirent pas à faire aboutir le projet. C'est finalement à Pierre-Paul Riquet, baron de Bonrepos (1604-1680) et fermier de la gabelle de Languedoc, qu'en revient le mérite. Aujourd'hui, on aime surtout le canal pour la beauté de ses berges, la tranquillité de son cours qui nous fait traverser, de bout en bout, tout le Languedoc, de Sète à Toulouse, de la Méditerranée au Lauragais, happant au passage de bucoliques paysages et des cités pleines d'histoire et de monuments intéressants. Vous faut-il d'autres arguments pour vous inciter à venir flâner au fil de l'eau, à goûter à un rythme de vie hors du temps qui vous fera oublier jusqu'au plus petit de vos tracas ?

Sa majesté et celle de ses ouvrages valent au canal d'être inscrit au Patrimoine mondial de l'Unesco.

La situation
Carte Michelin Local 339 A/K 1/3 et Local 339 A/F9 – Aude (11), Hérault (34). La partie Ouest du canal, du seuil de Naurouze à Toulouse, est décrite dans Le Guide Vert Midi-Pyrénées. On peut découvrir le canal en voiture mais si l'on veut capter la douceur de vivre de ses rives ou de son cours, il faut suivre ses berges à pied ou à vélo ou, mieux encore, à bord d'une péniche.
🌐 *www.canalmidi.com*

carnet pratique

EMBARQUEMENT IMMÉDIAT

Quand naviguer ? – De déb. mars à fin nov. La pleine saison (juil.-août) engendre un certain nombre d'inconvénients : plus un seul bateau à louer, circulation intense à certaines écluses, tarifs plus élevés, etc. En mai-juin, berges fleuries d'iris et de diverses plantes aquatiques, en sept.-oct. (arrière-saison souvent magnifique), couleurs fauves assurées.

Les écluses sont ouvertes de juin à août (9h-12h30, 13h30-19h30). Certaines sont automatiques, d'autres encore manuelles, ce qui permet de faire un brin de causette avec l'éclusier (passage 1/4h).

Louer un bateau – Il s'agit de bateaux sans permis ; une initiation est généralement proposée par les loueurs avant le départ. Vitesse maximum : 6 km/h.

On peut louer à la semaine ou au week-end, pour un aller simple (si le loueur a plusieurs bases sur le parcours) ou pour un aller-retour. Pour naviguer en été, réserver à l'avance, si possible à la base d'où l'on souhaite partir.

Les vélos sont fortement conseillés pour se déplacer de temps en temps hors du canal (location chez certains loueurs).

Voir les coordonnées des loueurs de bateaux habitables dans le chapitre « Découvrir autrement la région », dans la partie Informations pratiques, au début du guide.

J. Malburet/MICHELIN

À emporter sur le bateau – Chaussures antidérapantes, lampe de poche pour retrouver son bateau lorsqu'on rentre tard le soir à bord, éventuellement matériel de pêche (gardons, carpes, perches, sandres – permis obligatoire), cartes nautiques et cartes-guides, vendues par les loueurs de bateaux.

VISITE EN BATEAU

Béziers Croisières – BP 4052 - 34545 Béziers - ☎ 04 67 49 08 23. Croisière-promenade (2h1/4 ou 6h) et croisière-déjeuner (4h) sur le canal du Midi de Béziers à Poilhès. Horaires, tarifs et réservation par téléphone. BP 4052, 34545 Béziers Cedex - ☎ 04 67 49 08 23.

Croisières du midi (Luc Lines) – 35 quai des tommeliers BP 2 - 11200 Homps - ☎ 04 68 91 33 00 - www.croisieres-du-midi.com - juil.-déb. sept. : tlj sf sam. 10h , 15h30 ; le reste de l'année : dim. 15h30. Sur réservation - fermé vac.scol. de fév. et Toussaint. Croisière commentée (2h) au départ de Homps.

RESTAURATION

⊜ **Le Relais de Riquet** – 12 espl. du Canal - 11320 Le Ségala - 10 km à l'O de Castelnaudary par N 113 puis D 217 - ☎ 04 68 60 16 87 - tlj sf lun. - 10/27,50€. Arrêtez-vous ici le temps d'un repas, vous ne le regretterez pas ! Ce relais, à la fois restaurant et bar, vous accueille dans une ambiance un peu « rétro », soulignée par de vieilles photos du canal du Midi situé à quelques pas. Cassoulet et confits maison.

⊜⊜ **Ferme-auberge du Pigné** – 11150 Bram - 2 km au SE de Bram dir. Montréal - ☎ 04 68 76 10 25 - réserv. obligatoire - 22,11/33,54€. Jolie ferme située au cœur d'un vaste domaine agricole. Attablez-vous dans la salle à manger ou en terrasse, face au jardin arboré. Aux fourneaux, Line prépare avec passion charcuteries « maison », volailles et plantes aromatiques.

HÉBERGEMENT

⊜ **Chambre d'hôte Bernard Fouissac** – La Bastide Vieille - 34310 Capestang - 13 km à l'O de Béziers rte de Castres par D 39 - ☎ 04 67 93 46 21 - fermé nov.-mars - ⊠ - 3 ch. : 48€ - repas 17€. De grandes chambres confortables ont été aménagées dans les dépendances de cette bastide du 12e s., perdue dans les vignes. Les amateurs de farniente adoreront son joli salon-bibliothèque. Table d'hôte dans la pièce où on cuisait autrefois le pain.

⊜⊜ **Chambre d'hôte Le Liet** – 11610 Pennautier - 5 km au NO de Carcassonne par N 113 puis D 203 - ☎ 04 68 11 19 19 - chateauleliet@francemultimédia.fr - fermé déc. et mars - 6 ch. et 4 gîtes : 53,36/68,60€. Au milieu d'un grand parc planté d'arbres rares où cohabitent paons, lièvres et faisans, cette demeure du 19e s. vous ouvre les portes de ses belles chambres et de ses suites familiales pour un séjour de rêve... Petit-déjeuner dans une magnifique salle. Quatre gîtes et piscine.

⊜⊜ **Chambre d'hôte Abbaye de Villelongue** – 11170 St-Martin-le-Vieil - 5 km au NE de St-Martin-le-Vieil par D 64 - ☎ 04 68 76 00 81 - ⊠ - 4 ch. : 55€. Silence et solennité d'une ancienne abbaye cistercienne bâtie au 12e s. Le confort proposé n'a rien de monacal : jolis meubles d'antan, ciels de lit et salles de bains privatives. Les fenêtres des chambres s'ouvrent sur le ravissant cloître et son jardinet. L'été, on y sert le petit-déjeuner.

ACHATS

Coopérative L'Oulibo – Hameau de Cabezac - 11120 Bize-Minervois - ☎ 04 68 41 88 88 - looulibo@libertysurf.fr - hiver : lun.-ven. 8h-12h, 14h-18h. Été : lun.-ven. 8h-12h, 14h-19h. Sam. et dim. à partir de 10h. - fermé Noël et Nouvel An. Vente d'huile d'olive et d'olives (lucques et picholines). Visite guidée de la coopérative en été (gratuit).

Sous la douce lumière de l'automne, le canal du Midi.

Le nom

Ce fameux canal a eu plusieurs noms : appelé canal royal en Languedoc puis canal des Deux-Mers, il fut enfin baptisé canal du Midi après 1789.

Les gens

Saluons ici le courage et la ténacité des quelque 12 000 ouvriers, femmes et enfants compris, qui, durant quatorze ans, mirent la main à la pâte pour bâtir ce gigantesque monument.

comprendre

A. Thuillier/MICHELIN

Pierre-Paul Riquet, héros du canal du Midi.

L'œuvre d'un seul homme – Dans les projets de construction d'un canal « des Deux-Mers », le franchissement du seuil de Naurouze (alt. 194 m) était un obstacle insurmontable. En explorant le site dans tous ses détails, Riquet, homme de réflexion, trouva la solution : au seuil de Naurouze sourdait la fontaine de la Grave (disparue après les travaux) dont les eaux se séparaient immédiatement en deux ruisseaux coulant l'un vers l'Ouest, l'autre vers l'Est. Il suffisait donc d'accroître ce flot pour constituer un bief de partage suffisamment alimenté, permettant l'aménagement d'écluses sur l'un et l'autre versant. Pour ce faire, Riquet eut l'idée d'utiliser le réseau hydrographique de la Montagne noire. Avec l'aide du fils d'un fontainier de Revel, il capta et amena les eaux de l'Alzeau, de la Bernassonne, du Lampy et du Sor par la rigole de la Montagne jusqu'au barrage de St-Ferréol, puis à Naurouze par la rigole de la Plaine.

En 1662, il réussit à intéresser Colbert à son projet. L'autorisation est accordée en 1666. Riquet engloutit dans cette œuvre gigantesque le tiers des dépenses des travaux, soit plus de 5 millions de livres, contractant les emprunts les plus onéreux, sacrifiant les dots destinées à ses filles. Épuisé, il meurt en 1680, six mois avant l'inauguration du canal. Rétablis dans leurs droits sous la Restauration, les représentants de la famille consentent en 1897 au rachat, par l'État, du canal, désormais administré sous le régime du service public.

◄ **L'héritage et l'avenir** – Concurrencé par le train, le trafic commercial a déserté le canal ; ses écluses, calculées à l'époque pour les navires de mer les plus courants en Méditerranée, n'admettent pas les bateaux de plus de 30 m de long. La modernisation du canal a commencé par la section Toulouse-Villefranche-de-Lauragais (43 km).

Ce canal historique a une physionomie attrayante avec ses nombreuses courbes serrées, ses écluses aux bassins ovales, son cours rétréci par de gracieux ponts de briques, ses allées d'eau bordées de platanes et, plus spécifiquement sur le versant méditerranéen, de cyprès et de pins parasols. Aussi, le tourisme fluvial a aujourd'hui investi le canal, dont les eaux permettent également d'irriguer 40 000 ha de terres dans le Lauragais.

CHIFFRES CLÉS
240 km de long ;
91 écluses ;
300 millions de m³/an.
Encore au 19e s., il fallait huit jours pour aller d'Agde à Toulouse avec une barque de 120 t.

ABC DU CANAL

Le canal du Midi présente une véritable architecture constituée tout d'abord par le canal lui-même, par son paysage, mais également par tous les ouvrages qui ont été construits autour, servant à son fonctionnement ou à son exploitation.

L'alimentation en eau – Les eaux d'alimentation sont rassemblées loin du bief de partage par des petits canaux, les **« rigoles »**. La rigole de la Montagne alimente le bassin de St-Ferréol d'où part la rigole de la Plaine qui se déverse dans le bief de partage du canal au seuil de Naurouze.

Pour rassembler les eaux, on a d'abord créé des étangs artificiels, comme celui de Naurouze, puis des **réservoirs** contenus par des barrages en maçonnerie, comme celui de St-Ferréol, afin d'alimenter le canal durant la saison sèche.

Les **déversoirs** ou **épanchoirs** servent à évacuer le trop-plein d'eau du canal dû aux variations saisonnières ou encore à vider un bief, un bassin ou un réservoir pour le nettoyer, le réparer. L'épanchoir coupe parfois le chemin de halage ; on construit alors un pont à arcades au-dessus de l'épanchoir, comme on l'a fait pour celui de l'Argent-Double. Dans le système de l'épanchoir « à fond », l'eau excédentaire s'écoule par l'action d'une vanne, comme à Gailhousty ; les deux systèmes sont réunis dans l'épanchoir « à siphon » (Ventenac-en-Minervois).

Les franchissements – Pour franchir un ruisseau, le canal passe sur un aqueduc voûté. Pour franchir une rivière, on préfère utiliser un **pont-canal**, véritable pont ▶ enjambant la rivière.

Grâce aux **souterrains**, le canal peut traverser une montagne ou une colline sans que son niveau en soit élevé ; c'est le cas du tunnel de Malpas, près de l'oppidum d'Ensérune, et celui de la percée des Cammazes (ou voûte de Vauban), creusée dans la Montagne noire et permettant à l'eau de la rigole de la Montagne de venir alimenter le bassin de St-Ferréol.

Les **écluses** permettent de passer d'un plan d'eau (bief) à un autre situé plus haut ou plus bas. Le bateau qui descend vers l'aval entre dans l'écluse au sas rempli d'eau ; la porte amont se ferme et le bateau descend avec l'eau du sas qui s'écoule dans le bief inférieur ; la porte aval s'ouvre alors pour laisser passer le bateau. Les écluses du canal du Midi ont été construites en ellipse (elles sont ovales), forme qui offre une meilleure résistance à la poussée des terres. Pour monter ou descendre une forte pente ont été créées des échelles d'écluses : celle de St-Roch, à la sortie de Castelnaudary, comporte quatre écluses, celle de Fonséranes huit.

Les architectures du canal – Les **maisons éclusières** sont toutes identiques ; ce sont des bâtisses rectangulaires, comportant une ou deux pièces, de plain-pied. Sur leur façade est apposée une plaque indiquant la distance qui sépare l'écluse amont de l'écluse aval.

Les **ports** servent à l'exploitation du canal. On les reconnaît à leur quai de pierre. Certains ne sont que des relais où l'on trouve le plus souvent une auberge (la « dînée ») avec des écuries pour les chevaux de halage, parfois un lavoir, une chapelle ou une glacière, comme c'est le cas au Somail. D'autres possèdent une cale de radoub, plan incliné à sec où l'on peut réparer la coque du bateau. Ces derniers ports, nécessitant plus de place, forment un véritable bassin, comme à Castelnaudary.

Les plantations – Elles servent tout d'abord à l'agrément des haleurs, mais elles apportent également un ombrage au canal afin d'éviter l'évaporation de l'eau. On plante plus volontiers des arbres à croissance rapide : platanes, peupliers, pins maritimes (canal de jonction vers la Robine). Aux abords des ouvrages les plus imposants, on a parfois créé de véritables promenades : ainsi, le bassin de Naurouze est planté d'essences diverses, formant un arboretum très agréable à parcourir.

PONTS-CANAUX

Le premier à avoir été construit en Europe est le pont-canal de Répudre ; il en existe également au-dessus de la Cesse, du Fresquel ou de l'Orbiel.

Les écluses du canal du Midi ont une forme ovale caractéristique.

circuits

DU SEUIL DE NAUROUZE À CARCASSONNE [1]
52 km – 1h.

Seuil de N(arouze)

> **PROJET À L'EAU**
> Au seuil de Naurouze, Riquet voulait créer une ville ; son projet n'a pas abouti ; les constructions furent uniquement consacrées à l'entretien et à l'exploitation du canal.

◄ *Laisser la voiture au parking situé près de l'obélisque.* C'est à cet endroit que les eaux captées dans la Montagne noire viennent alimenter les deux versants, méditerranéen et atlantique, du canal du Midi.

Contourner le bassin à gauche. Un agréable sentier ombragé fait le tour du bassin de décantation, de forme octogonale, creusé en 1669-1673. On voit successivement la station de pompage destinée à l'irrigation du Lauragais, l'épanchoir permettant d'évacuer le trop-plein du bassin vers le Fresquel, le **bief de partage** des eaux, l'écluse qui déverse l'eau de la rigole de la Montagne noire dans le bief et enfin l'écluse de l'Océan (1671). Le bassin est entouré d'un **arboretum** planté de pins d'Alep, de micocouliers, d'érables sycomores, de cèdres de l'Atlas (allée menant à l'écluse de l'Océan), de merisiers, etc. *Revenir au parking par une allée de platanes traversant le bassin.*

> **PRÉDICTION**
> Selon la légende, quand les fissures qui strient les pierres de Naurouze viendront à se fermer, la société sombrera dans la débauche et la fin du monde surviendra.

◄ **L'obélisque de Riquet**, élevé en 1825 par les descendants de Riquet, se dresse dans un enclos sur le socle naturel des « pierres de Naurouze » (N 113), entre le col de Naurouze (N 113) et le canal. Il est entouré d'une double couronne de cèdres. Vue à l'Ouest sur la butte de Montferrand.

Quitter le seuil de Naurouze au Sud et gagner **Le Ségala**, joli port du canal du Midi. *Remonter par la D 217 à Labastide-d'Anjou. Prendre ensuite la N 113 à droite.*

Castelnaudary *(voir ce nom)*
Sortir de Castelnaudary à l'Est par la N 113 en direction de Carcassonne. Après Villepinte, tourner à droite dans la D 4.

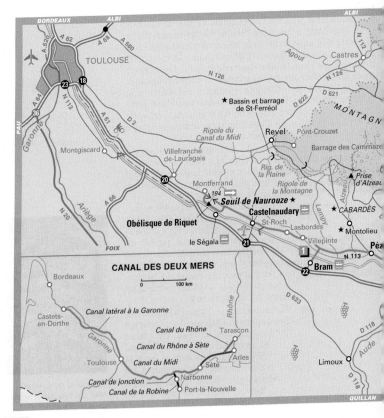

Bram

Ville natale du journaliste et écrivain Jean Cau, Bram est un représentant typique de l'urbanisme languedocien des « **circulades** », villages construits en cercles concentriques autour de l'église. Bram fut le théâtre d'un ► des plus terribles épisodes de la croisade contre les Albigeois.

Faire demi-tour par la D 4 et tourner à droite dans la N 113.

Pézens

Pézens a gardé quelques vestiges de remparts dont une porte fortifiée. L'église (clocher à flèche ornée de crochets – 19e s.) date du 18e s.

Carcassonne★★★ *(voir ce nom)*

LA PLAINE DU MINERVOIS [2]

De Carcassonne à Béziers – 120 km – une demi-journée. Quitter Carcassonne au Nord par la D 118.

La route longe le canal du Midi et passe au-dessus du Fresquel, également enjambé par le canal sur le **pont-canal du Fresquel**.

Au carrefour de Bezons, prendre la 1re route à droite, la D 620, puis la D 201. Après Villedubert, tourner à droite dans la D 101.

Peu avant Trèbes, à droite de la route, le canal du Midi passe au-dessus de l'Orbiel sur un **pont-canal** à trois arches construit par Vauban en 1686.

Quitter Trèbes à l'Est par la D 610. Après Marseillette, prendre à droite la D 157.

Blomac

L'**église St-Étienne** est remarquable avec son clochermur et son chevet arrondi (fin 11e s.) orné de bandes lombardes.

Regagner la D 610. Un peu avant Puichéric, prendre à gauche la D 111 en direction de Rieux-Minervois.

POUR L'EXEMPLE

En 1210, ayant pris Bram d'assaut, Simon de Montfort fait trancher le nez et crever les yeux à 99 habitants de la ville ; plus chanceux, le centième est « seulement » éborgné, afin qu'il puisse conduire les autres à Cabaret et effrayer ainsi les défenseurs locaux.

FESTIVAL

De mi-juin à mi-juillet et début août, le festival itinérant Convivencia suit le canal du Midi en escales musicales où l'on peut danser et écouter des musiciens languedociens, gascons et méditerranéens.
☎ 05 62 19 08 08.

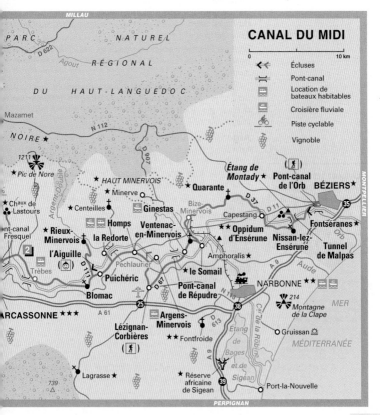

CANAL DU MIDI

Écluse de l'Aiguille

La route traverse le canal du Midi à l'écluse de l'Aiguille aux abords de laquelle l'éclusier expose ses sculptures sur bois, animaux et personnages filiformes.

Rieux-Minervois

Gros village viticole au cœur du vignoble minervois. L'**église**★ romane du 12ᵉ s., construite sur un plan circulaire, ce qui en fait son originalité, est surmontée d'un clocher heptagonal remanié au cours des siècles. L'intérieur est construit sur un plan polygonal à quatorze côtés. On peut y admirer de très beaux chapiteaux historiés sculptés par le maître de Cabestany, dont la Mandorle (Vierge de l'Assomption) et une statue de saint Jacques de Compostelle. La chapelle à gauche de la porte Sud abrite une belle Mise au tombeau de l'école bourguignonne du 15ᵉ s.

Revenir à Puichéric.

> **SAGE ÉGLISE**
> Le centre de l'édifice est occupé par une coupole soutenue par sept colonnes, symbolisant la sagesse et rappelant la phrase du livre des Proverbes : « La Sagesse a bâti sa maison, elle a taillé ses sept colonnes. »

Puichéric

D'agréables ruelles, dont certaines cachent des maisons anciennes, mènent à l'église (13ᵉ s.) et au château du 11ᵉ s., incendié par le Prince Noir en 1355, relevé depuis de ses ruines et où Paul Riquet séjourna.

Continuer sur la D 610.

La Redorte

Ce village viticole est situé dans une boucle du canal. À 100 m du pont-canal jeté au-dessus de l'Argent-Double, un épanchoir en pierre a été construit en 1693 par Vauban ; il sert à vider dans la rivière les eaux excédentaires du canal lors des crues.

Homps

Siège jusqu'en 1792 d'une commanderie des chevaliers de Malte, Homps fut détruit lors de la croisade contre les Albigeois, puis lors des guerres de Religion. Rebâti, il prit son essor au 17ᵉ s. avec la construction du canal des Deux-Mers : il devint alors un important port de commerce pour les vins du Languedoc, et l'un des rares port du canal assez grand pour que les péniches puissent y faire demi-tour.

Sortir à l'Est de Homps par la D 65. À 1,5 km, prendre à droite la D 124, tout de suite avant le pont enjambant le canal.

La route longe le chemin de halage. En amont de l'écluse de Pechlaurier, un **aqueduc** a été érigé en 1689 par Goudet sur les plans de Vauban. On peut aller à pied sous ses arcades.

Argens-Minervois

Le village s'accroche à une butte sur laquelle trône le château remanié au 14ᵉ s. *(attention, ruines non entretenues)*, après sa prise par Simon de Montfort. Le port se trouve en bas du village.

Rejoindre Lézignan-Corbières au Sud par la D 611.

> **LARGUEZ LES AMARRES**
> Entre l'écluse d'Argens et celle de Fonséranes, le grand bief de 54 km constitue une des portions du canal les plus agréables à naviguer.

Lézignan-Corbières *(voir ce nom)*

Gagner Paraza au Nord-Est par la D 67, qui devient D 124 à Roubia. Laisser la voiture et suivre à pied le chemin de halage vers Ventenac (2,5 km à pied AR).

Pont-canal de Répudre

C'est le premier pont-canal réalisé en France. On en doit l'invention à Riquet, en 1676, qui imagina faire passer l'eau du canal sur un aqueduc posé transversalement au-dessus du Répudre.

Ventenac-en-Minervois

Le château *(privé)*, perché en haut du village, offre une vue sur le canal et, au-delà, sur Lézignan-Corbières et la plaine. En redescendant au port par des ruelles, on peut aller visiter la cave coopérative située dans une ancienne tour-donjon.

Prendre au Nord la D 26.

A. Thuillier/MICHELIN

Le pont-canal de Répudre, long de 300 m et construit en pierres appareillées, est toujours en fonction depuis trois cents ans.

Ginestas

Entouré de vignes, ce village possède une **église** faiblement éclairée, qui renferme quelques belles pièces dont un retable en bois doré du 17e s., la statue de N.-D.-des-Vals, une Vierge à l'Enfant d'une facture simple et une sainte Anne, naïve statue polychrome du 15e s. *9h-12h. Possibilité de visite guidée sur demande à la mairie.* ☎ *04 68 46 12 06.*

Quitter Ginestas par la D 926. Tourner à droite dans la D 607 jusqu'au port du Somail.

Le Somail★

C'est l'un des plus agréables ports du canal : il conserve son pont en dos d'âne flanqué d'une chapelle, sa glacière et son auberge de 1773.

À la sortie du village, le **musée de la Chapellerie** expose chapeaux, coiffes de tous les continents, de 1885 à nos jours. ৬ *Juin-sept. : 9h-12h, 14h-19h, dim. et j. fériés 14h-18h ; oct.-mai : 14h-18h, dim. et j. fériés 14h-19h. 3,20€.* ☎ *04 68 46 19 26.*

Rejoindre la D 607 vers le Nord puis tourner à droite dans la D 36E3 vers Bize-Minervois et Quarante.

Quarante

Quarante est un village perché, probablement construit ► sur un oppidum, aujourd'hui situé en plein pays de la vigne.

Bâtie sur un édifice antérieur dont on a conservé les murs des bas-côtés, l'**église Ste-Marie★** fut consacrée en 1053. Les absidioles du chevet sont décorées de bandes lombardes typiques de l'art roman primitif languedocien. Le clocher du croisillon droit a été ajouté à l'époque gothique. On pénètre dans l'église par un massif porche rectangulaire.

La croisée du transept et le croisillon droit sont surmontés d'une coupole sur trompes. Deux belles tables d'autel décorées de lobes ont été réutilisées, l'une, de 1053, au maître-autel, l'autre, romane, dans le bras gauche du transept. Dans l'abside, devant d'autel en marbre représentant la Cène (18e s.). *Possibilité de visite guidée sur demande (pour les groupes).* ☎ *04 67 89 45 14.* Dans le **trésor** *(à côté du croisillon gauche)*, sarcophage antique du 3e s. avec, au centre de la face antérieure, un médaillon représentant un couple en buste.

Prendre la D 37 à l'Est en direction de Nissan-lez-Ensérune. On pourra s'arrêter un moment à **Capestang**, un des ports les plus actifs du canal, pour le tourisme fluvial.

Nissan-lez-Ensérune

L'**église**, du 14e s., est de style gothique méridional. Sous le porche est exposée une pierre du 13e s. portant une inscription funéraire en langue d'oc. À l'intérieur *(accès par la cour du presbytère)*, belle Vierge de Miséricorde en pierre polychrome du 14e s. *(chapelle à droite du chœur)* et autel à lobes en marbre datant de l'époque carolingienne. La chapelle des fonts baptismaux a été constituée à l'aide d'éléments anciens, une vasque et des colonnes en marbre. Dans le flanc Nord, un **musée** renferme des objets d'archéologie antique et médiévale, parmi lesquels le produit des fouilles de la ville romaine de Vivios, près de Lespignan ; le 1er étage est réservé à l'art sacré (chasubles du 16e s., calices du 17e s.). *Sur demande à M. le curé de la paroisse. Gratuit.* ☎ *04 67 37 14 12 (Office de tourisme).*

Traverser, au Nord du village, la N 9 et prendre en face la D 162E (fléchage « Oppidum d'Ensérune »).

Oppidum d'Ensérune★★ *(voir ce nom)*

En revenant sur ses pas, s'arrêter sur le site de Malpas qui réserve quelques surprises.

Le Malpas

Il est difficile d'imaginer, en franchissant le modeste col de Malpas (mauvais passage), l'importance du lieu qui réunit l'ancienne voie Domitienne (disparue), et trois **tunnels★** superposés : celui du canal (165 m de long, 17e s.), prouesse technique de l'époque, celui du chemin de fer (19e s.) et, encore en dessous, la galerie d'évacuation des eaux (13e s.) de l'étang asséché de Montady *(voir oppidum d'Ensérune).*

Maison du Malpas – ♿ *Mai-août : 10h-20h ; sept. : 10h-19h ; reste de l'année se renseigner. 3€ visite guidée du site, 5€ visite avec conférencier.* ☎ *04 67 32 88 77.*
L'intérêt touristique et historique des lieux justifie le rôle de ce centre qui organise des visites guidées et propose des expositions temporaires. Vidéo, bornes interactives sur la découverte de la région.

Continuer vers Colombiers.

La commune de **Colombiers** a aménagé un agréable petit port où l'on peut louer des bateaux.

De là, prendre la D 162E à l'Est puis à gauche la N 9. Suivre les panneaux « Écluses de Fonséranes ».

Écluses de Fonséranes★

Cette série de huit sas accolés présentant l'aspect d'un escalier de 312 m de longueur permet de rattraper une différence de niveau de 25 m.

Pont-canal de l'Orb

🚶 *Accès piéton par le chemin de halage, en bas des écluses.*
Depuis 1857, un pont-canal en aval, faisant passer le canal du Midi au-dessus de l'Orb, évite le passage redouté de la rivière.

Béziers★ *(voir ce nom)*

A. Thuillier/MICHELIN

Les huit écluses de Fonséranes, un des clous du spectacle sur le canal du Midi.

Millau★

Après la poterie, puis la mégisserie et la ganterie, c'est aujourd'hui le spectaculaire viaduc qui fait la célébrité de Millau. Sa position de carrefour stratégique au croisement des routes d'Albi, de Clermont-Ferrand et de Montpellier a beaucoup apporté à cette ville qui combine avec bonheur son patrimoine culturel et les activités de plein air. La proximité des gorges du Tarn et des causses est une promesse de moments inoubliables pour les amateurs de randonnées, de sports d'eau vive ou de vol libre.

La situation

Carte Michelin Local 338 K6 – Aveyron (12). Millau est d'un accès on ne peut plus facile puisqu'il se trouve sur le tracé de l'A 75 (qui redevient N 75 aux abords de la ville). Le parking couvert de la place Emma-Calvé est très pratique car en plein centre-ville. De la N 9 s'élevant sur le causse du Larzac (belvédère) s'offre une belle vue sur le **site★** de Millau et sur le vieux moulin bâti au 15e s. sur l'ancien pont du 12e s., dont il subsiste deux arches.
🛈 *1 pl. du Beffroi, 12100 Millau,* ☎ *05 65 60 02 42. www.ot-millau.fr*

RESTAURATION

Auberge de la Borie Blanque – *Rte de Cahors -* ☎ *05 65 60 85 88 - 10,50/21,50€*. L'auberge, adossée à la Borie Blanque, bénéficie d'un cadre naturel unique. L'hiver, attablez-vous dans la salle à manger voûtée aux murs lambrissés ou en pierres apparentes. L'été, vous jouirez de la vue panoramique offerte depuis la terrasse ombragée! Le chef concocte une généreuse cuisine du terroir à base de produits frais.

La Braconne – *7 pl. du Mar.-Foch -* ☎ *05 65 60 30 93 - fermé dim. soir et lun. - 15/30€.* Cette maison ancienne du centre de Millau accueille ses convives dans une belle salle voûtée du 13ᵉ s. Ici, préférez les grillades cuites dans la cheminée du fond et les spécialités du terroir concoctées par la patronne aux plats plus compliqués...

La Table d'Albanie – *23 r. Pont-de-Fer -* ☎ *05 65 59 16 87 - 16,50/26€.* Jeune et accueillante table millavoise installée à proximité des rives du Tarn, dans une construction récente jouxtant une ancienne mégisserie. Le mobilier rustique de la salle à manger, réalisé par un ébéniste local, mérite aussi le coup d'œil. Terrasse fleurie dressée aux beaux jours et cuisine maison

HÉBERGEMENT

La Capelle – *7 pl. Fraternité -* ☎ *05 65 60 14 72 - fermé 2 oct. au 11 avr. - 46 ch. : 25/41€ -* ☲ *5,50€.* Cet hôtel a deux avantages : des prix raisonnables et une certaine tranquillité. À ce tarif il ne faut pas s'attendre au grand luxe, les chambres sont plutôt simples et ont gardé un cadre années 1960.

Château de Creissels – *2 km au S de Millau rte de St-Affrique -* ☎ *05 65 60 16 59 - fermé 15 janv.-15 mars, lun. midi et dim. soir hors sais. -* 🅿 *- 30 ch. : 54/77€ -* ☲ *8€ - restaurant 22/44€.* Ce château du 12ᵉ s. domine agréablement la ville de Millau. La bâtisse principale abrite un salon bourgeois, deux salles à manger coiffées de jolies voûtes en pierre, une belle terrasse panoramique et des chambres garnies de meubles anciens. Une aile construite en 1971 propose un hébergement au décor plus sobre.

Ferme-auberge de Quiers – *Hameau de Quiers - 12520 Compeyre - 14 km au N de Millau par N 9 et D 907 -* ☎ *05 65 59 85 10 - de déb. avr. aux vac. de Toussaint -* ☲ *- 6 ch. : 45€ - repas 17/19€.* Dans un hameau agrippé aux contreforts des causses, cette vieille grange restaurée abrite des chambres confortables et fonctionnelles (certaines avec arches en pierres apparentes ou plafond voûté), et une coquette salle à manger rustique. Superbe vue sur la vallée et les plateaux et calme absolu...

SORTIES

La Locomotive – *33 av. Gambetta -* ☎ *05 65 61 19 93 - la.locomotive@wanadoo.fr - mar.-jeu. 16h30-2h, ven., sam. 16h30-3h.* Café-concert où se produisent des groupes de rock, de jazz, de salsa et de musique tzigane. Iñaki, le patron basque, organise aussi conférences et rencontres avec des écrivains.

ACHATS

J. Bonami – *4 r. Peyssière -* ☎ *05 65 60 07 40.* Monsieur et Madame Bonami n'en démordent pas : « Nous sommes définitivement anti-artificiel, anti-mauvaise qualité et pour la tradition : les cerises, c'est en juin, le raisin, en septembre, et ce n'est pas autrement ! ». On trouve dans cette pâtisserie le véritable gâteau à la broche cuit au feu de bois et les échaudés.

Cave des Vignerons des gorges du Tarn – *R. Colombier - 5 km de Millau - 12520 Aguessac -* ☎ *05 65 59 84 11.* La cave des Vignerons des gorges du Tarn regroupe les appellations d'origine « Vin délimité de qualité supérieure » (VDQS) côtes de Millau donnant des vins rouges et rosés. Elle présente également le Cerno, apéritif élaboré à partir de gamay et d'extraits naturels de plantes.

LOISIRS

Centre Permanent d'Initiatives pour l'Environnement (CPIE) du Rouergue – *La Maladrerie -* ☎ *05 65 61 06 57.* Il propose des randonnées de découverte de la nature et du patrimoine.

Évasion Parapente et Randonnées – *Chemin des Terrasses, rte de Paulhe -* ☎ *05 65 59 15 30 - www.millau-evasion.com - tte l'année.*

Horizons Loisirs sportifs – *6 pl. Lucien-Grégoire -* ☎ *05 65 59 78 60 - horizon-mvl@wanadoo.fr - mars-nov.* Spéléologie, parapente, canyoning, escalade, randonnée technique. Centre agréé par la Fédération française de spéléologie et de parapente.

Centre International de Vol libre – *Cabrières - 12520 Aguessac -* ☎ *05 65 59 84 44 - www.cabrieres.net*

Escapade – *Rte des Gorges du Tarn - 12520 Aguessac -* ☎ *05 65 59 72 03 - sais. : 8h-22h ; reste de l'année sur demande.* Canoë, kayak, canyoning, escalade, spéléologie et VTT.

PNR des Grandes Causses – *71 bd de l'Ayrolle - BP 126 -* ☎ *05 65 61 35 50 - parc.grands.causses@wanadoo.fr - mai-sept. : 9h-12h30, 14h-18h ; reste de l'année : 9h-12h, 14h-17h.* Le parc donne des adresses utiles pour trouver un hébergement authentique, pratiquer des activités originales ou découvrir le patrimoine local.

Roc et Canyon – *55 av. Jean-Jaurès - BP 325 -* ☎ *05 65 61 17 77 - www.roc-et-canyon.com - juil.-août : 8h-20h ; accueil : 9h-12h, 14h-17h.* Escalade, spéléo, VTT, rafting, randonnées, canyoning, équitation, canoë, vol libre, via ferrata, biplace parapente, parcours aventure... Ces activités vous sont proposées sous le contrôle de moniteurs diplômés d'État.

A. de Valroger/MICHELIN

Le lavoir de Millau surprend par son plan hémisphérique souligné par une colonnade très néoclassique.

Le nom

C'est à un certain Émile, ou, plutôt Aemilius, que Millau doit son nom.

Les gens

21 339 Millavois. En visitant la ville on retrouve souvent le nom d'Emma Calvé, cantatrice aveyronnaise, fameuse en son temps pour son interprétation de *Carmen*. Les enfants y sont également à l'honneur, ce qui a valu à la ville le label « Station Kid ».

comprendre

Une cité du gant – Dans cette région des causses, où les brebis abondent, le travail de la peau devait nécessairement se développer. Dès le 12ᵉ s., Millau devint le centre du gant d'agneau.

La fabrication comporte trois phases : la mégisserie ou préparation de la peau, la teinturerie, la ganterie ou confection du gant lui-même. Avant d'être achevé, un gant doit passer par... 70 mains différentes ! Gant « glacé » et « suède », gants de sport « tannés lavables » et « fourrés », gants de protection, Millau fabrique environ 200 000 paires de gants par an exportées dans le monde entier. Mais les modes passent et le déclin du gant a entraîné, après la dernière guerre, une diversification des débouchés : aujourd'hui, les mégisseries millavoises ne destinent plus leur production à la seule ganterie : vêtements (dans la haute couture notamment), chaussures, maroquinerie et ameublement ont pris le relais.

découvrir

NOS ANCÊTRES LES POTIERS

Au 1ᵉʳ s. de notre ère, Condatomagus (« le marché du confluent »), ancêtre de Millau, occupant une quinzaine d'hectares à l'emplacement du confluent, fut l'un des grands centres de fabrication de poteries en argile dans le monde romain. La technique de fabrication, apportée par les Romains, reprend le procédé des vases sigillés. Certaines de ces poteries étaient faites au tour et restaient lisses tandis que d'autres, moulées, s'ornaient de décors floraux, géométriques ou historiés d'influence hellénistique. Plus de 500 potiers ont fabriqué en quelque 150 ans environ 600 millions de pièces, cuites dans une quarantaine de fours et exportées à travers toute l'Europe, le Moyen-Orient et jusqu'en Inde. Une véritable industrie !

Fouilles de la Graufesenque

1 km au Sud de Millau. Sortir en direction de Montpellier et Albi, puis tourner à gauche au rond point suivant immédiatement le pont sur le Tarn. ♿ *Juil.-août : 10h-12h30, 14h-19h ; mai et sept. : 10h-12h, 14h-18h ; oct.-avr. tlj sf lun. 10h-12h, 14h-17h. Fermé j. fériés de déb. oct. à fin avr. 4€, gratuit 1ᵉʳ sam. du mois.* ☎ *05 65 60 11 37.*

Après une vidéo, projetée dans la maison d'accueil, vous découvrirez les fouilles qui ont permis de dégager les fondations d'un village gallo-romain de potiers avec sa rue centrale, son canal, les ateliers, les maisons des esclaves et l'un des énormes fours où l'on pouvait cuire jusqu'à 40 000 vases dans la même fournée. Il est vrai que celle-ci durait presque un mois !

A. Thuilier/MICHELIN

On peut visiter le champ de fouilles de la Graufesenque et voir des poteries en grand nombre au musée de Millau. Ici, une aiguière au décor particulièrement travaillé.

Musée de Millau★

Pl. du Mar.-Foch. Juil.-août : 10h-18h ; mai-juin et sept. : 10h-12h, 14h-18h ; oct.-avr. : tlj sf dim. j. fériés 10h-12h, 14h-18h. Fermé 1ᵉʳ mai. 5€, gratuit 1ᵉʳ sam. du mois. ☎ 05 65 59 01 08.

Il est installé dans l'hôtel de Pégayrolles (18ᵉ s.), au Sud-Est de la place. Au rez-de-chaussée, la **section de paléontologie** abrite, au milieu de nombreux fossiles de faune et de flore du secondaire, le squelette, presque complet, d'un plésiosaure de Tournemire, reptile marin de 4 m de long datant de 180 millions d'années...

Les caves voûtées du musée abritent une remarquable collection de **poteries**★ gallo-romaines, trouvées sur le site de la Graufesenque : vases ornés et lisses de toutes les périodes de construction, moules, poinçons et comptes de potiers, atelier et four reconstitués.

Le **musée de la Peau et du Gant**★ présente, au 1ᵉʳ étage, les deux industries traditionnelles de Millau : la mégisserie, qui permet de transformer une peau périssable et brute en un produit imputrescible de haute qualité *(montage audiovisuel de 12mn)*, et la ganterie. Nombreux outils, échantillonnage de peaux, présentation des différentes étapes de fabrication d'un gant de la coupe à la finition (reconstitution d'un atelier du 19ᵉ s.). L'histoire du gant, avec ses raffinements (magnifiques paires de gants de soirée) et ses différentes utilisations, est très bien présentée.

se promener

Place du Maréchal-Foch

C'est la partie la plus pittoresque du vieux Millau, avec son « couvert » aux arcades (12ᵉ-16ᵉ s.) soutenues par des colonnes cylindriques. On y voit encore une pierre rectangulaire, reste de l'ancien pilori *(entre la 2ᵉ et la 3ᵉ colonne en venant du Nord)*.

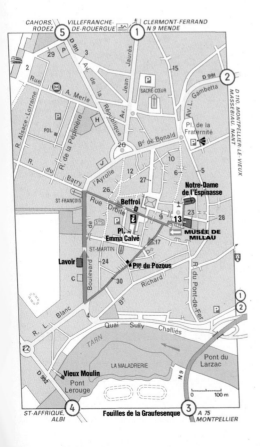

MILLAU

Église N.-D.-de-l'Espinasse

Elle possédait autrefois une épine de la Sainte Couronne, d'où son nom. Lieu de pèlerinage important au Moyen Âge, l'édifice, roman à l'origine, fut reconstruit au 17e s. Les fresques du chœur (1939) sont dues à Jean Bernard et les vitraux de la nef (1984) à Claude Baillon.

À droite de la place, prendre la rue des Jacobins.

On passe sous le **passage du Pozous**, ancienne porte fortifiée du 13e s. La rue du Voultre, avec ses passages voûtés très bas, débouche sur le boulevard de l'Ayrolle.

Remonter ce boulevard vers la droite.

Lavoir

Curieuse construction que ce lavoir du 18e s. Le lavoir en lui-même est surmonté d'un joli toit. Un vrai bonheur de laver son linge ici !

Continuer sur le boulevard. À hauteur de l'église St-François, prendre en face la rue Droite.

Beffroi

Juil.-août : 10h-12h, 14h30-18h ; de mi-juin à fin juin et sept. : 15h-18h. Possibilité de visite guidée. 2,50€ visite libre, 3,50€ visite guidée. ☎ *05 65 59 50 00.*

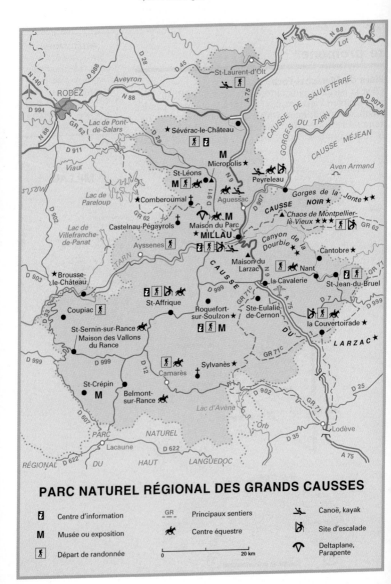

PARC NATUREL RÉGIONAL DES GRANDS CAUSSES

▣ Centre d'information	‾GR‾ Principaux sentiers	🛶 Canoë, kayak
M Musée ou exposition	🐎 Centre équestre	🪢 Site d'escalade
🚶 Départ de randonnée	0 20 km	⋁ Deltaplane, Parapente

Dans la rue Droite, une des plus commerçantes de la ville, cette tour gothique est un reste de l'ancien hôtel de ville. La tour carrée (12e s.) servit de prison.

Un peu plus loin à droite se trouve une place d'architecture résolument contemporaine, immortalisant la cantatrice **Emma Calvé**. De là, jolie vue sur le beffroi.

De retour dans la rue Droite, continuer tout droit jusqu'à la place du Mar.-Foch.

alentours

Parc naturel régional des Grands Causses

Le parc s'étend sur 315 640 hectares. Il englobe 94 communes rassemblant une population de plus de 64 000 habitants. Il a pour but la valorisation du patrimoine naturel et architectural, le soutien d'une agriculture gestionnaire de l'espace et des activités économiques (conservation des races ovines menacées : raïole, caussenarde des garrigues et rouge du Roussillon, développement de l'hébergement rural), la promotion des produits agroalimentaires et artisanaux. Concernant le patrimoine rural disséminé sur les Grands Causses, une action de sauvegarde de témoins du passé, comme les fours à pain, les cazelles, les lavognes, les pigeonniers, les lavoirs ou les fontaines, est engagée.

Le logo du Parc naturel régional des Grands Causses : un berger veille sur ses moutons.

circuit

LES RASPES ET LE SAINT-AFFRICAIN

120 km – environ 4h. Quitter Millau au Sud-Ouest par la D 41.

On traverse St-Rome-de-Tarn, étagé au-dessus de la rivière pour rejoindre à l'Est la D 31. La vallée s'encaisse dans un passage appelé les « raspes » du Tarn, portion de la rivière où les rochers déchiquetés se mêlent aux genêts et aux châtaigniers.

Après St-Victor, prendre à droite la D 510 puis à gauche la D 73.

On gagne **le Pouget**, dans un site très verdoyant, siège d'une des plus importantes **centrales hydroélectriques** du Sud-Ouest. ♿ *De mi-juin à mi-sept. : visite guidée (1h) mer. 17h et 18h, ven. et dim. 16h et 17h. En raison de l'application du plan Vigipirate, il est conseillé de se renseigner. Gratuit. Escapades des Raspes. ☎ 05 65 62 58 21.*

Partir vers l'Ouest. Au-delà du village du Truel, remonter sur le plateau puis prendre à droite la D 25.

Lac de Villefranche-de-Panat

C'est un des grands lacs du Sud Aveyron (197 ha), où pêcheurs et baigneurs (deux plages avec baignade surveillée) se retrouvent en été. Construit sur l'Alrance, un affluent du Tarn, il est alimenté par les eaux des lacs de Pont-de-Salars, du Bage, de Pareloup. Ses eaux sont ensuite dirigées vers le barrage de St-Amans, pour actionner l'usine du Pouget.

Revenir au Truel et traverser le Tarn pour rejoindre la D 527 vers les Costes-Gozon. Dépasser ce village et prendre à droite la D 50. À un croisement planté d'une croix, tourner à droite puis encore à droite vers Crassous. Sur le côté gauche de la route, après Crassous, beau dolmen.

Faire demi-tour jusqu'au croisement à la croix. Prendre à droite vers Tiergues. Un autre dolmen se trouve dans un champ, à 200 m de la route.

Rejoindre la D 993 après Tiergues.

St-Affrique *(voir Roquefort-sur-Soulzon)*
Revenir à Millau par les D 999 et D 992.

TRANSPORTS

● **Le Héron des Raspes** – ☎ *05 65 62 59 12 ou 05 65 62 52 49. Juil.-août : dép. à 14h30, 15h45, 17h. Matin et hors sais. : sur RV. 8,25€ (- 12 ans : 5€). Promenade en bateau au dép. du Viala-du-Tarn.*

● **Petit train des Raspes** – *Au départ de N.-D.-du-Désert (12400 St-Victor-et-Melvieu), ☎ 05 65 62 58 21.*

Minerve⋆

Minerve s'étire sur un promontoire rocheux, véritable île détachée du causse sous les effets conjugués de l'érosion glaciaire puis fluviale. Dominant un passage aride et comme brûlé, entaillé de gorges sauvages, la cité bénéficie d'un site⋆⋆ très pittoresque, truffé de curiosités rares, tels ses ponts naturels. De la fière forteresse qui se dressait sur cet éperon au Moyen Âge, il ne reste plus rien. L'écho de la tragédie cathare causée ici par Simon de Montfort est à présent assourdi par un océan de vignobles.

La situation

Carte Michelin Local 339 B8 – Hérault (34). L'accès au village est réservé aux riverains. Laisser sa voiture sur le parking, de l'autre côté du pont qui permet d'accéder au village. Attention, en été, il y a affluence.

🛈 *9 r. des Martyrs, 34210 Minerve,* ☎ *04 68 91 81 43.*

Le nom

Minerve a emprunté son nom à la déesse romaine Minerva, symbole de la guerre mais également de la raison. On remarquera simplement que Minerve fut très tôt ville de cathares, hommes de raison que la guerre contre les Albigeois détruisit.

Les gens

104 Minervois. En l'honneur de ces cathares, le sculpteur J.-L. Séverac a élevé une stèle commémorative sur la place de la Mairie.

À Minerve, ne pas manquer d'aller voir les fameux ponts naturels.

M.-H. Carcanague/MICHELIN

se promener

Il faut prendre le temps de flâner au hasard des ruelles et des *calades* du village... Une promenade hors du temps, surtout lorsqu'en fin d'après-midi le flot des touristes abandonne la cité qui, dès lors, comme endormie, vous appartient...

Les ponts naturels⋆

Ils ont été ouverts au début du quaternaire quand la Cesse a abandonné les deux méandres qu'elle décrivait avant de rencontrer le Briant, pour attaquer la paroi calcaire. En empruntant les failles qui la sillonnaient et qu'elle a agrandies, elle a percé deux véritables tunnels : le **Grand Pont**, le premier, que traverse la rivière, mesure 250 m de long et se termine par une ouverture d'une trentaine de mètres de hauteur ; le **Petit Pont**, que la Cesse emprunte en amont sur une longueur de 110 m pour une quinzaine de mètres de hauteur.

Monter jusqu'à la rue des Martyrs, étroite et pittoresque, où se sont installés quelques artisans et nombre d'échoppes de viticulteurs. Remarquer sur la droite la porte dite de la maison des Templiers (13e s.).

Église St-Étienne

Cette petite église romane possède une abside en cul-de-four construite au 11e s. en petits moellons réguliers. La nef, voûtée en berceau brisé, a été élevée quant à elle au 12e s.

Poursuivre vers la tour au Nord du village.

Cette tour octogonale appelée la « **Candela** » (chandelle) forme avec des pans de murs surplombant la vallée du Briant à l'Est les derniers vestiges du château de Minerve, établi sur le passage qui relie la cité au causse. Remanié plusieurs fois, il a été démantelé en même temps que les fortifications sur l'ordre de Louis XIII en 1636. La Candela, avec ses parements, date du milieu du 13e s.

CONSEILS

La D 147 au Sud-Ouest du village offre de belles vues sur les deux ponts naturels.
En période de sécheresse, on peut suivre à pied le lit de la rivière.
Le site du Grand Pont naturel sert de décor aux manifestations culturelles de l'été.

Redescendre la rue des Martyrs puis prendre à gauche une ruelle étroite grossièrement empierrée, qui descend vers les remparts. Il reste quelques vestiges de la double enceinte qui protégeait Minerve au 12e s., dont la poterne Sud, pourvue d'un arc brisé.
Suivre le chemin à gauche qui longe le bas du village.

Puits St-Rustique
Relié aux remparts par un chemin couvert, il devait assurer le ravitaillement en eau des assiégés au cours du siège de 1210. Simon de Montfort le détruisit grâce à une puissante catapulte installée de l'autre côté de la rivière, ce qui entraîna la chute de Minerve.

La vallée du Briant
Un sentier étroit contourne le village en suivant la vallée encaissée du Briant. Il remonte jusqu'à la Candela.

IA. Tuillier/MICHELIN

Prenant appui sur les rives rocheuses de la Cesse, ce pont est le seul accès au village de Minerve.

visiter

Musée
De déb. avr. à mi-nov. : 10h30-12h30, 13h30-18h ; fév.-mars : 12h-17h. 1,70€. ☎ 04 68 91 22 92.
Consacré essentiellement à la préhistoire et à l'archéologie jusqu'à la période romaine et wisigothique, il abrite notamment le relevé des traces de pas humains découvertes en 1948 dans l'argile de la **grotte d'Aldène**, qui seraient celles d'un homme du début du paléolithique supérieur (15 000 ans environ, période aurignacienne).

Musée Hurepel
Juil.-août : 10h-13h, 14h-18h30 ; avr.-juin et sept.-oct. : 10h30-12h30, 14h-17h30. 2,50€. ☎ 04 68 91 12 26.
Il retrace, sous forme de maquettes miniatures, les principaux épisodes de l'épopée cathare.

circuit

LE HAUT MINERVOIS★
35 km. Prendre la D 10EI à l'Ouest en direction de Fauzan.

Canyon de la Cesse
Au début du quaternaire, les eaux de cette rivière ont creusé la vallée en canyon, agrandi les grottes existantes et en ont percé de nouvelles. En amont de Minerve, la vallée se resserre, les eaux, abandonnant les terrains primaires imperméables, s'infiltrent sur une longueur de 20 km, ne reprenant leur lit superficiel qu'en période de gros orages en hiver.
Prendre à gauche la route de Cesseras qui descend vers la plaine et les vignes. Traverser Cesseras et prendre à droite la D 168 vers Siran. 2 km plus loin, tourner de nouveau à droite.

RESTAURATION
☺ **Relais Chantovent**
– ☎ 04 68 91 14 18 -
fermé 18 déc. au
18 mars, dim. soir et
lun. - 15/35€.
Sympathique auberge
familiale située au cœur
du village cathare
(accès piétonnier).
Cuisine régionale
soignée servie dans une
salle à manger d'esprit
rustique ou en terrasse
pour profiter de la vue
sur les gorges du Brian.
Chambres simples
réparties dans deux
annexes.

Chapelle de St-Germain

Nichée dans un bouquet de pins, cette chapelle romane est remarquable pour le décor de son abside.

Revenir à la D 168 et poursuivre vers Siran.

Après un peu moins de 1 km, une colline plantée de pins se détache sur la gauche. 🅿 *Arrêter la voiture après le pont qui enjambe un chemin et prendre le sentier qui monte vers le sommet de la colline.* Là se trouve un intéressant **dolmen** de type allée couverte appelé **Mourel des Fades** (dolmen des Fées).

Chapelle de Centeilles★

Au Nord de Siran. Dim. 15h-17h. ☎ *04 68 91 50 07 (Mme Lignères).*

◄ Entourée de cyprès, de chênes verts et de vignes, cette chapelle du 13ᵉ s., située à la limite entre le causse de Minerve et la plaine, embrasse un vaste panorama sur le vignoble, la Livinière et le curieux clocher de sa basilique surmonté d'une coupole. À l'intérieur, belles **fresques★** du 14ᵉ s. et du début du 15ᵉ s. représentant un Arbre de Jessé, saint Michel et saint Bruno. Dans le transept a été déposée une mosaïque romaine du 3ᵉ s. exhumée à Siran.

REMARQUER

Aux alentours de la chapelle de Centeilles, on aperçoit quelques constructions en pierres sèches appelées ici des capitelles.

Revenir au village de Siran et emprunter, à gauche après le château d'eau, une petite route qui contourne le pic St-Martin et rejoint au Nord la D 182 en surplombant les gorges de la Cesse. Tourner à droite vers Minerve. Peu après le hameau de Fauzan, prendre un chemin à gauche.

Après 1,5 km, près des bâtiments d'une usine désaffectée, un vaste terre-plein donne sur les gorges de la Cesse et procure de belles vues sur les **grottes** qui trouent la falaise. C'est dans l'une de ces grottes, celle d'**Aldène**, que furent découvertes en 1948 les traces d'un homme du paléolithique. Un petit chemin entre deux rochers mène à la **grotte de Fauzan** où furent aussi relevées d'autres traces de pas préhistoriques.

Revenir à Minerve par le canyon de la Cesse.

La Montagne noire★

À l'extrême Sud-Ouest du Massif Central, la Montagne noire est le repaire des forêts sombres et des rochers brunis par les ans. Elle s'élève brusquement au-dessus du Thoré, au Nord, puis s'incline avec docilité vers les plaines du Lauragais et du Minervois. Les vents y jouent un véritable festival : gonflés de pluie à l'Ouest, violents et secs sur le bassin du Bas-Languedoc, « marins » à l'Est et sec vent d'autan en Haut-Languedoc. Après ces bourrasques, si la tête tient toujours aux épaules, on découvre les jaunes du maquis, les blancs des châteaux et les bleus des lacs, comme autant d'éclaircies heureuses sur cette Montagne... peut-être pas si noire au fond.

La situation

Carte Michelin Local 344 E/F2 – Aude (11). La Montagne noire constitue l'arrière-pays de Carcassonne et de Castelnaudary. Pour s'y rendre depuis la cité médiévale, emprunter la D 118 ; depuis la capitale du cassoulet, prendre la D 624 jusqu'à Revel. La partie Nord de la Montagne noire est décrite dans *Le Guide Vert Midi-Pyrénées.*

Le nom

On dit cette montagne « noire » car son versant Nord, le plus arrosé, est couvert de sombres forêts (chênes rouvres, hêtres, sapins, épicéas). Le versant Sud a quant à lui un aspect méditerranéen, âpre et dénudé, où se mêlent garrigues, genêts, châtaigniers, vignes et oliviers.

carnet pratique

RESTAURATION

⊖ **Les Trois Petits Cochons** – *Hameau de Laviale - 11160 Castans - 10 km au N de Cabrespine par D 112 puis D 9 - ☎ 04 68 26 14 18 - leleufrdric@aol.com - fermé nov. - réserv. obligatoire - 9,15/14€.* Vous reconnaîtrez facilement cette vieille maison dans un hameau de la Montagne noire : trois petits cochons décorent sa façade. Six chambres d'hôte et une revigorante cuisine familiale vous y attendent. Une adresse très bien située pour un départ en randonnée.

HÉBERGEMENT

⊖⊖ **Hôtel Le Pavillon des Hôtes** – *81540 Sorèze - 6 km à l'E de Revel par D 85 - ⌧ - 18 ch. : 45/55€ - ☕ 7€.* Cette annexe de l'hôtel occupe les anciens dortoirs de filles de l'abbaye-école. Les chambres, simples et de bon goût, sont réparties autour d'un joli patio et ouvrent soit sur le beau parc soit sur le village de Sorèze. De nombreuses activités culturelles sont également proposées sur le site.

⊖⊖ **Hôtellerie du Lac** – *31250 St-Ferréol - 3 km au SE de Revel par D 629 - ☎ 05 62 18 70 80 - contact@hotellerie-du-lac.com - fermé 23 déc.-2 janv. - P - 25 ch. : 52/58€ - ☕ 7€ - restaurant 14/34€.* Dormez tranquille ! En surplomb du lac, cette ancienne maison de maître du 19e s. est un havre de paix. La moitié des chambres, toutes récentes et fonctionnelles ouvrent sur ce spectacle paisible. Le jardin fleuri, la piscine chauffée et le petit fitness invitent à la détente.

circuits

LE CABARDÈS★ 1

Circuit au départ de Carcassonne (voir ce nom).

LES EAUX CAPTIVES★ 2

De la prise d'Alzeau au seuil de Naurouze – 114 km – environ 5h.

Cet itinéraire suit le système d'alimentation du canal du Midi imaginé au 17e s. par Pierre-Paul Riquet, puis amélioré au cours des siècles suivants. La Montagne noire représentant un formidable château d'eau, Riquet eut l'idée de rassembler les eaux de ses ruisseaux (principalement l'Alzeau, la Bernassonne, le Lampy et le Sor) et de les conduire par un petit canal (la rigole de la Plaine) jusqu'au bief de partage, à Naurouze.

Atteindre la prise d'Alzeau par la D 353 au départ de St-Denis et en direction de Lacombe, puis par une route forestière à droite.

Prise d'Alzeau

Elle marque l'origine de la rigole de la Montagne qui ► capte les eaux de l'Alzeau, puis, au cours de son cheminement, celles de la Coudière, de Cantemerle, de las Nobiès, de la Bernassonne, de la Falquette, du Lampy et enfin du Rieutord, et les conduit au bassin régulateur du Lampy. On peut voir, derrière la maison de garde, le départ de la rigole de la Montagne.

CHRONOLOGIE
Un monument élevé à la mémoire de Pierre-Paul Riquet retrace les étapes de la construction du canal du Midi.

Faire demi-tour et continuer jusqu'à Lacombe. Tourner à gauche et suivre, par les routes forestières, la direction du Lampy.

P. Cartier/IMAGES DU SUD

Après avoir recueilli les eaux de l'Alzeau et de diverses autres rivières, la rigole de la Montagne noire court rejoindre le bassin du Lampy.

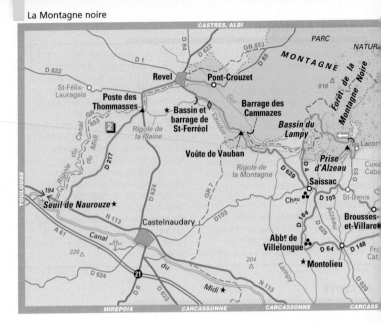

Forêt domaniale de la Montagne noire

Forêt de 3 650 ha, essentiellement peuplée de hêtres et de sapins. C'est début novembre qu'il faut admirer ses couleurs flamboyantes.

Bassin du Lampy

Cette retenue de 1 672 000 m³ d'eau sur le Lampy se déverse dans la rigole de la Montagne qui, de la prise d'Alzeau, se poursuit jusqu'au bassin de St-Ferréol. Riquet avait installé un bassin régulateur de 6 ha environ (le Lampy-Vieux) qui s'avéra très vite insuffisant. À la fin du 18e s., l'ouverture de l'embranchement de la Robine imposa l'aménagement d'un bassin de plus grande capacité (le Lampy-Neuf). Le barrage actuel fut ainsi construit de 1778 à 1783 par Vauban.

Prendre la D 4 en direction de Saissac puis tourner à droite dans la D 629. Avant Les Cammazes, prendre à droite la route conduisant au barrage.

Barrage des Cammazes

Constituée par un barrage-voûte de 70 m de hauteur, la retenue alimente le canal du Midi, fournit de l'eau potable à 116 communes et a permis l'irrigation de toute la plaine du Lauragais à l'Est de Toulouse. Des sentiers permettent de descendre au bord du Sor, dans un beau site boisé.

Reprendre la D 629 à droite. Dans un site verdoyant, la route se poursuit en longeant la rigole de la Montagne.

Voûte de Vauban

À l'entrée du village des Cammazes se trouve la voûte de Vauban sous laquelle passe la rigole de la Montagne avant de se déverser dans le bassin de St-Ferréol. Cette galerie souterraine de 122 m de long permet à la rigole de changer de bassin-versant.

Bassin et barrage de St-Ferréol★

Le bassin et son barrage constituent le principal réservoir du canal du Midi, sur le versant océanique.

Encadré de collines boisées, le **bassin** s'étend sur 67 ha. Il est alimenté par le Laudot supérieur et par la rigole de la Montagne, venue du bassin du Lampy. Le bassin permet la pratique de la voile, la baignade et attire une foule de promeneurs.

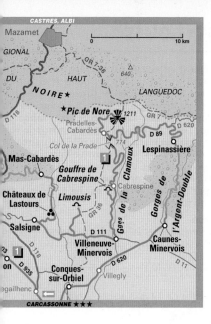

Le **barrage** a été construit par Riquet de 1667 à 1672 ; un millier d'ouvriers, femmes et enfants compris, y travaillèrent. Il se compose de trois murs parallèles : le mur amont, immergé sous l'eau du bassin, le grand mur (35 m de haut) et le mur aval. Entre le mur amont et le grand mur passent la voûte d'enfer et au-dessus d'elle la voûte du tambour ; entre les murs amont et aval sont situées la voûte de vidange et, juste au-dessus, la voûte des robinets. L'espace entre les trois murs a été comblé par un remblai de 120 m d'épaisseur.

Le **parc** a été aménagé au milieu du 19e s. pour accueillir Napoléon III... qui ne vint jamais. Conçu dans l'esprit des jardins à l'anglaise traversés d'allées sinueuses, il est boisé principalement d'essences résineuses : pins sylvestres, cèdres, pins parasols, pins laricio, sapins de Douglas, séquoias, etc.

Revel

À la limite de la Montagne noire et du Lauragais, Revel est la patrie de **Vincent Auriol**, président de la République de 1947 à 1954.

Son passé de bastide (fondée en 1342) lui vaut un réseau de rues disposées géométriquement autour de la place centrale à couverts. La **halle** du 14e s. a conservé sa charpente de bois et son beffroi (remanié au 19e s.). Des fabriques de meubles, des ateliers d'ébénisterie et de marqueterie, le travail du bronze, de la dorure, de la laque ainsi que des distilleries sont ses principales activités.

Prendre la D 85 à l'Est en direction de Pont-Crouzet.

Pont-Crouzet

C'est le point de départ de la rigole de la Plaine, canal qui conduit les eaux du Sor vers le poste des Thommasses où elles rejoignent le Laudot moyen, lui-même venu du bassin de St-Ferréol.

Revenir à Revel et prendre la D 622 au Sud puis la D 624 vers Castelnaudary.

Poste des Thommasses

Il sert à capter les eaux du Laudot moyen arrivant de St-Ferréol ainsi que celles du Sor, elles-mêmes captées à Pont-Crouzet et acheminées par la rigole de la Plaine. Les eaux ainsi réunies sont ensuite dirigées vers le seuil de Naurouze.

Seuil de Naurouze★ *(voir le canal du Midi)*

Dans le parc de St-Ferréol, des cascades artificielles et une gerbe de 20 m de hauteur servent à réguler les « trop-pleins » du bassin.

A. Thuillier/MICHELIN

Mont-Louis★

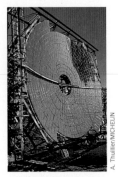

Le four solaire de Mont-Louis : une avancée prometteuse vers l'exploitation des énergies nouvelles.

Au sommet d'un tertre, Mont-Louis est à la fois une superbe porte d'accès à la Cerdagne et la plus haute place forte de France. Créée en 1679 par Vauban pour défendre la nouvelle frontière du traité des Pyrénées signé entre la France et l'Espagne (1659), la ville devait faire office de verrou mais n'eut jamais à tenir de rôle militaire... si ce n'est, de nos jours, à un centre d'entraînement de défense mobile et d'instruction ! Le long des remparts, le village présente un visage adouci, chauffé par le soleil et irradié par les mille miroirs d'un grand four solaire.

La situation
Carte Michelin Local 344 D7 – Pyrénées-Orientales (66). On atteint les 1 600 m d'altitude de Mont-Louis par la route des lacs, la D 118.

🛈 *R. du Marché, 66210 Mont-Louis,* ☎ *04 68 04 21 97.*

Le nom
La cité, édifiée par Vauban adopta le nom du souverain régnant alors sur la France, Louis XIV.

Les gens
270 Mont-Louisiens. L'austère cité honore la mémoire du **général Dagobert** (terrasse de l'église), maître dans l'art de la guerre en montagne, qui, en 1793, aux heures sombres de l'invasion du Roussillon, chassa les Espagnols de Cerdagne.

visiter

RESTAURATION
😊😊 **Lou Rouballou** –
R. des Écoles-Laïques -
☎ *04 68 04 23 26* -
fermé mai et midi -
19,50/30€. Sur les hauteurs de la ville, dans les fortifications, cette maison ancienne aux balcons fleuris séduira les amateurs d'adresses authentiques. Cuisine copieuse servie dans une petite salle soignée avec ses napperons de dentelle et ses chaises en paille...

La place forte
Elle se compose d'une citadelle et d'une ville en contre-bas, entièrement close de remparts.
La citadelle adopte un plan carré dont les angles coupés sont prolongés par des bastions. Trois demi-lunes protègent les courtines. Remarquer le **puits des Forçats**, ouvrage en bois du 18ᵉ s., qui servait à alimenter en eau les défenseurs en cas de siège. ♿ *Juil.-août : visite guidée (1/2h) 10h, 11h, 14h30, 15h30 et 16h30. 2€.* ☎ *04 68 04 21 97.*
N'ayant jamais subi de siège, la cité a conservé ses remparts intacts, de même que la porte de France par laquelle on y accède, les bastions et les échauguettes.

Four solaire
♿ *Juil.-août : visite guidée (1/2h) 9h30-12h30, 14h-19h ; mai-juin et sept.-oct. : 10h, 11h, 14h, 15h, 16h et 17h ; nov.-avr. : 10h, 11h, 14h, 15h et 16h. Fermé dim. (sf vac. scol.) 5€ (8-17 ans : 3,50€).* ☎ *04 68 04 14 89.*
Il fut installé en 1953. Le concentrateur, modifié en 1980, comporte 860 miroirs concaves, l'héliostat 546 miroirs plans. Cette structure concentre le rayonnement solaire en son foyer où peuvent être obtenues des températures de 3 000 à 3 500°. Le four solaire est passé, depuis juillet 1993, au stade de la mise en production.

alentours

CURIOSITÉ
On a beaucoup épilogué sur l'origine de l'église de Planès, d'une structure très rare dans l'Occident médiéval, et que la tradition locale a attribuée aux Sarrasins : dans le pays, on aurait appelé l'église la mesquita (la mosquée). Il s'agit, sans doute, d'un édifice roman inspiré par le symbole de la Trinité.

Planès
*6,5 km au Sud par la route de la Cabanasse et St-Pierre-dels Forçats. Laisser la voiture devant la mairie-école de Planès et prendre, à droite, le chemin de l'église. Des abords de l'église, qu'entoure un petit cimetière, belle **vue*** sur le massif du Carlit. L'**église**★ est curieuse par son plan et*

polygone étoilé aux branches alternativement angu-
leuses et émoussées en absidioles semi-circulaires. *Clé
disponible chez Mme Alliès (maison aux volets bleus à
gauche en arrivant à Planès) ou au gîte « Le Malaza », à
Planès.* ☎ *04 68 04 20 99.*

Lac des Bouillouses★
*14 km au Nord-Ouest de Mont-Louis par la route de Quillan
(D 118) ; 300 m après un pont sur la Têt, tourner à gauche
dans la D 60. Voir le Capcir.*

LE CAPCIR★
De Mont-Louis à Puyvalador. Voir ce nom.

Montpellier★★

Baignée par la douce lumière méditerranéenne, la
capitale de la région Languedoc-Roussillon multiplie les clins d'œil charmeurs. Ses quartiers anciens
et ses superbes jardins agrémentent les promenades
en journée, tandis que théâtres, cinémas et opéra
animent longuement la nuit. Les visages sont
jeunes à la terrasse des cafés, population estudian-
tine oblige. L'air humecté de sel annonce déjà la
mer toute proche. La ville est belle et chaleureuse,
que demander de plus ?

La situation
Carte Michelin Local 339 I7 – Hérault (34). La circulation
en centre-ville relève de l'impossible. Un conseil, garez
votre voiture quelque part (grands parkings Antigone ou
Esplanade) et marchez, la ville n'est pas si grande que
cela... Hors centre-ville, utilisez les bus et le tramway
flambant neuf.
◀ *30 allée de-Lattre-de-Tassigny (esplanade Comédie), 34000
Montpellier,* ☎ *04 67 60 60 60. www.ot-montpellier.fr*

Le nom
Dans la région, on appelle Montpellier le *Clapas*, c'est-
à-dire, le tas de cailloux ! Quant à son nom officiel, son
explication la plus séduisante la fait dériver du *Mons
Puellarum*, ou « Mont des jeunes filles ». Rien de plus nor-
mal, donc, si le héros de François Truffaut, incarné par
Charles Denner, affirme dans le film *L'homme qui aimait
les femmes*, que les Montpelliéraines sont les plus belles
femmes du monde !

> ### CALENDRIER
> **Roch** (14ᵉ s.) est né à
> Montpellier, rue de la
> Loge. Il a été canonisé
> pour son œuvre de
> guérison de la peste en
> Italie, où il est mort.
> Aujourd'hui, un
> important pèlerinage,
> où se rendent nombre
> d'Italiens, a lieu à
> Montpellier le 16 août :
> processions et
> expositions des reliques
> et du bâton de saint
> Roch, animations de
> rue, visites guidées
> dans la ville sur les pas
> du saint (organisées par
> l'Office de tourisme).

*Le petit temple à
colonnes était destiné
à masquer le réservoir
du château d'eau du
Peyrou, chef-d'œuvre
d'Antoine Giral.*

carnet pratique

TRANSPORTS

Tramway – Il permet d'aller un peu partout, dans et hors centre-ville, en quelques minutes. Finis les embouteillages et la quête d'une place gratuite où garer sa voiture ! Même chose, bien sûr, avec le réseau de bus. *Transports de l'Agglomération de Montpellier*, ☎ 04 67 22 87 87. *www.tam-way.com*

TAM, Montpellier

Montpellier à vélo – Location de vélo à l'heure (1,50€), à la demi-journée (3€) ou à la journée (6€) pour éviter de prendre sa voiture dans un centre-ville où les sens uniques abondent. *S'adresser à TaM Vélo*, ☎ 04 67 92 92 67.

VISITE GUIDÉE

Accès facilité aux hôtels particuliers – Les visites guidées pédestres organisées par l'Office de tourisme sont particulièrement recommandées pour découvrir des lieux habituellement fermés au public : cours intérieures des hôtels particuliers, *mikvé* (bain rituel juif médiéval), arc de triomphe. *Dép. de l'Office de tourisme (Esplanade-Comédie). Juil.-août : visite du centre historique (2h) 10h et 17h ; sept.-juin : mer. et sam. 15h. Minimum de visiteurs requis : 7. Programme trimestriel disponible auprès de l'Office de tourisme. Réservation obligatoire. ☎ 04 67 60 60 60. www.ot-montpellier.fr*

RESTAURATION

• Sur le pouce

Simple Simon – *1 r. des Trésoriers-de-France - ☎ 04 67 66 03 43 - valere.carlin@libertysurf.fr - fermé dim. de mai à oct. et le soir - réserv. conseillée - 10€.* Simply british ! Un patchwork de pâtisseries anglaises, un plat indien ou sucré-salé pour le lunch, des salades en été, des soupes en hiver. Le tout dans un cadre cosy à souhait, entre napperons et moquette épaisse. Et pour la *french touch*, des vins du Languedoc au verre.

• À table

☺ **The Salmon Shop** – *5 r. de la Petite-Loge - ☎ 04 67 66 40 70 - fermé lun. midi et dim. - réserv. conseillée le w.-end - 12/28€.* Amateurs de viande, passez votre chemin ! Ici, le saumon est roi et se décline à toutes les sauces, avec un accompagnement unique (frites fraîches). Décor dépaysant façon cabane de trappeur :

planches de pin aux murs, skis anciens, kayak en bois accroché au plafond, vieux fusils et totem. Ambiance décontractée.

☺ **Le Petit Jardin** – *20 r. Jean-Jacques-Rousseau - ☎ 04 67 60 78 78 - contact@petit-jardin.com - fermé janv. et lun. - 13€ déj. - 20/28€.* Dans une ruelle du quartier rénové de l'Écusson, cette charmante maisonnette accueille ses hôtes, dès les beaux jours, dans son séduisant jardin-terrasse. Installé sous les arbres, vous pourrez admirer la cathédrale et vous restaurer d'une cuisine régionale.

☺☺ **C'an Jose** – *8 bis r. du Petit-Saint-Jean - ☎ 04 67 60 70 71 - fermé 14 juil. au 15 août, dim. et lun. - 15,50/21,50€.* Toute la Catalogne et les Baléares dans cette maison du vieux Montpellier... Habillée de jaune et de rouge bien sûr, la salle est parée de photos de l'île de Minorque. Tapas mais aussi cuisines catalane, espagnole et des Baléares. *Buen provecho !*

☺☺ **Les Bains de Montpellier** – *6 r. Richelieu - ☎ 04 67 60 70 87 - fermé vac. de fév., de Toussaint, de Noël, lun. midi et dim. - réserv. conseillée - 18€ déj. - 26€.* À l'ombre des palmiers de la cour, sous la grande verrière ou dans l'un des petits salons intimes : les anciens « Bains de Paris » magnifiquement réaménagés multiplient les ambiances pour vous séduire ! Cuisine du marché et salon de thé l'après-midi.

HÉBERGEMENT

☺☺ **Hôtel de la Comédie** – *1 bis r. Baudin - ☎ 04 67 58 43 64 - hoteldelacomedie@wanadoo.fr - 20 ch. : 42/65€ - ☕ 6€.* À une enjambée de la place du même nom, derrière une belle façade du 19e s., les chambres de cet hôtel récemment refait affichent une douce modernité. Idéal pour partir à la découverte de Montpellier, il est au cœur de l'animation. Ambiance décontractée.

☺☺ **Hôtel du Palais** – *3 r. du Palais - ☎ 04 67 60 47 38 - 26 ch. : 52/69€ - ☕ 9€.* Cet hôtel familial est une bonne adresse au cœur de la ville historique, à deux pas des jardins du Peyrou et de la place de la Canourgue. Ses petites chambres sont coquettement arrangées et bien tenues.

☺☺ **Hôtel Maison Blanche** – *1796 av. Pompignane - ☎ 04 99 58 20 70 - hotelmaisonblanche@wanadoo.fr - 🅿 - 37 ch. : 56/87€ - ☕ 7,70€ - restaurant 21/28€.* Un petit séjour au pays de Scarlett O'Hara vous tente ? Sans aller si loin, cette maison coloniale en bois vous dépaysera totalement. Chantée par Jean-Edern Hallier, avec ses coursives et ses frises sculptées, elle vous séduira sans doute à votre tour... Chambres spacieuses.

☺☺ **Chambre d'hôte Domaine de Saint-Clément** – *34980 St-Clément-de-Rivière - 10 km au N de Montpellier par D 17 puis D112 - ☎ 04 67 66 70 89 - fermé déc.-fév. - ⊠ - 5 ch. : 65/90€.* Tranquillité garantie dans ce très beau mas du 18e s. à 10mn du centre de Montpellier. Ses chambres confortables, décorées de meubles anciens et de tableaux modernes, donnent sur le parc ou la piscine. Ne manquez pas les anciens azulejos portugais du patio.

PETITE PAUSE

Dorian's Kawa – *12 r. Four-des-Flammes - ☎ 04 67 66 18 71 - lun.-sam. 8h-19h - fermé août et j. fériés.* Un salon de thé à inscrire sur vos tablettes : le café y est excellent et le patron fort sympathique. Un espace boutique propose des cafetières, des services à thé et de la porcelaine anglaise. Idéal pour une pause ou un rendez-vous.

L'Heure Bleue – *1 r. de la Carbonnerie - ☎ 04 67 66 41 05 - mar.-sam. 12h-19h.* Situé dans un hôtel du 18e s., ce salon de thé littéraire revendique également le statut de galerie d'art et de brocante, d'où un décor somptueux composé de sculptures et d'objets insolites. Pâtisseries maison et près de 30 variétés de thé.

LE TEMPS D'UN VERRE

Café de la Mer – *5 pl. du Marché-aux-Fleurs - ☎ 04 67 60 79 65 - de fin juin à fin août : lun.-sam. 8h-2h, dim. et j. fériés 15h-2h ; reste de l'année : 8h-1h, dim. et j. fériés : 15h-1h.* Grand café populaire bien situé en centre-ville. Son cadre de belles mosaïques colorées et sa grande terrasse ensoleillée en font un lieu de rendez-vous très prisé des Montpelliérains, où toutes les générations se confondent.

Grand Café Riche – *Pl. de la Comédie - ☎ 04 67 54 71 44 - 6h30-1h ; été : 6h30-2h.* Ce café du début du siècle est une institution à Montpellier. Sa grande terrasse vous permet d'être aux premières loges pour assister aux spectacles de rue qui animent parfois la place de la Comédie. Des expositions de peinture y sont organisées.

La Pleine Lune – *28 r. du Fg-Figuerolles - ☎ 04 67 58 03 40 - 10h30-1h.* Ce bar de quartier du plan Cabannes est fréquenté par une clientèle d'artistes, de voisins et d'originaux que l'on ne rencontre nulle part ailleurs. *Happenings*, expositions d'artistes locaux et concerts y sont régulièrement organisés. Certifié pittoresque !

SORTIES

Bon à savoir – À Montpellier, ville étudiante, de nombreux bars et cafés-concerts suivent les nouvelles tendances musicales et il n'est pas rare de découvrir, au détour d'un hôtel particulier, une salle de concert diffusant des groupes de rap. Mais cette ville nous offre un paysage culturel très métissé avec ses passionnés de jazz, ses fous d'accordéon et ses amoureux de salsa ou de musique classique.

Place de la Comédie.

D. Pazery/MICHELIN

Rockstore – *20 r. de Verdun - ☎ 04 67 06 80 00 - www.rockstore.fr - bar : lun.-sam. 18h-4h ; discothèque : 23h-4h.* Ce lieu culte des nuits montpelliéraines reçoit nombre de groupes de rock et organise des soirées techno ou house. Le décor, avec sa grosse voiture américaine rouge encastrée au-dessus de l'entrée, son bar techno, son bar rock et sa discothèque, est à l'image de la programmation musicale.

Centre dramatique national – *Domaine de Grammont, avenue Albert-Einstein - ☎ 04 67 99 25 25 - location 04 67 60 05 45.*

Opéra Comédie – *11 bd Victor-Hugo - ☎ 04 67 60 19 99 - billetterie : lun. 14h-18h, mar.-sam. 12h-18h, dim. si spectacle - fermé août.*

Zénith – *Av. Albert-Einstein - ☎ 04 67 64 50 00 - www.zenith-montpellier.com - variables selon spectacles - fermé août.* Spectacles variétés et rock.

Animations étoilées – Avec Géospace Hérault, au château de Restinclières à Prades-le-Lez, soirées publiques d'observation du ciel tout au long de l'année, ateliers d'astronomie pour enfants. Au programme également balades géologiques, conférences. Calendrier disponible gratuitement sur simple demande. ☎ 04 67 04 02 22. *www.geospace-online.com*

ACHATS

Aux Croquants de Montpellier – *7 r. du Faubourg-du-Courreau - ☎ 04 67 58 67 38 - ouvert de 7h à 19h - fermé en août.* Ce minuscule magasin reçoit la visite des amateurs de biscuits traditionnels depuis plus d'un siècle. En vedette, bien sûr, les croquants de Montpellier aux amandes, dont la recette date de 1880. Le couple Brouzes confectionne également une quinzaine de sablés divers, quelques pains spéciaux, viennoiserie et pâtisserie.

Aux Gourmets – *2 r. Clos-René - ☎ 04 67 58 57 04.* Cette boutique officiant à deux pas de la place de la Comédie compte déjà quelque 45 années d'existence et a toujours été gérée par la famille Fournier. La magnifique gamme d'entremets glacés ne peut laisser aucun gourmand indifférent. Macarons et nougatine se déclinent de manière originale dans plusieurs pâtisseries. Calissons carrés et pâtes de fruits élaborées à partir de pulpes fraîches maison couronnent cette offre de qualité.

Librairie Sauramps – *Allée Jules-Milhau (Le Triangle) - Tramway Comédie - ☎ 04 67 06 78 78 - www.sauramps.com - lun.-sam. 10h-19h - fermé j. fériés.* Cette immense librairie fondée en 1946 se trouve à deux pas de la place de la Comédie. De nombreuses manifestations – lectures, débats, signatures et rencontres avec les auteurs – y sont régulièrement organisées.

Marché – Tous les matins, dans le centre-ville, les halles Castellane et Laissac, l'esplanade Charles-de-Gaulle, les nouvelles halles Jacques-Cœur (quartier Antigone) et le plan Cabannes accueillent des marchés alimentaires. À découvrir également dans le quartier Antigone (avenue Samuel-Champlain), le marché paysan du dimanche matin. Le 4e samedi du mois, les bouquinistes se donnent rendez-vous rue des Étuves. Le marché aux fleurs se tient tous les jours sur l'esplanade Charles-de-Gaulle.

Marché aux puces – *La Mosson - parking du stade - dim. 6h-13h.* Le marché aux puces a lieu tous les dimanches à la Paillade, à l'Ouest, sur l'esplanade de la Mosson.

Marché biologique – *Pl. des Arceaux - lun.-mar., sam. 8h-12h30.* Marché biologique, le mardi et le samedi, place des Arceaux.

Maison régionale des vins et produits du terroir – *34 r. St-Guilhem - ☎ 04 67 60 40 41 - tlj sf dim. en déc. 9h30-20h.* Un ancien hôtel particulier abrite cet espace d'exposition-vente de vins (600 crus référencés) et produits du terroir : cassoulet, olives, champignons, truffes, miels, chocolats... On y trouve le meilleur du Languedoc-Roussillon ! Les producteurs proposent des dégustations tous les samedis et l'adresse accueille également des expositions de peinture.

CALENDRIER

Montpellier et sa région sont riches en festivals et spectacles en tout genre.

Festival international Montpellier danse – Danses et musiques traditionnelles, fin juin-début juil. Représentations à l'opéra Berlioz, à l'opéra Comédie, dans l'ancien couvent des Ursulines, devenu Agora, Cité Internationale de la Danse. ☎ *04 67 60 83 60 ou 0800 600 740 (appel gratuit).* *www.montpellierdanse.com*

Festival de Radio France et Montpellier Languedoc-Roussillon – Art lyrique, concerts symphoniques, musique de chambre, jazz, musiques du monde, musique électronique, durant 3 sem. de déb. juil. à déb. août. ☎ *04 67 02 02 01.* *www.radio-francemontpellier.com*

Festival international cinéma méditerranéen – Au Corum, au centre Rabelais et salle Louis-Feuillade, fin oct.-début nov. ☎ *04 99 13 73 73.* *www.cinemed.tm.fr*

Les gens

Agglomération de 287 981 Montpelliérains. L'un d'entre eux, **Frédéric Bazille** (1841-1870), ami de Renoir, de Sisley et de Monet, s'attacha avec un beau talent à rendre dans ses peintures la lumière des étés languedociens. Las, il devait disparaître à l'âge de 28 ans, tué lors des combats de la guerre de 1870, ce qui l'empêcha sans doute d'atteindre la renommée de ses camarades !

comprendre

Le Moyen Âge – Montpellier n'apparaît dans l'histoire que vers le 10e s. Deux villages, Montpelliéret, fief de l'évêque de **Maguelone**, et Montpellier, propriété des seigneurs de **Guilhem**, sont à l'origine de la future agglomération. En 1204, le mariage de Marie de Guilhem avec le roi Pierre II d'Aragon fait de la ville une enclave aragonaise... ce qui lui permet d'échapper à la fureur de Simon de Montfort. Vendue ensuite au roi de France, la ville est rattachée à la couronne en 1349.

Aux 12e s. et 13e s., la cité s'est beaucoup développée grâce au commerce des épices et des plantes tinctoriales avec l'Orient. De nombreuses communautés marchandes y résident. Au 14e s., Montpellier connaît une période de crise. Mais, au 15e s., le commerce redevient florissant, notamment grâce aux activités économiques de **Jacques Cœur**, l'argentier du roi Charles VII. Cependant, après la réunion de la Provence à la France en 1481, la ville subit la forte concurrence de Marseille, qui devient alors le grand port à destination de l'Orient.

Le prestige de Montpellier, au Moyen Âge, est essentiellement dû à la renommée de son université et surtout à celle de sa faculté de médecine. Dès le 12e s., on atteste l'existence d'« écoles » de médecine, de droit et d'art. Elles sont regroupées en une université au 13e s. En 1289, une bulle du pape Nicolas IV constitue la charte de fondation de l'**université de Montpellier**. Des élèves prestigieux viennent y étudier : **Rabelais** y termine ses études de médecine vers 1530.

Montpellier capitale – Au 16e s., la **Réforme** y est introduite. Devenue fief protestant, la ville est le théâtre d'affrontements violents : églises et couvents sont en grande partie détruits. En 1622, Louis XIII organise le siège de Montpellier qui capitule. Richelieu fait alors construire la citadelle pour surveiller la cité rebelle. Un grand nombre de protestants quittent la ville pour se réfugier dans les Cévennes et ailleurs en Europe.

Leçon de dissection à la faculté de médecine de Montpellier (« La Grande Chirurgie », par Guy de Chauliac, Bibliothèque de la faculté de médecine de Montpellier).

GIRAUDON

Louis XIV fait de Montpellier la capitale administrative du Bas-Languedoc. Redevenue prospère, la ville est alors l'objet de nombreux travaux d'embellissement réalisés par de grands architectes comme **d'Aviler** et les **Giral** : la promenade du Peyrou, l'Esplanade et de riches hôtels particuliers.

Montpellier aujourd'hui – Avec la Révolution, la ville devient la préfecture du département de l'Hérault. L'université garde toute son importance et Montpellier devient une **capitale viticole**.

Après le retour des Français d'Afrique du Nord en 1962, la ville connaît un regain de dynamisme avec le développement du quartier de **la Paillade**.

Pour étendre le champ de ses activités économiques et touristiques, Montpellier créée divers pôles d'activités : **Euromédecine** avec ses nombreux laboratoires de recherche médicale ; **Agropolis**, où sont établies des entreprises agroalimentaires ; **Antenna** et ses maisons de production audiovisuelle ; **Héliopolis** qui concentre les activités touristiques et culturelles. Montpellier se réapproprie sa rivière, le Lez, renouant ainsi avec un passé séculaire, et affiche ouvertement son ambition : se développer jusqu'à la mer !

AVANT-GARDE
Le dynamisme actuel de la cité se traduit par plusieurs réalisations d'architecture contemporaine : le **Corum**, centre de congrès ; le quartier **Antigone**, relié au vieux Montpellier par les centres commerciaux du Triangle et du Polygone, et le petit dernier, le quartier **Odysseum** (au Sud, en direction des plages).

se promener

LE VIEUX MONTPELLIER★★

Promenade : 3h. Entre la place de la Comédie et l'arc de triomphe du Peyrou, de part et d'autre de la trouée de la rue Foch, s'étendent les vieux quartiers de Montpellier, aux rues tortueuses et étroites, selon le plan de la cité médiévale. Le long de ces rues se sont édifiés au 17e et au 18e s. de superbes hôtels particuliers qui cachent leurs façades principales et leurs remarquables escaliers à l'intérieur des cours.

Place de la Comédie

Centre animé de Montpellier, elle fait le lien entre les quartiers anciens et les réalisations modernes. La façade 19e s. du théâtre sert de toile de fond à la fontaine des Trois Grâces, du sculpteur Étienne d'Antoine. Autour de cette fontaine, un tracé ovale rappelle les limites d'un ancien terre-plein qui a valu à la place d'être surnommée « l'Œuf ».

Elle se poursuit au Nord par l'**Esplanade**, promenade plantée de beaux platanes où l'été les Montpelliérains flânent parmi les terrasses de café et viennent écouter les musiciens qui se produisent dans les kiosques ; la perspective est fermée par le **Corum**, vaste complexe de forme allongée en béton et granit rouge de Finlande conçu par l'architecte Claude Vasconi. Le joyau en est l'opéra Berlioz, salle à l'acoustique très soignée pouvant contenir 2 000 spectateurs. ♿ *Visite guidée (3/4h) sur demande écrite auprès de la Direction Générale. Les visites du Corum et celle de l'Opéra Berlioz sont soumises aux réservations et aux modifications de planning. Gratuit.* ☎ *04 67 61 67 61.*

À l'Est, on rencontre la dalle du **Triangle** et le complexe du **Polygone**.

Prendre la rue de la Loge, dont le nom évoque la loge des marchands, toute-puissante au 15e s. *Tourner à droite dans la rue Jacques-Cœur.*

Hôtel des Trésoriers de France

7 r. Jacques-Cœur. Voir description du Musée languedocien dans « visiter ». Cet hôtel particulier répond à plusieurs appellations selon l'ancien propriétaire que l'on évoque. Ce fut l'hôtel Jacques-Cœur quand celui-ci y résidait au 15e s. : de cette époque datent les sous-sols voûtés et les plafonds à caissons polychromes qui ornent certaines salles. Au 17e s., il devint l'hôtel des Trésoriers de France,

MONTEZ VOIR !
De la **terrasse du Corum**, la **vue** porte sur les toits de la ville, la cathédrale St-Pierre, l'ancien collège des Jésuites, et la flèche, toute blanche, de l'église Ste-Anne.
Mai-oct. : 10h-22h ; nov.-avr. : 10h-19h. Gratuit.

Le grand escalier à cage ouverte de l'hôtel des Trésoriers de France fut ajouté au 17e s.

D. Pazery/MICHELIN

MONTPELLIER

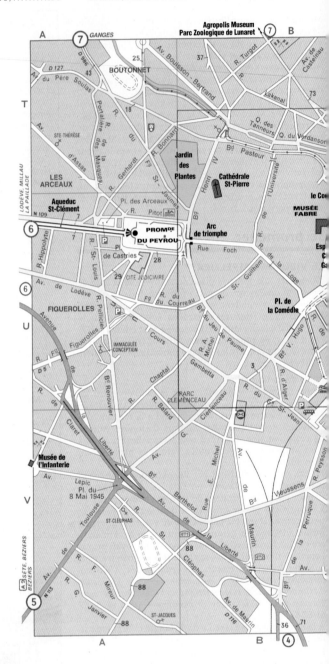

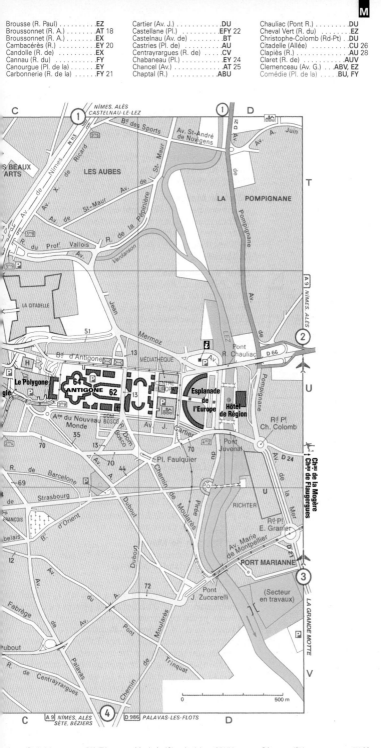

hauts magistrats chargés d'administrer les domaines royaux en Languedoc, qui firent édifier le grand escalier à trois volées et la majestueuse façade sur cour à colonnades superposées. Enfin, l'appellation de Lunaret rend hommage à Henri de Lunaret qui en fit don à la Société archéologique de Montpellier.

Sur la droite de l'hôtel, la **chapelle des Pénitents Blancs**, ancienne église Ste-Foy, rebâtie au 17ᵉ s., présente un portail à fronton triangulaire.

Tourner à gauche dans la rue Valedeau puis à droite dans la rue Embouque-d'Or.

Sur la gauche s'élèvent l'hôtel de Manse et, en face, l'**hôtel Baschy du Cayla**, à la façade Louis XV, jouxtant l'hôtel de Varennes.

Hôtel de Manse

4 r. Embouque-d'Or. Le comte de Manse, trésorier du roi de France, avait fait appel à des artistes italiens pour dessiner cette façade intérieure à double colonnade formant les baies d'un très bel escalier que l'on appelait « le degré de Manse ».

Hôtel de Varennes★

2 pl. Pétrarque. Renseignements à l'Office de tourisme.
☎ 04 67 60 60 60.

On pénètre sous une voûte qui mène à plusieurs salles gothiques sous croisées d'ogives – l'une d'elles abrite des colonnes et chapiteaux romans de la 1ʳᵉ église N.-D.-des-Tables. Des fenêtres géminées, des portes de château ont été incorporées dans les murs, formant un ensemble très harmonieux. La **salle Pétrarque**, du 14ᵉ s., voûtée d'ogives, est utilisée comme lieu de réception par la municipalité.

Tourner à droite dans la rue de l'Aiguillerie. C'était l'ancienne rue des métiers au Moyen Âge. Dans certaines boutiques subsistent de belles voûtes des 14ᵉ et 15ᵉ s.

Prendre à droite la rue Glaize et continuer dans la rue Montpellieret.

Hôtel de Cabrières-Sabatier d'Espeyran

Possibilité de visite guidée sur demande au musée Fabre.
Cette riche demeure de la fin du 19ᵉ s. abrite un beau mobilier 18ᵉ s. ainsi qu'une collection d'art décoratif.

Revenir dans la rue de l'Aiguillerie, puis tourner à gauche dans la rue de la Carbonnerie.

Hôtel Baudon de Mauny

1 r. de la Carbonnerie. Élégante façade Louis XVI décorée de guirlandes de fleurs.

Rue du Cannau

Elle est bordée d'hôtels du 17ᵉ s. : au n° 1, l'**hôtel de Roquemaure** s'orne d'un portail de pierres en pointe de diamant et de pilastres cannelés ; au n° 3, l'**hôtel d'Avèze** ; au n° 6, l'**hôtel de Beaulac** avec sa porte en anse de panier décorée de cornes d'abondance ; au n° 8, l'**hôtel Deydé** présente un arc surbaissé ou « davilerte » et un fronton triangulaire montrant les innovations architecturales introduites à la fin du 17ᵉ s. par d'Aviler.

Revenir sur ses pas et prendre à droite la rue de Girone puis la rue Fournarié.

Hôtel de Solas

1 r. Fournarié. Hôtel du 17ᵉ s. au portail Louis XIII. Remarquer les gypseries ornant le plafond du porche.

Hôtel d'Uston

3 r. Fournarié. De la 1ʳᵉ moitié du 18ᵉ s., il s'ouvre par un portail dont l'arc est décoré de guirlandes (une figure féminine orne la clef) et le fronton de chérubins encadrant un vase de fleurs.

Prendre la rue de la Vieille-Intendance. Au n° 9 se trouve l'**hôtel de la Vieille Intendance**, qui fut habité par d'illustres personnages, comme Auguste Comte et Paul Valéry.

Place de la Canourgue

Au 17e s., c'était le centre de Montpellier, et de nombreux hôtels subsistent autour du jardin orné de la fontaine des Licornes, la dernière des trois fontaines installées pour distribuer l'eau acheminée par l'aqueduc Saint-Clément. L'**hôtel Richer de Belleval** *(annexe du palais de justice)* a longtemps abrité l'hôtel de ville. La cour carrée s'orne de bustes et de balustrades caractéristiques de la fin du 18e s. La façade de l'**hôtel de Cambacérès**, œuvre de Giral, montre l'élégance et la richesse des décorations du 18e s. (mascarons). À l'angle Sud-Ouest de la place, l'**hôtel du Sarret** est surnommé « maison de la Coquille » à cause des trompes qui le caractérisent, véritable tour de force architectural qui consiste à faire soutenir une partie du bâtiment par une portion de voûte.

Prendre la rue Astruc et traverser la rue Foch. On pénètre alors dans le quartier de l'**Ancien Courrier**, la partie la plus ancienne de Montpellier, aux rues piétonnes étroites où se sont installés les commerces de luxe.

De la rue Foch, s'engager dans la rue du Petit-Scel. L'**église Ste-Anne**, du 19e s., est surmontée d'un haut clocher. Désaffectée, elle abrite des expositions temporaires. Face au porche, des vestiges d'un petit édifice, remonté ici, montrent un décor antiquisant (début 17e s.).

Par la rue Ste-Anne et la rue St-Guilhem, gagner la rue de la Friperie. Prendre ensuite à gauche la rue du Bras-de-Fer puis à droite la rue des Trésoriers-de-la-Bourse.

Hôtel des Trésoriers de la Bourse★

4 r. des Trésoriers-de-la-Bourse. On peut entrer librement dans la cour. Appelée aussi hôtel Rodez-Benavent, cette réalisation de l'architecte Jean Giral frappe par son escalier à degrés entouré d'un arc rampant, transition entre l'escalier à vis et l'escalier à degrés. La façade sur cour s'orne de ravissants Amours. Une seconde cour offre la paix d'un grand jardin dont le mur arrière est décoré de pots à feu.

Revenir sur ses pas. L'étroite **rue du Bras-de-Fer** est une ruelle médiévale enjambée par un arc gothique. Elle descend jusqu'à la **rue de l'Ancien-Courrier★**, ancienne rue des Relais-de-Poste, aujourd'hui bordée de galeries d'art et de boutiques élégantes.

Prendre à gauche la rue Joubert. Sur la **place St-Ravy** subsistent des vestiges (baies gothiques) du palais des rois de Majorque. La **salle St-Ravy**, qui abrite des expositions temporaires, présente de belles voûtes ornées de clefs.

Revenir rue de l'Ancien-Courrier et prendre la rue Jacques-d'Aragon.

Hôtel St-Côme

Accès libre à la cour. Visite guidée de l'amphithéâtre d'anatomie dans le cadre de visites guidées à thème organisées par l'Office de tourisme. ☎ 04 67 60 60 60.

Le bâtiment donnant sur la rue est orné d'une double colonnade. L'autre bâtiment abrite le fameux amphithéâtre polygonal, sous une superbe coupole dont les oculi et lanternons procurent la lumière en abondance.

Revenir à la place de la Comédie par la grand-rue Jean-Moulin.

PROMENADE DU PEYROU★★

La promenade *(1h)* comporte deux étages de terrasses. De la terrasse supérieure décorée de la statue équestre de Louis XIV, on a une **vue★** étendue au Nord sur les Garrigues et les Cévennes, au Sud sur la mer et, par temps clair, sur le Canigou. Des escaliers monumentaux conduisent aux terrasses basses ornées de grilles en fer forgé exécutées d'après les dessins de Giral. La partie la plus originale du Peyrou est constituée par le château d'eau et l'aqueduc St-Clément long de 880 m et haut de 22 m. Ses deux étages d'arcades furent inspirés par le Pont du Gard. Il transporte l'eau de la source du Lez jusqu'au château d'eau, lui-même relié aux trois fontaines de la ville édifiées à la même époque : la fontaine des Trois Grâces (pl. de la Comédie), la fontaine de Cybèle (pl. Chabaneau) et la fontaine des Licornes (pl. de la Canourgue).

De la place de la Canourgue, vue plongeante sur la cathédrale St-Pierre.

E. Larribère

BELLE ANATOMIE

Cet hôtel fut construit au 18e s. par Giral grâce à la donation de François Gigot de Lapeyronie, chirurgien de Louis XV, qui légua une partie de sa fortune aux chirurgiens de Montpellier pour qu'ils construisent un amphithéâtre d'anatomie semblable à celui de Paris.

UNE HISTOIRE À ÉPISODES

La statue de Louis XIV, fondue à Paris en 1692, n'atteindra son emplacement qu'en 1718 à la suite d'un périple qui la conduisit du Havre à Bordeaux, puis sur le canal du Midi, périple marqué d'épisodes malencontreux, dont une chute dans la Garonne. Détruite à la Révolution, elle fut remplacée par la statue actuelle en 1838.

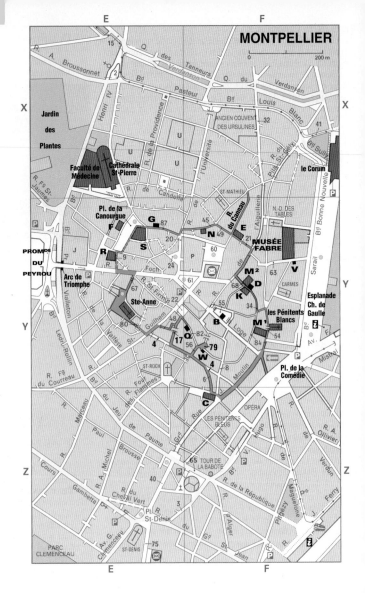

MONTPELLIER

0   200 m

L'arc de triomphe

Construit à la fin du 17ᵉ s., il est décoré de bas-reliefs figurant les victoires de Louis XIV et de grands épisodes de son règne. Vers la ville : au Nord, la jonction des deux mers par le canal du Midi, au Sud, la révocation de l'édit de Nantes ; vers le Peyrou : au Nord, Louis XIV en hercule, couronné par la Victoire, au Sud, la prise de Namur en 1692, et les provinces des Pays-Bas pliant genou devant Louis XIV.

LE QUARTIER ANTIGONE★

Promenade : 3/4h. En partant de la place de la Comédie (extrémité Est), on peut rejoindre le quartier Antigone en passant par le centre commercial Le Polygone.

Adossé au complexe de commerces et de bureaux du Polygone, le quartier Antigone est une réalisation de l'architecte catalan **Ricardo Bofill**, également auteur des Arcades du Lac à St-Quentin-en-Yvelines, des immeubles de l'Axe Majeur à Cergy-Pontoise ou de la place de Catalogne à Paris.

S'étendant sur les 40 ha de l'ancien polygone de manœuvre de l'armée, ce vaste ensemble néoclassique allie la technique de la préfabrication (le béton précontraint a ici le grain et la couleur de la pierre) à la recherche d'une harmonie rigoureuse et gigantesque. Il abrite, derrière une profusion d'entablements, de frontons, de pilastres et de colonnes, des logements sociaux, des équipements collectifs et des commerces de proximité, disposés autour de multiples places et patios, agrémentés de jets d'eau. La recherche d'harmonie transparaît dans le moindre détail, aussi bien dans le dessin du pavement que dans les structures de l'éclairage public.

La **place du Nombre-d'Or**, dont les proportions reflètent un concept antique d'architecture, est prolongée par la **place du Millénaire**, long mail bordé de cyprès, la place de Thessalie puis la place du Péloponnèse. La longue perspective de près de 1 km, qui s'étire depuis les « Échelles de la ville » (escaliers adossés au Polygone), aboutit, au-delà de l'**esplanade de l'Europe**, bordée par des immeubles en arc de cercle, à l'**hôtel de région**, dont les parois de verre se mirent dans le Lez, aménagé en bassin du port Juvénal en cet endroit.

FACULTÉ DE MÉDECINE

Cathédrale St-Pierre

Tlj sf dim. ap.-midi.

S'élevant telle une forteresse, cette cathédrale paraît d'autant plus massive qu'elle est prolongée par la façade de la faculté de médecine. C'est la seule église de Montpellier qui n'ait pas été complètement détruite pendant les guerres de Religion.

Malgré son style gothique, elle rappelle les églises romanes, à une seule nef, du littoral. Le porche est formé de deux tourelles du 14ᵉ s. qui précèdent une voûte s'appuyant sur la façade. À l'intérieur, le chœur et le transept, reconstruits au 19ᵉ s., contrastent avec la sévère nef du 14ᵉ s. L'autel et l'ambon dans l'avant-chœur ainsi que l'autel et la porte du tabernacle dans la chapelle du St-Sacrement, à gauche du chœur, sont des sculptures de Philippe Koeppelin. Le buffet d'orgue du 18ᵉ s. est dû à Jean-François Lépine.

Faculté de médecine

La faculté de médecine de Montpellier occupe un ancien monastère bénédictin, créé au 14ᵉ s. sur l'ordre du pape Urbain V. La façade, refaite par Giral au 18ᵉ s., est couronnée de mâchicoulis. Deux statues en bronze, représentant les médecins montpelliérains Barthez et Lapeyronie, en gardent l'entrée. Dans le hall, les bustes exposés représentent des médecins célèbres.

> **RÉVISEZ VOS CLASSIQUES...**
> ... au gré des places et des rues (de Thèbes, de Thessalie, du Pirée...) dont le nom évoque bien évidemment l'univers impitoyable d'Antigone, l'héroïne grecque de Sophocle.

A. Thuillier/MICHELIN

La place du Nombre-d'Or foisonne de courbes et de décrochements ordonnés autour d'un vaste plan agrémenté d'arbres.

Jardin des Plantes

Mai-sept. : tlj sf lun. 12h-20h ; oct. et avr. : tlj sf lun. 12h-19h ; nov.-mars. tlj sf lun. 12h-18h. Fermé 1er mai. Gratuit. ☎ *04 67 63 43 22.*

◄ Fondé en 1593, il s'étendait alors jusqu'au Peyrou. Il est doté de serres tempérées et tropicales. Diverses essences méditerranéennes y sont rassemblées : micocouliers, chênes verts, filaires. La partie Sud est occupée par un jardin botanique où 3 000 espèces sont présentées. Il s'agit de l'« **école systématique** », créée par le botaniste Candolle au début du 19e s. et consacrée à l'étude de la classification des plantes. L'orangerie en occupe une extrémité ; les bustes de célèbres naturalistes de l'école de Montpellier s'alignent le long du jardin.

visiter

Musée Fabre★★

37 bd Sarrail. Fermé pour travaux jusqu'en 2004.

◄ Avant d'aller voir les peintures espagnoles (*L'Ange Gabriel* par Zurbaran), italiennes (Véronèse, Allori, le Guerchin), hollandaises et flamandes (Ruysdael, Rubens, Téniers le Jeune), faites un tour vers les céramiques montpelliéraines (pots à pharmacie des 17e et 18e s.). Les écoles françaises des 17e et 18e s. sont représentées par des chefs-d'œuvre de S. Bourdon, Poussin, Vouet, David *(Hector)*, Greuze *(Le Petit Paresseux, Le Gâteau des rois)*, ainsi que des sculptures de Houdon *(L'Été, L'Hiver)*.

La première moitié du 19e s. est bien illustrée par la collection d'Alfred Bruyas et les œuvres des « luminophiles », surnom des peintres du Languedoc qui s'appliquèrent à rendre la superbe lumière de leur région. À côté des portraits de Bruyas sont présentées des œuvres de Delacroix *(Femmes d'Alger dans leur intérieur, Fantasia)*, Courbet, dont *La Rencontre, Les Baigneuses* qui firent scandale au salon de 1853 et le *Pont d'Ambrussum* ; du Montpelliérain Frédéric Bazille, on admirera la *Vue de village*, avec son remarquable rendu de la lumière crue d'un paysage languedocien écrasé de chaleur, *Les Remparts d'Aigues-Mortes*, ses contrastes et ses plans successifs et *La Négresse aux pivoines*, tout de sensualité, œuvres qui laissent deviner le talent précoce de ce peintre trop tôt disparu.

Parmi les sculptures de Bourdelle, Maillol et Richier *(La Chauve-souris)* sont exposées des pièces de Van Dongen *(Portrait de Fernande Olivier)*, de Staël, Marquet, Dufy, Soulages, Vieira da Silva, Viallat, du Montpelliérain Vincent Bioulès *(Place d'Aix-en-Provence – Hommage à Auguste Chabaud)* et de Jean Hugo (1894-1984 – *L'Imposteur)*.

Détail de la « Vue de village » de Frédéric Bazille. Le bonheur, tout simplement...

Musée languedocien★

Hôtel des Trésoriers de France, 7 r. Jacques-Cœur. Tlj sf dim. 14h-17h. Fermé 1er janv., lun. Pâques, 1er mai, lun. Pentecôte, 14 juil., 1er et 11 nov., 25 déc. 5€. ☎ *04 67 52 93 03.*

La salle médiévale abrite des sculptures romanes de l'abbaye de Fontcaude et du cloître de St-Guilhem-le-Désert. Dans la salle gothique du 1er étage se côtoient une cuve baptismale en plomb, de la vaisselle en bois et d'amusants panneaux de bois peints. La grande salle d'apparat, décorée de tapisseries flamandes du 17e s., abrite un tableau de l'école de Fontainebleau, du mobilier languedocien et une sphère céleste de Coronelli. Avec ses marqueteries et ses porcelaines de Sèvres, le salon jaune restitue bien l'esprit du 18e s. La salle et le salon suivants sont consacrés à de belles pièces de faïence.

Traversant les anciens appartements de la famille de Lunaret, on accède au 2e étage consacré aux fouilles archéologiques et aux arts et traditions populaires.

Dans la section des arts et traditions populaires, curieuses plaques muletières cévenoles (16e-18e s.), dites « lunes ».

Musée du Vieux Montpellier

Hôtel de Varennes, 2 pl. Pétrarque. Au 1er étage. Tlj sf dim. et lun. 9h30-12h, 13h30-17h. Fermé j. fériés. Gratuit. ☎ 04 67 66 02 94.

Parmi les gravures, portraits de notables, plans anciens et objets religieux, on remarque la Vierge reliquaire de N.-D.-des-Tables, des bâtons de pénitents et des documents de l'époque révolutionnaire.

Musée Fougau

Hôtel de Varennes, 2 pl. Pétrarque. Au 2e étage. Mer. et jeu. 15h-18h. Fermé de mi-juil. à mi-août. Gratuit.

Son nom est dérivé de l'expression languedocienne *lou fougau* (le foyer). Objets, meubles et décors témoignent des arts et traditions populaires au 19e s.

Crypte de Notre-Dame-des-Tables

Pl. Jean-Jaurès (par la r. de la Loge). Tlj sf dim. et lun. 10h30-12h30, 13h30-18h (dernière entrée 40 mn av. fermeture). Fermé j. fériés. 1,50€. ☎ 04 67 54 33 16.

La crypte de la première église N.-D.-des-Tables, une des plus anciennes églises de Montpellier, détruite pour la dernière fois en 1794, accueille une animation multimédia sur l'histoire et le devenir d'une cité qui n'hésite pas à s'appeler elle-même la « surdouée » : munis d'écouteurs, vous irez de reconstitutions en 3D en diaporamas, au cours d'une véritable immersion dans le passé de la ville.

JOINDRE L'UTILE À L'AGRÉABLE

Cette incursion souterraine dans la crypte N.-D.-des-Tables peut être un intéressant prélude à votre découverte de Montpellier, d'autant que, chose non négligeable en été, il y règne une fraîcheur des plus agréables !

Musée Atger★

Faculté de médecine, 2 r. de l'École-de-Médecine. Au 1er étage, accès (signalé) par l'escalier Houdan. Lun., mer., ven. 13h30-17h45. Fermé août et j. fériés. Gratuit. ☎ 04 67 66 27 77.

Consacré surtout à la collection de dessins légués par Xavier Atger (1758-1833) de 1813 à 1833 à la faculté de médecine, il rassemble des œuvres d'artistes méridionaux, représentant l'école française des 17e et 18e s. (Bourdon, Puget, Mignard, Rigaud, Lebrun, Subleyras, Natoire, Vernet, Fragonard, J.-M. Vien), l'école italienne des 16e, 17e et 18e s. (Tiepolo) et l'école flamande des 17e et 18e s. (Brueghel de Velours, Van Dyck, Rubens, Martin de Vos).

Musée d'Anatomie

Faculté de médecine, 2 r. de l'École-de-Médecine. Au 1er étage, accès signalé. Fermé pour travaux.

La salle, très vaste, rassemble des collections d'anatomie normale et pathologique.

Musée de l'Infanterie

École d'application de l'Infanterie, av. Lepic. ⅙ Tlj sf mar. 14h-18h. Fermé certains j. fériés. 3€. ☎ 04 67 16 50 43.

Entièrement rénové, ce musée évoque l'histoire de l'infanterie française, depuis le 15e s. jusqu'à la guerre du Golfe. De nombreux mannequins en costume se succèdent à travers plus d'une dizaine de salles. Ils sont accompagnés d'animations vidéo. Les vitrines les plus intéressantes concernent l'infanterie coloniale et celle de l'armée d'Afrique.

Taillefert/IMAGES DU SUD

Un écorché : rencontre très probable au musée d'Anatomie.

alentours

Parc zoologique de Lunaret★

6 km au Nord du quartier Hôpitaux-Facultés. Depuis le centre, suivre d'abord la direction Millau, puis « Hôpitaux Facultés » et le fléchage du zoo. Ou bien prenez le tram (il est superbe !) jusqu'à la station St-Éloi et de là, la navette en direction d'Agropolis Lavalette. De mi-mai à mi-sept. : 9h-19h ; de mi-sept. à mi-mai : 9h-17h, lun. 13h-17h. Gratuit. ☎ 04 67 63 27 63.

Sur ce vaste domaine de 80 ha légué à la ville par Henri de Lunaret, les animaux, en semi-liberté, s'ébattent dans un paysage de garrigues et de sous-bois. C'est un lieu de promenade fort agréable, où l'on peut contempler tout à loisir des zèbres, des bisons, des élans du Cap, des alpagas, des mouflons, des loups, un superbe rhinocéros... et des oiseaux exotiques dans les volières.

Agropolis Museum★

À 500 m du parc du Lunaret. Parking sur la droite de la route, que vous traverserez... avec prudence ! Tlj sf mar. 14h-18h. 5€ (-10 ans : gratuit). Fermé 1er janv., 1er mai, 25 déc. ☎ 04 67 04 75 00. www.agropolis.fr

Il faut se donner le temps de visiter ce passionnant musée consacré aux agricultures et aux nourritures du monde et présenté de façon aussi attrayante que didactique. Une fresque historique présente les **trois âges de l'alimentation humaine** (de la cueillette pratiquée par nos lointains ancêtres au bouillon Kub !), puis vous vous familiariserez avec la vie quotidienne, les outils et les pratiques des agriculteurs du monde (le rapprochement entre le berger du Haut Atlas marocain et le producteur de maïs de l'Illinois est particulièrement saisissant !), et découvrirez sur écran géant les différents types de paysages créés par l'agriculture. Vous accéderez alors au **banquet de l'humanité** : la diversité comme l'inégalité alimentaire y est clairement montrée et expliquée. Des expositions thématiques, un Cyber-museum et des animations pour les plus jeunes complètent ce lieu, outil de communication du complexe de recherche scientifique Agropolis. Indispensable, tant pour ceux que la question passionne que pour les simples curieux !

EXHAUSTIF

Une nouvelle section fait l'inventaire des **aliments et boissons du monde**, et de leur infinie variété, due tant aux possibilités des terroirs qu'aux interdits des différentes civilisations.

Lattes

6 km de Montpellier. Sortir par ④ du plan, puis sortir de Lattes au Sud-Est par la D 132 direction Pérols. Lattara, du 6e s. avant notre ère au 3e s. après J.-C., fut un port florissant ; installé à l'embouchure du Lez, il alimentait l'arrière-pays et Sextantio, l'antique Castelnau-le-Lez. Les indigènes importaient du vin, de l'huile, des céramiques de luxe, des objets manufacturés et exportaient les ressources du pays : poissons des étangs, laine et peaux, résine, minerais... De nombreux vestiges ont révélé que le port devint un centre de redistribution du commerce marseillais jusqu'à la chute de la cité phocéenne, en 49 avant J.-C. Devenu port fluvial à l'époque gallo-romaine, le site fut abandonné suite à un envasement et à une remontée de la nappe phréatique.

Installé dans l'ancien mas de Frédéric Bazille, le **musée archéologique Henri-Prades** présente des expositions temporaires d'archéologie régionale et des découvertes faites sur place. Tout, vous saurez tout sur l'urbanisation du site au 2e âge du fer, la création du port, la vie quotidienne à Lattara et le monde des morts. Une dernière partie présente la nécropole St-Michel des 3e et 4e s. où furent découvertes 76 tombes. ♿ *Tlj sf mar. 10h-12h, 14h-17h30. Fermé 1er janv., 1er mai, 14 juil., 25 déc. 2,30€, gratuit 1er dim. du mois. ☎ 04 67 99 77 20.*

Château de Castries★

12 km au Nord-Est de Montpellier. Fermé à la visite.
De style Renaissance, ce château du 16e s. comprend une vaste cour d'honneur ornée d'un buste de Louis XIV par Puget. L'une des ailes a été détruite pendant les guerres de Religion et ses pierres forment les terrasses donnant accès aux jardins de Le Nôtre.

À VOIR

Après la visite du château, en prenant la D 26 vers Guzargues à partir de la N 110, vous pourrez apercevoir l'**aqueduc** construit par Riquet pour approvisionner le château en eau.

circuits

LES « FOLIES » DE MONTPELLIER

Montpellier est entouré d'élégantes « folies », que les aristocrates ou grands bourgeois montpelliérains se firent construire au 18e s. comme résidences d'été. Certaines se retrouvent aujourd'hui cernées par la banlieue tandis que d'autres se détachent encore sur un paysage de vignobles. Souvent dissimulées parmi les frondaisons, elles ont le charme des vieilles demeures de campagne agrémentées de jardins, de bassins et de fontaines.

À l'Est de Montpellier

Circuit de 9 km. Du centre-ville, suivre la signalisation vers l'aéroport « Montpellier-Méditerranée ». Après le pont sur le Lez, prendre la route de Mauguio (D 24). Le château se trouve à 2 km sur la droite dans le quartier du Millénaire.

Château de Flaugergues★

Juil.-août : visite guidée du château (1h1/2) tlj sf lun. 14h30-18h30, parc et jardins toute l'année tlj sf dim. et j. fériés 9h-12h30, 14h30-19h (juil.-août : dim. et j. fériés 14h30-19h) ; le reste de l'année visite du château sur demande. 6,50€ (4€ parc et jardins). ☎ 04 99 52 66 37. www.flaugergues.com

En 1696, Étienne de Flaugergues, financier à Montpellier et conseiller au parlement de Toulouse, acquiert le domaine établi sur une éminence dominant la plaine.

À l'intérieur, un escalier monumental, surmonté d'une voûte à clefs pendantes, est décoré d'une série de magnifiques tapisseries de Bruxelles du 17e s. représentant la vie de Moïse. Un mobilier de qualité ainsi que des gravures et des tableaux anciens parent les différentes pièces d'habitation. La visite se termine par une dégustation de vins du domaine.

Rejoindre à droite la route de Mauguio, contourner le château de Flaugergues, passer sous l'autoroute puis gagner le château de la Mogère.

A. Thuillier/MICHELIN

Avec sa façade sobre à trois niveaux, donnant sur des terrasses et des jardins à la française, le château de Flaugergues, qui est la plus ancienne des « folies » de Montpellier, évoque une villa italienne.

Château de la Mogère★

& *Visite libre du jardin, visite guidée du château (3/4h) 14h30-18h30. 5€ (jardin seul : 2,50€). Sur demande préalable pour le château. ☎ 04 67 65 72 01. www.lamogere.com*

Dessinée par Jean Giral, cette élégante folie du 18e s. présente une façade harmonieuse surmontée d'un fronton dont la silhouette se découpe sur un fond de pins. À l'intérieur, nombreux portraits de famille, meubles et peintures du 18e s. (A. Brueghel, Hyacinthe Rigaud, Louis David, Jouvenet). Le grand salon est orné de délicates gypseries.

Regagner le centre-ville par la D 172E.

> **NE PAS MANQUER**
> Dans le parc, belle fontaine baroque de style italien décorée de coquillages et surmontée de groupes de chérubins.

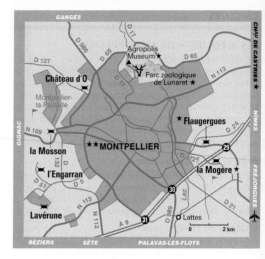

À l'Ouest de Montpellier

Circuit de 22 km. Du centre-ville, prendre la route de Ganges (D 986) pendant 6 km puis tourner à gauche vers Celleneuve ; prendre ensuite à droite la D 127.

Un peu plus loin se détachent deux piliers surmontés de lions annonçant l'allée du château d'O.

Château d'O

Pdt les expositions et les manifestations culturelles.

Le bâtiment du 18e s. est entouré d'un très beau parc, animé par des statues provenant du château de La Mosson.

Continuer vers Celleneuve. Prendre la direction de Juvignac, puis à gauche la route d'accès au château de La Mosson.

Château de La Mosson

Ce fut la plus somptueuse demeure des environs de Montpellier, bâtie de 1723 à 1729 par un richissime banquier, Joseph Bonnier, fait baron de La Mosson. Le fronton de la façade sur jardin a été sculpté par le Lorrain Adam. Le parc était décoré de belles statues qui furent dispersées et seule la fontaine baroque rappelle la décoration fastueuse de ce parc, devenu jardin public.

Revenir sur la N 109 et prendre la première route à gauche vers Lavérune.

Château de l'Engarran

Derrière la superbe grille d'entrée qui provient du château de La Mosson se détache un bâtiment de style Louis XV.

Poursuivre en direction de Lavérune. Le château se trouve à l'extrémité Ouest du village.

Château de Lavérune

W.-end 15h-18h. 2€. ☎ 04 99 51 20 00 (mairie) ou 04 99 51 20 25 (musée).

Ancienne résidence des évêques de Montpellier, cette imposante bâtisse des 17e et 18e s. s'élève au milieu d'un parc planté de cyprès, de platanes, de magnolias et de marronniers. Au 1er étage, le **musée Hofer-Bury** présente par roulement un fonds de peintures et de sculptures d'artistes contemporains, où l'on relève, entre autres, les noms d'Henri de Jordan, Bernard Calvet, Robert Combas, Hervé Di Rosa et le peintre chinois Wang Wei-Xin. Au rez-de-chaussée, le salon de musique à l'italienne, avec sa balustrade en fer forgé, est décoré de gypseries. À l'Est du château subsiste un portail du 16e s., d'allure défensive *(en face du porche de l'église)*.

Regagner le centre-ville par la D 5.

RECONVERSION

Appartenant au conseil général de l'Hérault, le château d'O sert de cadre aux représentations théâtrales du festival « Printemps des Comédiens », en juin.

Chaos de **Montpellier-le-Vieux**★★★

Montpellier-le-Vieux n'est pas une ville mais un extraordinaire ensemble rocheux dû à la corrosion et au ruissellement des eaux de pluie s'exerçant sur la roche dolomitique du causse Noir dont il recouvre environ 120 ha. « Tout cet enchevêtrement de rues, de voûtes, de cheminements, de saillies sur corniches, tantôt se croisant à angle droit comme une ville tirée au cordeau, tantôt formant un vrai labyrinthe où l'on erre quelquefois avec un grand embarras, tout cet ensemble comme ces détails ne peuvent se décrire », dit M. de Malafosse, un de ses inventeurs en 1883.

La situation

Carte Michelin Local 338 L6 – 18 km au Nord-Est de Millau – Aveyron (12). L'accès au chaos de Montpellier-le-Vieux se fait par le hameau du Maubert, d'où l'on emprunte la route privée (1,5 km) qui passe devant une table d'orientation puis aboutit au parking. On l'atteint : au départ de Millau par la D 110 (16 km) ; au départ du Rozier ou de Peyreleau par la D 29 et la D 110 (10 km) ; au départ de Nant par la D 991, la Roque-Ste-Marguerite, la route étroite au Nord du village et la D 110 (26 km).

Le nom

Ce sont les bergers des troupeaux transhumants du Languedoc qui auraient donné ce nom à ce gigantesque amas de roches qui, vu de loin, évoque une grande ville ruinée.

Les gens

Jusqu'en 1870, ce chaos, masqué par une forêt impénétrable, était considéré par les habitants d'alentour comme une « cité maudite », hantée par le diable. Les brebis et les chèvres qui s'aventuraient un peu trop près disparaissaient à la nuit, happées par les nombreux loups qui y avaient élu domicile. Les coupes qui ont été effectuées par la suite, dégageant la « ville », ont fait disparaître ces hôtes indésirables.

visiter

Juil.-août : 9h30-18h30, avr.-juin et sept.-oct. : 9h30-18h. Fermé nov.-mars. 5€ (enf. : 3€). ☎ 05 65 60 66 30.
Montpellier-le-Vieux est si curieux et si attachant, la végétation y est si belle que nombre d'entre vous aimeront sans doute s'y attarder plus longtemps que ne l'exige la visite normale. Une journée passée à flâner parmi ces rochers ombragés de pins sylvestres et de chênes, ces colonnes et ces murailles laissera à tous les amis de la nature un souvenir impérissable.
Les étapes décrites ci-dessous sont celles du **circuit rouge** qui offre une découverte intéressante des lieux.

PETIT TRAIN

Empruntant un itinéraire à l'écart des sentiers piétonniers, le Petit Train Vert sur pneus permet de s'approcher du cœur du site et de ses plus beaux rochers sans fatigue : la porte de Mycènes (1h AR) avec un petit parcours accessible à tous, le circuit Jaune (1h1/2 AR) avec un parcours sur un sentier piétonnier. 3€.

PROMENADES À PIED 🚶

Circuit du Belvédère balisé en bleu : 1/2h. Grand Tour balisé en rouge : 1h1/2. Camparolié balisé en jaune : 1/2h au dép. de la porte de Mycènes. Circuit du Lac balisé en orange : 1/2h au dép. du Cénotaphe. Circuit de Château-Gaillard balisé en violet : 1/2h au dép. du rd-pt de la Citerne. Attention, il est facile de se perdre si l'on s'écarte du parcours balisé. Plan distribué à l'entrée.

B. Kaufmann/MICHELIN

Porte de Mycènes : surprenante arche naturelle qu'on dirait suspendue dans les airs.

Douminal

Véritable donjon naturel commandant quatre cirques irréguliers (le Lac, les Amats, les Rouquettes, la Millière) séparés par de hautes crêtes rocheuses et entourés par les falaises du causse Noir, cette plate-forme offre un panorama étendu. De là, le regard embrasse au Nord le rocher de la Croix et, sur la droite, le cirque du Lac couvert de pins ; au Sud, la vallée de la Dourbie et la corniche du causse du Larzac ; à l'Ouest, le cirque des Rouquettes ; à l'Est, le chaos de Roquesaltes.

Une fois franchi le rocher de la Poterne, le sentier offre presque aussitôt, du **Rempart** (alt. 830 m), une vue d'ensemble particulièrement impressionnante sur le chaos. La descente vers le cirque des Amats conduit à la porte de Mycènes.

Porte de Mycènes

Elle évoquait, pour É.-A. Martel, la célèbre porte des Lions de la Grèce antique. Par ses dimensions et par la hauteur de son arche naturelle (12 m), elle se classe parmi les sites les plus originaux de Montpellier-le-Vieux.

Le sentier rejoint le giratoire du petit train, franchit un ponceau et conduit à la grotte de **Baume Obscure** (qui porte bien son nom) où É.-A. Martel mit au jour des ossements d'ours des cavernes. Des abords de la grotte, un regard à gauche découvre le **Nez de Cyrano**. Puis on monte vers le belvédère.

> **DRÔLES DE NOMS**
> Les rochers de Montpellier-le-Vieux ont presque tous reçu, d'après leur forme, leur silhouette, des noms évocateurs : il y a la Quille, le Crocodile, la porte de Mycènes, le Sphinx, la Tête d'Ours, etc.

Belvédère

Vue sur le cirque des Rouquettes que l'on vient de contourner, au Sud, la vallée encaissée de la Dourbie et, au Nord, le cirque de la Millière.

Le sentier revient ensuite vers le point de départ en longeant, à mi-hauteur, le cirque de la Millière. Sur la droite, à quelque 200 m du belvédère, s'ouvre l'**Aven**, d'une profondeur de 53 m.

De là, le sentier ramène directement au parking.

Cirque de **Mourèze**★★

Le cirque de Mourèze est creusé avec soin au flanc de la montagne de Liausson. Ce vaste chaos de rochers dolomitiques dessine un large amphithéâtre (340 ha) aux grandes dénivellations. Il est limité au Sud par le vallon verdoyant de la petite Dourbie et traversé en tous sens par des sentiers dépaysants.

La situation

Carte Michelin Local 339 F7 – 8 km à l'Ouest de Clermontl'Hérault – Hérault (34). Arrivant par la D 8, on profitera de beaux panoramas, avant de laisser la voiture aux parkings aménagés aux deux entrées du village.

Le nom

Mourèze, avec ses blocs de rochers, porte bien son nom : du pré-celte *murr*, il signifie « butte rocheuse ».

Les gens

Au cours de votre promenade dans le cirque, vous rencontrerez certainement un sphinx, un chameau, une demoiselle, un grand manitou, un lion couché, un ours ou un berger... Restez de marbre, ils sont de pierre !

se promener

Le village

Le village ancien de Mourèze, dominé par un rocher aux parois verticales portant son château, mérite une flânerie à travers ses ruelles étroites, ses petites maisons aux escaliers extérieurs, sa fontaine de marbre rouge.

Le cirque★★

De tous côtés, d'énormes blocs l'entourent. En empruntant l'un des nombreux sentiers balisés, on rencontre sans transition des coins frais et verdoyants, à côté de rocs auxquels l'érosion a donné les formes les plus étranges. L'aspect insolite de ces rochers ruiniformes est impressionnant en début et en fin de journée.

Parc des Courtinals

Avr.-août : 9h30-19h ; sept.-oct. : 10h-18h. 4€ (enf. : 2€). ☎ *04 67 96 08 42.*

Situé à l'Est du cirque sur une aire de 40 ha, ce parc est ▶ un ancien site d'habitat gaulois, qui fut occupé dès le néolithique moyen jusque vers 450 ans avant J.-C. (fin de l'âge du bronze et premier âge du fer). Il est dominé, sur quasiment tout son périmètre par une barrière de rochers, au pied desquels des petits abris naturels ont recélé des silex et des céramiques. Parcourant le sentier archéologique et botanique, le visiteur découvre plusieurs emplacements de cabanes de l'âge du fer, dont une a été reconstituée.

Ne manquez pas la **vue d'ensemble** sur le cirque dolomitique depuis le belvédère du parc des Courtinals *(table d'orientation)*

A. Thuillier/MICHELIN

Nant

Ce vieux bourg possède encore des bâtisses qui témoignent de son rôle de place forte catholique ; certaines accueillent en été de délicieux concerts. Nant s'élève sur les bords de la Dourbie, à l'entrée de ses gorges, dans un « jardin » qui s'étend jusqu'à St-Jean-du-Bruel. Beautés naturelles que complètent avec bonheur les spécialités culinaires des environs.

La situation

Carte Michelin Local 338 L6 – Aveyron (12). Au Sud-Ouest, la D 999 longe le camp militaire du Larzac avant de desservir Nant.
🚩 *Pl. de l'Église, 12230 Nant,* ☎ *05 65 62 25 12.*

Le nom

Nant vient du gaulois *nanto* qui signifie « vallée », « ravin » ou « torrent ». Nom nullement usurpé : Nant se trouve en effet dans la vallée de la Dourbie.

Les gens

Ici, manger des écrevisses est une tradition bien ancrée et, ma foi, recommandée, à tel point que les Nantais, aujourd'hui au nombre de 846, étaient surnommés les *manja-escarabissas*.

carnet pratique

comprendre

Ce fertile « Jardin de l'Aveyron » a été créé par les moines du monastère de Nant, dont la fondation remonte au 7e s. À peine installés dans cette région marécageuse, les moines commencent les travaux d'assèchement de la vallée. Mais, vers 730, le monastère est détruit par les Sarrasins ; les religieux sont dispersés.

Deux siècles plus tard, le couvent est reconstruit et la tâche d'assèchement est reprise : le Durzon est canalisé (les canalisations subsistent encore). La région, autrefois couverte d'ajoncs, devient un véritable jardin planté de vignes, entouré de belles prairies.

En 1135, le pape Innocent II érige le monastère en abbaye. L'église St-Pierre est reconstruite, plusieurs églises sont édifiées aux environs : St-Martin-du-Vican, N.-D.-des-Cuns, etc. Les abbés attirent un noyau de population qui forme peu à peu une petite ville dont ils sont les seigneurs. Cette ville, entourée de fortifications, devient au 14e et 15e s. une solide place forte qui, au cours des guerres de Religion, sera un pilier du catholicisme. Son collège, créé en 1662, qui enseigne les belles-lettres et la philosophie, est le plus fréquenté du Rouergue.

se promener

À VOIR

À l'intérieur de l'église : les chapiteaux★ historiés ou à motifs géométriques et floraux, le chœur et sa série d'arcatures, deux tribunes, l'une au-dessus du narthex, l'autre sur pendentifs au carré du transept.

Église abbatiale St-Pierre

12e s. Elle offre le caractère sévère d'une forteresse dominée par son donjon. Celui-ci, après la démolition en 1794 du clocher qui s'élevait à la croisée du transept, fut surmonté d'une flèche, refaite en 1960.

Un narthex s'ouvrait par trois grandes arcades. Dans celle du centre a été inséré un portail gothique. Une arcature trilobée plaquée sur la façade le surmonte.

Vieille halle

Elle faisait partie de la cour de l'ancien monastère. Ses cinq arcades trapues datent du 14e s. Elle abrita un marché qui fut longtemps prospère.

Pont de la Prade

14e s. Très belle arche ; on en aura une bonne vue depuis la chapelle du Claux (mémorial érigé en souvenir des Nantais victimes des guerres de Religion).

alentours

Sauclières

13 km au Sud-Est. Sur la D 7, près du croisement avec la D 999. Le **Musée d'automates** présente sur 1 200 m² de minutieuses reconstitutions de villages et de métiers. Vente de santons et automates. ᴅ *Juil.-août : 10h-19h ; avr.-juin et sept.-oct. : 10h-12h, 14h-18h ; fév.-mars et nov.-déc. : tlj sf sam. 14h-17h. Fermé de déb. janv. à fin janv. 3,70€ (enf. : 2,30€).* ☎ *05 65 62 11 81. www.musee-automates.com*

circuits

GORGES DE LA DOURBIE★★ ①

De Nant à l'Espérou – 35 km – environ 1h. Quitter Nant au Sud-Est par la D 999. Nombreux virages brusques et croisements souvent difficiles, en particulier entre le village de Dourbies et le hameau des Laupies.

Entre Nant et St-Jean-du-Bruel, la vallée de la Dourbie est large et riante. Sur la gauche apparaissent les quatre tours du château de Castelnau, transformé en ferme.

Laisser la voiture au panneau « St-Michel », à droite de la route, et monter à pied le petit chemin qui mène à la chapelle.

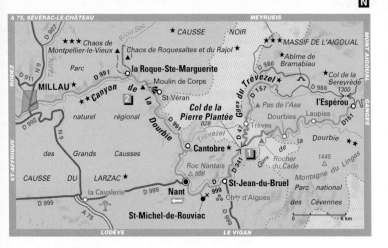

St-Michel-de-Rouviac

Formant un ensemble harmonieux avec le cimetière et le presbytère, la charmante chapelle romane apparaît sur un fond de verdure. Ancien prieuré dépendant de l'abbaye de Nant au 12ᵉ s., on y voit les mêmes types de décorations : chapiteaux avec entrelacs et palmettes.

La vallée est dominée au Sud par les ruines du château d'Algues, au Nord par les escarpements du causse Bégon qui lance au-dessus de Nant un éperon rocheux, appelé le roc Nantais.

St-Jean-du-Bruel

À l'entrée des gorges de la Dourbie, c'est le point de départ de nombreuses randonnées. Un vieux pont du 15ᵉ s., en dos d'âne, passe au-dessus de la rivière. Du Pont neuf, vue pittoresque sur les rives de la Dourbie ; à côté, belle halle du 18ᵉ s.

Noria – L'Espace de l'Eau★ – *Juil.-août : 10h-19h ; mars-juin et sept. : tlj sf lun. 10h-18h ; oct.-déc. : tlj sf lun. 10h-16h. Fermé janv.-fév. 7€. ☎ 05 65 62 20 32. Billetterie à l'Office du tourisme.*

Sur les bords de la Dourbie, l'ancien moulin a connu bien des reconversions et de redoutables crues depuis le 13ᵉ s. Il a beaucoup travaillé pour la fabrication de bas au 18ᵉ s. et s'est même mis, plus récemment, à la production d'électricité. Il est aujourd'hui au cœur d'un espace pédagogique passionnant qui explique de manière interactive et ludique l'importance de l'eau pour l'homme, pour la vie, que ce soit dans les causses, sur la terre, dans l'univers. Parmi les nombreuses animations, une intéressante présentation du système hydroélectrique de la vallée du Tarn. Espace de jeux.

Col de la Pierre Plantée

Alt. 828 m. La vue se dégage sur la vallée de la basse Dourbie et, au-delà, sur la montagne du Lingas et le causse du Larzac.

Prendre à gauche la D 47.

Gorges du Trévezel★

Entre le massif de l'Aigoual et la vallée de la Dourbie, le Trévezel coule dans un lit chaotique. La vallée se rétrécit peu à peu pour devenir un défilé entre des versants escarpés que surmontent de hautes falaises de 400 m aux colorations changeantes. Dans sa partie la plus étroite, appelée dans la langue du pays le « Pas de l'Ase » (le pas de l'âne), le canyon ne dépasse pas une trentaine de mètres de largeur.

Revenir au col de la Pierre Plantée et tourner à droite dans la D 151. Jusqu'à Dourbies, la route, parfois étroite et sinueuse, domine d'une très grande hauteur les **gorges**

de la Dourbie★★ (d'environ 300 m au rocher du Cade –
du genévrier – situé à 5 km de Dourbies). C'est un splendide parcours en corniche, souvent impressionnant et
offrant des vues plongeantes de toute beauté sur le
gouffre boisé, hérissé de roches granitiques et
schisteuses, au fond duquel coule la rivière.

L'Espérou (voir massif de l'Aigoual)

CANYON DE LA DOURBIE★★ ②

De Nant à Millau – 32 km – environ 1h.

En aval de Nant, la vallée s'encaisse de nouveau, cette
fois entre les calcaires des Grands Causses.

Cantobre★

Ce pittoresque village, situé au confluent du Trévezel et
de la Dourbie, se dresse sur un promontoire du causse
Bégon.

*L'agréable village de
Saint-Véran domine le
canyon de la Dourbie.*

Canyon de la Dourbie★★

Ses versants s'élèvent et se hérissent de roches calcaires,
curieusement sculptées par l'érosion.

À hauteur de **St-Véran**, perché dans un site pittoresque,
la route offre une belle **vue**★ sur le village aux maisons
restaurées et la tour, seul témoin de l'ancien château du
marquis de Montcalm (1712-1759) qui mourut à
Québec, au Canada, en défendant la ville assiégée par
les Anglais ; en contrebas se dresse l'église de Treilles.
On passe devant le **moulin de Corps**, alimenté par une
résurgence, dans un site enchanteur.

La Roque-Ste-Marguerite

Ce village s'étage à l'entrée du ravin du Riou Sec, au pied
de la tour à mâchicoulis d'un château (17e s.) dont la chapelle romane sert aujourd'hui d'église (accès par des
ruelles tortueuses). Le village est dominé par les rochers
ruiniformes du Rajol *(voir causse Noir)* et de Montpellier-
le-Vieux *(voir ce nom)*.

L'itinéraire continue à suivre la Dourbie au fond de son
magnifique canyon. De chaque côté de la rivière, avant
d'arriver à Millau, le causse Noir et le causse du Larzac
dressent de hautes falaises vivement colorées et
surmontées de rochers très découpés.

Narbonne★★

Sous la chaude caresse du soleil, Narbonne « la rose » égrène les témoins architecturaux de son glorieux passé de capitale de la Gaule narbonnaise, de résidence des rois wisigoths et de cité archiépiscopale. Elle présente au visiteur le visage animé d'une ville méditerranéenne, important centre viticole et carrefour de communications. L'ombre de ses musées recèle des pièces rares, en particulier des peintures romaines. Dehors, les boulevards ombragés comme les berges de la Robine invitent à une promenade paresseuse...

La situation

Carte Michelin Local 344 J3 – Aude (11). La N 9 contourne Narbonne, avec cependant des accès directs jusqu'au centre historique que l'on aborde en longeant le canal de la Robine.

🛈 *Pl. R.-Salengro, 11100 Narbonne,* ☎ *04 68 65 15 60. www.mairie-narbonne.fr*

Le nom

La première cité de la province narbonnaise s'appelait Narbo Martius ; on peut supposer que Narbo est un nom ibère ou aquitain provenant de la racine *nar-* servant à désigner ce qui se rapporte aux fleuves.

Les gens

46 510 Narbonnais. **Charles Trenet** (1913-2001), surnommé « le fou chantant », est natif de Narbonne. Fils de la terre languedocienne, il a rendu la chanson à la fantaisie, à l'invention mélodique (très influencée par le jazz) et à la poésie. On a tous encore sur les lèvres l'air de *La Mer*, « qu'on voit danser le long des golfes clairs »..., et c'est vrai, elle est à deux pas de Narbonne !

J.-M. Colombier/Ville de Narbonne

Les murs de Narbonne (quai de Lorraine) célèbrent le Fou Chantant.

comprendre

Un port de mer – Narbonne occuperait l'emplacement du marché maritime d'un oppidum gaulois, Narba, établi sept siècles avant J.-C. au Nord de la ville actuelle, sur la colline de Montlaurès. La ville, « Colonia Narbo Martius », fondée en 118 avant J.-C., devient un carrefour routier stratégique (voie Domitienne, voie d'Aquitaine) en même temps qu'un port florissant. Par là s'exportent l'huile, le lin, le bois, le chanvre, les fromages, les charcuteries des Cévennes dont les Romains sont friands, puis plus tard les céramiques sigillées. Mais c'est d'abord et surtout le commerce du vin, italien, ibérique puis gaulois, qui anime le trafic portuaire. Parallèlement, la ville connaît une forte expansion et s'orne de monuments prestigieux (temple capitolin, forum).

Une capitale – En 27 avant J.-C., Narbonne donne son nom à la province que constitue Auguste. C'est « la plus belle », écrit Martial et, avec Lyon, la ville la plus peuplée de la Gaule ; Cicéron proclame que « la Narbonnaise constitue le boulevard de la latinité ». Le flot des invasions barbares vient battre l'Empire romain. Après la mise à sac de Rome en 410 par les Wisigoths, Narbonne devient leur capitale. Plus tard, elle tombe aux mains des Sarrasins ; en 759 Pépin le Bref leur reprend après un long siège. Charlemagne crée le duché de Gothie dont Narbonne ▶ reste la capitale. Elle est divisée en plusieurs seigneuries : l'archevêque et le vicomte se partagent la cité (avec la cathédrale et l'archevêché) et le bourg, avec l'église St-Paul ; une importante communauté juive réside dans la cité. L'administration municipale est aux mains des consuls.

À partir du 14ᵉ s., le changement du cours de l'Aude, les ravages de la guerre de Cent Ans, la peste et le départ des juifs font péricliter Narbonne.

> **AIMERI DE NARBONNE**
> Ce n'est pas le nom d'un habitant de Narbonne mais le titre d'une chanson de geste composée au 12ᵉ s. par un troubadour, Bertrand de Bar. Ce dernier y décrit la ville et « les grands navires cloutés de fer, les galères pleines de richesses qui font l'opulence des habitants de la bonne ville ».

VISITES

Visite guidée – Narbonne, qui porte le label Ville d'art et d'histoire, propose des visites-découvertes (1h à 2h) animées par des guides-conférenciers agréés par le ministère de la Culture et de la Communication : au programme, découvertes des monuments, visites historiques à thèmes. 6€.
Renseignements à l'association Connaître Narbonne (service Culturel de la mairie, ☎ 04 68 90 30 66) ou sur www.vpah.culture.fr

TRANSPORTS

De Narbonne à Bize-Minervois – Autorail touristique du Minervois : Juil.-sept. : w.-end et j. fériés, dép. 14h30 quai de la r. Paul-Vieu à Narbonne, retour 19h (visite d'Amphoralis et de la coopérative oléicole l'Oulibo à Bize-Minervois). *9,50€*. ☎ 04 68 27 05 94.

De Narbonne à Port-la-Nouvelle – Petit train des Lagunes : De déb. juil. à mi-sept. : dép. tlj sf dim. de la gare de Port-la-Nouvelle 15h. Excursion et visite (3h) de l'île Ste-Lucie, de La Franqui et du musée de la Baleine. *6€ (enf. : 4€)*. ☎ 04 68 48 16 56 ou 04 68 48 00 51 (Office du tourisme de Port-la-Nouvelle).

De Narbonne à Port-la-Nouvelle – Coche d'eau, au pont des Marchands : De déb. juil. à mi-sept. : dép. tlj sf dim. à 9h30 *(22,90€ pour 1 journée)*, mar. et sam. 18h *(6,10€ pour 2h)*. Sur réservation, ☎ 04 68 90 63 98.

RESTAURATION

☻ **L'Oléa** – *18 bd du Mar.-Joffre - ☎ 04 68 41 74 55 - fermé lun. - réserv. conseillée le w.-end - 12,04/24,24€*. Un air de vacances à la mer flotte dans ce tout petit restaurant où se concocte une cuisine méditerranéenne inventive. Entre murs tapissés de planches blanches, vieilles pierres et toiles marines, l'illusion est parfaite ! Accueil sympathique.

☻☻ **L'Estagnol** – *5 bis cours Mirabeau - ☎ 04 68 65 09 27 - lestagnol@net-up.com - fermé 16-24 nov., lun. soir et dim. - 16/20€*. Près des halles, cette sympathique brasserie est bien connue des habitants de Narbonne. Cadre de bistrot modernisé, terrasse d'été dressée sur une placette et cuisine régionale font le succès de l'adresse.

☻☻ **Table St-Crescent** – *Rte de Perpignan, au Palais du vin - ☎ 04 68 41 37 37 - saint-crescent@wanadoo.fr - fermé 3-17 mars, 1er-15 sept., sam. midi, dim. soir et lun. - 28/45€*. À la sortie de la ville, ce restaurant est installé dans le Palais du vin. Avec sa belle salle voûtée comme une cave et sa terrasse bordée d'une petite vigne, son décor évoque bien sûr la noble boisson. Cuisine inventive qui se marie avec un beau choix de vins d'ici bien sûr...

☻☻ **L'Os à Mœlle** – *Rte de Salles-d'Aude - 11110 Coursan - 7 km au NE de Narbonne dir. Béziers par N 9 - ☎ 04 68 33 55 72 - fermé vac. de fév., 8-22 sept., dim. soir et lun. - 20/40€*. Halte gourmande dans ce restaurant de Coursan niché dans une maison de village. Terrasse, petit jardin, décor soigné et cuisine mijotée avec attention par le patron en font une adresse prisée. Le premier menu offre un bon rapport qualité prix.

HÉBERGEMENT

☺ **Hôtel de France** – *6 r. Rossini - ☎ 04 68 32 09 75 - hotelfrance@worldonline.fr - 15 ch. : 30/49€ - ⚏ 6€*. Cet hôtel occupe un petit immeuble de la fin du 19e s. situé dans une rue peu passante du centre-ville. Les chambres sont assez simples ; celles sur l'arrière garantissent des nuits paisibles. Confort modeste au dernier étage.

☺ **Motel d'Occitanie** – *Av. de la Mer - 2 km de Narbonne par av. de la Mer - ☎ 04 68 65 47 60 - motel.occitanie@wanadoo.fr - 🅿 - 31 ch. : 39/67€ - ⚏ 9€*. Entre la ville et l'accès autoroutier, ce motel dispose de plusieurs bungalows et d'un bâtiment principal sans grand charme. Les chambres offrent des installations récentes et fonctionnelles. Une construction indépendante abrite le restaurant Le Silène et sa terrasse. Piscine.

LE TEMPS D'UN VERRE

Chez Fred – *44 r. Jean-Jaurès - lun.-sam. 13h-2h*. Il faut descendre quelques marches pour entrer dans ce pub où vous sont proposées 8 pressions et plus de 150 marques de bières et où l'on clôt souvent la semaine par quelques concerts de musiques celtique et irlandaise.

Le marché couvert.

ACHATS

Accent d'Oc – *56 r. Droite - ☎ 04 68 32 24 13 - www.accentdoc.fr*. Le style régional s'impose ici jusqu'aux vieux meubles peints qui exposent, y compris dans la cave voûtée, un bel échantillon de produits : la surprenante confiture d'olives, les huiles et vinaigres aromatisés, les confits de vin, les confitures de lait aux goûts variés...

Chocolaterie des Corbières – *42 r. du Pont-des-Marchands - ☎ 04 68 32 06 93.* Cet établissement créé il y a neuf ans ne distribue ses chocolats en direct que depuis cinq ans : près de 80 chocolats sont répertoriés ! Les Galets du Languedoc (chocolat noir enrobé de meringue), enveloppés comme des bonbons, remportent un beau succès.

La chocolaterie fabrique elle-même ses pralinés, ganaches, caramels et pâtes d'amandes.

Syndicat des producteurs de cartagène – *4 r. de l'Ancien-Port-des-Catalans - ☎ 04 68 32 03 50.* La cartagène est un mélange d'eau-de-vie et de moût de raisin qui peut se boire en apéritif ou comme vin de dessert. Au syndicat, on trouvera les adresses des producteurs.

LOISIRS-DÉTENTE

Centre nautique – *La Capitainerie - ☎ 04 68 49 70 58.* Pour pratiquer voile, planche à voile, Optimist...

Société Nautique – *12 r. des Nauticards - La Nautique - 5 km au S de Narbonne - ☎ 04 68 32 26 06.* Base nautique sur l'étang de Bages : catamaran, Optimist, dériveur, planche à voile *funboard*, baignade.

Cercle nautique des Corbières – *Base nautique de Port-Mahon - 11130 Sigean - ☎ 04 68 48 44 52.* EFV est un label de la fédération française de voile qui repose sur une charte de qualité (encadrement, accueil, matériel et sécurité). Cette école permet de se familiariser avec l'Optimist, le catamaran, la planche à voile, le funboard, le canoë (...) sur l'étang de Bages et de Sigean.

découvrir

PALAIS DES ARCHEVÊQUES★

Le palais des Archevêques domine la **place de l'Hôtel-de-Ville**, cœur animé de la cité à l'emplacement duquel on a récemment découvert un tronçon de la via Domitia *(visible sur la place).* La façade Est comporte trois tours carrées : encadrant le passage de l'Ancre, la tour de la Madeleine (la plus ancienne) et la tour St-Martial ; plus à gauche, le donjon Gilles-Aycelin. Entre ces deux derniers, Viollet-le-Duc a construit l'actuel hôtel de ville dans un style néogothique.

À l'origine modeste résidence ecclésiastique, le palais des Archevêques compose un ensemble architectural religieux, militaire et civil complexe où les siècles ont laissé leur empreinte (du 12e s. avec le Palais vieux, au 19e s. avec l'hôtel de ville).

A. Thuillier/MICHELIN

Le palais des Archevêques et la cathédrale St-Just, monuments essentiels à Narbonne.

Donjon Gilles-Aycelin★

Entrée à gauche dans l'hôtel de ville. Juil.-sept : 10h-18h, oct.-juin : 9h-12h, 14h-18h. Fermé 1er janv., 25 déc. 2€. ☎ 04 68 90 30 65.

Ce donjon aux murs en bossages est établi sur les restes du rempart gallo-romain qui défendait jadis le cœur de la ville antique. Il affirmait la puissance épiscopale face à celle des vicomtes installés de l'autre côté de la place de l'Hôtel-de-Ville.

Du chemin de ronde de la plate-forme (162 marches), le **panorama**★ se développe sur Narbonne et sa cathédrale, la plaine alentour, la montagne de la Clape, les Corbières, les étangs marins et les Pyrénées à l'horizon.

Traverser l'hôtel de ville pour entrer dans la cour d'honneur du Palais neuf.

Palais neuf

Il forme un ensemble s'ordonnant autour de la cour d'honneur (ou cour du Palais neuf) avec la façade sur cour de l'hôtel de ville, le donjon Gilles-Aycelin, la tour St-Martial, le bâtiment des Synodes et deux ailes Nord et Sud.

On accède à la **salle des Synodes** par un grand escalier à balustres construit en 1628. Cette salle, où se tinrent les États Généraux du Languedoc, abrite quatre belles tapisseries d'Aubusson.

Salle des Consuls

Entrée par la cour d'honneur. Au rez-de-chaussée du bâtiment des Synodes, elle s'appuie sur une portion de l'enceinte romaine. Belle rangée centrale de piliers.

Sortir du Palais neuf par la porte au Nord de la cour et entrer dans le Palais vieux par la porte en face, de l'autre côté du passage de l'Ancre.

Palais vieux

Il est formé de deux corps de bâtiments qui flanquent la tour de la Madeleine. À l'Est, une tourelle d'escalier carrée cantonne une façade romane ajourée d'arcatures **(5)**. Au Sud se déploie une façade percée d'ouvertures romanes, gothiques et Renaissance. D'autres monuments bordent la cour de la Madeleine : le clocher carré carolingien de St-Théodard **(6)**, l'abside de la chapelle de l'Annonciade que domine au Nord l'imposant chevet de la cathédrale, le Tinal, ancien cellier des chanoines du 14e s., récemment restauré.

Ressortir passage de l'Ancre et prendre à droite.

Passage de l'Ancre

Cette impasse fortifiée aux murs impressionnants sépare le Palais vieux du Palais neuf et depuis la place de l'Hôtel-de-Ville, sur laquelle elle donne entre la tour St-Martial et la tour de la Madeleine, conduit au cloître et à la cathédrale.

Entrer dans la salle au Pilier par une porte située à gauche de l'escalier d'accès au cloître de la cathédrale.

Salle au Pilier

Juil.-sept. : 10h-18h ; oct.-juin : 9h-12h, 14h-18h. Fermé 3 premières sem. de janv., 1er mai, 1er et 11 nov., 25 déc. ☎ 04 68 90 30 65.

Cette belle salle du 14e s. doit son nom à l'énorme pilier central qui supporte sa voûte.

CATHÉDRALE ST-JUST-ET-ST-PASTEUR★★

On peut y accéder par le passage de l'Ancre, en pénétrant tout d'abord dans le cloître.

◄ En 1332, le chœur rayonnant était terminé dans le style des grandes cathédrales du Nord, mais la construction du transept et de la nef, qui aurait entraîné la démolition partielle du rempart ancien, encore utile aux périodes médiévales troublées, fut remise à plus tard... et tout juste ébauchée au 18e s.

J. Sierpinski/PHOTONONSTOP

Le donjon Gilles-Aycelin, bel exemple de construction de la fin du 13e s., au dispositif intérieur très soigné.

PREMIÈRE PIERRE
La première pierre fut posée le 3 avril 1272 elle avait été envoyée de Rome par le pape Clément IV, ancien archevêque de la cité.

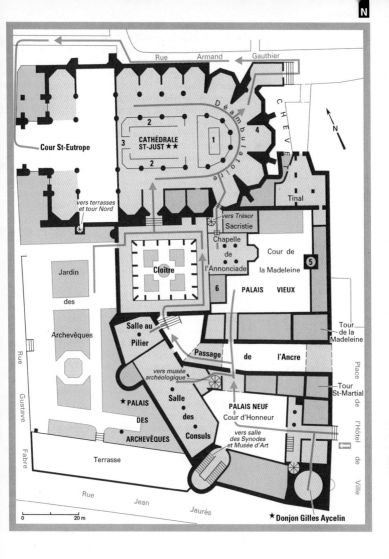

Cloître

Ce cloître fleuri (14ᵉ s.), situé au pied du côté Sud de la cathédrale, est un havre de paix et de fraîcheur. Observez les hautes voûtes gothiques de ses galeries et, donnant sur la cour, des gargouilles sculptées disposées dans ses contreforts.

Par la galerie Ouest, vous pourrez accéder au jardin des Archevêques. ▶

Intérieur

Il se résume à un chœur, unique partie achevée. Son élévation est d'une grande pureté architecturale : grandes arcades dominées par un triforium dont les colonnettes prolongent les lancettes des grandes verrières. Long de quatre travées, entouré d'un déambulatoire et de chapelles rayonnantes, le chœur abrite de nombreuses œuvres d'art. Les cinq chapelles et les fenêtres hautes de l'abside, de même que la 2ᵉ fenêtre haute sur le côté droit conservent de beaux vitraux du 14ᵉ s. Face au maître-autel à baldaquin **(1)** se dresse le **buffet d'orgue (3)** cantonné de belles **stalles (2)** datant du 18ᵉ s.

La chapelle de l'Annonciade, hors œuvre *(accès par la dernière chapelle rayonnante à droite)*, datant du 15ᵉ s., est l'ancienne salle capitulaire ; elle contient, face à l'entrée, un beau tableau de Nicolas Tournier (17ᵉ s.), *Tobie et l'Ange*.

À VOIR
Du **jardin des Archevêques** (18ᵉ s.), belle vue sur les arcs-boutants, la tour Sud de la cathédrale et le bâtiment des Synodes, cantonné de deux tours rondes.

C'EST HAUT !
La hauteur des voûtes du chœur, de 41 m, n'est dépassée que par celles d'Amiens (42 m) et de Beauvais (48 m).

La chapelle axiale de Ste-Marie-de-Bethléem a retrouvé son **grand retable gothique★ (4)**, redécouvert fortuitement en 1981 sous une couche de stuc, et restauré avec patience et talent depuis lors. De part et d'autre de la statue de la Vierge à l'Enfant, vous découvrirez sous des figures en haut-relief (très abîmées) inscrites dans des arcatures de gables, deux registres de scènes sculptées en pierre polychrome, probablement entre 1354 et 1381 : des épisodes de la vie du Christ *(registre médian)* et le Jugement dernier au registre inférieur, centré autour de la gueule béante de Léviathan. Ne manquez pas d'observer avec attention les damnés poussant des cris d'effroi dans la charrette qui les conduit aux Enfers ! Vision terrifiante, contrastant avec celle, nettement plus sereine, des élus gagnant par un escalier le royaume céleste après avoir expié leurs fautes au Purgatoire.

◄ **PUZZLE**
10 ans d'études ont été nécessaires pour reconstituer le retable à partir des milliers de fragments dispersés ou enfouis dans le mortier.

Trésor

Juil. : tlj sf dim. 11h-18h ; oct.-juin, dim. de juil. : 14h-18h. 2€. ☎ 04 68 90 30 65.

Il est installé dans une salle, au-dessus de la chapelle de l'Annonciade, dont la voûte possède une curieuse propriété acoustique.

Il possède des manuscrits enluminés, des pièces d'orfèvrerie religieuse dont un beau calice en vermeil de 1561, et surtout l'admirable tapisserie flamande de la fin du 15e s. représentant la **Création★★**, tissée d'or et de soie. C'est la seule qui subsiste d'un lot de 10 pièces offertes au chapitre par l'archevêque François Fouquet.

Admirer aussi la finesse d'une plaque d'évangéliaire en ivoire sculpté de la fin du 10e s. et un coffret de mariage en cristal de roche, orné d'intailles antiques, qui servit de reliquaire.

Sortir de la cathédrale par une porte située dans la 2e chapelle rayonnante en partant de la gauche.

Extérieur

◄ **LE NEZ EN L'AIR**
Flânez autour de la cathédrale pour admirer le chevet aux lancettes flamboyantes, les grands arcs surmontés de merlons à meurtrières, les arcs-boutants à double volée, les tourelles et les puissants contreforts défensifs, les hautes tours Nord et Sud.

Parvenu devant le mur qui clôt le chœur, vous serez frappé par la puissance des piliers du 18e s. sur lesquels devaient prendre appui le transept et les 2 premières travées de la nef, et qui composent la **cour St-Eutrope** *(accès par la rue Gustave-Fabre)*. De cette cour, on peut accéder aux **terrasses** et à la **tour Nord**, d'où l'on jouit d'une **vue★** intéressante sur les arcs-boutants de la cathédrale, le palais des Archevêques et la ville. *Fermé pour travaux.*

se promener

Partir de la place de l'Hôtel-de-Ville et prendre la rue Droite, piétonne et très commerçante.

Place Bistan

◄ **AVIS AUX CINÉPHILES**
Narbonne a servi de cadre à un des premiers films de Jean Eustache, un moyen métrage intitulé « Le Père Noël a les yeux bleus » dans lequel Jean-Pierre Léaud tient le rôle d'un Père Noël de grand magasin dans l'après-midi du 24 décembre.

Elle occupe en partie l'emplacement du forum et du capitole antiques. Devant un mur peint, des fûts de colonnes, des bases de pilastres, des fragments de chapiteaux évoquent, par leurs dimensions, le temple du 1er s.

Prendre à droite la rue Girard et à gauche la rue Michelet.

Église St-Sébastien

Selon la légende, elle occuperait l'emplacement de la maison natale du saint. De style gothique flamboyant (15e s.), elle fut agrandie au 17e s. et flanquée d'un couvent et d'un cloître destinés aux carmélites.

*Revenir place Bistan et prendre, à l'angle Sud-Ouest, la rue Rouget-de-Lisle. On passe devant l'**Horreum**, entrepôt romain (voir description dans « visiter »).*

Prendre à droite la rue du Lieut.-Col.-Deymes et encore à droite la rue Armand-Gauthier qui débouche sur la place Salengro.

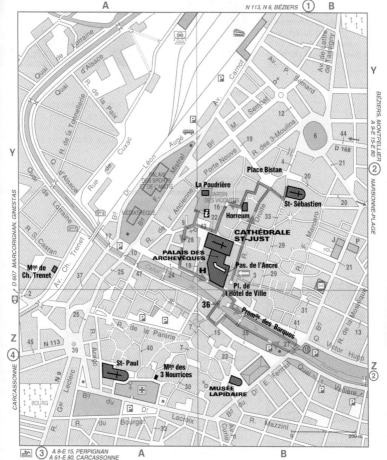

La Poudrière

Derrière le jardin des Vicomtes, cette ancienne poudrière du 18e s. aux puissants contreforts bas abrite des expositions temporaires.

Revenir place Salengro et prendre à droite la rue Chennebier et à gauche la rue du Lion-d'Or qui descend vers les quais que l'on suit à gauche.

Berges de la Robine

Dérivation de l'Aude, le canal de la Robine relie la rivière au canal de jonction (qui lui-même rejoint le canal du Midi), de Sallèles-d'Aude à Port-la-Nouvelle. Ses cours plantés de platanes, la passerelle et la promenade des Barques composent un ensemble propre à la flânerie.

Au bout de la promenade des Barques, traverser la Robine par le pont de la Liberté. Là se dresse une belle halle de type Baltard.

Suivre les berges de la rive droite jusqu'au pont des Marchands qui permet de revenir à la place de l'Hôtel-de-Ville.

> **E**n descendant sur les berges de la Robine, beau point de vue à gauche sur le pont des Marchands, à droite sur une écluse.

Le pont des Marchands, construit au-dessus du canal de la Robine, petit frère du ponte Vecchio, à Florence.

Pont des Marchands★

C'est un pont construit, c'est-à-dire surmonté d'une double rangée de maisons situées de part et d'autre d'une rue piétonne très commerçante, dont les façades, côté canal, sont peintes en couleur. Cette rue suit le tracé de la via Domitia.

visiter

Musée archéologique★★

Dans le Palais neuf. Avr.-sept. : 9h30-12h15, 14h-18h ; oct.-mars : tlj sf lun. 10h-12h, 14h-18h. Fermé 1er janv., 1er mai, 1er et 11 nov., 25 déc. 5€ (3,50€ pour 1 seul musée). ☎ 04 68 90 30 54.

Narbonne possède sans doute la plus riche collection de France de **peintures romaines★★**. Provenant pour la plupart du site archéologique du Clos de la Lombarde (au Nord de la ville antique), elles servaient de décoration aux habitations aisées de Narbo Martius. Après une initiation à la construction d'une maison gallo-romaine, on découvre les techniques de la peinture murale antique puis des exemples variés de décors peints et de mosaïques où le 4e style pompéien (fin du 1er s.) domine. Les parois portent, sur un fond rouge ou blanc, des motifs stylisés, des scènes de chasse ou champêtres, des guirlandes. Le décor le plus fameux est la **peinture au Génie** qui décorait le triclinium de la *domus* : à droite, buste d'Apollon lauré ; à gauche, génie portant une corne d'abondance et une patère à libations ; une Victoire ailée, mutilée, brandit un bouclier. Décorant le caisson d'un plafond, une ménade, suivante de Bacchus, tient un thyrse enrubanné. La plupart des mosaïques sont en noir et blanc, et évoquent certains modèles que l'on trouve également à Pompéi : décor géométrique (tresses, carrés, losanges, croisillons), marbre incrusté sur fond noir (bouclier de triangles encadré d'une tresse à deux brins).

A. Thuillier/MICHELIN

Peinture à fresque : buste d'Apollon lauré (Musée archéologique de Narbonne).

◄ La chapelle haute de la Madeleine réunit des objets de l'oppidum de Montlaurès. Une importante collection lapidaire évoque la Narbonne romaine, ses institutions, sa vie quotidienne, ses cultes et ses activités commerciales. Dans la salle basse de la Madeleine, on verra une superbe mosaïque païenne, des sarcophages et un linteau provenant de la cathédrale primitive bâtie par l'évêque Rustique.

Relié au Musée archéologique, le **Tinal** abrite les collections préhistoriques.

Musée d'Art et d'Histoire★

Palais neuf, dans le même bâtiment que la salle des Synodes, au 2e étage. Mêmes conditions de visite que le Musée archéologique.

Il est aménagé dans les anciens appartements des archevêques où séjourna Louis XIII, lors du siège de Perpignan au printemps 1642.

Faisant suite à la **salle des Audiences** où sont accrochés plusieurs portraits d'archevêques, la **chambre du Roi** est ornée d'un beau plafond à caissons représentant les neuf Muses et, au sol, d'une mosaïque romaine admirablement conservée.

La **Grande Galerie** présente un bel ensemble de pots de pharmacie de Montpellier et des toiles flamandes et italiennes des 16e et 17e s. Mais c'est dans la **salle des Faïences** qu'on découvre les pièces sorties des plus grandes fabriques françaises de faïences (Montpellier, Moustiers, Marseille...).

Dans le **Grand Salon**, place aux tapisseries de Beauvais d'après les *Fables* de La Fontaine et *L'Adoration des bergers* par Ph. de Champaigne.

NE PAS MANQUER
Deux salles à la décoration soignée présentent une remarquable collection de **peintures orientalistes** des 19e s. et 20e s. (Benjamin Constant, Lazerges, Bezombes, etc.).

Musée lapidaire★

Juil.-sept. : 9h30-12h15, 14h-18h ; oct.-mars : visite guidée mer. 14h30 et 15h30. Fermé 1er janv., 25 déc. 3,50€ (enf. : gratuit). ☎ 04 68 90 30 54.

Il est installé dans l'église désaffectée de N.-D.-de-la-Mourguié, du 13e s. L'extérieur a fière allure avec ses contreforts saillants et son chevet crénelé. À l'intérieur, dont la vaste nef est rythmée par six arcs diaphragmes soutenant le plafond charpenté, vous pourrez voir près de 1 300 inscriptions antiques, des stèles, des corniches, des sarcophages, d'énormes blocs sculptés, entassés sur quatre rangées, provenant pour la plupart des remparts de la cité et témoignant du passé prestigieux de l'ancienne capitale de la Gaule narbonnaise.

Horreum

Mêmes conditions de visite que le Musée archéologique.

Dans cet entrepôt ou marché public, seules deux galeries souterraines, sur lesquelles ouvrent de petites cellules, sont ouvertes à la visite. Situé près du forum, il avait, sur deux niveaux (celui de surface a aujourd'hui disparu) une destination exclusivement utilitaire. Quelques sculptures et des bas-reliefs y évoquent la civilisation antique.

Basilique St-Paul

9h-12h, 14h-18h, dim. 9h-12h.

Elle a été édifiée à l'emplacement d'une nécropole constituée aux 4e et 5e s. autour du tombeau du premier évêque de la ville.

Le **chœur**★, construit à partir de 1224, est remarquable par son élévation (grandes arcades, double triforium, fenêtres hautes), ses voûtes champenoises et son élégance. La perspective de la nef est coupée par 3 arcs massifs en anse de panier. Sous les grandes orgues, deux sarcophages chrétiens primitifs sont encastrés dans le mur, un troisième sert de linteau.

EAU BÉNITE
Remarquer en entrant, à droite, une grenouille sculptée... dans le bénitier.

La **crypte paléochrétienne** fait partie de l'importante nécropole constituée au début du 4e s. sous Constantin. Les restes d'un édifice composé d'une chambre carrée et d'une abside constituent un mausolée dans lequel sont conservés six sarcophages. L'un avec acrotères, un autre à rinceaux et un troisième en marbre blanc évoquant les sarcophages païens sont les plus intéressants. *Accès par le portail Nord de l'église. Visite sur demande au gardien. Gratuit.*

TROIS NOURRICES
Dans la rue à l'Est de la basilique, une maison du 16e s. exhibe des cariatides aux formes opulentes. D'où son nom, « maison des Trois-Nourrices ».

Maison natale de Charles Trenet

13 av. Charles-Trenet. Avr.-sept. : visite guidée (1h) sur demande préalable (2 j. av.) tlj sf mar. 10h-12h, 14h-18h ; oct.-mars : tlj sf mar. 14h-18h. Fermé 1er janv., 1er mai, 1er nov. et 11 nov., 25 déc. 5€. ☎ 04 68 90 30 66.

Les fans ne manqueront pas de s'inscrire à une visite de la maison natale de Charles Trenet où ils retrouveront, accompagnés par les refrains qui sont dans toutes les mémoires, un lieu à l'image des chansons du poète.

alentours

Réserve africaine de Sigean★
17 km au Sud par la N 9. Voir ce nom.

Terra Vinea
18 km au Sud, à Portel-des-Corbières. Quitter Narbonne par la N 9, en direction de Perpignan. À 15 km, prendre à droite dans la D 611ᴬ puis à nouveau à gauche (suivre le balisage « Terra Vinea »). ⅇ *Juin-août : visite guidée (1h) 10h30-18h30 ; avr.-mai et sept. : 10h30, 14h30-17h30 ; oct.-fév. : 14h45, 15h30 et 16h ; mars : 14h30, 15h15, 16h, 16h45. Fermé 1ᵉʳ janv., 25 déc. 5€ (enf. : 2,50€).* ☎ *04 68 48 64 90.*

◄ Un sentier botanique mène à l'entrée d'une ancienne carrière de gypse, aménagée en chais de vieillissement pour les caves vigneronnes de Peyriac-de-Mer, Portel et Sigean regroupées sous le nom de « Rocbère ». Le parcours se fait le long des anciennes galeries d'extraction, bordées de barriques ou de décors et d'outils ayant trait à l'activité vigneronne. En fin de parcours, on découvre le lac souterrain puis on regagne le salon d'accueil, où a lieu une dégustation des produits du domaine.

Abbaye de Fontfroide★★
14 km au Sud-Ouest par la N 113, puis à gauche par la D 613. Voir ce nom.

circuits

MONTAGNE DE LA CLAPE
Circuit de 53 km – environ 3h. Sortir par ② du plan, puis prendre à gauche la D 168 vers Narbonne-Plage.

Le massif calcaire de la Clape domine de ses 214 m la mer, les étangs littoraux autour de Gruissan et la plaine de la basse vallée de l'Aude couverte de vignes.

La route, sinueuse et accidentée, offre de belles vues sur les falaises et les versants de la Clape.

Narbonne-Plage⌂
La station s'étire en bordure du littoral ; elle est caractéristique des stations traditionnelles du littoral languedocien. On y pratique la voile et le ski nautique et les enfants sont les bienvenus dans cette « Station Kid ».

De Narbonne-Plage, poursuivre jusqu'à St-Pierre-sur-Mer.

St-Pierre-sur-Mer
Station familiale. Au Nord, le **gouffre de l'Œil-Doux** est un curieux phénomène naturel. Large de 100 m et partiellement à ciel ouvert suite à l'effondrement de la voûte rocheuse, il abrite un lac à 70 m de profondeur. Cette étendue d'eau douce a une salinité variable en raison de la proximité de la mer.

Gruissan⌂ *(voir ce nom)*
À la sortie de Gruissan, prendre à droite et aussitôt à gauche une petite route signalée vers N.-D.-des-Auzils.

Cimetière marin *(voir Gruissan)*
Poursuivre la petite route tracée sur les dernières pentes de la Clape. En débouchant sur la D 32, prendre à droite vers Narbonne. À Ricardelle, prendre, à droite, une petite route étroite et en forte montée.

Coffre de Pech Redon
Point culminant de la montagne de la Clape, il apparaît au sommet de la montée. Vue pittoresque sur les étangs et Narbonne d'où émergent la cathédrale St-Just et le palais des Archevêques.

Faire demi-tour et regagner Narbonne par la D 32.

LES CANAUX

De Sallèles-d'Aude à Port-la-Nouvelle par le canal de la Robine.

Amphoralis-Musée des Potiers gallo-romains★

Accès à Amphoralis par la D 1626 au Nord-Est de Sallèles-d'Aude, où l'on suit le balisage « musée des Potiers ». La route suit le canal de jonction entre le canal du Midi et le canal de la Robine. & *Juil.-sept. : 10h-12h, 15h-19h ; oct.-juin : tlj sf lun. 14h-18h, w.-end et j. fériés 10h-12h, 14h-18h. Fermé 1ᵉʳ janv., 1ᵉʳ mai, 25 déc. 4€. ☎ 04 68 46 89 48.*

Le bâtiment moderne abrite, dans sa partie centrale, une exposition sur cette production quasi industrielle, qui fut variée, considérable et qui dura du 1ᵉʳ s. au début du 4ᵉ s. après J.-C. De part et d'autre, des structures à pans ouverts protègent le chantier de fouilles, comprenant principalement le quartier artisanal, qui s'ordonne autour d'une dizaine de fours, de bassins de décantation, d'ateliers munis de tours où l'on façonnait l'argile. La carrière d'argile à ciel ouvert est toute proche. Un four à échelle réelle a été reconstitué et mis en marche. La visite fait découvrir, en même temps que le site de fouilles, les différentes productions de Sallèles-d'Aude (céramique d'utilisation domestique, tuiles, amphores vinaires), la cuisson (maquettes de fours), la vie quotidienne et les échanges commerciaux dans l'Empire romain.

La reconstitution d'une nécropole d'enfants découverte dans une salle du secteur artisanal (les plus âgés étaient des nourrissons de 9 mois) instruit sur les rites funéraires observés dans le monde gallo-romain dès la fin du 2ᵉ s. avant J.-C.

À la lisière Nord du site subsistent les vestiges d'un aqueduc qui traversait la plaine pour conduire l'eau en direction de Narbonne (1ʳᵉ moitié du 2ᵉ s. après J.-C.).

Le musée Amphoralis montre bien l'importance du site de production de Sallèles-d'Aude à l'époque gallo-romaine.

Canal de jonction

En amont et en aval de Sallèles, ce canal, construit en 1787, ► joint le canal du Midi au canal de la Robine qui se dirige vers Narbonne. Très jolis biefs bordés de pins parasols.

Prendre une petite route au Sud de Sallèles pour gagner l'écluse de Gailhousty.

Écluse de Gailhousty

L'écluse permet de traverser l'Aude pour accéder au canal de la Robine. À cet endroit se trouve un remarquable ouvrage de pierre, avec fronton triangulaire portant un bas-relief : il s'agit d'une maison-épanchoir, maison de l'éclusier et garde épanchoir, construite sur l'épanchoir même. Le bâtiment a été dessiné par l'architecte Garipuy et construit en 1782.

Remonter à Sallèles où l'on tourne à droite dans la D 1118. À Cuxac-d'Aude, tourner à droite dans la D 13.

Narbonne★ *(voir plus haut)*

Canal de la Robine

Il a été creusé à partir de 1796 dans l'ancien lit de la Robine ; son alimentation est assurée par le barrage et le bassin du Lampy *(voir Montagne noire)*. Il débouche dans

> ### TRISTE MÉMOIRE
>
> La basse plaine de l'Aude, située au Nord de Narbonne, a été littéralement ensevelie sous l'eau, après les pluies diluviennes des 12 et 13 novembre 1999. En suivant la 1ʳᵉ partie de cet itinéraire, on aura une pensée pour les villages de Sallèles-d'Aude, Cuxac-d'Aude et Coursan, les principales victimes de ces inondations.

Les quinze vannes verticales de l'épanchoir de Gailhousty permettent, du côté du canal, de déverser le trop-plein d'eau dans l'Aude.

carnet pratique des canaux

A. Thuillier/MICHELIN

la Méditerranée à Port-la-Nouvelle, en traversant les étangs de Bages et de Sigean à droite, celui de l'Ayrolle à gauche. En amont de Port-La Nouvelle, il longe l'île Ste-Lucie.

Île Ste-Lucie

Elle est réputée pour la diversité et l'abondance de sa faune et surtout de sa flore (plus de 300 espèces recensées).

Port-la-Nouvelle

Construite à l'entrée du grau au débouché du canal de la Robine, Port-la-Nouvelle est, entre Sète et Port-Vendres, la seule ville côtière du golfe du Lion à conserver une activité soutenue hors saison, grâce à son port de commerce, base de redistribution des hydrocarbures dans tout le Sud-Ouest. Port-la-Nouvelle est également bien aménagée pour la navigation de plaisance. Une plage de sable fin s'étend sur 13 km.

Cirque de **Navacelles**★★★

C'est le site le plus prestigieux de la vallée de la Vis, entre les causses de Blandas et le Larzac. Il se présente comme un immense et magnifique méandre, profondément encaissé, aux parois presque verticales. À l'origine, la Vis enserrait un petit promontoire qu'elle a abandonné là où s'est posé le hameau de Navacelles. Depuis, le fond de la vallée reste toujours humide et verdoyant.

La situation

Carte Michelin Local 339 G5 – Gard (30). Le cirque, on peut le voir dans sa totalité de loin (depuis le belvédère Nord), du bas (depuis Navacelles) et de haut (depuis le bord de la falaise). À vous de choisir (mais les trois vues valent la peine...).

Le nom

Le cirque porte le nom du village qui se trouve à ses pieds. On suppose que Navacelles vient du latin *nova* (« neuve ») et *cella* (« cellule, sanctuaire »). Le cirque est à juste titre devenu le sanctuaire du tourisme sur le Larzac.

Les gens

Heureux les habitants de Navacelles qui se réveillent chaque matin devant le splendide spectacle du cirque. En revanche, on les plaint les mois d'hiver où le soleil a un peu de mal à parvenir jusqu'à eux...

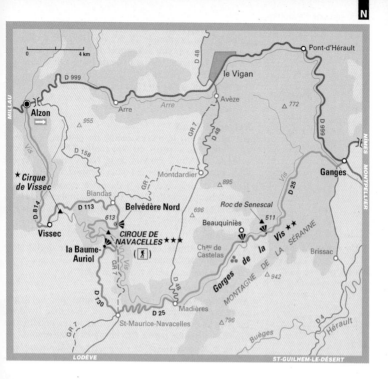

circuit

D'ALZON À GANGES

57 km – environ 2h.

En aval d'Alzon, la route descend au fond de la vallée, boisée de chênes et de sapins, puis franchit la Vis qui dessine bientôt des méandres de plus en plus larges sur le fond plat de sa vallée.

Gagner Vissec par la D 113 qui reste au fond des gorges et franchit le pont sur la Vis souvent à sec.

Vissec

L'aridité des lieux et la blancheur des pierres donnent à cet endroit perdu un caractère tout à fait insolite. Ce village blotti au fond du canyon se compose de deux quartiers chacun sur un promontoire, dont l'un est presque complètement encerclé par un méandre de la Vis.

Impressionnant et majestueux cirque de Navacelles : on se sent si petit devant cette immensité...

Cirque de Vissec★

Au cours de la montée (9 %) vers Blandas, la vue se dégage sur le canyon aux parois dénudées. Le cirque de Vissec, plus modeste que celui de Navacelles, plaît aux amateurs de paysages sévères.

Par le plateau caussenard, la route gagne Blandas. La D 713 qui s'embranche sur la D 158 atteint le rebord du causse de Blandas.

Belvédère Nord

Alt. 613 m. Sur le rebord même du plateau, il offre la révélation du **cirque de Navacelles★★★** et une vue intéressante sur le canyon de la Vis. À l'horizon la vue s'arrête à la longue chaîne de la Séranne.

La route de descente, très bien tracée, dessine quelques lacets à hauteur de la falaise, puis une ample boucle dans la combe du Four ; elle plonge jusqu'au fond du cirque et gagne Navacelles.

Navacelles

À 325 m d'altitude, ce petit village possède un joli pont à une seule arche sur la Vis.

La D 130 gravit la paroi Sud du canyon.

> **UN PEU DE MARCHE ?**
> 🚶 Un sentier au départ de Navacelles mène à la résurgence de la Vis et de la Virenque où se trouvent trois moulins à eau.

La Baume-Auriol

Alt. 618 m. Du Nord de la ferme s'offre une vue saisissante sur le cirque. Le canyon est splendide avec ses méandres resserrés qui emboîtent leurs pédoncules effilés aux hautes parois très abruptes vers l'amont.

Après la Baume-Auriol, la route gagne St-Maurice-Navacelles où l'on prend à gauche vers Ganges. Plus loin la route plonge en lacet, par le Rau de Fontenilles, vers le canyon de la Vis, sur lequel le début de la descente vers Madières offre une jolie vue.

Gorges de la Vis★★

Au-delà de Madières, la route traverse des pépinières riches en conifères ; elle suit au plus près la berge de la Vis qui sépare les hautes falaises dolomitiques du causse de Blandas à gauche et les versants de la montagne de la Séranne à droite. Passé le Claux, remarquer en avant et à droite les ruines du château de Castelas, plaqué contre la falaise au débouché d'un ravin.

Après Gorniès, un pont enjambe la Vis. On a alors une belle vue sur **Beauquiniès**, village pittoresquement étagé, puis sur le **roc de Senescal** qui s'avance en proue sur le versant gauche. La vallée devient sauvage et étroite avant de déboucher dans les gorges de l'Hérault que l'on suit jusqu'au Pont et Ganges *(voir ce nom)*.

Causse **Noir**★

Même si c'est le moins étendu des Grands Causses, il sait se distinguer par la puissance des paysages qui l'entourent, les gorges de la Jonte et la vallée de la Dourbie, et la beauté inégalée du chaos de rochers ruiniformes qu'il abrite (Roquesaltes). Désert de pierrailles, règne de la dolomie, vertige des canyons, le causse Noir invite à la solitude... de nombreux promeneurs qui n'y sont plus si seuls !

La situation

Carte Michelin Local 338 L/M6 – Aveyron (12). Il est délimité au Nord par la D 996, et au Sud par la D 991, mais un faisceau de départementales secondaires l'irrigue, qui converge vers St-André-de-Vézine.

Le nom

On a peine à le croire aujourd'hui, mais d'épaisses forêts de pins couvraient jadis le causse de leur ombre. D'où son nom.

Les gens

Grottes, dolomies, ronces et rocailles se sont prêtées à des récits de revenants et de loups-garous. Après la Révolution, les voyageurs craignaient de s'y risquer, redoutant le spectacle lugubre des ruines et le passage des forêts épaisses.

Situé à la jonction des causses Méjean, de Sauveterre et Noir, Peyreleau occupe le confluent du Tarn et de la Jonte, face au Rozier.

B. Kaufmann/MICHELIN

circuit

75 km au départ de Peyreleau – environ 4h.

Peyreleau

Sa position à l'entrée des gorges des deux rivières en fait ▶ un lieu de séjour intéressant. Étagé sur les pentes escarpées d'une butte, il est dominé par son église moderne et une vieille tour carrée et crénelée, dernier vestige d'un château fort.

Atteindre le causse Noir par la D 29 au Sud de Peyreleau. Après 7 km, tourner à droite dans la D 110.

> **À SAVOIR**
> De la D 29 montant sur le causse Noir, on aperçoit le **château de Triadou** (commencé en 1470) qui appartint à la famille d'Albignac jusqu'à la Révolution.

> ### LE TRÉSOR DE TRIADOU
> Au 17e s., Simon d'Albignac pilla le trésor des troupes protestantes du duc de Rohan afin de financer la construction d'une nouvelle aile pour son château. On raconte qu'il cacha une partie de son butin sous une marche du grand escalier. À la Révolution, les paysans, alléchés par la légende du « trésor de Triadou », font une descente au château, sondent l'escalier marche par marche et découvrent deux caisses de plomb contenant des pièces d'or et d'argent. Pendant ce temps, émigré à Londres, le marquis d'Albignac se remet très bien de la perte de son château et du trésor. Il gagne en effet largement sa vie, grâce à son talent particulier pour assaisonner la salade. Il court de dîner en dîner et, les manches retroussées, brasse à pleines mains, dans une sauce savante, la scarole ou la laitue.

Chaos de Montpellier-le-Vieux★★★ *(voir ce nom)*

Revenir à la D 29 que l'on prend à droite. Après la Roujarie, prendre à droite la D 124 menant à St-André-de-Vézines. En entrant, suivre la rue à droite et prendre la route en direction de Roquesaltes. À un croisement avec un chemin non revêtu, laisser la voiture et prendre à droite ce chemin indiqué « Roquesaltes ».

Chaos de Roquesaltes et du Rajol★

🚶 *2h à pied. Voir ci-dessous la rubrique « randonnées ».*

Revenir à St-André-de-Vézines et prendre à droite vers Veyreau. Après 7 km, tourner à gauche dans la D 139.

Grotte de Dargilan★★ *(voir ce nom)*

Meyrueis *(voir ce nom)*

Gorges de la Jonte★★ *(voir Meyrueis)*

> **RESTAURATION**
> 🍽 **Auberge du Maubert** – 12720 Peyreleau - ☎ 05 65 61 25 28 - fermé 10 nov. au 1er avr. - 8,50/15€. La maman aux fourneaux, la fille au service, voilà une vraie maison familiale. La cuisine ménagère d'inspiration locale est simple. Mobilier de bois, lambris et cheminée pour réchauffer l'atmosphère. Vue sur le plateau du Larzac depuis la terrasse. En-cas à toute heure.

randonnées

Corniche du causse Noir★★

Au départ de Peyreleau – 6h – Faire bien attention sur les passages en corniche. Laisser la voiture au hameau des Rouquets (à l'Est de Peyreleau – 1re route à gauche en venant du Rozier) et prendre à pied une route partant à gauche en direction de la Jonte. Suivre les balises rouges. Le large chemin longe la Jonte puis grimpe vers la droite à travers les hêtres puis les pins pour atteindre l'ermitage St-Michel.

Reprendre le sentier (balises rouges). On atteint le « Point Sublime », promontoire rocheux s'avançant sur le canyon de la Jonte. **Vue**★★ imprenable.

Toujours en suivant les balises rouges, le sentier monte à travers les bois. Des plates-formes permettent de s'avancer au bord de la falaise, procurant des vues sur le sévère canyon de la Jonte et le paisible village du Rozier. Puis le sentier, balisé cette fois en jaune et rouge (GR de Pays), passe devant le rocher appelé « Champignon préhistorique ».

Continuer sur le GR de Pays. On arrive au relais de télévision d'où l'on a une belle **vue**★ *sur Peyreleau, au confluent de la Jonte et du Tarn.*

Continuer sur le sentier jusqu'à une clairière en replat. Là, prendre à droite. Le sentier descend entre les buis et les rochers puis longe le ravin de Costalade, en corniche. La descente continue à travers une forêt de pins sylvestres et débouche sur un chemin longeant une vigne aux abords du hameau des Rouquets.

Chaos de Roquesaltes et du Rajol★

2h à pied. Difficulté moyenne. À St-André-de-Vézines, prendre à droite la route en direction de Roquesaltes. À un croisement avec un chemin non revêtu, laisser la voiture et prendre à droite ce chemin indiqué « Roquesaltes ». Le chemin de terre descend à travers les pins sylvestres et les genévriers.

À la ferme de Roquesaltes, suivre le GR 62 à gauche en direction de Montméjean. Des remparts que forme le chaos de **Roquesaltes**, la vue porte sur Montpellier-le-Vieux.

En poursuivant à pied vers le Sud *(par le GR 62 en suivant les traces rouges et blanches)*, on atteint le **chaos du Rajol**. Un Dromadaire, le menton délicatement appuyé sur un rocher, accueille le visiteur. Parmi les rochers fantastiques, il y a aussi la Colonne égyptienne, la Statue sans bras... D'un belvédère naturel, la vue plonge dans l'extraordinaire vallée de la Dourbie.

Au pylône de télécommunication, prendre à gauche un chemin de terre ; ce chemin aboutit à la route goudronnée qu'on avait empruntée au départ de St-André ; prendre alors à gauche pour rejoindre la voiture.

> **VISITE SPORTIVE**
> Pour rejoindre les ruines de l'ermitage St-Michel, il faut gravir, avec la plus extrême prudence, trois échelles métalliques.

A. Thuillier/MICHELIN

Roquesaltes, les « roches hautes », est un véritable donjon naturel, haut d'une cinquantaine de mètres, qui domine le hameau du même nom.

Olargues

Au pied du haut massif de l'Espinouse, ce pittoresque village s'accroche du mieux qu'il peut à un promontoire cerclé par une boucle du Jaur. Ses ruelles escarpées, veillées par une petite tour, dominent les cultures de cerisiers qui s'étendent dans la vallée.

La situation

Carte Michelin Local 339 C7 – Hérault (34). Belle **vue** d'ensemble depuis le pont en venant de St-Pons. Pour visiter à pied le village, garez-vous le long du parapet ou sur le parking de la mairie.

Av. de la Gare, 34390 Olargues, ☎ *04 67 97 71 26. www.olargues.org*

Olargues, au pied de l'Espinouse, possède un charme indéniable, avec son vieux pont en dos d'âne.

Le nom

Comme tous les noms en « -argues », fréquents en Languedoc, il dérive du nom d'un propriétaire gallo-romain : ici, un certain Olus.

visiter

Partir de la place de la Mairie. On pénètre dans la vieille ▶ ville par la Porte neuve *(à gauche au fond de la place).* Dans la rue de la Place, emprunter à droite l'escalier couvert de la Commanderie, qui rejoint une autre rue, juste en bas de la tour-clocher. À mi-chemin se trouve le musée.

Musée

Juil.-août tlj sf lun. : 10h30-12h30, 16h-19h. 1,50€. ☎ 04 67 97 71 26. www.olargues.org

Les collections de ce musée du terroir se rapportent aux activités traditionnelles, artisanales ou agricoles : le labourage, la viticulture, la récolte du blé, des châtaignes et du miel. Forgerons, taillandiers, boulangers, lavandières sont évoqués ainsi que quelques personnalités locales.

Cebenna

À la sortie Ouest d'Olargues, après le vieux pont. ♿ *Juil.-août : tlj sf dim. 10h-13h, 16h-19h ; sept.-juin : tlj sf dim. 9h-12h, 14h-17h, mar. 9h-12h, 14h-19h, sam. 10h-12h. Fermé 25 déc.-1ᵉʳ janv. et j. fériés. Kaléidoscope : 2,50€ (-7 ans : gratuit ; 7-15 ans : 1,50€). ☎ 04 67 97 88 00. www.cebenna.org*

🖱 Ce centre multimédia propose au public une médiathèque, des animations nature, patrimoine et environnement. Un kaléidoscope géant déploie un fabuleux spectacle de lumière et de couleurs.

> **BELVÉDÈRE**
> De la plate-forme située à côté de la tour-clocher, une **vue** très agréable s'offre sur le Jaur et son vieux pont en dos d'âne du 13ᵉ s., sur l'Espinouse et le Caroux au Nord-Est. La tour est un reste de l'ancien château féodal du 11ᵉ s., aménagé en clocher au 15ᵉ s.

circuits

MONTS DE L'ESPINOUSE★

80 km – environ 6h avec la promenade jusqu'à la table ▶ *d'orientation du Caroux. Quitter Olargues par la D 908 à l'Ouest vers St-Pons, puis prendre à droite la D 14, vers Fraisse-sur-Agout et La Salvetat.*

La route d'accès au col de Fontfroide, le long du flanc occidental de l'Espinouse, commence dans un site méditerranéen, où poussent la vigne, l'olivier, le chêne vert et le châtaignier. En altitude, la végétation méditerranéenne cède la place à un paysage de landes parsemé de hêtres. Au col du Poirier, la vue porte à gauche sur les monts du Somail, au-delà du ravin de Coustorgues. Elle prend encore de l'ampleur *(belvédère aménagé)* en direction du Sud, vers la vallée du Jaur.

> **C**e circuit peut également se faire au départ de Lamalou-les-Bains *(voir ce nom).*

Col de Fontfroide

Alt. 971 m. Dans un site sauvage impressionnant, le col de Fontfroide marque la ligne de partage des eaux entre le versant méditerranéen et le versant atlantique.

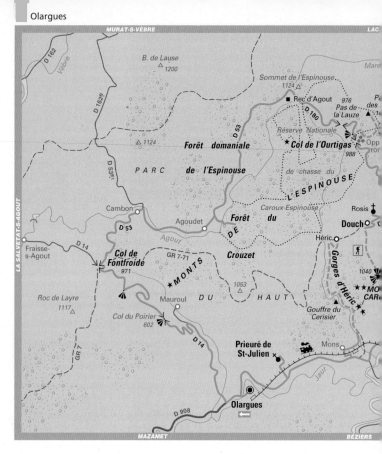

Prendre à droite la D 53 vers Cambon. La route longe l'Agout, traverse le village de Cambon puis se poursuit dans un paysage montagneux, rude et solitaire, où la lande a pour toile de fond les plantations de résineux de la forêt de l'Espinouse.

Forêt domaniale de l'Espinouse

Plantations effectuées de la fin du 19e s. à nos jours, les vastes boisements qui couvrent le plateau de l'Espinouse comprennent des hêtres, des sapins, des épicéas. Seule la partie Ouest de la forêt, autour de la maison forestière du Crouzet, est facilement accessible aux promeneurs.

En approchant du sommet de l'Espinouse (1 124 m), on aperçoit, en contrebas de la route sur la droite, le toit de la ferme de l'Espinouse ou **Rec d'Agout**, où la rivière prend sa source. La route redescend dans un paysage sauvage, avec des ravins de part et d'autre, puis franchit le **pas de la Lauze**, fine arête reliant l'Espinouse au Caroux.

Col de l'Ourtigas★

Alt. 988 m. Un belvédère aménagé révèle une **vue★** intéressante sur l'âpre Espinouse sillonnée de ravins : à droite la montagne d'Aret et sur la gauche les deux pitons du Fourcat d'Héric. ⚐ À droite, un sentier mène au **Plo des Brus** *(3/4h AR)*.

Continuer jusqu'à l'embranchement sur la droite vers Douch (D 180E). Sur la droite de la route, l'**église de Rosis**, rustique, surmontée d'un clocher tout en pierre, se détache sur un très beau fond champêtre.

Douch

L'habitat de ce village caractéristique du Caroux a été assez bien conservé. Les maisons en pierre aux toits de lauzes se serrent le long des ruelles.

Laisser la voiture à Douch et prendre à gauche un sentier en montée à travers champs ; tourner à gauche après 50 m.

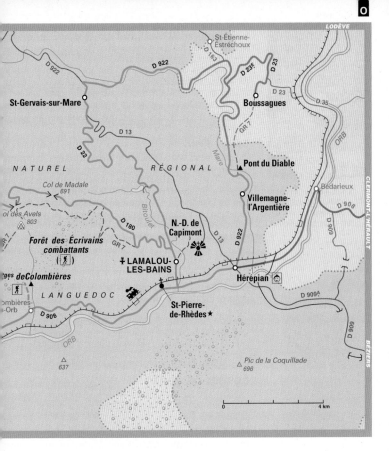

St-Étienne-Estréchoux

D 163

D 922

D 23ᴱ

D 23

St-Gervais-sur-Mare

Boussagues

D 23

D 35

D 13

D 22

ORB

GR 7

Mare

NATUREL RÉGIONAL

Pont du Diable

Bédarieux

Col de Madale
691

Bitoulet

Villemagne-l'Argentière

D 908

D 909

ol des Avels
803

GR 7

D 180

N.-D. de Capimont

D 922

D 13

Forêt des Écrivains combattants

GR 7

✝ LAMALOU-LES-BAINS

Hérépian

ges deColombières

LANGUEDOC

St-Pierre-de-Rhèdes ★

D 909ᴬ

ombières-Orb

D 908

ORB

D 909

637

Pic de la Coquillade
696

0   4 km

Table d'orientation du mont Caroux

2h à pied AR. On grimpe parmi les genêts puis on traverse une forêt de hêtres. Au sommet de la montée apparaît sur la gauche le point culminant du Caroux proprement dit (1 091 m). Alors commence la traversée d'un vaste plateau où bruyères et genêts frémissent sous le vent. Dans le silence qui enveloppe cette étendue solitaire, on parvient à la table d'orientation, laissant vers la droite le Plo de la Maurelle. Un **panorama**★★ grandiose se déploie : d'Ouest en Est sur les sommets arrondis de la Montagne noire où domine le pic de Nore, sur les Pyrénées avec le pic Carlit et le Canigou ; puis la vue porte sur les plaines de Narbonne et de Béziers jusqu'à la Méditerranée.

Revenir à la D 180.

Forêt des Écrivains combattants

Accès en voiture par le chemin Paul-Prévost ou à pied par un escalier qui se trouve 200 m plus loin, en face d'une ancienne auberge. À la suite des inondations catastrophiques de mars 1930, l'association des Écrivains combattants, le Touring Club de France ainsi que les communes de Combes et de Rosis entreprirent de reboiser les 78 ha qui constituent cette forêt. L'escalier abrupt conduit d'abord sur le plateau, à un monument commémorant le sacrifice de 560 écrivains tombés pendant la guerre de 1914-1918, puis au rond-point Charles-Péguy marqué d'une gigantesque croix de guerre. Là convergent les allées qui portent chacune le nom d'un écrivain. Peuplée de magnifiques cèdres, de pins, de châtaigniers et de chênes, cette forêt offre de belles vues sur le Caroux et sur les versants orientaux des monts de l'Espinouse.

La D 180, très pittoresque, conduit à Lamalou.

Lamalou-les-Bains ✝ (voir ce nom)

Quitter Lamalou à l'Ouest par la D 908. En arrivant à Colombières-sur-Orb, laisser la voiture sur le parking (payant).

À SAVOIR

Le massif du Caroux tire son nom de la racine celtique *karr* qui signifie « rocher », et c'est bien un aspect rocheux qu'il présente avec son vaste plateau haut de 1 000 m cerné par des gorges profondes au relief tourmenté.

À VOS CHAUSSURES
Cette forêt est sillonnée de nombreux sentiers très agréables pour une petite balade ou une grande randonnée.

Entre vasques et chaos rocheux, les gorges de Colombières offrent des petits coins très paisibles.

A. de Valroger/MICHELIN

Gorges de Colombières

Parking payant. ⏱ *1/4h à pied AR.* Le début des gorges, agrémenté de belles vasques, peut être l'occasion d'une rafraîchissante pause baignade.

Pour les plus courageux, une boucle de 13 km *(balisage PR jaune, 600 m dénivelée)* permet de découvrir, entre autres, de curieuses habitations troglodytiques.

À Mons-la-Trivalle, prendre la D 14ᴱ au Nord-Est ; laisser la voiture à l'entrée des gorges. Un chemin suit les gorges jusqu'au hameau d'Héric.

Gorges d'Héric★★

⏱ *3h à pied AR.* L'itinéraire longe d'abord le torrent bouillonnant entre les hauts rochers, dégringolant en cascatelles et se calmant dans les piscines, dont la plus large est le **gouffre du Cerisier**. Plus loin à droite s'ouvre le majestueux **cirque de Farrières** surmonté par des aiguilles rocheuses. Après avoir longé les pentes du mont Caroux qui s'élève sur la droite, on atteint **Héric**, hameau aux toits de lauzes.

De la D 908, tourner à droite dans la D 14ᴱ²⁰ passant sous la voie de chemin de fer.

Prieuré de St-Julien

Parmi les vignes, les collines boisées et les cyprès, le prieuré du 12ᵉ s. se dresse sur le fond des cimes découpées du Caroux et de l'Espinouse. Du premier âge roman, cette église se signale par son haut clocher carré, son chevet à bandes lombardes et son portail d'entrée décoré d'incrustations noires en pierres de pays.

Revenir à la D 908 et continuer jusqu'à Olargues.

GORGES DE L'ORB★

D'Olargues à Saint-Chinian – 42 km – 2h. Quitter Olargues à l'Est par la D 908. Traverser l'Orb par le pont suspendu de Tarassac.

Moulin de Tarassac

Du pont suspendu, on a une vue plongeante sur un beau moulin transformé en base de loisirs par le Parc naturel régional du Haut-Languedoc.

Le paysage devient nettement méditerranéen. Oliviers étincelants, figuiers et chênes verts se mêlent à la vigne et aux cultures en terrasses. Quelques villages, comme Vieussan, s'accrochent aux rochers.

Au fond de la vallée, coule l'Orb, parfois impétueux, parfois plus calme, sur lequel glissent des canoës, tandis que les berges, aménagées en certains points (comme aux abords de **Ceps** et de Roquebrun) accueillent les adeptes de la baignade, du bronzage et du pique-nique.

Roquebrun

Ce village, étageant ses ruelles pavées au-dessus de la rivière, est dominé par les ruines de sa tour médiévale. À l'abri des vents du Nord, il bénéficie d'un climat tout à fait exceptionnel qui lui permet de faire pousser en pleine terre des mimosas (floraison en février), des orangers, des citronniers et des mandariniers.

Mille et une senteurs, mille et une couleurs, mille et une formes au Jardin méditerranéen de Roquebrun.

Monter vers la tour carolingienne. Aménagé en terrasses au-dessus du village, le **Jardin méditerranéen** rassemble quelque 400 espèces méditerranéennes et exotiques parmi lesquelles des figuiers de Barbarie, des arbousiers, des jujubiers, des genévriers et des néfliers du Japon. *Juil.-août : 9h-19h ; de mi-fév. à fin juin et de déb. sept. à mi-nov. : 9h-12h, 13h30-17h30. 4€. ☎ 04 67 89 55 29.*

Quitter Roquebrun par la D 19 en direction de Murviel-les-Béziers puis suivre à droite la D 136, vers Cessenon-sur-Orb et emprunter le chemin signalisé.

Carrière de marbre de Coumiac

Site en cours d'aménagement et de signalisation. Pour toute information : mairie de Cessenon-sur-Orb, ☎ 04 67 89 65 21, ou Office de tourisme, ☎ 04 67 89 65 32.

Cette carrière de marbre rouge dite « antique » fut exploitée jusqu'en 1965. Mais c'est surtout son intérêt stratigraphique qui lui vaut d'être aujourd'hui visitée : il s'agit en effet du témoin d'une catastrophe géologique survenue il y a quelque chose comme 365 millions d'années, lorsque la mer (qui était là à l'époque !) s'appauvrit en oxygène, entraînant la disparition des trilobites, conodontes et autres goniatites qui y barbotaient allègrement et qu'on peut maintenant observer fossilisés dans une grande dalle.

> **WASHINGTON -SUR-ORB**
> Parmi les titres de gloire de la carrière : c'est son marbre qui a été choisi pour la décoration de certaines pièces de la Maison-Blanche.

Poursuivre la route, qui serpente dans le vignoble AOC de Saint-Chinian, un des plus célèbres de l'Hérault, jusqu'à **Cessenon-sur-Orb** : belle occasion, en été, de vous rafraîchir dans la rivière !

En toutes saisons, vous ne manquerez pas de poursuivre jusqu'au gros bourg viticole de **Saint-Chinian** afin de vous approvisionner chez les producteurs locaux.

Palavas-les-Flots ☼

Ce joli port de pêche à l'embouchure du Lez conserve, sous les cris des mouettes, un vieux quartier pittoresque et animé, autour de son grau. Un célèbre train à vapeur a inauguré, en 1872, le rôle de Palavas comme plage des Montpelliérains. À l'instar de ses voisins Carnon et la Grande-Motte, Palavas s'est aujourd'hui développé : mais ses plages demeurent bien sympathiques.

La situation

Carte Michelin Local 339 I7 – 12 km de Montpellier – Hérault (34). Palavas étant traversé par un canal, il y a deux rives, correspondant véritablement à deux parties bien distinctes de la ville. Moyen insolite de passer de l'une à l'autre : le téléphérique !
🛈 *Hôtel de ville, 34250 Palavas-les-Flots, ☎ 04 67 07 73 34. www.palavaslesflots.com*

> **À SAVOIR**
> 🅖 Palavas est une station Kid, label garantissant un accueil, une animation et des équipements spécialement destinés aux enfants.

Le nom

Cette station balnéaire a été gagnée sur les marais qui, encore au 19e s., envahissaient la côte languedocienne. Le nom de Palavas rappelle ces marais, *palus* en latin. Quant à l'attribut « les Flots », il marque le lieu d'un je-ne-sais-quoi de suranné qui colle bien aux tableaux que Dubout en a pu faire jusqu'en 1970.

Les gens

Albert Dubout (1905-1976) fréquenta durant de longues années les 5 421 Palavasiens ; la station, et ses habitants, servirent de modèle à nombre de ses dessins caricaturaux.

carnet pratique

Visite

Petit train Albert-Dubout - Juil.-août : 16h-24h (toutes les 1/2h) ; juin : tlj sf mar. 14h-18h ; avr.-mai et sept. : 14h-18h. *3,10€ (enf. : 2,30€).* De mi-juin à mi-sept. : circuit jusqu'à la cathédrale Maguelone 1 matin par sem. *4,60€.* ☎ *04 67 68 56 41.*

A. Thuillier/MICHELIN

Restauration

• ***Sur le pouce***

La Passerelle – *Quai Paul-Cunq - ☎ 04 67 68 55 80 - fermé oct. à avr. - 15,24/27,44€.* Amateurs de fruits de mer, c'est ici qu'il faut venir pour déguster des coquillages, crus ou cuisinés... ou même goûter la soupe de poisson en vous installant dans la cabane au bord du canal ou sur la terrasse, côté rue.

• ***À table***

Les Cuisiniers Vignerons – *Le Phare-de-la-Méditerranée - ☎ 04 67 68 61 16 - 14,50€ déj. - 17/23€.* Restaurant tournant installé au sommet du Phare de la Méditerranée, un ancien château d'eau. Le « tour », qui dure 90mn, offre une superbe vue à 360° sur le golfe d'Aigues-Mortes, les étangs et les montagnes de l'arrière-pays. Cuisine gorgée de soleil et bien... tournée, accompagnée de bons petits vins du Languedoc.

Le St-Georges – *4 bd du Mar.-Foch, sur le port - rive droite - ☎ 04 67 68 31 38 - n.blanchedemanche@free.fr - fermé 15 nov. au 15 déc., dim. soir et lun. sf juil.-août - 14€ déj. - 18/29€.* En face du port de plaisance, dans un décor de fresques marines, ce restaurant sert une cuisine légère aux accents méridionaux qui met poissons et fruits de mer à l'honneur. En été, le toit s'ouvre en grand pour laisser rentrer la brise du large. Bon rapport qualité/prix.

Hébergement

Amérique Hôtel – *Av. Frédéric-Fabrège - ☎ 04 67 68 04 39 - hotel.amerique@wanadoo.fr - 49 ch. : 54/65€ - ☕ 7€.* Un hôtel des années 1970, un peu en retrait du front de mer. Les chambres, fonctionnelles et propres, sont plus grandes dans la partie motel, installée de l'autre côté de la route... En rez-de-jardin, elles sont aussi plus agréables.

Le temps d'un verre

Bar des Vedettes – *24 quai Paul-Cunq - ☎ 04 67 50 58 64 - 7h-1h.* Un billard et un baby-foot, aux murs des photographies d'acteurs de cinéma... On se surprend soudain à rêver sous les regards croisés d'Humphrey Bogart, de Lauren Bacall et de tous ces illustres faiseurs de rêves, avec la sensation de boire un verre en compagnie d'amis retrouvés.

Loisirs

Cercle nautique – *☎ 04 67 68 97 38. www.cnpalavas.fr.st* École de voile reconnue par la Fédération française de voile. Stages et court d'optimist, dériveur double ou solitaire, catamaran, planche à voile.

Club de plongée Octopus – *Capitainerie du Port - ☎ 04 04 67 68 18 43 - juil.-août : 3 sorties par jour : 8h30, 14h30 et plongées de nuit ; le reste de l'année : sam. 8h30.* Cette école de plongée assure sous la tutelle de moniteurs expérimentés de nombreuses formations de plongeurs, du baptême aux stages de niveau 1 à 4. Chaque jour en juillet et août, trois sorties d'exploration sont proposées sur divers sites.

Port de plaisance – *Capitainerie - ☎ 04 67 07 73 50 - 8h-17h.* Voile, navigation de plaisance. Il peut accueillir 1 016 bateaux.

Calendrier

Les tournois de joutes nautiques de Palavas constituent un spectacle très populaire, de juin à sept.

visiter

Musée Albert-Dubout

Accès possible à pied depuis la rive gauche en empruntant le quai des Arènes ou par bateau. Juil.-août : 16h-23h ; fév.-juin, sept.-nov. et vac. scol. : tlj sf lun. 14h-18h. Fermé lun. j. fériés. 5€. ☎ 04 67 68 56 41.

Aménagé dans la redoute de Ballestras, reconstruction d'une tour du 18e s. élevée au milieu de l'étang du Levant, le musée que l'on gagne par une passerelle dont les réverbères sont déjà une préparation à l'immersion dans le monde truculent du dessinateur, est consacré à l'humoriste Albert Dubout, qui immortalisa de son trait incisif le petit train de Palavas et ses passagers. Chaque année une exposition thématique permet d'aborder l'œuvre de Dubout : affiches des films de Pagnol, tauromachie, animaux (chats en particulier)...

Musée du Petit Train
Parc du Levant, à proximité du musée Dubout. Mêmes conditions de visite que le musée Albert-Dubout.
Les fans de Dubout comme les nostalgiques d'une époque révolue en 1968 découvriront avec intérêt la locomotive et une voiture du fameux « tortillard » des plages, entourées de dessins de l'artiste et de photos retraçant l'épopée du train des plages.

Phare de la Méditerranée
10h-00h. 2€ (enf. : 1€). Renseignements à l'Office de tourisme.
Du haut de cet ancien château d'eau, un « pont promenade », que vous atteindrez par un ascenseur, vous permettra de découvrir un remarquable **panorama**★ sur le golfe d'Aigues-Mortes, de Sète à la pointe de l'Espiguette, et, côté arrière-pays, sur les étangs, Montpellier et les montagnes bleutées que domine la silhouette découpée du pic Saint-Loup.

Cathédrale de Maguelone★ *(voir ce nom)*

Musée Albert-Dubout, Palavas-les-Flots

Dessin caricatural d'Albert Dubout comme ce dernier en avait le secret (musée Albert-Dubout, Palavas-les-Flots).

Perpignan★★

À la fois tout proche de la mer et à deux pas des sommets pyrénéens, Perpignan, c'est encore la France mais c'est aussi, et peut-être avant tout la Catalogne, cette province dont les traditions comme la langue sont toujours vivantes de part et d'autre de la frontière franco-espagnole. Perpignan, finalement, on le choisit pour l'ombre de ses promenades plantées de platanes, pour ses cafés où l'on vient boire l'apéritif en dégustant des tapas, pour son rythme de vie, entre sieste et effervescence nocturne... Ici, le bâti parle du passé : des comtes de Roussillon et des rois de Majorque, des Catalans et des Aragonais, puis des Français. Ville frontière, ville de partage culturel, Perpignan a su au fil des siècles et des conquêtes construire une identité particulière, fruit de passages et de mélanges incessants.

La situation
Carte Michelin Local 344 I6 – Pyrénées-Orientales (66). Perpignan est desservi par l'autoroute A 9, la bien-nommée « Catalane » (sortie à l'échangeur 42). La N 9, pratiquement parallèle à l'A 9, est elle aussi assez pratique. Pour entrer le plus directement dans la ville, arriver à l'Ouest par le boulevard Michelet, au Nord par le pont Arago, ou encore au Sud par l'avenue des Baléares.
🛈 *Palais des Congrès, pl. A.-Lanoux, 66000 Perpignan,*
☎ *04 68 66 30 30. www.perpignantourisme.com*

Le nom
Perpignan, *Perpinyá* en catalan, doit sans doute son nom au lieutenant Perpenna qui créa à cet endroit la villa Perpinianum. En effet, les Romains étaient installés à quelques kilomètres de là, à Ruscino, oppidum construit sur la route de l'Espagne, qui a donné, lui, son nom au Roussillon.

Les gens
Quelques siècles plus tard, Salvador Dalí déclara que la gare de Perpignan constituait le centre du monde. Grande fierté, on l'imagine, pour les 162 678 Perpignanais.

A. Thuillier/MICHELIN

La gare de Perpignan, « centre du monde » selon le peintre surréaliste Salvador Dalí.

carnet pratique

VISITE

Visite guidée – Perpignan, qui porte le label Ville d'art et d'histoire, propose des visites-découvertes (2h à 2h1/2) animées par des guides-conférenciers agréés par le ministère de la Culture et de la Communication. Juin-sept. : tlj sf dim. à 15h (vac. scol. Pâques et Noël à 14h30). 4€. Renseignements à l'Office de tourisme ou sur www.vpah.culture.fr

RESTAURATION

• Sur le pouce

Casa Bonet – *2 r. du Chevalet -* ☎ *04 68 34 19 45 - 14/22€.* Dans un quartier piéton de la ville, cette maison catalane abrite un restaurant proposant un buffet à volonté, des tapas et une douzaine de « broches à l'épée ». Le soir, un groupe folklorique anime le café-théâtre.

• À table

Casa Sansa – *4 r. de la Fabrique-Couverte -* ☎ *04 68 34 21 84 - 13€ déj. - 15/45€.* Une institution de la ville ! Depuis 1846, les Perpignanais s'y retrouvent pour savourer une cuisine catalane copieuse dans un cadre pittoresque de bistrot, chaleureusement meublé et éclairé... La terrasse dans la ruelle est particulièrement agréable. Musiciens le soir.

Les Antiquaires – *Pl. Desprès -* ☎ *04 68 34 06 58 - fermé 1er au 23 juil., dim. soir et lun. - 20/37€.* Cette maisonnette (1925) proche de la place Rigaud est tenue par les mêmes propriétaires depuis 30 ans. Leur généreuse cuisine pianote sur des saveurs traditionnelles ; bon rapport qualité/prix. Meubles et nappes brodées sont dénichés chez... les antiquaires.

Les Trois Sœurs – *2 r. Fontfroide -* ☎ *04 68 51 22 33 - fermé lun. ap.-midi et dim. sf en été - 25€.* Quand ces trois sœurs se sont lancées, elles ont choisi un restaurant sur la place de la cathédrale... avec trois salles contiguës. Dans un décor contemporain, une belle arche en « cayrou » (la pierre rouge du pays) sépare le restaurant du bar à tapas. Belle terrasse et cuisine du Sud.

HÉBERGEMENT

Hôtel Alexander – *15 bd Clemenceau -* ☎ *04 68 35 41 41 - 25 ch. : 40/54€ - ☕ 6€.* Vous trouverez ce petit hôtel pourvu de balcons sur l'un des boulevards extérieurs. Les chambres climatisées, réparties sur trois niveaux et desservies par un ascenseur, bénéficient d'un entretien irréprochable. Accueil chaleureux et agréable salle de petit-déjeuner aux couleurs provençales.

Chambre d'hôte Domaine du Mas Boluix – *Chemin du Pou de les Colobres - 5 km au S de Perpignan dir. Argelès -* ☎ *04 68 08 17 70 - ✉ - 7 ch. dont 1 suite : 61/73€.* Éloigné du trépidant Perpignan, ce mas du 18e s. bien rénové est un lieu paisible perdu au milieu des vignes

de Cabestany. Toutes ses très belles chambres, aux murs jaunes et aux tissus catalans, portent le nom d'un artiste du pays. Dégustation et vente des vins du domaine.

New Christina – *51 cours Lassus -* ☎ *04 68 35 12 21 - info@hotel-newchristina.com - 25 ch. : 61/75€ - ☕ 8,50€ - restaurant 19€.* Proche du centre, ce petit hôtel moderne, avec sa piscine sur le toit, son hammam et son jacuzzi (ces deux derniers sont payants), est une étape pratique qui vous permettra d'allier détente et tourisme ou affaires à Perpignan. Chambres fonctionnelles et claires.

Chambre d'hôte Casa del Arte – *Mas Petit - 66300 Thuir - 17 km à l'O de Perpignan, dir. Thuir et Ille-sur-Têt -* ☎ *04 68 53 44 78 - 6 ch. : 68/130€.* La « maison de l'art » : dans ce mas des 11e et 14e s., votre hôte, peintre de métier, a personnalisé chaque chambre et utilise aussi le grand salon pour exposer des toiles d'artistes locaux, autour de la cheminée médiévale. Dehors, la piscine et le parc luxuriant vous invitent au farniente...

PETITE PAUSE

Espi – *43 bis quai Vauban -* ☎ *04 68 35 19 91.* Dans ce salon de thé avec terrasse, M. Espi prouve chaque jour qu'il est possible de concilier quantité et qualité. Chaque famille de produits comprend d'originales spécialités, la glace au miel et pignons grillés, le massepain à l'orange et à la pastèque confite, la crème au touron ou le gâteau Roussillon à la crème catalane.

SORTIES

Bon à savoir - Après un petit-déjeuner sur la terrasse du Petit Moka, nous irons visiter les caves Byrrh, à Thuir. Nous ferons ensuite un détour par l'aéro-club de Torreilles pour goûter au plaisir du vol sur un parapente à moteur ou un ULM. En soirée, de nombreux bars musicaux sont à découvrir dans le vieux Perpignan comme le pub irlandais O'Shannon (*3 r. de l'Incendie*), le Corto Maltese, le Tio Pepe ou le Mediator, les soirs de concert.

El Che – *1 r. des Fabriques-d'En-Nadal -* ☎ *04 68 35 69 57 - mar.-sam. 17h-2h.* C'est l'un des deux bars les plus animés des nuits perpignanaises. Après avoir été imprimée sur des T-shirts à des millions d'exemplaires, la tête de Guevara orne ici la façade. Qui eût cru que le Che présiderait un jour à des soirées latinos ?

Night – *25 chemin St-Roch -* ☎ *04 68 50 37 87 - mer.-dim. 21h-5h - fermé mi-juil. à mi-août, 24, 25, 31 déc. et 1er janv.* L'équipe vous accueille toute la nuit dans ce restaurant sur deux niveaux ; on y propose une carte de type brasserie où l'entrecôte tient la vedette. Point de passage obligé des noctambules, l'endroit est très bien tenu et l'ambiance musicale sympathique.

ARTS & SPECTACLES

Le Mediator – *Av. du Gén.-Leclerc - Adresse postale : BP 931 66931Perpignan Cedex - ☎ 04 68 66 18 55 - www.elmediator.org - billetterie : sur place à partir de 20h30 les soirs de concert - fermé juil.-août.*
Cette salle de concerts (1 000 places) accueille environ 60 spectacles par saison. Également, espace multimédia et de création numérique.

ACHATS

Rues commerçantes – Le centre-ville possède un secteur piétonnier où l'on trouve diverses boutiques de vêtements (prendre par la rue Mailly). L'avenue du Gén.-de-Gaulle est bordée par différents commerces, dans un quartier très populaire. La rue de l'Adjudant-Pilote-Paratilla, surnommée ici « rue des Olives », est réputée pour son rôtisseur et ses deux épiceries datant du début du siècle.

Au Paradis des Desserts – *13 av. du Gén.-de-Gaulle - ☎ 04 68 34 89 69.* Si les amateurs de touron frais aux parfums inédits ont une adresse à retenir, c'est celle de cette luxueuse boutique de style « rétro » où œuvre un talentueux pâtissier. Toute sa fabrication est remarquablement personnalisée, à l'image du chocolat Trio ou de la glace au touron élaborée avec des zestes de citron, de la cannelle et du caramel.

Maison Sala – *1 r. Adjudant-Pilote-Paratilla - ☎ 04 68 51 03 75.* La famille Sala est aux commandes de cette épicerie chamarrée depuis 1913. Deux spécialités ont fait sa renommée : les anchois de Collioure, salés ou « boquerones » et la morue sauvage d'Islande. Par ailleurs un beau choix d'olives, de fruits et légumes secs en vrac ainsi qu'une large sélection de produits catalans attirent ici une clientèle nombreuse et variée.

Lor – *85 r. Pascal-Marie-Agasse - ☎ 04 68 85 65 05 - tlj sf w.-end 9h-12h, 14h-18h.* Visite technique de la grande usine perpignanaise fabriquant des gourmandises catalanes comme le touron ou les rousquilles. Dégustation en fin de visite. Gratuit.

Croix badine sertie de grenats de Perpignan.

Domaine Lacassagne – *Mas Balande, route d'Elne - ☎ 04 68 50 25 32 - info@lacassagne.net.* Au milieu des vignes, ce mas accueille les amateurs de produits du terroir. Les huiles d'olive sont fabriquées à partir des picholines et des lucques de Salses-le-Château. Côtes-du-roussillon et muscat de Rivesaltes sont également élaborés à partir des fruits du domaine. Une sélection locale de miels, vinaigres et farine d'amandes complète l'offre.

Jacques Creuzet-Romeu – *9 r. Fontfroide - ☎ 04 68 34 16 94 - lun.-ven. 9h30-12h, 14h-19h - fermé 1 sem. en fév., 15 j. en août.* Cet artisan-joaillier réalise des bijoux en Grenats de Perpignan. Possibilité de visiter son atelier (téléphoner avant).

Michel Gourgot – *13 r. Louis-Blanc - ☎ 04 68 34 67 79 - lun. 14h30-19h, mar.-dim. 9h30-12h, 14h-19h - fermé j. fériés.* Magasin-atelier de grenats de Perpignan.

Centre d'artisanat d'art Sant Vicens – *R. Sant-Vicens - ☎ 04 68 50 02 18 - baudy@wanadoo.fr - avr.-déc. : 10h-12h, 14h30-19h ; janv.-mars : 14h30-19h - fermé 1er janv.* On trouvera des céramiques dites de Sant Vicens réalisées d'après des dessins de Jean Lurçat, Jean Picart le Doux... Exposition-vente des céramistes roussillonnais, espaces décoration, antiquités, peintures.

(caption vertical: Office de tourisme de Perpignan)

comprendre

De Majorque à l'Aragon – Après avoir servi d'oppidum sur la via Domitia en direction de l'Espagne, Perpignan se développe et devient la capitale du royaume de Majorque, détaché de l'Aragon en 1276. La ville devient un grand centre d'apprêt et de teinture des étoffes en provenance des villes drapières les plus importantes d'Europe.

Le royaume de Majorque disparaît en 1344, confisqué à son cousin par Pierre IV d'Aragon ; Roussillon et Cerdagne sont intégrés au principat de Catalogne qui, aux 14e et 15e s., constitue, au sein du royaume d'Aragon, une entité autonome. Les *corts* catalanes siègent à Barcelone, tête de la fédération, mais délèguent une « députation » à Perpignan. Entre les deux versants pyrénéens se crée une communauté commerciale, linguistique et culturelle.

MANGEURS DE RATS
C'est ainsi que les Perpignanais ont été surnommés durant ce fameux siège auquel ils résistèrent si désespérément. Ils ne capitulèrent que sur l'ordre du roi d'Aragon qui décerna à la ville le titre de « Fidelissima » (très fidèle).

◀ **Française ou espagnole ?** – En 1463, Louis XI met 700 lances à la disposition du roi Jean II d'Aragon pour l'aider à réduire les Catalans ; en échange, il récupère Perpignan et le Roussillon. Mais les Perpignanais ne l'entendent pas de cette oreille. Obstinés, ils seront assiégés par les troupes françaises mais finiront par capituler.

Retournement de situation en 1493 : Charles VIII restitue la province à Ferdinand le Catholique, souverain d'Aragon, dont les successeurs, rois de l'Espagne unifiée, font de Perpignan l'une des places les plus fortes d'Europe. Mais en 1640, Richelieu profite d'une révolte des Catalans contre le roi d'Espagne, Philippe IV, pour signer avec eux un traité d'alliance : Louis XIII devient, l'année suivante, comte de Barcelone.

PERPIGNAN

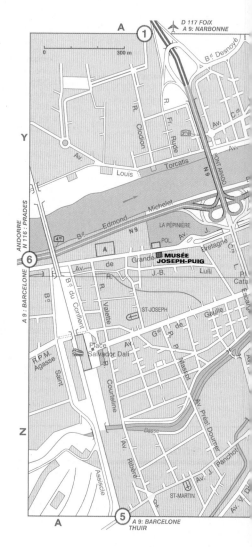

Là ne se termine pas la valse hésitation : une garnison espagnole tenant la ville, Louis XIII en personne vient sous ses murs avec l'élite de l'armée française et reprend Perpignan. En 1659, le traité des Pyrénées ratifie la réunion du Roussillon à la couronne. Perpignan est désormais française.

se promener

Le Castillet★

L'emblème de Perpignan domine la place de la Victoire de ses deux tours couronnées de créneaux et de mâchicoulis exceptionnellement hauts ; remarquer leurs fenêtres à grilles de fer forgé. À l'intérieur se trouve la Casa Pairal, consacrée aux arts et traditions populaires catalanes *(voir description dans « visiter »).*

L. Campion/MICHELIN

Le Castillet porte les couleurs « sang et or » de la Catalogne.

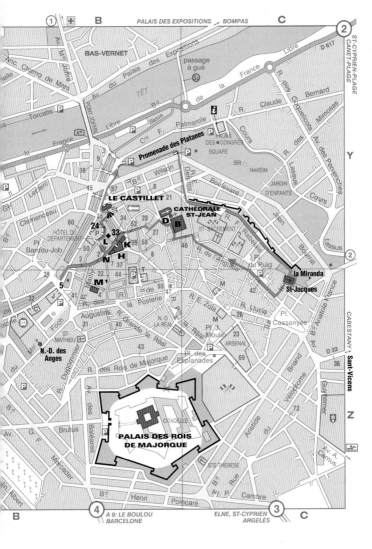

Promenade des Platanes

Elle bénéficie effectivement de l'ombre de ses platanes et de la fraîcheur de ses fontaines ; pour les promeneurs en quête d'exotisme, palmiers dans les allées latérales. Possibilité location de vélos.

La Miranda

Cette fois, ce sont les plantes de la garrigue, les arbres et arbustes indigènes ou acclimatés à la région (grenadiers, oliviers, aloès, etc.) que l'on trouvera dans ce petit jardin public aménagé sur les anciens bastions, derrière l'église St-Jacques.

Église St-Jacques

Avr.-août : 10h-12h, 14h-19h, dim. 14h-19h ; sept.-mars : tlj sf dim. 10h-12h, 14h-19h.

◄ Sanctuaire élevé au 14e s. dans un ancien quartier de jardiniers et de tisserands, au sommet des remparts. Sous le porche Sud, grande croix aux Outrages. Dans l'absidiole de droite, la statue de saint Jacques (15e s.) est placée au-dessus d'une cuve baptismale toujours alimentée en eau vive; un grand retable des Tisserands (fin 15e s.) est consacré aux scènes de la vie de la Vierge.

> **LE PRÉCIEUX SANG**
> La confrérie des pénitents de la Sanch (du précieux « Sang »), qui assistait les condamnés à mort, avait dans l'église St-Jacques sa propre chapelle. Depuis 1416, elle se formait en procession solennelle le Jeudi saint en transportant ses misteris au chant des cantiques. La procession se déroule maintenant le jour du Vendredi saint.

Place de la Loge

La place (avec sa *Vénus* de Maillol) et la rue piétonne de la Loge, pavée de marbre rose, constituent le centre d'animation de la ville. L'été, on y danse la sardane plusieurs fois par semaine.

Loge de Mer★

Ce bel édifice, construit en 1397, remanié et agrandi au 16e s., était le siège d'un véritable tribunal de commerce maritime. La girouette, en forme de navire, à l'angle du bâtiment, est le symbole de l'activité maritime que déployaient les commerçants du Roussillon.

Hôtel de ville★

Patio : tlj sf w.-end et j. fériés 8h-18h, ven. 8h-17h.

◄ Les grilles sont du 18e s. Dans la cour à arcades, bronze de Maillol : *La Méditerranée*. Sur la façade du bâtiment, trois bras de bronze, symbolisant les « mains » ou catégories de la population appelées à élire les cinq consuls, seraient, en fait, d'anciennes torchères.

> **À VOIR**
> À l'intérieur, la salle des Mariages présente un beau plafond à caissons du 15e s.

Palais de la Députation

Du 15e s., il abritait au temps des rois d'Aragon la commission permanente ou « députation » représentant les *corts* catalanes. Remarquez les énormes claveaux du portail, typiquement aragonais, le bel appareil de la façade tout en pierre de taille et les baies reposant sur des colonnettes de pierre très fluettes.

Place Arago

Entourée de palmiers et de magnolias, la statue de François Arago (1786-1853) s'élève au centre de la place. *Revenir au palais de la Députation.* Face au palais de la Députation, prendre la petite **rue des Fabriques-d'En-Nabot**, jadis en plein quartier des *parayres* (apprêteurs d'étoffes, première corporation de Perpignan aux 13e et 14e s.). Au n° 2 se trouve la **maison Julia★**, l'un des rares hôtels particuliers bien conservés de Perpignan qui possède un beau patio à galeries gothiques du 14e s. *Revenir au Castillet.*

visiter

Palais des rois de Majorque★

Juin-sept. : 10h-18h (dernière entrée 3/4h av. fermeture) ; oct.-mai : 9h-17h. Juin-sept. : possibilité de visite contée pour les enf. (se renseigner). Fermé 1er janv., 1er mai, 1er nov., 25 déc. 4€ (enf. : 2€). Sur demande. ☎ 04 68 34 48 29.

À l'avènement des rois de Majorque (1276-1344), Perpignan ne disposait pas de demeures seigneuriales dignes de ce nom. On éleva donc un palais, au Sud de la ville, sur la colline du Puig del Rey.

Alternance de galets roulés et de briques pleines (« cayroux »), voilà la spécificité de l'appareillage des murs de quelques-uns des monuments perpignanais, dont le palais des rois de Majorque.

Par une rampe voûtée, qui traverse l'enceinte de briques rouges, on accède à un agréable jardin méditerranéen. Passant sous la **tour de l'Hommage**, on débouche sur la cour d'honneur, ajourée de deux étages de galeries, dont les éléments de décoration mêlent archaïsmes romans et nouveautés gothiques.

Au 1er étage, la **grande salle de Majorque** abrite une cheminée à trois foyers. Les appartements de la reine ont conservé un superbe plafond peint aux couleurs catalanes. Le **donjon-chapelle** Ste-Croix, au-dessus de l'aile Est, est remarquable. Deux sanctuaires superposés (14e s.), construits par Jacques II de Majorque, affichent un style gothique flamboyant d'influence française. La chapelle basse, « de la reine », au pavement de céramique verte, héberge une belle Vierge à l'Enfant (15e s.). La chapelle haute, plus élancée, s'ouvre par un **beau portail roman**★ aux voussures alternées de marbre bleu et rose.

Cathédrale St-Jean★
7h30-12h, 15h-19h.
L'église principale, commencée en 1324 par Sanche, deuxième roi de Majorque, n'a été consacrée qu'en 1509. La façade, de galets et de briques, est flanquée à droite d'une tour carrée dotée d'un beau campanile de fer forgé (18e s.) avec son bourdon (15e s.).
La nef, imposante, repose sur de robustes contreforts intérieurs séparant les chapelles. St-Jean se caractérise par ses riches retables (16e-17e s.). Dans la niche centrale du maître-autel, statue de saint Jean-Baptiste, patron de la cité, portant les armes de Perpignan : draperie « d'or à quatre pals (bandes) de gueules » (armes de l'Aragon et de la Catalogne royale). Les volets peints (1504) de l'orgue monumental représentent le Baptême du Christ et le Festin d'Hérode. Dessous, un passage ouvre sur la chapelle romane N.-D.-dels-Correchs où sont déposés un gisant du roi Sanche et une collection de reliquaires anciens protégés par des grilles de fer.

Campo Santo
  Mai-sept. : tlj sf lun. 12h-19h ; oct.-avr. : tlj sf lun. 11h-17h30. Fermé de mi-mai à mi-sept., 1er janv., 25 déc. Gratuit. ☎ 04 68 66 30 30.
Au Sud de la cathédrale, le Campo Santo est un vaste cimetière du début du 14e s., de plan carré. Il offre un ensemble architectural homogène avec ses niches funéraires en ogives et ses enfeus en marbre, enchâssés dans des murs ornés de galets et de chaînages de briques. C'est l'un des rares cimetières médiévaux subsistant en France.

Casa Pairal
Au Castillet. Mai-sept. : tlj sf mar. 10h-19h (dernière entrée 1/2h av. fermeture) ; oct.-avr. : tlj sf mar. 11h-17h30. Juin-sept. : possibilité de visite contée pour les enf. (se renseigner). Fermé 1er janv., 1er mai, 1er nov. 4€ (-15 ans : 2€). ☎ 04 68 35 42 05.
  Musée catalan des Arts et Traditions populaires : meubles, outillage, art religieux, costumes, belle croix aux Outrages.

VESTIGES
Par le passage à gauche, on peut s'approcher de l'ancien sanctuaire de St-Jean-le-Vieux (portail roman en marbre orné d'un Christ à l'expression sévère).

REMARQUER
En sortant de la cathédrale par le portail latéral droit, dans la chapelle hors œuvre, **Dévot Christ**★, œuvre poignante, en bois sculpté, vraisemblablement rhénane, du début du 14e s.

À VOIR
Du haut de la tourelle (142 marches) du Castillet, jolie **vue** sur les monuments de la ville, le Canigou, les Albères au Sud et les Corbières au Nord.

NOËL À PERPIGNAN

Les fêtes de Noël font partie de la tradition catalane, très vivace ici. Des *pessebres* (crèches de Noël) sont installées dans plusieurs quartiers de la ville. Dans les rues, diverses animations, les *nadals*, sont organisées, dont les traditionnels chants de Noël en catalan. Un marché de Noël est également proposé sur la place Gambetta. Enfin, les enfants ne manquent pas de faire le *Caga Tio*, une coutume qui consiste à frapper avec un bâton une bûche, tout en chantant. Durant une pause et en ayant soin de ne pas se faire voir, les parents placent sous la bûche gourmandises, fruits et cadeaux. On dit alors que la bûche a *cagat* ces présents.

Musée des Beaux-Arts Hyacinthe-Rigaud

Hôtel de Lazerme (17ᵉ s.). ♿ Mai-sept. : tlj sf mar. 12h-19h ; oct.-avr. : tlj sf mar. 11h-17h30. Fermé 1ᵉʳ janv., 1ᵉʳ mai, 1ᵉʳ nov., 25 déc. 4€. ☎ 04 68 35 43 40.

Il porte le nom d'**Hyacinthe Rigaud** (1659-1743), artiste perpignanais dont les portraits – d'apparat pour la plupart – lui valurent une célébrité telle que pour satisfaire sa clientèle, Louis XIV et la haute société, il dut créer un atelier. À côté du joyau du musée, le *Portrait du cardinal de Bouillon*, sont exposées des peintures gothiques catalanes, dont le fameux retable dit de la Trinité, du 15ᵉ s. L'art contemporain est représenté de façon prestigieuse, entre autres, par Maillol, Dufy, Picasso, Alechinsky, Appel. Une place importante est réservée à l'art hispanique et à l'art d'Amérique du Sud.

Chapelle N.-D. des Anges

32 r. du Maréchal-Foch. Tlj sf lun. 10h30-18h30.

Cette ancienne salle capitulaire gothique (13ᵉ s.) de monastère a été transformée en chapelle d'hôpital militaire au 19ᵉ s. Elle accueille des expositions temporaires *(renseignements à l'Office de tourisme).*

Musée numismatique Joseph-Puig★

42 av. de Grande-Bretagne. Tlj sf dim., lun. et j. fériés 10h-18h. 4€. ☎ 04 68 66 24 86.

La villa « Les Tilleuls » (1907) a été transformée partiellement en musée pour abriter, selon le souhait du Perpignanais Joseph Puig, le fonds numismatique que ce dernier a légué à sa ville natale. 2 500 pièces sont présentées en permanence sur les 45 000 qui constituent le fonds. À l'aide de loupes Fresnel, on découvre des monnaies principalement catalanes frappées à Valence, Barcelone, Perpignan ou Majorque, mais aussi roussillonnaises (postérieures au traité des Pyrénées) ou venues de pays plus méditerranéens (Rome, Grèce, Égypte). Parmi les médailles, observer celles d'Arago mère et fils, réalisées par David d'Angers.

◄

À voir : sceau des rois de Majorque *(ci-dessus)*, double ducat d'or à l'effigie de Ferdinand II d'Aragon, statères d'or gaulois imités de la Grèce antique ; ce sont là des pièces particulièrement représentatives de l'histoire de la numismatique.

A. Castor/Coll. Musée Puig, Perpignan

alentours

Cabestany

5 km au Sud-Est par la D 22. À l'intérieur de l'**église N.-D.-des-Anges**, sur le mur de la chapelle de gauche est déposé le célèbre **tympan★** roman, œuvre d'un sculpteur du 12ᵉ s., le maître de Cabestany, représentant la résurrection de la Vierge, son Assomption et sa Gloire entre le Christ et saint Thomas à qui elle avait envoyé sa ceinture.

Vous pourrez reconnaître le style particulier du maître de Cabestany, sculpteur itinérant, et de son atelier au Boulou, à Lagrasse, à Rieux-Minervois, ou encore à Saint-Hilaire et, sans doute, au Monastir-del-Camp. Sa principale caractéristique ? Les mains immenses de ses personnages, dont celles du Christ de Cabestany, sont un parfait exemple.

circuit

LA PLAINE DU ROUSSILLON

Circuit de 128 km – environ une journée. Quitter Perpignan au Sud, puis tourner à gauche dans la N 114. Prendre ensuite à droite une petite route en direction de Villeneuve-de-la-Raho.

Mas Palégry

  Avr.-oct. : 10h-12h, 15h-19h, dim. et lun. 15h-19h ; petites vac. scol. : 14h-18h ; le reste de l'année : sur demande. Fermé 15 août, 25 déc. 3€. ☎ 04 68 54 08 79.

Au milieu des vignobles, ce mas sert de cadre à un **musée d'Aviation** (avions et maquettes). Parmi les modèles exposés : le Republic RF84F « Thunderflash » et un De Havilland « Vampire ».

Bages

Un bâtiment en grosses pierres apparentes abrite le ▶ **palais des Naïfs**. Représentant les cinq continents et d'inspirations très diverses, les œuvres rassemblées aux deux premiers étages sont signées de noms connus (Javo, Toussaint, Mady de la Giraudière, Esteban-Ferreiro, Janus) ou plus obscurs, mais toutes caractérisées par leur fraîcheur et leur naïveté. *Fermé provisoirement.*

Prendre la D 612 vers Thuir puis tourner à droite vers Ponteilla.

Jardin exotique de Ponteilla

  De mi-avr. à mi-oct. : 14h-18h30. 4,50€. ☎ 04 68 53 22 44.

Un parcours fléché tracé dans ce parc de 3 ha ouvre la voie à une promenade botanique à travers les continents sur des sentiers baptisés des noms de grands botanistes d'autrefois. Chemin (parfois ombragé) faisant, vous découvrirez des magnolias, des cacaoyers, des agaves et des yuccas, des araucarias (aussi appelés le « désespoir du singe »), des hévéas, des albizzias, toutes sortes de palmiers et des centaines d'autres plantes peu courantes sous nos latitudes. Des panneaux éducatifs thématiques ▶ (la vanille, les épices, le caoutchouc...) ainsi que des jeux de pistes viennent agrémenter cet agréable promenade aussi instructive que rafraîchissante et qui ravira les botanistes en herbe.

Faire demi-tour, traverser la D 612. À Trouillas, prendre à droite la D37 jusqu'à Villemolaque puis la D 40 en direction de Passa.

Prieuré du Monastir del Camp

  Avr.-juin : visite guidée (1/2h) tlj sf jeu. 10h, 11h, 15h, 16h et 17h (juil.-août : visite supplémentaire 18h) ; sept.-mars : 11h, 14h, 15h et 16h. Fermé 1 sem. en janv., oct. et 2 en mars : se renseigner. 4€. ☎ 04 68 38 80 71.

Cette imposante bâtisse à l'élégante façade fortifiée dissimule une chapelle romane au beau portail de marbre blanc, dont certains des chapiteaux sont attribués au maître de Cabestany, et un harmonieux cloître gothique aux arcades trilobées, lieu idéal pour une méditation empreinte de sérénité, avant (pourquoi pas ?) une dégustation des vins élaborés par le maître des lieux.

Prendre la D 2 jusqu'à Fourques puis à droite la D 615 qui mène à Thuir.

Thuir

Connu surtout pour ses **caves Byrrh**. Le Cellier des Aspres offre une documentation sur les vins locaux et sur le développement de l'artisanat dans les villages voisins. *Juil.-août : visite guidée (3/4h) 10h-11h45, 14h-18h45 ; mai-juin et sept. : 9h-11h45, 14h30-17h45 ; avr. et oct. : 9h-11h45, 14h30-17h45. Fermé dim. avr. (sf dim. Pâques), w.-ends oct. et 1er mai. 1,60€. ☎ 04 68 53 05 42.*

Prendre la D 48, à l'Ouest.

TOUS SUPPORTS

L'art naïf est né sous le pinceau du Douanier Rousseau (1844-1910), mais il utilise toutes sortes d'autres supports comme l'aquarelle sous verre, le plâtre, le collage, la tapisserie, la mosaïque, la sculpture et la céramique.

SENTEURS INATTENDUES

Froissé, le feuillage du faux poivrier dégage la senteur poivrée qui lui a valu son nom. Quant aux feuilles de la sauge *Rutilans*, pas de doute, ça sent bien l'ananas !

Parcourez les petites rues pavées de Castelnou au printemps, c'est un enchantement : le soleil vous caresse doucement, tandis que de doux effluves s'échappent des jasmins et des glycines qui grimpent à l'assaut des murailles.

La route s'élève sur les coteaux de l'Aspre. Soudain, à la sortie d'un vallon, la **vue**★ embrasse le village médiéval de Castelnou, le massif du Canigou s'élevant au dernier plan.

Castelnou★

Le village fortifié aux ruelles pavées se masse au pied du **château** féodal (10e s.), remanié au 19e s. Plusieurs salles se visitent. *Juil.-août : 10h-20h ; avr.-juin : 10h30-19h ; sept.-déc. et fév.-mars : 11h-18h. Fermé janv. (sf w.-end). 4,50€. ☎ 04 68 53 22 91.*

Église de Fontcouverte

ENVIE DE SIESTE ?
Aussitôt après l'église de Fontcouverte, au bord de la route d'Ille, on peut faire halte sous les châtaigniers.

◄ Église isolée dans un cimetière ombragé d'un gros chêne vert. Beau **site**★ solitaire dominant la plaine.

Ille-sur-Têt *(voir ce nom)*
Prendre la D 21 au Nord.

Bélesta

Village remarquablement groupé sur un nez rocheux surgissant des vignes, Bélesta est une ancienne ville-frontière entre les royaumes d'Aragon et de France.
Le bourg est connu depuis longtemps par les archéologues, qui ont répertorié dans les galeries de la caune de Bélesta de nombreux vestiges préhistoriques, dont une sépulture collective vieille de 6 000 ans environ (néolithique moyen), qui, outre 32 squelettes humains, recelait un ensemble de 28 céramiques.
Château-musée – *Possibilité de stationner près de la cave coopérative ou de la poste. De mi-juin à mi-sept. : 14h-19h ; de mi-sept. à mi-juin sf mar. et sam. : 14h-17h30. Fermé 1er janv., 24, 25 et 31 déc. 4,50€. ☎ 04 68 84 55 55 ou 04 68 84 51 73 (mairie).*

La visite s'articule autour de quatre axes : méthodes et matériel de fouilles archéologiques, reconstitution à

PRÉCIEUX POLLEN
L'analyse des pollens retrouvés sur les champ de fouilles permet de déduire quels étaient le climat et la végétation il y a quelques milliers d'années.

◄ l'identique du site archéologique de Bélesta (carré de fouille de la caune, chambre de la sépulture collective), céramiques qui accompagnaient les ossements (vases, bols, marmites, écuelles en parfait état de conservation) et dioramas évoquant les tâches quotidiennes dans la caune (meunerie, travail de l'os, métallurgie).
Prendre la direction du col de la Bataille.

Le château de Caladroi apparaît bientôt au milieu d'un parc planté d'essences exotiques. Par un agréable tracé de crête entre les vallées de la Têt et de l'Agly, on atteint le col puis, de là, l'ermitage de Força Réal.

Ermitage de Força Réal

Le sommet culminant à 507 m et formant bastion avancé au-dessus du Roussillon est occupé par une chapelle du

PAYSAGES
Remarquer le contraste entre la vallée de la Têt, au damier de cultures maraîchères souligné par des rideaux d'arbres, et la vallée de l'Agly où le vignoble a gagné uniformément les versants.

◄ 17e s. De là, **panorama**★★ grandiose sur la plaine, la côte du cap Leucate au cap Béar, les Albères, le Canigou. Au Nord-Ouest, les deux crocs du Bugarach et le rocher de Quéribus pointent parmi les crêtes des Corbières méridionales.

Redescendre au col et, de là, atteindre **Estagel**, patrie de **François Arago** (1786-1853) dont le buste, par David d'Angers, est à la mairie.

Rivesaltes

L'une des capitales viticoles du Roussillon, sur la rive droite de l'Agly, Rivesaltes est la ville natale du **maréchal Joffre** (1852-1931), dont la statue équestre est érigée sur l'allée-promenade. Sa maison natale *(11 r. du Mar.-Joffre)* abrite un **musée** évoquant sa vie et sa carrière. *Juin-sept. : sam. 10h-12h, 14h-18h, dim. 14h-18h ; oct.-mai : tlj sf w.-end 8h-12h, 14h-18h. 3€.* ☎ *04 68 64 24 98.*

Prendre au Sud-Ouest de Rivesaltes la D 614.

Baixas

L'**église Ste-Marie** est riche de plusieurs retables illustrant avec brio l'art baroque catalan, en particulier le monumental **retable du maître-autel**★, resplendissant de colonnettes, ors, statues et scènes en bas-relief, décor foisonnant dû au sculpteur perpignanais Luis Generès.

Continuer sur la D 614 puis tourner à gauche dans la D 616. À Baho, prendre au Sud une route passant au-dessus de la Têt et de la N 116. Tourner à droite puis à gauche pour atteindre Toulouges.

Toulouges

Au flanc Sud et au chevet de l'**église**, deux plaques rappellent le souvenir du synode de 1027 et du concile de 1064-1066 instituant et développant l'une des plus fameuses « trêves de Dieu » de l'Occident. À l'intérieur, on peut trouver une croix des Impropères ou des Outrages. *Sur demande,* ☎ *04 68 54 43 90.*

Regagner Perpignan par la N 9

Les croix des Outrages, assez fréquentes en Roussillon, présentent autour de la croix les instruments de la Passion

Château de **Peyrepertuse**★★★

Ce château, l'un des « cinq fils de Carcassonne », découpe, sur son éperon rocheux, une silhouette hardie qui apparaît pleinement aux abords de Rouffiac, au Nord. C'est l'un des plus beaux exemples de fortification des Corbières, le plus vaste et sans doute le plus évocateur des « châteaux cathares ».

La situation

Carte Michelin Local 344 G5 – Aude (11). Accès au Sud de Duilhac : 3,5 km par une route étroite. ⏹ De l'aire de stationnement, suivre, en passant sur la face Nord, un sentier aboutissant à la porte d'entrée. Compter 1/2h à pied AR.

Le nom

Très imagé et très clair : Peyrepertuse vient de l'occitan *pèira*, « pierre », auquel est ajouté *pertusa*, « trouée ».

Conseils

● Prudence en cas de « cers », vent du Sud-Ouest plutôt décoiffant.
● En été, prévoir de l'eau et se protéger du soleil (site exposé en plein soleil et montée au château assez rude).
● Se munir de bonnes chaussures.

Perché sur son promontoire à environ 780 m, le château de Peyrepertuse inspire les visiteurs en quête de romantisme.

Les gens

Aux dernières heures de la croisade contre les Albigeois, en 1240, le château fut rendu lorsque Guilhèm de Peyrepertuse se soumit au sénéchal de Carcassonne, représentant de Louis IX, après l'échec de la tentative de reprise de la cité par Raimond II Trencavel.

visiter

Juin-sept. : 8h30-20h ; avr.-mai et oct. : 9h-19h ; nov.-mars : 10h-17h. Fermé janv. Visite interdite par temps d'orage. 4€. ☏ 04 68 45 40 55.

Peyrepertuse comprend deux ouvrages distincts séparés par une esplanade, ancrés à l'Est (Peyrepertuse proprement dit) et à l'Ouest (St-Georges) de l'éperon, mesurant 300 m dans sa plus grande longueur.

Château bas

C'est le château féodal à proprement parler. Il occupe le promontoire effilé en proue dont l'enceinte de la **cour basse** épouse la forme. Elle n'est complète que du côté Nord, montrant sur cette face une forte courtine, à deux tours ouvertes à la gorge, c'est-à-dire sans mur vers l'intérieur de la place ; les défenses Sud se réduisaient à un simple parapet, reconstitué. En revenant sur vos pas, admirez le front Est du donjon complètement remodelé au 13e s., avec ses tours demi-rondes, reliées par une courtine crénelée. Le **donjon** vieux *(entrer par la porte haute)*, noyau du château, forme un quadrilatère dont on ne voit, de la cour, que la face flanquée d'une tour ronde (citerne). L'ouvrage fut complété aux 12e et 13e s. par une chapelle fortifiée *(mur de gauche)* soudée au premier réduit par des courtines fermant les petits côtés de la cour.

Enceinte médiane

Les murailles Nord épousent étroitement les bords du plateau à pic. Un bâtiment polygonal en ruine servait sans doute de magasin. Au Sud, près du donjon du château bas, un poste de guet isolé offre, par un trou béant, une vue sur Quéribus.

Château St-Georges

◀ À 796 m d'altitude, cette forteresse royale domine d'une soixantaine de mètres le château bas. Elle fut construite en une seule campagne au point culminant de la montagne après la réunion du Languedoc au domaine royal. Elle conserve de hautes murailles en grand appareil, dont tout l'intérêt vient de leur site aérien.

Gagner, en revenant vers l'Est, le promontoire le plus avancé, site de l'ancienne chapelle, dominant le château bas. **Vues**★★ sur l'ouvrage, dans son site panoramique : bassin du Verdouble, château de Quéribus, Méditerranée à l'horizon.

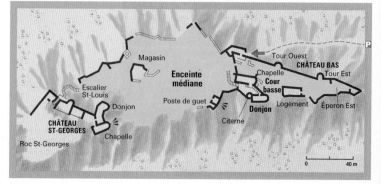

Pézenas★★

Cette petite ville d'art est bâtie dans le « jardin de l'Hérault », plaine fertile où les vignes prospèrent. Magnifiques demeures seigneuriales, hôtels du 17e s. demeurés intacts, cours intérieures et rues restaurées où abondent les échoppes d'artisans et les magasins d'antiquaires, le noble passé de Pézenas illumine encore son présent.

La situation

Carte Michelin Local 339 F8 – Hérault (34). En pleine saison, s'y garer relève de l'exploit : tentez de garer votre voiture au grand parking (payant) de la promenade du Pré-St-Jean, tout proche de la place du 14-Juillet, point de départ de votre flânerie dans la ville, ou bien au Sud du cours Jean-Jaurès, au parking aménagé sur la place Boby-Lapointe.
🏠 *Pl. Gambetta, 34120 Pézenas,* ☎ *04 67 98 35 45. www.ville-pezenas.fr*

Fournier/SYGMA

Boby Lapointe, maître de la contrepèterie et du calembour et comédien à l'occasion.

Le nom

C'est un bel exemple du lien qui existe entre nom de lieu et nom de rivière, puisque Pézenas, du pré-celtique *pédinatis,* renvoie au confluent de l'Hérault, le Peyne. Avec le latin *piscis,* « poisson », qui donne son nom aux habitants, il est encore question d'eau !

Les gens

7 443 Piscénois, dont **Boby Lapointe** fut un éminent compatriote. Pas étonnant, dans cette atmosphère poissonneuse, que cet ancien scaphandrier ait composé *La Maman des poissons* !

comprendre

Un marché lainier – Ville fortifiée au temps des Romains, Pézenas est déjà un important marché pour les draps. Seigneurie royale à partir de 1261, ses foires prennent une extension nouvelle. Il y en a trois chaque année. Tout est mis en œuvre pour en assurer le succès : les marchandises sont exemptes des droits pendant trente jours ; les marchands ne peuvent être saisis pour dettes ; par ordre du roi, les seigneurs du voisinage doivent les protéger pendant leur voyage. Pour ces faveurs, la ville paie au trésor royal une redevance de 2 500 livres.

Le « Versailles » du Languedoc – Pour la première fois, en 1456, les États Généraux du Languedoc tiennent leurs séances à Pézenas. La ville devient plus tard la résidence des gouverneurs du Languedoc : les Montmorency, puis Conti. Armand de Bourbon, prince de Conti, fait de Pézenas le « Versailles » du Languedoc. Installé dans le domaine de la Grange des Prés, célèbre pour la beauté de ses jardins, de ses parterres, de ses jeux d'eau, il s'entoure d'une véritable cour de gentilshommes, d'artistes et d'écrivains. Chaque session des États est marquée par des fêtes somptueuses.

Molière à Pézenas – Molière vient à Pézenas avec son « Illustre Théâtre » pour une session des États du Languedoc en 1650. En 1653, admis à jouer devant Conti, il a tant de succès que le grand seigneur lui donne le titre de « Comédien de SAS le prince de Conti ». Molière joue aussi devant le peuple, sur la place couverte. Son répertoire comprend des pièces empruntées à la comédie italienne et des farces de sa composition. Mais le prince de Conti, vieillissant, se préoccupe du salut de son âme : bientôt, il coupe les vivres aux comédiens qui doivent regagner Paris en 1657 : on connaît la suite...

> ▶ **P**lace du 14-Juillet, dans un square, se trouve le monument élevé à Molière, par Injalbert (1845-1933).

carnet pratique

VISITE

Visite guidée de la ville – Le Pays de Pézenas, qui porte le label Pays d'art et d'histoire, propose des visites-découvertes animées (1h1/2) par des guides-conférenciers agréés par le ministère de la Culture et de la Communication. *Juil.-août : tlj sf sam. et dim. à 17h. 5€. Plan de visite libre fléchée : 2€. Renseignements auprès de l'Office de tourisme ou sur www.vpah.culture.fr*

RESTAURATION

La Pomme d'Amour – *2 bis r. Albert-Paul-Allies -* ☎ *04 67 98 08 40 - fermé janv., fév., lun. soir et mar. - réserv. obligatoire juil.-août - 8€ déj. - 15/20€.* Dans cette maison du 18ᵉ s. proche de l'Office de tourisme se cache une petite salle à manger intime dressée sous des poutres apparentes. En été la rue devient piétonne et la terrasse protégée par l'ombre des maisons voisines dévoile tout son charme. Cuisine ensoleillée.

Après le Déluge – *5 av. du Mar.-Plantavit -* ☎ *04 67 98 10 77 - apresledeluge@clubinternet.fr - fermé du 15 nov. au 15 déc. - 19/45€.* À la Table de Noé ou dans la salle de Perrault, choisissez l'un des cinq décors possibles pour goûter aux recettes du chef, puisées dans des livres anciens. Une occasion unique de manger le gâteau préféré du marquis de Sade ! Cadre vraiment amusant, deux terrasses fleuries et soirées musicales.

HÉBERGEMENT

Chambre d'hôte M. Gener – *34 av. Pierre-Sirven - 34530 Montagnac - 6,5 km au NO de Pézenas par N 9 puis N 113 -* ☎ *04 67 24 03 21 -* 🗲 *- 4 ch. : 42/45€.* Les chambres de ce bâtiment de la maréchaussée, qui date de 1750, ont été aménagées dans les anciennes écuries. Bien au calme dans une grande cour ombragée, certaines d'entre elles ont gardé les cloisons des box comme séparations. Petit-déjeuner sur une terrasse, à l'étage.

Le Molière – *Pl. du 14-juillet -* ☎ *04 67 98 14 00 -* 🅿 *- 28 ch. : 55€ -* ☕ *6€.* Ravissant hôtel du centre-ville à la façade ornée de sculptures. Ses chambres confortables et fonctionnelles sont dotées d'un mobilier moderne. Le coin salon, logé dans un superbe patio, est décoré de jolies fresques murales évoquant les pièces de Molière.

PETITE PAUSE

L'Aparté – *13 r. de la Foire -* ☎ *04 67 98 03 04 - Aparte@worlonline.fr - oct.-mai : mar.-sam. 14h30-19h, dim. 15h-19h ; juin-sept. : lun.-dim. 15h-19h, mar.-sam. 10h-12h, 14h30-19h - fermé janv.-fév., lun., Noël et J. de l'an.* Librairie et salon de thé, où vous pourrez déguster un crumble ou un cake maison accompagné d'un excellent thé en feuilletant l'un des vieux livres sur les rayonnages. L'accueil est souriant, et cette conjugaison des plaisirs du palais et de l'esprit en fait un endroit précieux.

ACHATS

Confiserie Boudet – *Chemin St-Christol -* ☎ *04 67 98 16 32 - juil.-août : tlj sf w.-end 9h-11h ; hors sais. : sur demande - gratuit.* Visite technique sur la fabrication des berlingots de Pézenas et dégustation.

Maison Alary – *5 r. des Chevaliers St-Jean -* ☎ *04 67 98 13 12 - mar.-dim. 6h-20h, et tlj l'été.* Si les petits pâtés de Pézenas sont d'origine indo-britannique, on vous certifiera ici que c'est dans les murs de la Maison Alary qu'un pâtissier piscénois du nom de Roucayrol exposa pour la première fois ces délicieux mets à la viande sucrée.

Petits pâtés de Pézenas.

Bouquinerie Car Enfin – *21 r. des Litanies, BP 11 -* ☎ *04 67 98 18 49 - www.carenfin.free.fr - juil.-août : mar.-sam. 10h30-12h30, 15h-18h30 ; sept.-juin : mer.-sam. 10h30-12h30, 15h-18h30 - fermé dim. et lun.* Installée dans une maison du 15ᵉ s. adossée aux remparts, la librairie Car Enfin conseillée par Edmond Charlot, ancien éditeur de Camus, propose un grand choix de livres anciens et modernes de toutes disciplines dont des ouvrages consacrés au Maghreb.

VISITE

Maison des Métiers d'Art du Pays de Pézenas – *6 pl. Gambetta -* ☎ *04 67 98 16 12 - www.paysdepezenas.net - été : tlj 10h-12h, 14h-18h (20h30-23h30 mer. et ven.) ; hiver : 10h-12h, 14h-18h - fermé 1ᵉʳ janv., 1ᵉʳ mai et 25 déc.* Expositions et informations sur les métiers de la restauration du patrimoine (bois, fer, pierre) et sur les métiers de la scène.

P

LE POULAIN

Tous les ans à Mardi gras et le 1er dimanche de juillet, les Piscénois commémorent la naissance en leur ville du poulain de la jument favorite du roi Louis VIII lors du séjour de ce dernier à Pézenas en 1226. Sous une armature de bois recouverte de tissu bleu semé d'étoiles s'agitent neuf hommes imprimant à la carcasse des mouvements de danse, tandis que deux mannequins, Estieinou et Estieinetto, juchés sur le Poulain, semblent s'y cramponner à grand-peine : ils rappellent une anecdote concernant le maréchal de Bassompierre, qui aurait pris en croupe une beauté locale afin de l'aider à traverser le Peyne. Au son du hautbois et du *tambournet*, le Poulain parcourt la ville, précédé par « Pampille », meneur habillé de blanc et de rouge. Au passage, les mâchoires articulées de la bête happent les oboles qui se présentent.

Estieinou et Estieinetto, juchés sur le Poulain de Pézenas.

se promener

LE VIEUX PÉZENAS★★

Les hôtels anciens, ornés d'élégants balcons et de portes ouvragées, et les échoppes, occupées aujourd'hui par des artisans et des artistes, se succèdent le long des rues aux noms évocateurs : rues de la Foire, Triperie-Vieille, Fromagerie-Vieille.
Partir de la place du 14-Juillet.

Hôtel de Lacoste★

Cet ancien hôtel du début du 16e s. montre un très bel escalier et des galeries à voûtes gothiques.

Place Gambetta

Autrefois « Place-au-Bled » elle a conservé sa structure médiévale. Sur la droite, la **Maison consulaire** (aujourd'hui maison des Métiers d'Art) dresse sa façade du 18e s., avec fronton et belles ferronneries, dissimulant le corps de bâtiment qui date de 1552. Les États du Languedoc y tinrent souvent leurs séances, en particulier la réunion d'où partit la révolte de Henri II de Montmorency contre l'autorité royale, en 1632.
Au fond de la place, à gauche, s'ouvre la **rue Triperie-Vieille**, autrefois bordée d'échoppes. S'avancer jusqu'au n° 11 où l'on découvre, dans une cour au bout d'un couloir voûté, une belle cage d'escalier du début du 17e s.
À l'angle de la place Gambetta et de la rue Alfred-Sabatier, l'**hôtel Flottes de Sébasan** déploie sa large façade du 16e s. dont la partie droite a été remaniée au 18e s. (fenêtres et ferronneries), mais a conservé sa niche d'angle Renaissance (1511) abritant un saint Roch du 19e s. Une plaque rappelle qu'Anne d'Autriche logea dans cet hôtel en 1660.
Prendre à droite la rue Albert-Paul-Alliès.
Au n° 3 se trouve l'**hôtel de Saint-Germain** qui abrite le musée Vulliod-St-Germain *(voir description dans « visiter »).*
Prendre à gauche la rue Béranger (maison du 17e s.) qui donne dans la rue de Montmorency.

Rue de Montmorency

Sur la droite s'élèvent les échauguettes de l'**îlot des Prisons**. En remontant la rue, on voit à gauche une **Pietà** en faïence, du 17e s., et à droite la porte de l'enceinte de l'ancien château démantelé par ordre de Richelieu après la révolte de Montmorency. Jeter un coup d'œil sur la rue des Litanies, l'un des deux axes du **Ghetto**.

Rue du Château

La très belle porte en accolade de l'**hôtel de Graves** date du 16e s.

Rue Alfred-Sabatier

Au n° 12, la **maison des Pauvres** possède un bel escalier et des ferronneries du 18e s. Au n° 3, à droite, Vierge Renaissance (1511). Au n° 1, façade décorée de mascarons ; belles fenêtres en anse de panier.

> **LE BARBIER DE PÉZENAS**
> Sur la gauche de la place Gambetta s'ouvre l'ancienne échoppe du barbier Gély (Office de tourisme) chez qui Molière aimait s'installer pour écouter parler les hommes du village : certaines de ses célèbres répliques sont sans doutes nées ici !

Détail d'une porte d'hôtel de Pézenas.

339

Le marché de Pézenas a lieu le samedi matin sur la place de la République et boulevard Jean-Jaurès : fruits, légumes, fleurs, coquillages, tissus..., il est coloré et chante la bonne humeur languedocienne.

Rue Émile-Zola

Au n° 7, l'**hôtel Jacques-Cœur** dresse une façade ornée de culs-de-lampe représentant des petits personnages. Cas unique d'ornementation pour un hôtel du 15ᵉ s. à Pézenas, il est probablement l'œuvre d'artistes franco-flamands envoyés par le grand argentier du roi.

Au bout de cette rue s'ouvre la **porte du Ghetto** qui donne accès à la **rue de la Juiverie**, deux noms qui illustrent le passé de ce quartier. À gauche, la **porte Faugères**, qui donne sur le cours Jean-Jaurès, faisait partie de l'ancienne enceinte du 14ᵉ s.

Traverser le cours Jean-Jaurès et prendre en face la rue Reboul.

Rue Henri-Reboul

L'ancienne rue des Capucins fut créée au 17ᵉ s., quand Pézenas commença à s'étendre en dehors de l'enceinte médiévale.

Sur la gauche *(en venant du cours Jean-Jaurès)* se dresse la façade de la chapelle des Pénitents Noirs (16ᵉ s.), transformée en théâtre en 1804.

Au n° 13, la façade de l'**hôtel de Montmorency**, qui était la demeure du gouverneur du Languedoc, s'orne d'une très belle porte 17ᵉ s. à fronton flanqué de volutes. Plus loin, l'**hôtel Paulhan de Guers** (aujourd'hui hôpital) présente aussi une intéressante porte 17ᵉ s.

Revenir au cours Jean-Jaurès.

Cours Jean-Jaurès

Le cours fut percé au 17ᵉ s. par Henri II de Montmorency qui voulait agrandir la ville en dehors de l'enceinte. Il s'appelait alors le Quay et supplanta la rue de la Foire comme grand pôle d'attraction de la ville. Des hôtels aristocratiques se construisirent face au Midi, s'ouvrant rue de la Foire sur l'arrière. Les édifices les plus intéressants sont le n° 18 : **hôtel de Landes de Saint-Palais** (belle façade avec mascarons) et de l'autre côté du cours le n° 33 : **hôtel de Latudes**.

Revenir sur ses pas jusqu'à la rue du Château. Prendre à droite la rue de la Foire.

CALENDRIER

En été, à l'occasion de la Mirondela dels Arts, la ville s'anime : des manifestations folkloriques, des représentations théâtrales, des concerts et des expositions d'arts plastiques sont organisés ; les échoppes d'artisans sont ouvertes tlj et en nocturne les mer. et ven.

Rue de la Foire

Anciennement rue Droite, elle servait de cadre aux fêtes et aux processions. Au n° 16, linteau sculpté représentant de charmants enfants musiciens. Remarquer l'élégante façade Renaissance de l'**hôtel de Wicque** surmontant une galerie d'art. En face se trouve l'**hôtel de Carrion-Nizas** s'ouvrant par une porte du 17e s. (bel escalier intérieur).

Collégiale St-Jean

Se renseigner auprès de l'Office de tourisme, ☎ *04 67 98 35 45.*

À l'emplacement d'une église de templiers, qui s'écroula en 1733 sous le poids de son clocher, fut bâtie peu après l'église actuelle sur les plans de l'architecte avignonnais Jean-Baptiste Franque. À l'intérieur, d'allure sévère, la nef à voûtes d'arêtes est flanquée de bas-côtés couverts de coupoles à pendentifs comme celle qui recouvre la croisée du transept. Le chœur a reçu une voûte en cul-de-four à nervures. Une corniche à retraits souligne tout le pourtour de l'édifice.

Commanderie de St-Jean-de-Jérusalem

Deux façades intactes du début du 17e s. subsistent avec leurs fenêtres à meneaux. Une tourelle d'angle est soutenue par un contrefort de maçonnerie.

Gagner la place de la République par la rue Kléber, à droite de la collégiale. C'est ici que l'on quitte le cœur de la ville ancienne pour continuer dans le « faubourg » qui s'est développé au 17e s. et au 18e s. autour de la rue Conti.

Sur la place, prendre la rue Barraterie (5e rue à droite, au fond de la place), puis tourner à gauche rue du Commandant-Bassas. À droite, un porche s'ouvre sur le ruelle du Jeu-de-Paume. Selon la tradition, ici se trouvait un théâtre où Molière joua. Au n° 3, belle porte en pointes de diamant.

Tourner à droite dans la rue Victor-Hugo. Au n° 11, belle façade de l'**hôtel l'Épine** (18e s.).

Hôtel de Malibran★

Sa magnifique façade du 18e s. s'orne de belles fenêtres surmontées de mascarons représentant des visages féminins souriants, tandis que les balcons reposent sur des consoles décorées de feuillages. La porte donne directement accès à un escalier intérieur du 17e s., porté par deux séries de colonnes superposées.

Prendre un escalier au bout de la rue Alcide-Trinquat, traverser la rue Victor-Hugo et prendre en face la rue des Glacières. Tourner à gauche dans la rue Conti.

Rue Conti

Plusieurs hôtels particuliers ont été élevés sur cette artère qui, au 17e s., était aussi la rue des auberges et des commerces. On passe devant la façade de l'**hostellerie du Griffon d'Or** (n° 36).

Hôtel d'Alfonce★

Au n° 32. ♿ *Juin-sept. : tlj sf dim. 10h-12h, 14h-18h. 2€.* ☎ *04 67 98 10 38.*

Ce bel ensemble du 17e s., l'un des mieux conservés de Pézenas, servit de théâtre à Molière de novembre 1655 à février 1656. Dans la cour d'entrée, une jolie terrasse intérieure est ornée de balustrades. À droite, bel escalier à vis du 15e s.

Au n° 30 de cette même rue Conti, l'**hôtel de Conti** présente une façade, refaite au 18e s., avec des balcons et appuis de fenêtre en ferronnerie de style Louis XV.

Revenir à la collégiale St-Jean en passant par la place de la République et prendre à droite la rue des Chevaliers-St-Jean pour rejoindre la place du 14-Juillet.

D. Pazery/MICHELIN

La façade donnant sur la seconde cour de l'hôtel d'Alfonce présente un portique surmonté de deux étages de loggias.

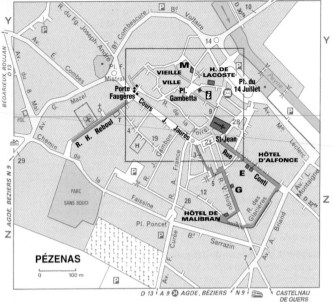

MILLAU, MONTPELLIER, N 9 / MEZE

PÉZENAS

0   100 m

D 13 / A 9 ③④ AGDE, BÉZIERS / N 9 / CASTELNAU DE GUERS

VIEILLE VILLE

0   100 m

visiter

Musée Vulliod-St-Germain

Dans l'hôtel de St-Germain. Mai-oct. : tlj sf lun. 10h-12h, 14h-18h (dernière entrée 1/2h avant fermeture) ; nov.-avr. : tlj sf lun. 10h-12h, 14h-17h. Fermé 1er et 2 janv., Mar. gras., 14 juil. (si lun.), 25 déc. 2€ (-10 ans : 1€). ☎ 04 67 98 90 59.
Au rez-de-chaussée, à côté du hall d'entrée où ont été déposées des pierres tombales et quelques sculptures provenant de divers édifices de la ville, un intérieur rustique piscénois a été reconstitué.
Au premier étage un groupe de tapisseries d'Aubusson du 17e s. représente le triomphe d'Alexandre. Parmi les meubles des 16e, 17e et 18e s., une belle armoire

LE BÂTIMENT

Les collections du musée Vulliod sont installées dans l'hôtel de Saint-Germain, bel ensemble du 16e s., dont l'extérieur a été remanié au 18e s. et l'intérieur au 19e s.

LA MONDIALISATION CULINAIRE

Les **petits pâtés** de Pézenas sont une spécialité culinaire à base de viande sucrée, dont l'origine est indo-britannique. C'est en 1768 que Lord Clive, de retour des Indes, en compagnie de cuisiniers indiens, séjourna dans la ville. Avant de gagner Market Drayton en Angleterre, ces derniers transmirent aux pâtissiers piscénois la recette des petits pâtés. Tombée dans l'oubli au 19e s., elle a été retrouvée grâce aux recherches de quelques gastronomes passionnés. En Angleterre, sous le nom de *Clive pies*, on confectionne des petits pâtés à base de viande de mouton, de sucre roux, de raisins de Damas et de curry ; à Pézenas, à la place des raisins, on incorpore des zestes de citron confits… Juste retour des choses, Market Drayton est aujourd'hui jumelée avec Pézenas.

BERLINGOTS

Outre ses petits pâtés, Pézenas est également célèbre pour ses berlingots, fabriqués ici depuis le 17e s. *(voir le carnet pratique)*. Ce serait un marchand africain qui aurait fait découvrir aux Piscénois cette gourmandise !

Louis XIII ornée de panneaux sculptés représentant les quatre cavaliers de l'Apocalypse. Dans une salle voisine, des souvenirs de Molière ont été rassemblés. À l'étage supérieur : collection de faïences et de pots à pharmacie, expositions temporaires.

alentours

Abbaye de Valmagne★ *(voir ce nom)*

Abbaye de Cassan

11 km. Sortir de Pézenas au Nord-Ouest par la D 13. Continuer 2 km après Roujan. &. *De mi-juin à mi-sept. : 10h-19h (dernière entrée 1h av. fermeture) ; de mi-avr. à mi-nov. : tlj sf mar. 10h-19h. 7€ (enf. : 4€).* ☎ *04 67 24 52 45.*

Fondé en 1080, le prieuré d'augustins de Cassan reçut une église romane, de plan basilical, en 1115. Élargissant considérablement au fil des siècles leur pouvoir sur la région ainsi que leur richesse, les chanoines firent reconstruire le prieuré au 18e s., le dotant d'un somptueux palais abbatial. Le prieuré royal devint ainsi un des plus vastes châteaux languedociens.

Ce vaste domaine revient de loin et est progressivement restauré. On peut aujourd'hui visiter une partie de ses bâtiments. En arrière d'une cour, le cloître se compose de trois galeries. La galerie Nord abrite l'herboristerie et la cuisine (cheminée à hotte en carène de bateau). La galerie Ouest, remarquablement voûtée en anse de panier, mène à l'**escalier d'honneur** (rampe en fer forgé). Dans la **salle à manger**, la table est dressée et le buffet de gâteaux bien garni (trompe-l'œil). Séparé du salon de musique par un péristyle, le grand salon est de style néoclassique. Enfin, la chambre de l'Évêque a gardé un lit à baldaquin.

Quatre terrasses étagées forment le jardin à la française et le jardin anglo-chinois. De la 3e terrasse, on découvre dans son ensemble la majestueuse **façade Ouest★**, de style classique, large de 65 m et percée de 57 ouvertures réparties sur trois niveaux. À gauche se trouve l'entrée de l'**église**, dont la nef unique est voûtée en plein cintre.

Le Pont-de-Montvert

On découvre les hautes maisons grises du Pont-de-Montvert après s'être faufilé dans la vallée du Tarn, généreuse en vergers puis soudain rétrécie. Le village se dresse courageusement, de part et d'autre de la rivière qu'enjambe un vieux pont en dos d'âne (17e s.) surmonté de sa tour à péage.

La situation

Carte Michelin Local 330 K8 – Schéma p. 241 – Lozère (48). Après Florac, prendre la D 998 par laquelle on découvre le vieux Bédouès, puis Cocurès avant de grimper au Pont-de-Montvert.

🚹 *48220 Le Pont-de-Montvert,* ☎ *04 66 45 81 94.*

ACHATS

Marchés – Un marché aux produits du terroir a lieu de juin à fin septembre le mercredi matin, tandis que le marché aux produits artisanaux déballe ses marchandises chaque mercredi matin en saison estivale.

Le nom

C'est comme si le nom du village était formé par la description littérale du paysage : rivière (« Pont »), montagne (« Mont ») et forêt (« vert »), tout y est !

Les gens

272 Pontois. L'**abbé du Chayla** fut assassiné au Pont-de-Montvert le 24 juin 1702 par **Abraham Mazel** et **Esprit Séguier** puis jeté dans la rivière. Il est vrai que l'abbé n'était pas tendre avec les huguenots qu'il retenait prisonniers. Cet épisode marqua le début de la guerre des Camisards.

découvrir

LE PARC NATIONAL DES CÉVENNES

🛈 *Le Château, 6 bis pl. du Palais, 48400 Florac,* ☎ *04 66 49 53 01. www.cevennes-parcnational.fr*

Maison du mont Lozère

  ♿ *Avr.-sept. : tlj sf mar. 10h30-12h30, 14h30-18h30. Fermé 1er mai, 30 sept., 1er nov. 3,50€.* ☎ *04 66 45 80 73.*
Chef-lieu de l'écomusée du mont Lozère mis en place par le Parc national des Cévennes, ce grand bâtiment moderne abrite une exposition permanente relatant l'histoire naturelle et humaine du mont Lozère, et un gîte pour les randonneurs pédestres.

Le logo du Parc national des Cévennes.

Sentier de l'Hermet

🚶 *6 km à pied au départ de la tour de l'Horloge, au centre du Pont-de-Montvert. Prévoir 3h A/R.* Cette promenade jalonnée de 12 points d'observation fait découvrir les

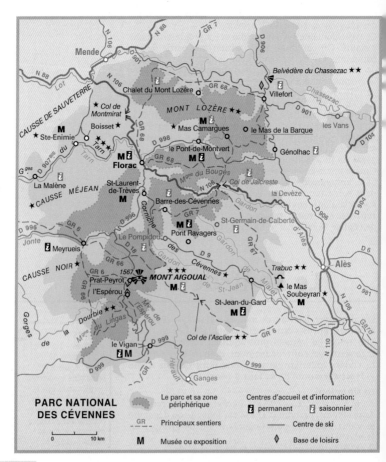

PARC NATIONAL DES CÉVENNES

🞉 Le parc et sa zone périphérique	Centres d'accueil et d'information : 🛈 permanent 🛈 saisonnier
GR Principaux sentiers	Centre de ski
M Musée ou exposition	◆ Base de loisirs

0 10 km

paysages, la flore et la faune de la vallée du Tarn, l'architecture traditionnelle du hameau de l'Hermet, divers types de bergeries et un panorama sur le flanc Sud du mont Lozère.

Écomusée de la Cévenne

Créé sous l'impulsion du Parc national des Cévennes ▶ pour conserver la mémoire des Cévennes et mettre en valeur son patrimoine naturel et culturel, l'écomusée de la Cévenne propose la découverte d'un ensemble de sites répartis sur un territoire d'un abord parfois difficile. Quelques lieux aménagés parmi d'autres : le site paléontologique de St-Laurent-de-Trèves et le sentier du paysage de Barre-des-Cévennes *(voir Florac)*, le musée des Vallées cévenoles à St-Jean-du-Gard *(voir ce nom)*, l'écomusée de la Soie à St-Hippolyte-du-Fort *(voir ce nom)*.

alentours

Cascade de Rûnes

🚶 *11 km à l'Ouest. Du Pont-de-Montvert, prendre la route de Florac, puis à droite la D 35 vers Fraissinet-de-Lozère.* Cette route bordée de frênes offre de jolies vues sur la vallée du Tarn. Au Sud de Rûnes, un sentier *(3/4h à pied AR)* conduit à une belle cascade sur le Mirals, tombant de 58 m.

Le mont Lozère★★ *(voir ce nom)*

Port-Barcarès☰

Les urbanistes ont réussi ici à satisfaire de multiples désirs, parfois contradictoires : immersion dans la nature, goût pour les bains de mer et les loisirs actifs, tourisme social et hôtellerie traditionnelle. Une large place est faite aux habitations groupées en essaims, ce qui protège le front de mer des constructions. Les couchers de soleil prennent des teintes helléniques lorsque, derrière les eaux plombées de l'étang de Leucate, les Corbières s'irisent de mauve : rien d'étonnant, donc, si les Grecs y avaient jadis installé un comptoir, nommé Leukatè.

La situation

Carte Michelin Local 344 J6 – Pyrénées-Orientales (66). Les plages étant souvent préservées par des voies en impasse, on y accède plus aisément à pied. *Pl. de la République, 66420 Le Barcarès,* ☎ *04 66 86 18 56. www.portbarcares.com*

Le nom

L'environnement maritime de la station nous indique ▶ que Barcarès vient peut-être du gaulois *barco* signifiant « barque ».

Les gens

3 514 Barcarésiens. L'été, la cité lacustre accueille sans sourciller 70 000 résidents... dont beaucoup d'enfants car elle bénéficie du label « Station Kid ».

séjourner

Le Lydia

Pour les visites, se renseigner au 04 68 86 07 13.
Paquebot volontairement ensablé en 1967, il constitue la grande attraction de la nouvelle façade maritime du Roussillon (discothèque et casino).

carnet pratique

*Le paquebot « Lydia »,
telle une baleine échouée
sur le sable de
Port-Barcarès.*

À côté du Lydia *(suivre les flèches)*, sur une esplanade bordant la plage, l'**allée des Arts** rassemble quelques sculptures contemporaines dont les *Soleillonautes*, totems sculptés dans des troncs d'arbres du Gabon.

Aqualand

À Port-Leucate. De mi-juil à mi-août : 10h-19h ; de fin juin à mi-juil. et de mi-août à fin août : 10h-18h. 14,50€ (enf. : 13€). ☎ 04 68 40 99 98. www.aqualand.fr
Parc de loisirs (toboggans, piscine) situé en bord de mer et spécialement aménagé pour les tout-petits.

Ports de plaisance

Le nouvel ensemble portuaire de **Port-Leucate** et de **Port-Barcarès** constitue la plus vaste base de navigation de plaisance de la côte française de la Méditerranée. On y pratique la voile et le ski nautique. Un boulevard nautique d'une dizaine de kilomètres, indépendant de la mer et de l'étang de Leucate, forme un plan d'eau sans clapotis d'où se détachent les canaux secondaires « résidentiels » desservant les marinas.

randonnée

Le cap Leucate★

2h à pied par un sentier longeant les falaises. Départ du sémaphore du cap, à Leucate-Plage (10 km au Nord de Port-Barcarès par la D 627).
Du belvédère aménagé près du **sémaphore du cap Leucate, vue**★ sur la côte, du Languedoc aux Albères.
En suivant le sentier en corniche, les falaises barrent, au Nord, l'étang de Leucate ou de Salses. Elles offrent de belles vues sur tout le golfe du Lion.
On atteint **La Franqui**, petite station balnéaire, où l'écrivain **Henri de Monfreid** (1879-1974), né à Leucate, aimait se retirer.

ENFANTIN
Comme Port-Barcarès,
Leucate bénéficie du label
« Station Kid ».

Prades

Prades est bâti au milieu de vergers opulents étalés au pied du Canigou. C'est le lieu de départ de nombreuses randonnées et de circuits vivifiants. Après la nature, un peu de culture : ici, chaque été, les mélodies du grand Festival Pablo Casals se font entendre. Dans le quartier ancien, entre autres curiosités, les bordures des trottoirs et les pierres de seuil sont taillées dans le délicat marbre rose du Conflent.

La situation
Carte Michelin Local 344 F7 – Schéma p. 144 – Pyrénées-Orientales (66). La N 116 qui relie Perpignan à la frontière espagnole permet d'atteindre rapidement Prades. La ville elle-même est tout près de l'abbaye St-Michel-de-Cuxa.
🛈 *4 r. Victor-Hugo, 66500 Prades, ☎ 04 68 05 41 02. www.prades-tourisme.com*

Le nom
Prades vient du latin *pratum* qui signifie « pré » ; il suffit de regarder la vallée, tout autour, pour valider sans autre examen cette hypothèse.

Les gens
5 800 Pradéens. En 1939, **Pablo Casals** choisit de fuir le régime franquiste en se réfugiant à Prades. Bien nous en prit, puisqu'il créa, en 1950, un festival consacré à Bach. Les plus grands chambristes se réunissent ainsi tous les ans, de la mi-juillet à la mi-août, pour jouer et enseigner leur art à une académie de 150 élèves de haut niveau.

Pablo Casals, un exilé qui créa dans sa ville d'adoption un festival de musique de renommée internationale.

visiter

Église St-Pierre
Reconstruite au 17ᵉ s., elle a néanmoins gardé son clocher typique de l'art roman méridional. L'intérieur surprend par la richesse du mobilier baroque. Dans le chœur, le **retable**★ baroque (1696-1699) du sculpteur catalan Joseph Sunyer comporte plus de cent personnages sculptés et raconte en six tableaux la vie de l'apôtre Pierre, dont la statue trône au centre.
🎧 Le **trésor** présente de nombreux reliquaires originaires de l'abbaye de St-Michel-de-Cuxa (les plus sentimentaux contempleront avec émotion la châsse reliquaire de saint Valentin), des objets d'orfèvrerie liturgique et la superbe statue en bois polychrome de Notre-Dame de la Volta (14ᵉ s.). *Se renseigner pour la visite. 2,40€ (enf. : 1,60€). ☎ 04 68 05 23 58.*

FOULTITUDE
Dans les **chapelles latérales** : retable de St-Gaudérique (1714), probablement issu de l'atelier de Sunyer, retable de la Trinité sculpté par Louis Generès (1655), retable de St-Benoît en bois sculpté et doré et orné de toiles peintes du 16ᵉ s. Dans le transept Nord : Christ en bois noir du 16ᵉ s. et Vierge de procession avec sa *cadireta* (dais en bois doré et sculpté couvrant la statue) typiquement catalane (18ᵉ s.).

Musée Pablo-Casals
À l'Office de tourisme, 4 r. Victor-Hugo. ♿ Tlj sf w.-end 9h-12h, 14h-17h ; Juil.-août : w.-end, 10h-12h. Gratuit. ☎ 04 68 05 41 02.

La superbe abbaye de Saint-Michel-de-Cuxa : une des plus anciennes églises en France et un haut lieu de l'art roman.

carnet pratique

RESTAURATION

🍲🍴 **Le Jardin d'Aymeric** – *3 av. du Gén.-de-Gaulle - ☎ 04 68 96 53 38 - fermé vac. de fév., 25 juin au 8 juil., mer. soir du 15 oct. au 15 avr., dim. soir et lun. - 16,50/29€.* Quel bonheur de trouver ce petit restaurant à Prades ! Aux fourneaux, le jeune chef concocte une cuisine soignée, très nettement inspirée des saveurs du terroir. Côté décor : couleurs plaisantes, expositions de tableaux et belles compositions florales.

HÉBERGEMENT

🍲 **Hôtel Les Glycines** – *129 av. du Gén.-de-Gaulle - ☎ 04 68 96 51 65 - les-glycines2@wanadoo.fr - fermé 3 au 9 mars et 10 oct. au 15 nov. - 19 ch. : 44,30/48,80€ - ⌓ 5,30€ - restaurant 17/25,50€.* Une maison au cœur de Prades qui dépannera utilement les petits budgets.

Les chambres sont simples et proprettes. Au restaurant, décor ensoleillé, service décontracté et cuisine traditionnelle sans prétention.

🍲🍴 **Hexagone** – *Rd-pt de Molitg, sur la rocade - ☎ 04 68 05 31 31 - reservation@inter-hotel.com - 🅿 - 30 ch. : 63/64€ - ⌓ 6,40€.* Chambres simples, aménagées dans l'esprit des chaînes hôtelières, et petits-déjeuners préparés avec des confitures maison : une adresse pratique pour l'étape dans la cité courue pour son festival de musique.

CALENDRIER

Lors du Festival Pablo Casals, une trentaine de concerts sont donnés à St-Michel-de-Cuxa, à St-Pierre de Prades ainsi que dans les plus belles églises de la région *(de mi-juil. à mi-août)*. Location et renseignements : ☎ 04 68 96 33 07.

Le nom de Casals est tellement lié à Prades que sa cité d'adoption ne pouvait que lui rendre hommage en créant un petit musée : tout en écoutant des enregistrements du grand violoncelliste catalan, vous découvrirez des tenues de concert, lettres, photos et instruments évoquant la personnalité et la carrière du musicien à l'inséparable parapluie.

alentours

Abbaye de Saint-Michel de Cuxa★★

Mai-sept. : visite guidée (3/4h) 9h30-11h50, 14h-17h, dim. et j. fériés 14h-17h ; oct.-avr. : 9h30-11h50, 14h-18h, dim. et j. fériés 14h-18h. 3,80€. ☎ 04 68 96 15 35.

Ces îlots sont des comtes de Cerdagne qui offrirent protection et argent aux moines du monastère d'Eixalada après qu'une crue furieuse de la Têt les en eut chassés en 878 ; cinq ans plus tard, le nouveau monastère de Cuxa (prononcez « coutcha ») connaissait déjà une activité intense.

Après avoir traversé une salle où sont exposés divers documents sur l'histoire de l'abbaye, vous accéderez aux vestiges du cloître.

Cloître★ – On a pu rassembler les arcades et chapiteaux qui se trouvaient à Prades ou chez des particuliers. Les arcades de la galerie appuyée contre l'église ainsi que celles d'une grande partie de la galerie Ouest et l'amorce de la galerie Est ont été remontées, reconstituant ainsi

> **AVANT TOUTE CHOSE**
> Contourner les bâtiments pour voir le beau **clocher★** roman, à quatre étages de baies jumelées, surmontées d'oculi et de créneaux.

UNE LONGUE HISTOIRE

Quatre églises se sont succédé à Cuxa. La dernière, l'église actuelle, fut consacrée en 974. Au 11ᵉ s., l'abbé Oliba développe les grands monastères catalans : Montserrat, Ripoll et St-Michel. Il agrandit le chœur de l'église abbatiale de Cuxa, ouvre des chapelles, fait élever les deux clochers et ouvrir la chapelle souterraine de la Crèche.

Après une longue période de décadence, l'abbaye est vendue : à la Révolution, les œuvres d'art disparaissent et les galeries du cloître sont éparpillées. En 1907, le sculpteur américain George Grey Barnard retrouve et achète plus de la moitié des chapiteaux primitifs. Ils sont acquis en 1925 par le Metropolitan Museum de New York qui entreprend une reconstitution : ainsi, depuis 1938, le cloître de Cuxa s'élève sur les hauteurs de la vallée de l'Hudson.

Dès 1952, des travaux considérables sont entrepris à St-Michel-de-Cuxa et, en 1965, des bénédictins de Montserrat s'y installent.

près de la moitié du cloître. La sculpture des chapiteaux (12e s.) est caractérisée par l'absence de thème religieux : seul le souci du décor semble avoir compté pour l'artiste. L'ensemble, rose, dominé par la haute masse de l'église, est une merveille de légèreté.

Église abbatiale – Vous y pénétrerez par un portail reconstitué à partir d'une arcade, reste d'une tribune montée au 12e s. vers le fond de la nef. Le vaisseau est un des très rares spécimens de l'art préroman en France, caractérisé ici par l'arc en fer à cheval outrepassé, dit « wisigothique », que vous pourrez voir dans le transept dégagé et comparer avec un arc mozarabe (également outrepassé) et un arc roman en plein cintre. La nef centrale, qui se termine par une abside rectangulaire, a retrouvé sa couverture en charpente.

Crypte de la Vierge de la Crèche – Au centre d'un sanctuaire souterrain ayant échappé, depuis le 11e s., aux destructions et aux remaniements, cette chapelle circulaire est couverte d'une voûte soutenue par un unique pilier central. Son absence de décoration ne nuit en rien, bien au contraire, à son élégance.

Mosset

12 km au Nord-Ouest par les D 619 et D 14. 🖼 Si vous avez le nez fin, n'hésitez pas à entrer dans la **Tour des Parfums** où vous apprendrez à « écouter les odeurs » à travers une exposition interactive. *De mi-juil. à fin août : 10h-12h, 15h-19h ; sept., de déb. mai à mi-juil. et vac. scol. : tlj sf lun. 15h-18h ; reste de l'année : w.-end 15h-18h. Fermé janv. 3€.* ☎ *04 68 05 38 32.*

La D 14, route peu confortable mais belle, permet de gagner à l'Ouest les gorges de l'Aude par le **col de Jau**.

Concert donné dans l'église de St-Michel-de-Cuxa, à l'occasion du Festival Pablo Casals.

S. Brihat/Festival Pablo Casals

Prats-de-Mollo★

Prats-de-Mollo allie le cachet d'une ville close fortifiée par Vauban au charme d'une cité catalane de montagne. On juge de son caractère enjoué à la Fête de l'ours qui bat son plein en février. Mais toute l'année, comme toujours en Vallespir, il fait bon y respirer l'air d'une incomparable pureté.

La situation

Carte Michelin Local 344 F8 – Pyrénées-Orientales (66). Au Sud du Canigou, Prats-de-Mollo est la commune la plus au Sud sur le méridien de Paris. En arrivant par la D 115, ralentir à la hauteur du défilé de la Baillanouse avant d'entrer dans Prats.
🛈 *Pl. du Foiral, 66230 Prats-de-Mollo-la-Preste, ☎ 04 68 39 70 83. www.pratsdemollolapreste.com*

Le nom

On retrouve ici la même étymologie que celle de Prades : Prats vient du latin *pratum* (« pré ») ; « mollo » serait peut-être emprunté au pré-latin *mol* signifiant « hauteur ». Prononcer, à la catalane, « Pratss-de-Moyo ».

Les gens

1 080 Pratéens. Au 17e s., lors du rattachement à la France, ils s'opposèrent violemment à la gabelle (impôt sur le sel). Emmenés par Josep de la Trinxeria, les « Angelets de la Terra » résistèrent une dizaine d'années aux troupes royales.

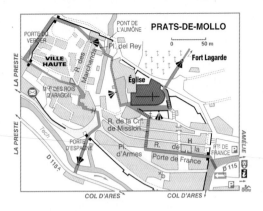

se promener

Entrer dans la ville par la porte de France et suivre la rue commerçante du même nom.

Face à la place d'Armes, monter les degrés de la rue de la Croix-de-Mission, dominée par une croix des Outrages.

Église

Une église romane fortifiée, dont il subsiste le clocher crénelé, précéda le bâtiment actuel, qui date du 17e s. Portail décoré de volutes en fer forgé, à la manière catalane, du 13e s. Dans la chapelle qui fait face à la porte est placée la statue de N.-D.-du-Coral, copie de celle du 13e s. vénérée dans l'ancien sanctuaire de bergers du même nom situé près du col d'Ares *(voir le Vallespir)*. Le **retable baroque★** du maître-autel (1693), mesurant près de 10 m de haut et recouvert de feuilles d'or en 1745, n'est pas sans rappeler celui de la cathédrale de Séville ; il représente la vie et le martyre des saintes Juste et Ruffine, patronnes des deux cités.

En montant vers le fort Lagarde, vous pourrez voir les parties hautes de l'église Ste-Juste-et-Ste-Ruffine.

Longer le côté Sud de l'église et contourner le chevet par un chemin de ronde fortifié. Porte de la Fabrique, pénétrer dans le chemin couvert, en forte montée, menant au fort Lagarde (on peut également emprunter à droite de la porte de la Fabrique un sentier pédestre, moins pentu).

Fort Lagarde

Avr.-oct. et vac. scol. : 14h-17h. Possibilité de visite guidée et de visite contée (se renseigner). 3,50€ (-12 ans : gratuit). ☎ 04 68 39 70 83.

Bâti à partir de 1692 sur un éperon rocheux qui domine la ville, il conserve en son centre les restes d'un ancien château. Une redoute, à mi-chemin entre le fort et la ville, assurait la protection du sentier de liaison. Un escalier, à flanc de courtine, permet l'accès final au fort. On visite, entre autres, la cuisine avec son four à pain, les salles des munitions et la chapelle.

Revenir à l'église et prendre à droite.

En vue de l'hospice, descendre les marches à gauche et suivre la rue longeant, en contrebas, le jardin de l'hospice. Traverser le torrent sur un pont fortifié immédiatement en aval du vieux pont en dos d'âne de la Guilhème. On pénètre alors dans la ville haute.

Ville haute★ (Ville d'Amoun)

Place del Rey, où se dresse une ancienne maison du Génie militaire, s'élevait l'une des résidences des comtes de Besalù, ayant régné, au 12e s., sur l'un des innombrables comtés catalans. Au départ de la rue des Marchands, monter à droite un escalier sculpté. Du sommet, vue sur l'église dominant la ville basse.

Longer le mur d'enceinte et sortir de la ville par une porte moderne pour y rentrer par la suivante (bretèche), dite « du Verger ».

On arrive à un carrefour dominé par une maison formant proue ; selon certains il s'agirait d'un ancien palais des rois d'Aragon, selon d'autres elle aurait abrité la centrale syndicale de la corporation des tisserands – on produisait autrefois des draps et des toiles de grande qualité dans la région du haut Vallespir. Une ruelle en descente mène enfin à la porte de sortie. Passer la porte d'Espagne ; de la passerelle sur le Tech, vue sur le front Sud de la ville.

alentours

La Preste

À la sortie Nord-Ouest de Prats-de-Mollo, la D 115A mène, en 8 km, à la station hydrominérale de la Preste (alt. 1 130 m). Ses cinq sources, jaillissant à 44 °C, traitent les maladies de l'appareil urinaire et les maladies métaboliques. C'est Napoléon III qui fit construire cette route d'accès. Souffrant, il avait l'intention de faire une cure à la station ; la guerre de 1870 l'obligea à y renoncer.

Château de **Puilaurens**★

Au détour d'un petit cirque sauvage, l'enceinte crénelée du château de Puilaurens apparaît soudain au sommet d'une colline boisée dominant la haute vallée de l'Aude. Refuge pour des cathares, le château passa ensuite dans le domaine royal et devint l'un des cinq fils de Carcassonne », position française la plus avancée face au royaume d'Aragon. Aujourd'hui, abandonné, formidable et mélancolique, il continue à défier fièrement le temps et les éléments.

La situation

Carte Michelin local 344 E6 – Schéma p. 186 – Aude (11). Accès à partir de Lapradelle-Puilaurens, sur la D 117, route de Perpignan à Quillan, par une petite route au Sud du village (D 22) et la route à droite en montée 800 m après Puilaurens. 🚶 Puis 1/2h à pied AR.

Le nom

Dans Puilaurens, il y a tout d'abord « pui » venant du latin *podium* qui désigne un lieu élevé, une colline. Reste « laurens », sans doute simplement un nom de personne.

Les gens

Si son premier châtelain connu se nommait Pierre Catala (1217), le château abrita, durant la croisade contre les Albigeois, nombre de cathares venus y trouver refuge, avant que saint Louis n'ordonne en 1255 de le fortifier.

CURE

Si une cure thermale à La Preste vous tente, vous trouverez les coordonnées de l'établissement thermal au chapitre « Forme et santé » dans la partie Informations pratiques, au début du guide.

HÉBERGEMENT

😊😊 **Hostellerie du Grand Duc** – *11140 Gincla - 4 km au S du château par D 22 -* ☎ *04 68 20 55 02 - host-du-grand-duc@ataraxie.fr - fermé 4 nov. au 29 mars -* 🅿 *- 12 ch. : 45,50/62€ -* 🍽 *7€ - restaurant 26/55€.* Dans un village paisible, cette maison de maître est précédée d'un joli jardin à l'ombre des tilleuls. Son décor soigné et ses vastes chambres, meublées à l'ancienne, ne manquent pas de cachet mais c'est surtout le calme que vous savourerez ici sans modération.

Accroché sur la vallée de la Boulzane à 697 m d'altitude, le château de Puilaurens a conservé une silhouette à peu près intacte.

visiter

Juil.-août : 9h-20h ; avr.-juin et sept. : 10h-18h ; oct. : 10h-17h ; fév.-mars et de déb. nov. à mi-nov. : w.-end et vac. scol. 10h-17h. 3,50€. ☎ 04 68 20 65 26.

Site★

On remarque de loin l'enceinte crénelée à quatre tours défendant les approches du donjon. Le chemin menant au château, raide par moments, mais bref, a été aménagé en sentier botanique : aubépines, genévriers, viornes lantanes et surtout buis odorants accompagnant le promeneur jusqu'au sommet de la colline, sous les frondaisons des chênes verts, des pins sylvestres et des érables champêtres.

Château

On atteint la porte principale par une rampe coupée de chicanes pour déboucher dans une sorte de réduit percé de meurtrières obliques convergeant vers l'entrée. La cour est entourée de courtines crénelées où court le chemin de ronde. Une poterne au Sud-Est permet de gagner un bec rocheux d'où la vue se dégage sur les remparts Nord, inaccessibles, sur le pic du Bugarach au Nord-Est et sur la vallée de la Boulzane au Sud.
En retournant vers l'entrée, on accède à l'enceinte du donjon où subsistent les vestiges du donjon carré, la tour dite Dame Blanche et des mâchicoulis aménagés dans la courtine.

Puivert

Dans le paysage très mouvementé et boisé des confins du plateau de Sault, les douces prairies de Puivert surprennent. Son petit lac est la réplique mélancolique d'un lac naturel qui se vida brusquement au 13e s. Enfin, si la silhouette de pierre du donjon ne résonne plus du chant des troubadours, elle apporte une belle note de romantisme au décor.

La situation

Carte Michelin Local 344 D5 – Schéma p. 186 – Aude (11). Visitez plutôt le musée avant le château, il vous éclairera sur la vie au Moyen Âge : utile une fois que vous aurez pénétré dans le château.

Le nom

Puivert est le *podii viridis* latin, c'est-à-dire la colline verte. De fait, le château, antérieur au village, est situé sur une petite éminence où poussent herbes et petits arbres.

Les gens

410 Puivertains. Lorsque le lac se vida subitement en 1279, dévastant Chalabre et Mirepoix, on invoqua la Dame Blanche. Cette princesse aimait rêver au bord de l'eau mais le vent et les embruns la gênaient. Le seigneur imposa des travaux d'aménagement qui entraînèrent une rupture de la digue : le lac emporta alors les villes environnantes et la demoiselle fautive.

visiter

Château

Du hameau de Camp-Ferrier, sur la route de Quillan, 500 m par une route étroite en forte montée. Avr.-août : 8h-20h ; sept.-mars : 10h-17h. 4€. ☎ 04 68 20 81 52.

Acquis à la foi cathare, le château de Puivert fut assiégé en 1210. Confié ensuite à la famille de Bruyères, il fut embelli et agrandi au 14e s. : donjon, cour d'honneur et

Le château de Puivert dans toute sa splendeur, sur la colline qui domine le village.

courtines datent de cette période. Le Château neuf du 14e s., dont une partie a été détruite, conserve sa tour-porte carrée ornée d'un blason portant le lion des Bruyères et son donjon de 35 m de haut. Celui-ci comprend quatre salles superposées. On visite successivement la salle basse, puis la salle des gardes, couverte d'une voûte en berceau, la chapelle à voûte d'ogives et « piscine » (cuve à ablutions) encastrée dans le mur et enfin la salle des Musiciens. Par l'escalier à vis qui donne ▶ accès à chacune des salles, on peut monter sur la terrasse.

Musée du Quercorb

Dans le village de Puivert. Juil.-août : 10h-19h ; avr.-juin et sept. : 10h-12h, 14h-18h ; oct. : 14h-17h. 4€. ☎ 04 68 20 80 98.

Évocation attrayante de l'histoire, des traditions et des métiers de la région du Quercorb, à l'aide de maquettes et de reconstitutions (cuisine, forge, atelier de tourneur sur bois, sans oublier la fabrication des sonnailles et le travail du jais). Ne pas manquer, au 2e étage, les moulages des huit instruments de musique médiévaux représentés sur les culs-de-lampe du donjon du château, et leur pendant de bois et de corde.

> **MUSICIENS DE PIERRE**
> Dans la salle dite des « Musiciens », la voûte d'ogives retombe sur des culs-de-lampe représentant des artistes jouant de leurs instruments (cornemuse, tambourin, vielle, luth, psaltérion, rebec, etc.), évoquant ainsi l'éclat de la vie seigneuriale à Puivert au temps des troubadours.

Château de **Quéribus**★★

Le château semble se fondre dans la roche, aérien, tel un « dé posé sur un doigt », le site★★ se situant à 729 m d'altitude. Sentinelle surveillant la plaine du Roussillon, il ne craint pas les violents assauts du vent. Il faut dire qu'il a déjà su faire preuve de résistance, en 1255, lorsqu'il était assiégé aux dernières heures de la croisade contre les Albigeois. Depuis, il semble avoir opté pour le stoïcisme.

La situation

Carte Michelin Local 344 G5 – Schéma p. 187 – Aude (11). Accès par la D 123, prise au Sud du village de Cucugnan, et, à partir du grau de Maury *(voir les Corbières)*, par une route en forte montée. 🚶 Puis 20mn à pied AR. Bonnes chaussures recommandées.

Le nom

Le nom vient de la racine pré-indo-européenne *car* (« rocher, pierre »), ce qui se comprend aisément !

Les gens

N'écoutant que son bon cœur, le seigneur du château, Chabert de Barbera, recueillit des cathares en fuite. Victime d'un traquenard, il échangea sa liberté contre la reddition du château (et de ses occupants), qui fut alors transformé en forteresse royale.

> **ATTENTION !**
> Prudence lors de la visite de cette « citadelle du vertige », surtout en cas de pluie (pierres glissantes) ou de « cers », vent violent du Sud-Ouest.

visiter

Des chicanes, intenables par vent violent, **vue★** sur la plaine du Roussillon, la Méditerranée, les Albères et le Canigou, les massifs du Puigmal et du Carlit, également visibles depuis la terrasse du donjon.

Château★

Visite libre ou audioguidée. Juil.-août : 9h-20h ; mai-juin et sept. : 10h-19h ; avr. et oct. : 10h-18h ; nov.-mars : w.-end et vac. scol. 10h-17h. Fermé janv. 4€. ☎ 04 68 45 03 69.

Trois enceintes successives protègent le donjon, placé au point culminant du piton rocheux. De forme polygonale, le donjon comporte 2 étages : la salle inférieure et la haute **salle gothique★** voûtée d'ogives retombant sur un pilier circulaire excentré. Les singularités de son plan et de son éclairage ont donné lieu, comme à Montségur, à des interprétations liées à un symbolisme solaire... Interprétations abusives, bien entendu, si l'on songe que le château actuel n'est pas celui que connurent les cathares ! Au niveau inférieur, au Nord du donjon proprement dit, une salle voûtée donne accès à une galerie souterraine débouchant sur une casemate.

> **CATHARE ?**
> Il ne reste presque rien du château antérieur à la croisade : le dispositif militaire que l'on voit aujourd'hui a été aménagé à la fin du 13e s. puis au 16e s. pour répondre aux progrès de l'artillerie.

Le château de Quéribus perché sur son pog : un « dé posé sur un doigt ».

Quillan

Capitale touristique de la haute vallée de l'Aude, Quillan émerge d'un épais manteau forestier ; c'est l'un des meilleurs centres d'excursions des avants-monts pyrénéens. Au milieu d'un cirque souverain, hérissé de petits cônes calcaires, la ville développe la curieuse industrie de panneaux lamifiés, le Formica.

La situation

Carte Michelin Local 344 E5 – Schéma p. 186 – Aude (11). Par la D 117 ou D 118, Quillan gère l'accès à la haute vallée de l'Aude.

Le nom

Comme nombre de noms languedociens en -an, il dérive d'un gentilice romain : ici, celui d'un certain Quelius.

Les gens

3 542 Quillanais. La passion du rugby, qui remonte au mécénat de Jean Bourrel, ne pâlit toujours pas auprès de la population.

> **LOISIRS-INFOS**
> **Maison des Pyrénées cathares, Pays d'Accueil touristique d'Axat** – *Rd-pt du Pont-d'Aliès - 11140 Axat -* ☎ *04 68 20 59 61 - cdc.axat@wanadoo.fr – saison : 9h-13h, 15h-19h ; reste de l'année : lun.-ven. 9h-12h, 13h30-17h30 - fermé oct.-avr.* De nombreux documents touristiques sont à la disposition des touristes.

se promener

Sur l'esplanade de la gare, original monument à l'abbé Armand *(voir ci-dessous)*.
Sur la rive droite de l'Aude s'élèvent les ruines d'une forteresse médiévale de plan carré avec échauguettes aux angles, rare exemple de ce type d'architecture militaire

dans la région. Elle fut construite au 13e s. et servit de garnison aux troupes de Guy de Lévis, principal lieutenant de Simon de Montfort.

Quillan

circuit

PAYS DE SAULT ET GORGES DE L'AUDE★★

144 km au départ de Quillan – environ une journée.
Quitter Quillan à l'Ouest par la D 117.

La route s'élève en impressionnants lacets, dominant la cuvette où se trouve Quillan.

Tourner à gauche dans la D 613 qui court sur le plateau de Sault. Après Espezel, à un croisement marqué d'une croix, prendre à droite la D 29 (direction Bélesta).

Après la maison forestière, s'engager à gauche sur la route forestière. Laisser la voiture dans un coude à gauche, au pied des abreuvoirs de Langaraïl.

Pâturage de Langaraïl★

🚶 *3/4h à pied AR.* Site d'estive. Suivre la direction donnée par la piste caillouteuse jusqu'aux bombements d'où la **vue** se dégage au Nord, au-delà de la forêt de Bélesta jusqu'aux avant-monts de la chaîne vers le Lauragais. Par temps dégagé, vous apercevrez Montségur, juché sur son « pog ».

Revenir sur la route forestière et poursuivre vers l'Ouest.

Pas de l'Ours★

Passage en haute corniche rocheuse au-dessus des gorges de la Frau.

Au col de la Gargante suivre à gauche la route en montée signalée « belvédère à 600 m ».

Belvédère du Pas de l'Ours★★

🚶 *1/4h à pied AR.* Du belvédère, vue grandiose sur l'entaille de la Frau ; 700 m plus bas, le piton de Montségur, la montagne de la Tabe ; en arrière on distingue très haut les déblais blancs de Trimouns.

Dépasser le col de la Gargante et descendre jusqu'à Comus où l'on prend à droite.

Gorges de la Frau★

🚶 *1h1/2 à pied AR.* Laisser la voiture au point de départ d'une large route forestière. On longe le pied de parois calcaires virant au jaunâtre. Après 3/4h de marche, faire demi-tour à l'endroit où la vallée dessine un brusque coude.

Revenir à Comus et prendre à droite vers Camurac. On quitte le bassin supérieur de l'Hers, où malgré la rudesse du climat les versants étaient naguère cultivés en terrasses, pour gagner le col des Sept Frères.

MON BEAU SAPIN
Ce circuit emprunte un tronçon impressionnant de la **route du Sapin de l'Aude** dont les futaies comptent des arbres de plus de 50 mètres.

DOMAINE SKIABLE DE CAMURAC
Alt. 1 400-1 800 m. Sur le plateau de Sault, station familiale et chaleureuse dotée de 16 pistes de ski alpin de tous niveaux. Boucle de ski de fond pour les débutants et parcours balisé réservé aux promenades en raquettes.

---

carnet pratique

HÉBERGEMENT ET RESTAURATION

🛏 **Hôtel Canal** – *36 bd Ch.-de-Gaulle -* ☎ *04 68 20 08 62 - fermé 2 au 15 janv., 1er au 15 nov., dim. soir et lun. hors sais. - 15 ch. : 35/41€ -* 🛏 *5,50€ - restaurant 11,50/26€.* Un hôtel familial tout simple, dans la rue principale de cette petite ville du pays cathare. Bien entretenues, ses chambres sont proprettes et son restaurant, au décor campagnard sobre, sert une cuisine aux accents régionaux.

LOISIRS

L'Aude offre un cadre exceptionnel à la pratique des sports d'eaux vives, des gorges de St-Georges à celles de Pierre-Lys.
Centre de séjour Sports et Nature – *La Forge -* ☎ *04 68 20 23 79 - www.quillan.fr.* Outre les sports d'eaux vives, ce centre propose de nombreuses activités : escalade, via corda, spéléologie, tir à l'arc, randonnée pédestre et VTT (découverte du pays cathare) et parcours acrobatique forestier.
Sud Rafting – *Rd-pt du Pont d'Aliès - 11140 Axat -* ☎ *04 68 20 53 73 - sudrafting@libertysurf.fr - fermé nov.* Organisation de séjours sportifs en plein air. Activités d'eaux vives et de montagne. Snack, buvette et point photo sur place.

Prendre à gauche la D 613 en direction de Belcaire puis à droite la D 20 jusqu'à Niort de Sault où l'on prend sur la gauche.

Descendre les **gorges du Rebenty** qui entaillent profondément le pays de Sault, découpant le plateau en deux parties. Plus loin, la route se glisse sous les impressionnants surplombs du **défilé d'Able**. Enfin, on atteint le **défilé de Joucou** où les tunnels succèdent aux surplombs jusqu'à **Joucou**, village bâti autour d'une ancienne abbaye.

Faire demi-tour. Après les deux tunnels, prendre à gauche la D 29 qui passe par Rodome, Aunat et Bessède-de-Sault, dans un paysage très vallonné, riant sous le soleil de l'été, nettement plus austère en hiver ou lorsqu'un brouillard soudain s'empare du plateau.

Rejoindre la D 118 que l'on prend à gauche vers Axat. Suivant le cours de l'Aude, la route, pittoresque, longe le rebord du plateau de Sault.

Grottes de l'Aguzou
Sortie spéléo sur demande préalable (3 j. av.) ; dép. 9h. 50€ (1 j.), 30€ (1/2 journée). Se munir de tennis, bottes ou chaussures de randonnée légères et prévoir un repas froid. ☎ 04 68 20 45 38. www.grotte-aguzou.com
Riche réseau souterrain découvert en 1965. Casque à lampe frontale vissé sur la tête (visite sportive mais accessible aux enfants à partir de 10 ans), vous découvrirez une concentration de cristaux et de splendides aragonites.

Gorges de St-Georges★
Taillées verticalement dans le roc nu, réellement impressionnantes, ce sont les gorges les plus étroites de la haute vallée de l'Aude.

Dans les **gorges de l'Aude**, sillon d'une dizaine de kilomètres, le torrent bouillonne entre de hautes murailles couvertes d'une abondante végétation.

Poursuivre jusqu'à **Axat**, centre réputé de sports d'eau vive, où l'on prend à gauche la D 177 en direction de Quillan.

A. Thuillier/MICHELIN

L'Aude se faufile entre les gorges abruptes, propices à des descentes mouvementées en canoë.

Défilé de Pierre-Lys★
Passage impressionnant entre des falaises où s'accrochent quelques buissons. Le dernier tunnel, le **trou du Curé**, rappelle le souvenir de l'**abbé Félix Armand** (1742-1823), curé de St-Martin-Lys, qui fit ouvrir le passage au pic et à la pioche.

Rennes-le-Château

Rennes-le-Château domine avec aplomb la vallée de l'Aude et ses petites cités à toits rouges, Espéraza et Campagne-sur-Aude. Une rue unique traverse cet étroit village qui accueille pourtant des foules de curieux intrigués par le mystère de la soudaine fortune de l'abbé Saunière.

La situation
Carte Michelin local 344 E5 – Schéma p. 186 – Aude (11). Du parking aménagé près du château d'eau s'offre un vaste panorama vers l'Ouest, sur la haute vallée de l'Aude. **fi** *www.rennes-le-chateau.com*

Le nom
Rennes désigne l'antique Rhedae, qui a donné son nom au comté du Razès (*Pagus Redensis*).

Les gens
88 Rennois. Parmi eux s'en est trouvé un qui défraie la chronique depuis de longues années : l'abbé Saunière et son supposé trésor.

CURE DE JOUVENCE
À 12 km de Rennes, la station thermale de Rennes-les-Bains est indiquée pour le traitement des rhumatismes. Vous trouverez les coordonnées de l'établissement thermal au chapitre « Forme et santé » dans la partie Informations pratiques, au début du guide.

comprendre

Une fortune mystérieuse - La vie insolite de Bérenger Saunière, curé de Rennes-le-Château de 1885 à sa mort en 1917, a fait couler beaucoup d'encre.

Où l'abbé trouva-t-il, à partir de 1891, les moyens de restaurer son église en ruine, de se construire un logis luxueux (villa Béthania), une tour-bibliothèque, une serre exotique, et de mener pendant plus de 20 ans un train de vie digne d'un prince ? Quelle était la teneur des parchemins qu'il aurait découverts à la faveur des travaux effectués dans son église ? Qu'est-ce qui le poussa à marteler certaines dalles funéraires ?

Les plus crédules aiment à penser qu'un trésor est à l'origine de la fortune de l'abbé. Les templiers, les Wisigoths (qui auraient rapporté de Rome le trésor de Jérusalem) et même ces malheureux cathares y auraient enfoui leurs richesses. À moins qu'il ne s'agisse de documents remettant en cause l'histoire officielle de l'église romaine. Le délire collectif, attisé par les publications de quelques pseudo-historiens et d'authentiques charlatans (allant jusqu'à y voir les prémisses de la naissance d'un « cinquième empire » prophétisé par Nabuchodonosor !) a atteint de telles proportions que la municipalité a dû publier un arrêté interdisant de creuser le moindre trou sur la commune, tant les édifices commençaient à être fragilisés !

La réalité ? Elle est beaucoup plus prosaïque : le brave abbé se livrait à grande échelle à un fort lucratif trafic de messes... ce qui lui valut quelques ennuis avec sa hiérarchie.

découvrir

SUR LA PISTE DU TRÉSOR

Église Ste-Marie-Madeleine

La décoration (peintures murales néogothiques, statues polychromes) dont elle a été dotée à la fin du 19e s. ne manque pas d'intriguer le visiteur.

Espace Bérenger-Saunière

De déb. mai à mi-sept. : 10h-19h ; de mi-sept. à fin oct. et mars-avr. : 10h-18h ; nov.-fév. : 10h-17h. Fermé 1er janv., 25 déc. 4€. ☎ *04 68 74 05 84.*

Musée – Installé dans le presbytère, il est consacré à l'histoire de Rennes-le-Château. On peut notamment y voir le pilier wisigothique (8e-9e s.) qui soutenait la table de l'ancien maître-autel de l'église et qui aurait recelé les fameux parchemins du trésor, des dalles funéraires ainsi que l'énigmatique dalle dite « des Chevaliers ».

Domaine de l'abbé Saunière – Dans un parc d'agrément, on découvre la curieuse tour Magdala, crénelée, dont les deux étages sont aménagés en bureau et bibliothèque. Un belvédère de forme circulaire relie la tour à une véranda qui abritait un jardin d'hiver. Dans une salle en contrebas, musée sur la vie de l'abbé ainsi que sur le mystère du trésor. La chapelle privée, récemment rénovée, donne accès à la villa Béthania ; au 1er étage sont exposés des meubles ayant appartenu à l'abbé Saunière.

D. Pazery/MICHELIN

Dans l'église, un bénitier est supporté par un diable accroupi, sujet inattendu dans un tel lieu. Le mystère continue...

Roquefort-sur-Soulzon★

C'est un village s'étalant au flanc d'un gigantesque éboulis provenant de l'effondrement de la corniche du plateau du Combalou. Mais surtout, pas de panique ! Cette catastrophe a eu lieu il y a bien long-temps et c'est à elle que l'on doit le fameux roque-fort : c'est en effet grâce aux fissures de la roche sou-terraine, les fleurines, que le lait caillé se transforme en ce « roi des fromages » que vantait déjà Diderot.

La situation

Carte Michelin local 338 J7 – Aveyron (12). Roquefort est situé dans le **Parc naturel régional des Grands Causses** : pensez-y pour vos balades à pied et votre découverte de ces grands et beaux espaces.

Pour vous garer, sachez qu'il existe un parking à l'entrée du village, devant l'Office de tourisme, proche des caves de roquefort.

🛈 *Av. de Lauras, 12250 Roquefort-sur-Soulzon, ☎ 05 65 58 56 00. www.roquefort.com*

Le nom

Roquefort, dont le nom évoque le château fort qui exis-tait sur le rocher de Combalou au 11e s. (« Roque » pour le rocher et « fort » pour le château), a donné son nom au célèbre fromage, si célèbre que la ville a également donné son nom au champignon grâce auquel le caillé devient fromage, le *Penicillium roqueforti*.

Les gens

679 Roquefortais. La star incontestée du village s'appelle Maurice Astruc, le maître affineur des caves de roquefort Société.

comprendre

Un berger amoureux – On raconte que le roquefort serait né des amours d'un berger et d'une bergère. S'étant donné rendez-vous dans une des innombrables grottes du Combalou, le jeune berger oublia son sac contenant un morceau de pain de seigle et du caillé de brebis. Quelques jours plus tard, lors d'un autre rendez-vous, le berger, aussi amoureux qu'affamé, retrouva son sac : il en sortit un morceau de pain et un fromage couverts de moisissures vert-bleu. Le fromage avait changé de goût et d'odeur mais les deux amoureux le mangèrent avec délice. Et *roquefortum fiat* !

LA BREBIS LACAUNE
Reine du pays de Roquefort, la brebis de Lacaune qui doit son nom à une commune du Tarn, est le résultat d'une sélection des meilleurs races locales. Réputée pour ses qualités laitières, elle a également une certaine élégance soulignée par sa silhouette allongée, sa toison blanche qui laisse à découvert une longue tête fine et un « délicat décolleté ».

Pour comprendre la spécificité du roquefort, il faut découvrir ce site naturel exceptionnel.

P. Blot/MICHELIN

Essor d'un fromage – Le territoire de production de lait de brebis et la zone dans laquelle sont aménagées les caves d'affinage font l'objet de délimitations rigoureuses. L'appellation d'origine du roquefort est probablement la plus ancienne des appellations puisque le roquefort, qui pourrait dater de plus de 5 000 ans avant J.-C., était déjà apprécié à Rome au temps de Pline et à Aix-la-Chapelle à la table de Charlemagne. L'AOC actuelle a été décrétée en 1979.
La région de production du lait de brebis s'est progressivement étendue vers le Nord jusqu'à la vallée du Lot, vers l'Ouest jusqu'à la Montagne noire et, débordant des Grands Causses vers le Sud et le Sud-Est, dans les régions montagneuses de l'Hérault et les contreforts des Cévennes.

S. Sauvignier/MICHELIN

visiter

Les caves de Roquefort★
Prévoir des vêtements chauds, température intérieure de 9 °C. **Roquefort Société** – *De mi-juil. à fin août : 9h30-18h30 ; de déb. juil. à mi-juil. et de fin août à mi-sept. : 9h-12h, 13h-18h ; de mi-avril à fin juin : 9h30-12h, 13h30-17h30 ; de mi-sept. à déb. nov. : 9h30-12h, 13h30-17h (16h30 de déb. nov à mi-avr.). Fermé 1ᵉʳ janv., 25 déc. 2,30€.* ☎ *05 65 59 93 30.*
Roquefort Papillon – *Juil.-août : 9h30-18h30 ; avr.-juin et sept. : 9h30-11h30, 13h30-17h30 ; oct-mars : 9h30-11h30, 13h30-16h30. Fermé 1ᵉʳ janv., 25 déc. Gratuit.* ☎ *05 65 58 50 08.*

L'effondrement de la partie Nord du Combalou a laissé dans la roche des anfractuosités, qu'on appelle « fleurines », d'une température et d'une humidité constantes, qui sont à l'origine de la transformation des fromages en roquefort.
Après leur fabrication dans les fermes-fromageries, les pains sont disposés en longues files sur des étagères de chêne dans les caves naturelles aménagées, où s'affairent les « cabanières » chargées d'envelopper les pains dans des feuilles d'étain (pour le 2ᵉ affinage). La lente maturation s'opère sous le contrôle attentif des maîtres affineurs. Grâce à l'air froid et humide soufflé par les fleurines, le *Penicillium roqueforti* se développe en donnant les marbrures vert-bleu bien connues. Pour obtenir un bon roquefort, il faut au minimum trois mois d'affinage.

Musée archéologique
De mi-juin à mi-sept. : 10h-12h, 14h-18h. Gratuit. ☎ *05 65 59 91 95.*
Le produit des fouilles (poteries, objets en bronze et en cuivre, etc.) révèle que la région de Roquefort et des causses connut des périodes de peuplement dense entre le début du néolithique et l'époque gallo-romaine.

se promener

Rocher St-Pierre
Accès par escaliers, au départ du parking des Caves Société. Adossé à la falaise du Combalou, ce belvédère (alt. 650 m) offre une **vue★** (table d'orientation) jusqu'aux monts du Lévézou, à droite sur la vallée du Soulzon et le cirque de Tournemire, à gauche sur la vallée du Cernon, en face sur les falaises tabulaires du causse du Larzac, et au pied sur le village de Roquefort.

Sentier des Échelles
🚶 *2h1/2 à pied ; quelques passages difficiles (passages étroits, échelles glissantes par temps de pluie).* Au départ du village (630 m), il permet d'accéder au plateau du Combalou (791 m), en passant près de l'Éboulis. Sur le plateau, **vue panoramique.**

alentours

St-Affrique

13 km au Sud-Ouest par la D 999. Ici, pas de savane ni de girafes : c'est l'évêque saint Affrique (ou saint Affricanus ou saint Fric) qui, chassé du Comminges par les Wisigoths, trouva refuge dans le Rouergue et y mourut. La petite ville qui naquit autour de son tombeau prit tout naturellement son nom. Une flânerie dans ses rues vous permettra de découvrir la fontaine à moutons *(pl. de la Mairie)*, une tour, vestige des remparts, et trois ponts enjambant la Sorgues.

Pastoralia – *À la sortie de St-Affrique sur la route de Savignac.* &. *De Pâques à mi-sept. : 10h-18h ; reste de l'année : tlj sf w.-end 10h-12h, 14h-18h. 4€ (6-12 ans : 3€).* ☎ *05 65 98 10 23.*

Dans une ancienne bergerie, cette exposition présente toute la filière de la brebis au roquefort. Film, boutique et quelques brebis à l'extérieur.

Saint-Génis-des-Fontaines

Dans la plaine alluviale du Tech, le petit bourg entouré de vergers et de vignes dévoile volontiers ses charmes à ceux qui n'ignorent pas les Albères au profit de la Côte Vermeille toute proche. L'église paroissiale et le cloître sont les témoins esseulés du rayonnement de l'ancienne abbaye bénédictine.

La situation

Carte Michelin Local 344 I7 – Schéma p. 137 – Pyrénées-Orientales (66). Par la D 618, à mi-chemin entre Le Boulou et Argelès ; on peut faire le détour par la D 2 pour longer au plus près les Pyrénées.

Le nom

L'inscription du linteau de l'église précise que « la 24ᵉ année du règne du roi Robert, Guillaume, par la grâce de Dieu, abbé, ordonna que cette œuvre fût faite en honneur de saint Génies qu'on appelle des fontaines ».

Les gens

2 442 Saint-Génissiens. Hannibal et ses troupes, ses chevaux et ses éléphants, passèrent vraisemblablement dans cette région, entre le col du Perthus et la mer, pour rejoindre Rome.

visiter

Église

Le **linteau**★★, en marbre blanc, qui surmonte la porte de l'église, représente deux groupes de trois apôtres entourant le Christ qui trône au centre d'une gloire portée par deux anges agenouillés.

Cloître

&. *Juin-août : 9h30-12h, 15h-19h ; mai-sept. : 9h30-12h, 14h-18h ; oct.-avr. : 9h30-12h, 14h-17h. Fermé 1ᵉʳ janv., 25 déc. 2€ (enf. : 1€).* ☎ *04 68 89 84 33.*

🖼 Le cloître, du 13ᵉ s., restitué à son emplacement d'origine après avoir été démantelé, comporte des galeries s'ouvrant par des arcs en plein cintre reposant sur des chapiteaux sculptés. Le décor de marbre frappe par sa variété : marbre rose de Villefranche-de-Conflent, blanc et gris de Céret.

Le linteau de l'église de St-Génis-des-Fontaines est l'une des plus anciennes manifestations datées de l'art roman en France (1020).

circuit

AU PIED DES ALBÈRES ③

32 km – 3h environ. Voir schéma p. 137. Quitter St-Génis-des-Fontaines à l'Est par la D 618.

Saint-André

Laisser la voiture sur la placette ombragée à droite de la rue principale du village. Par une voûte, accéder à l'église.
L'**église**, du 12ᵉ s., présente extérieurement d'importants fragments d'appareil préroman en « arête de poisson ». Le portail est surmonté d'un linteau de marbre, de technique similaire à celui de St-Génis-des-Fontaines. À la fenêtre, décor de palmettes et de galons de perles avec, aux angles, les médaillons des évangélistes.
À l'intérieur, les fenêtres ont été dotées, en 1973, de châssis vitrés rappelant les dalles ajourées des claustras antiques. La table d'autel à lobes fait apparaître des motifs décoratifs analogues à ceux du linteau.

Argelès-Plage⌂⌂⌂ *(voir ce nom)*

Quitter Argelès par la D 2 en direction de Sorède. Au centre du village, prendre à gauche la voie signalisée « vallée des tortues » et la suivre jusqu'au parking (2 km).

Sorède

Ce village, spécialisé depuis des temps immémoriaux dans la fabrication de fouets en micocoulier, abrite aujourd'hui un vaste espace consacré aux tortues.
Vallée des tortues – *Juin-août. : 9h-18h. ; mars-mai et sept. : 10h-16h ; de déb. oct. à mi-nov. : 11h-15h ; de mi-nov. à fin mars : dim. et vac. scol. 11h-15h. 7€ (3-10 ans : 4€). ☎/fax 04 68 95 50 50.*
⌂ À la fois centre d'élevage et d'étude, ce parc de 2 ha ne manquera pas de ravir les amoureux de ces reptiles, aussi sympathiques que peu bruyants. Une quarantaine d'espèces du monde entier, qu'elles soient terrestres ou aquatiques, sont ici représentées, dans des parcs. Une nursery et des panneaux explicatifs agrémentent une visite à l'issue de laquelle vous seriez impardonnable de ne pas reconnaître du premier coup d'œil la tortue d'Hermann de la tortue marginée ou de la tortue mauresque. Également un itinéraire botanique sur la flore du bassin méditerranéen.
Retourner à Sorède et poursuivre sur la gauche la D 2 jusqu'à Laroque-des-Albères, puis la D 11 vers Villelongue-dels-Monts. Du centre du village, suivre le Cami del Vilar, sur 2 km environ, en direction du prieuré.

Prieuré Santa Maria del Vilar

15h-18h. 4€. ☎ 04 68 89 68 35 (matin), ☎ 04 68 89 64 61 (ap.-midi).
Dans un site agréable, peuplé de chênes verts, d'oliviers et de cyprès, ce prieuré, élevé au 11ᵉ s. par des moines de Vilabertrán, abandonné depuis des siècles et envahi par la végétation, a repris vie grâce à une association qui

TRADITION Centre Les Micocouliers – *4 r. des Fabriques - 66690 Sorède - ☎ 04 68 89 04 50.* Visite (en semaine) de l'atelier de fabrication des fouets perpinya en micocoulier.

UN PORTAIL EN EXIL Vendu en 1924, le portail du prieuré ornait depuis le château du Mesnuls en région parisienne, avant de retrouver, ces dernières années, ses Albères natales.

a entrepris de le dégager et de le restaurer. Un ravissant portail roman donne accès à l'église, caractéristique du style roman catalan primitif. Vous pourrez y admirer dans l'abside, des fresques des 11e et 12e s. Le charmant cloître-promenoir abrite un musée archéologique et religieux, la salle carolingienne, des expositions de peinture. Depuis 1996, un festival lyrique permet aux mélomanes de bénéficier de la remarquable acoustique des lieux.

Retour à St-Genis par la D 61A, puis la D 618 à droite.

Saint-Guilhem-le-Désert★★

Le village, oasis resserrée autour d'une ancienne abbaye, marque l'entrée de gorges sauvages, au confluent du Verdus et de l'Hérault. Son histoire résonne encore de la légende propagée par la chanson de geste de Guillaume d'Orange (12e s.).

La situation
Carte Michelin Local 339 G6 – Schéma p. 211 – Hérault (34). Parkings payants à l'entrée du village. Préférer le matin en saison car le village est très fréquenté.
🛈 *2 r. de la Font-du-Portal, 34150 St-Guilhem-le-Désert,* ☎ *04 67 57 44 33.*

Le nom
Le nom du saint est complété par le Désert, de l'occitan *desèrt*, « endroit sauvage, inculte... désertique », ce qui n'est plus vraiment le cas aujourd'hui, étant donné la foule de touristes qui vient s'y ressourcer !

Les gens
245 Sautarocs. Planté en 1848, un immense platane trône sur la place de la Liberté : les habitants, en dépit de leur drôle de nom (« saute-rochers ») aiment se réfugier sous son ombre pour discuter.

comprendre

Le petit marquis au court nez – Petit-fils de Charles Martel par sa mère, Guilhem naît vers 755. Élevé avec les fils de Pépin le Bref, il se fait remarquer de bonne heure par son habileté dans le maniement des armes, son intelligence et sa piété.
En 768, Charlemagne monte sur le trône. Guilhem est un de ses plus vaillants lieutenants ; il conquiert l'Aquitaine et en reçoit le gouvernement. De nouvelles victoires lui valent le titre de prince d'Orange. Quand il revient de guerre, il a 48 ans. Sa femme, qu'il aimait tendrement, est morte. Dès lors, il aspire à la solitude. Il laisse à son fils aîné la principauté d'Orange et vient à Paris en aviser son roi.
La relique de la vraie Croix – Guilhem, visitant ses terres aux environs de Lodève, pénètre dans le val de Gellone. Ce coin perdu lui semble un lieu choisi pour élever un monastère et s'y installer avec quelques religieux. Charlemagne le rappelle encore une fois pour lui faire don de la relique de la Croix. Guilhem regagne son monastère. Pendant un an, il s'occupe à l'améliorer, crée des jardins, facilite les communications, amène l'eau dans le couvent. Son œuvre accomplie, il se retire dans sa cellule et termine sa vie en 812, dans le jeûne et la prière. Il est enterré solennellement dans l'église abbatiale.
L'abbaye de St-Guilhem – Après la mort de Guilhem, le monastère de Gellone devient un lieu de pèlerinage important autour de la relique de la Croix et du tombeau du saint. D'autre part, c'est une étape conseillée sur le chemin de St-Jacques-de-Compostelle. Aux 12e et 13e s., le monastère compte plus d'une centaine de moines et le village de Gellone est alors rebaptisé St-Guilhem-le-Désert.

RANDONNÉES
🚶 Après l'église et la place, continuer par la rue du Bout-du-Monde pour rejoindre le départ des randonnées vers le cirque de l'Infernet (ou Bout du Monde, 1h AR) ou l'ermitage Notre-Dame du Lieu Plaisant 2h1/2 AR).

SURNOM AMICAL
Les jeunes princes appellent Guilhem « le petit marquis au court nez », surnom on ne peut plus affectueux car tous lui sont très attachés ; son amitié avec l'un d'eux, Charles, futur Charlemagne, ne cessera qu'avec la mort.

se promener

On l'appelle « le Désert », ce petit village perdu au fond des gorges du Verdus.

LE VILLAGE★

Des petites rues sinueuses traversent St-Guilhem pour aboutir à la place de la Liberté sur laquelle s'ouvre le portail de l'église abbatiale. On peut y voir quelques belles façades du Moyen Âge avec des baies géminées ou en arc brisé. À l'Ouest et au Nord de la place, les rues du Bout-du-Monde et Font-du-Portal conservent elles aussi de belles demeures.

ÉGLISE ABBATIALE★

De l'abbaye, fondée en 804 par Guilhem, il ne reste que l'église construite au 11e s., désaffectée à la Révolution ; ses bâtiments monastiques furent dépecés et les sculptures du cloître dispersées dans la région. Donnant sur une place ombragée d'un magnifique platane, le large portail à voussures de l'abbatiale est surmonté d'un clocher du 15e s. Les colonnettes des piédroits et les médaillons incrustés sont des fragments gallo-romains. Ce portail donne accès au narthex, *lo gimel*, dont la voûte sur croisées d'ogives a été édifiée à la fin du 12e s.

Chevet★

De la ruelle bordée de maisons anciennes, on peut admirer la richesse de sa décoration. Flanqué de deux absidioles, il est éclairé par trois baies. Une suite d'arcades séparées par de fines colonnettes aux curieux chapiteaux les surmontent. Il est souligné par une frise en dents d'engrenage qui rappelle celle du portail.

Intérieur

La nef (11e s.) est d'une grande sobriété. L'abside, voûtée en cul-de-four, est décorée par sept grandes arcatures. De part et d'autre, dans des cavités creusées dans le mur, sont exposés à gauche la châsse de saint Guilhem contenant ses ossements, à droite le morceau de la sainte Croix remis par Charlemagne. Cette relique est portée en procession sur la place du village, chaque année au mois de mai. Sous le sanctuaire se trouve la **crypte** qui abritait primitivement le tombeau de saint Guilhem. C'est un vestige de la première église. L'orgue, œuvre de Cavaillé, a été inauguré en 1789. Il s'orne d'anges musiciens.

Cloître

Accès par la porte qui s'ouvre dans le bas-côté droit. Du ▶ cloître à deux étages, il ne reste que les galeries Nord et Ouest du rez-de-chaussée, ornées de fenêtres géminées dont les arcatures reposent sur des chapiteaux très frustes.

A. de Valroger/MICHELIN

Il ne faut pas hésiter à prendre du recul pour admirer le chevet de l'église.

GRAND VOYAGE
La reconstitution du cloître à partir des colonnes et sculptures achetées par le collectionneur Georges Grey Barnard en 1906 est visible au musée des Cloîtres de New York.

Dans le **musée**, remarquer un sarcophage paléochrétien (6e s.) en marbre gris, qui aurait contenu les restes des sœurs de saint Guilhem. Sur la face principale, on voit le Christ entouré des apôtres, sur les faces latérales Adam et Ève tentés par le serpent et les trois jeunes Hébreux dans la fournaise, et sur le devant du couvercle Daniel dans la fosse aux lions. Un autre sarcophage en marbre blanc, du 4e s., est dit « de saint Guilhem ». *Juil.-août : tlj sf mar. 11h-12h, 14h30-17h30, dim. 14h30-17h30 ; sept.-juin : tlj sf mar. 14h-17h, dim. 14h30-17h. 1,50€.* ☎ 04 67 57 75 80.

alentours

Grotte de Clamouse★★★

3 km au Sud de St-Guilhem-le-Désert en bordure de la D 4 (grands parkings). Température : 17 °C. Juil.-août : visite guidée (1h) 10h-19h ; juin et sept. : 10h-18h ; fév.-mai et oct. : 10h-17h ; nov.-janv. : tlj sf sam. 12h-17h. 7,50€. ☎ 04 67 57 71 05.

◄ Découverte en 1945 à la faveur d'une sécheresse exceptionnelle qui permit de franchir le siphon de la source de la Clamouse, cette grotte se distingue par l'abondance de ses cristallisations fines constituées d'aragonite et de calcite. Elle a pris le nom de la résurgence qui bouillonne en contrebas de la route et dont les eaux vont, lors des fortes pluies, se briser avec fracas dans l'Hérault : d'où le nom de *clamosa*, la « hurleuse ».

Après une vidéo de présentation, le parcours emprunte le lit ancien de la rivière, réoccupé par les eaux en période de crue. La roche y apparaît taraudée, dentelée, formant un décor quelque peu fantomatique qui traduit parfaitement les effets de la corrosion. Les grandes salles commencent avec la salle Gabriel Vila, appelée aussi salle du Sable, où deux aquariums présentent des animaux aquatiques cavernicoles, dont le célèbre protée. On retrouve les concrétions classiques, stalagmites, stalactites, colonnes, disques et draperies de calcite, parfois colorés par des oxydes métalliques... Très sollicitée, l'imagination est parfois aidée par les commentaires du guide ou, de manière plus spectaculaire, par un son et lumière dans la salle du Porche. Mais le trésor de la grotte se trouve un peu plus loin...

◄ Cette fois, en effet, les anciennes et majestueuses concrétions se font voler la vedette par de très jeunes, à peine quelques milliers d'années, d'une blancheur étincelante. Le Couloir blanc et la salle des excentriques sont de véritables joyaux parés de **cristallisations fines** peu fréquentes dans le monde des cavernes : « **bouquets de cristaux** » d'aragonite se désagrégeant en amas blanchâtres appelés « **lait de lune** », pluies de **fistuleuses** oscillant au moindre souffle d'air, énigmatiques **excentriques** aux formes capricieuses, « **cristaux de gour** » transformant certains bassins naturels en écrins immaculés où se lovent de délicates « **perles des cavernes** » (pisolithes)... Un véritable enchantement.

LES PLEURS D'UNE MÈRE
Selon certaines sources (légendaires), la *clamosa* (« pleureuse ») serait une mère dont le fils, berger, aurait disparu, englouti dans un aven du Larzac. Plus tard, le corps du pauvre jeune homme serait réapparu, sans vie, dans les eaux de la résurgence.

MÉDUSANT
À la sortie du Cimetière, on admire la Méduse, spectaculaire concrétion translucide née de la coalescence de plusieurs disques.

La grotte de Clamouse est la reine des cristallisations fines. Leur couleur d'un blanc franc est signe que la part d'impuretés ou de colorants minéraux qu'elles contiennent est infime.

D. Pazery/MICHELIN

Pont du Diable

3 km au Sud. Ni le diable, ni les colères de l'Hérault ne semblent impressionner ce pont (11ᵉ s.) qui traverse imperturbablement le fleuve et les siècles. Plage en contrebas.

St-Jean-de-Fos

4 km au Sud. Bénéficiant de sa situation à la sortie des gorges de l'Hérault, le village se développe à partir du 11ᵉ s., enroulant ses maisons en « circulade » à l'abri des remparts. Il doit beaucoup à la poterie qui assure sa prospérité du 14ᵉ s. jusqu'au milieu du 19ᵉ s. Suit une difficile période de déclin enrayée depuis quelques années grâce au tourisme, avec le retour des **potiers**, vignerons, oléiculteurs...

circuit

SOURCE DE LA BUÈGES

23 km, par la D 4 au Nord-Est de St-Guilhem-le-Désert. À Causse-de-la-Selle, prendre à gauche la D 122.

St-Jean-de-Buèges

Ses hautes maisons en pierres dorées s'ornent de belles portes arrondies et de petites fenêtres.

Gorges de la Buèges

⏱ *2h1/2 à pied AR au départ de St-Jean. De la place principale de St-Jean, traverser à pied le village.* Le sentier qui s'amorce sous le château permet de descendre les gorges jusqu'au pont du 15ᵉ s. sur la Buèges, avant Vareilles.

Faire demi-tour ; aussitôt après le pont sur la Buèges, prendre à droite la D 122.

Source de la Buèges

Peu avant Pégairolles-de-Buèges, dominé par les ruines d'un château, prendre à droite le chemin du Méjanel qui traverse le ruisseau de Coudoulières. Après le pont, un chemin à droite conduit à la source de la rivière. Dans cette vallée aux versants brûlés, qui se creuse entre les escarpements de la montagne de la Séranne et ceux du causse de la Selle, cette résurgence apporte la fraîcheur.

Saint-Hippolyte-du-Fort

Bien abrité par les premiers contreforts des Cévennes méridionales, St-Hippolyte-du-Fort s'ouvre vers la plaine languedocienne, bercée par les effluves de serpolet et de romarin. Du passé, la cité cigaloise a conservé deux tours et quelques rues étroites bordées de nobles façades. Mais il faut surtout la visiter pour découvrir la sériciculture. La soie, l'élevage du ver et le tissage ont en effet jadis apporté une contribution non négligeable à l'ordinaire des habitants de la région.

La situation

Carte Michelin local 339 I5 – Gard (30). Pour atteindre St-Hippolyte depuis Alès, prendre la N 110 puis à droite la D 910 pour Anduze. Là, prendre la D 982 à gauche pour passer par Durfort et la plaine. 🛈 *Les Casernes, 30170 St-Hippolyte-du-Fort,* ☎ *04 66 77 91 65.*

Le nom

Conquise aux idées de la Réforme, la ville fut dotée à la fin du 17ᵉ s. d'un fort (d'où elle tire son nom), destiné à abriter les troupes royales et à emprisonner les huguenots, aussi indomptables que les chevaux auxquels on avait attaché par les pieds ce pauvre Hippolyte.

> **L'HEURE, C'EST L'HEURE !**
> Un circuit partant du Syndicat d'initiative fait découvrir les fontaines ornant les places et les 23 cadrans solaires apposés sur les façades de la ville.

carnet pratique

RESTAURATION

☕ **Auberge la Pousaranque** – *30610 Sauve - 11 km à l'E de St-Hippolyte dir. Nîmes par D 999 -* ☎ *04 66 77 00 97 - fermé 15 au 30 janv., 12 au 30 nov., mar. midi et lun. sf juil.-août - 14€ déj. - 19/39€.* En patois, « pousaranque » signifie puits à aube : celui-ci, collé au restaurant, daterait du 14e s. La cuisine régionale est servie dans une ancienne remise, authentique avec ses murs de pierres apparentes et son plafond en « voutelles ». Quatre nouvelles chambres dans la maison de maître.

☕☕ **Villa Eugénie** – *Rte de Villesèque - 30610 Sauve - 12 km au SE de St-Hippolyte-du-Fort par D 999 et D 182, rte de Villesèque -* ☎ *04 66 77 05 22 - villa.eugenie@libertysurf.fr - fermé sept.-avr. et jeu. -* ☒ *- réserv. conseillée - 30€.* Une adresse originale à découvrir absolument ! Les tables sont dressées en plein air, parmi les chênes et la garrigue, et la maîtresse des lieux concocte des recettes différentes chaque jour, en fonction du marché et de sa propre inspiration. Ses petits plats, proposés sur ardoise, ont l'accent méridional ou italien.

HÉBERGEMENT

☕ **Chambre d'hôte Mas de l'Aubret** – *30170 Monoblet - 8 km au N de St-Hippolyte par D 133 -* ☎ *04 66 85 42 19 -* ☒ *- 6 ch. : 30/40€.* Cette maison de style provençal se trouve au bout du village, dans un jardin bien arboré. Les chambres aux murs blancs sont d'une sobriété de bon aloi. Quatre d'entre elles ont une terrasse privative. Vous profiterez aussi de l'ombre des arbres ou du salon pour vous reposer...

☕ **Domaine de l'Évêque** – *30610 Sauve - 11 km à l'E de St-Hippolyte-du-Fort par D 999 -* ☎ *04 66 77 51 97 - 4 ch. : 42€.* Cette maison de maître, vieille de 150 ans, comporte un bâtiment central et deux ailes sur les côtés, dont une ancienne orangerie. Celle-ci abrite aujourd'hui une belle salle de réception (sol en mosaïque, escalier en pierre, murs en faux marbre). Les chambres, simples et soignées, offrent un excellent rapport qualité/prix.

ACHATS

Entre Thym et Châtaigne – *2 pl. de la Couronne -* ☎ *04 66 77 21 68 - été : mai-sept. 9h-12h30, 15h30-19h30 ; hiver : 9h-12h30, 15h-19h.* Boutique née d'un groupement d'agriculteurs proposant de vendre en direct les produits du terroir provenant de leurs propres productions.

La Maison de la Soie – ☎ *04 66 77 66 47 - juil.-août : 10h-19h ; avr.-nov. : 10h-12h30, 14h-18h30.* Contiguë à l'écomusée de la Soie, elle propose des articles en soie d'origine locale.

Les gens

Les 3 391 habitants s'appellent les Cigalois ; est-ce en l'honneur des cigales qui y chantent tout l'été ? En tout cas, la cigale est devenue le symbole de St-Hippolyte.

découvrir

LA SOIE DES CÉVENNES

Musée de la Soie

Pl. des Casernes. Juil.-août : 10h-19h ; avr.-juin et sept.-nov. : 10h-12h30, 14h-18h30 ; vac. scol. Noël et fév. : se renseigner. 4,20€. ☎ *04 66 77 66 47.*

Aménagé dans d'anciennes casernes, il retrace, au milieu de documents anciens et d'outils spécifiques, les techniques soyeuses traditionnelles mais aussi actuelles utilisées dans la région (démonstration de filature et de tissage, films vidéo). Pour les mordus de cette belle activité qu'est la sériciculture, une magnanerie vivante, fonctionnant de mai à novembre, fait découvrir le cycle si particulier du bombyx.

Les filatures

La sériciculture ne vit plus aujourd'hui que grâce à l'artisanat, mais on peut encore voir, le plus souvent perdues en pleine nature, d'anciennes filatures plus ou moins intactes. Il s'agit là d'un patrimoine architectural industriel caractéristique des vallées cévenoles.

Avant d'être filée puis tissée, la soie est d'abord un amas de fils formant un cocon tout blanc.

A. Cassaigne/MICHELIN

Filature du Mazel – *Près de N.-D.-de-la-Rouvière (D 986).* Ce fut l'une des plus importantes filatures des Cévennes, lorsque l'activité battait son plein.

Filature de Fontrouch – *Près de Molières-Cavaillac, au Sud-Ouest de Vigan. Carte Michelin Local 339 G5.*

Filature Angliviel – *Au hameau des Salles, au Nord de Valleraugue (D 10). Carte Michelin Local 339 G4.*

Les filatures de soie (ici celle du Mazel) adoptent toutes sensiblement la même architecture composée de trois étages consacrés aux différentes phases de transformation de la soie. Les ouvrières étaient le plus souvent logées sur place.

Filature Caussignac – *À St-André-de-Majencoules. Carte Michelin Local 339 H4.*

Filature et moulinerie de Peyregrosse – *Au Nord-Est de St-André-de-Majencoules (D 986). Carte Michelin Local 339 H4.*

Filature de la Maison Rouge – *À St-Jean-du-Gard. Carte Michelin Local 339 I4.*

Filatures Martin et Vernet – *À Lasalle, respectivement rue du Luxembourg et rue de la Traverse-Neuve. Carte Michelin Local 339 I4.*

Filature du pont de Salindres – *Près de Thoiras (D 907). Carte Michelin Local 339 I4.*

La Fabrique – *Près de St-Jean-du-Pin, au Sud-Ouest d'Alès (D 217). Carte Michelin Local 339 J4.*

Filature Villaret – *À Larnac, à 300 m de la D 904, entre Les Mages et St-Ambroix. Carte Michelin Local 339 K3.*

Filature de Montferré – *À Ribes-Hautes, à 3 km au Nord-Est de Barjac. Carte Michelin Local 339 L3.*

Filature du pont de Rastel – *Près de Chamborigaud (D 906). Carte Michelin Local 339 I3.*

PATRIMOINE

Cette liste, non exhaustive, de filatures, permet de découvrir l'importance que revêtit l'activité séricicole il y a encore 50 ans. Certaines de ces bâtisses sont aujourd'hui des propriétés privées ou en mauvais état ; aussi, contentez-vous de les admirer de loin.

visiter

Musée du Sapeur-Pompier

Pl. des Casernes, à côté de l'écomusée de la Soie. &. *De déb. juin à mi-oct. : tlj sf mar. 10h-12h, 14h30-18h30 ; de mi-oct à fin mai : w.-end et j. fériés 10h-12h, 14h-17h30. Fermé 1er janv., 25 déc. 4€ (enf. : 2,30€).* ☎ *04 66 77 99 86.*

C'est en l'honneur de ce héros de notre enfance qu'a été rassemblée un belle collection d'uniformes, de casques, de voitures toutes plus rutilantes les unes que les autres, couvrant les 19e et 20e s. De quoi enflammer l'ardeur des petits... et des grands !

alentours

Sauve

8 km à l'Est par la D 999. Bâtie en amphithéâtre en bordure du Vidourle, la capitale du Salavès dont les seigneurs portaient le titre des satrapes (!), a conservé son aspect médiéval. Dans ce dédale de ruelles étroites, parfois enjambées par des arches, de passages voûtés, de places à couverts (pl. Jean-Astruc), une promenade au hasard des rues de Sauve présente beaucoup de charme. En suivant la Grand-Rue, on arrive à la tour de Mole. En face s'amorce la rue de l'Évêché (façade Renaissance avec fenêtres à meneaux) qui mène à la place ombragée où s'élèvent la maison des Comtes et une galerie d'art. En continuant à monter, on passe devant l'hôtel de la Monnaie, puis on emprunte la montée des Capucins, sous voûtes ; en poursuivant son chemin, on arrive à la Mer de rochers.

À SAVOIR

La lutte contre l'incendie existe depuis le Moyen Âge, menée par les bourgeois et autres magistrats de la ville. Le premier corps est constitué au 18e s. pour Paris.

Les pompiers d'aujourd'hui sont volontaires ou professionnels ; seuls les pompiers de Paris et les marins-pompiers de Marseille sont des militaires.

Mer de rochers – ⚐ *20mn à pied AR*. Au sommet de l falaise, d'où l'on a une belle vue sur le village et ses toits s'étendent tout à coup la garrigue et les chaos de rocher ruiniformes qui la parsèment. De ce paysage sauvage e étrange émerge un donjon entouré de cyprès, vestige d château de Roquevaire.

Durfort

11 km au Nord-Est par la D 999 puis la D 982 en directio d'Anduze. Cet agréable village perché, dont les maison médiévales rénovées abritent nombre de résidence secondaires et que domine une tour à signaux, conserve dans la toponymie urbaine, le souvenir d'un mammouth *(elephans meridionalis)* qui y fut découvert... et qu « monté » à Paris, loge désormais au muséum d'Histoir naturelle.

Saint-Jean-du-Gard

En fin d'après-midi, la lumière donne à cette petit ville et à sa Grand'Rue étroite bordée de hautes mai sons austères un visage méridional. Au milieu des ver gers, elle s'élève sur la rive gauche du Gardon qu'ell franchit par un vieux pont en dos d'âne, partielle ment détruit par la crue rageuse de 1958. Ses si arches en plein cintre, de hauteur inégale, reposen sur des piles joliment protégées par des éperons à bec La tour de l'Horloge domine la vieille ville.

La situation

Carte Michelin Local 339 I4 – Schéma p. 205 – Gard (30 Le mardi, c'est jour de marché. On dirait que toutes le Cévennes sont descendues ici ! Trouver une place o garer sa voiture est un privilège réservé à ceux qui vien nent tôt... Tentez votre chance aux sorties de la ville o sur la rive droite du Gardon, vers l'Atlantide Parc. ⚐ *P Rabaut-St-Étienne, 30270 St-Jean-du-Gard, ☎ 04 66 85 32 11*

Le nom

Les noms de lieux venant de saints étant très nombreux on les distingue souvent par quelque complément, te ici le nom de la rivière. En 1119, le bourg s'appelai *S. Johannes Gardonenca.*

carnet pratique

A. Thuillier/MICHELIN

Les gens

2 563 Saint-Jeannais. « Gardonnades » : tel n'est pas le nom des animaux fantastiques qui auraient pu terroriser la ville il y a fort longtemps, mais celui donné aux crues subites du Gardon de St-Jean. Elles font souvent suite aux pluies torrentielles causées par le refroidissement brutal des nuages venant de la Méditerranée au contact des montagnes cévenoles.

visiter

Musée des Vallées cévenoles★

Juil.-août : 10h-19h ; avr.-juin et sept.-oct. : 10h-12h30, 14h-19h ; nov.-mars : mar. et jeu. 9h-12h, 14h-18h, dim. 14h-18h. Fermé 1er janv., 25 déc. 4€. ☏ 04 66 85 10 48. www.cevennes.com/musees.htm

Installé dans une ancienne auberge construite au 17e s., ce musée évoque la vie quotidienne et traditionnelle des habitants de cette partie des Cévennes. Les collections d'objets, d'outils, de documents, de photographies... ont été rassemblées par des habitants de St-Jean. On y trouve des outils agricoles utilisés pour la culture des céréales, de la vigne, des châtaigniers ; des objets ayant trait à l'élevage des moutons, des chèvres, des abeilles ; les différents types de portages pratiqués dans cette région accidentée : à dos d'homme, à dos de mulet, etc. Une place particulière est réservée aux deux principales activités traditionnelles : la culture des châtaigniers et l'élevage des vers à soie.

Atlandide Parc

Av. de la Résistance, rive droite du Gardon. ♿ *Juil.-août : 10h-19h (dernière entrée 1h av. fermeture) ; de mi-avr. à fin juin et sept.-oct. : 10h-12h, 14h-19h. Visite guidée sur demande (1h). 7€ (enf. 5€). ☏ 04 66 85 40 53.*

Dans des décors antiquisants, des aquariums offrent aux regards la variété des formes et des couleurs de la faune aquatique tropicale. La rivière artificielle, où se jette une cascade bouillonnante, ajoute une note d'exotisme.

alentours

St-André-de-Valborgne

25 km. Quitter St-Jean-du-Gard pour rejoindre la route de la corniche des Cévennes (D 260) en direction de Florac. 2 km après le col de l'Exil, prendre à gauche la D 39 puis la D 907. Dans la vallée Borgne que ferme la crête des Cévennes et qu'arrose le Gardon de St-Jean, St-André est une petite ville aux rues étroites, bordées de sévères maisons anciennes, qui témoignent de la prospérité économique engendrée, naguère, par le développement de l'industrie de la soie.

circuits

LA CORNICHE DES CÉVENNES★

De St-Jean-du-Gard à Florac – 58 km – environ 2h. Sortir de St-Jean au Nord-Ouest par la D 983, en direction de Moissac-Vallée-Française. Description en sens inverse à Florac.

ROUTE DU COL DE L'ASCLIER★★

De St-Jean à Pont-d'Hérault – 44 km – environ 1h1/2. Quitter St-Jean au Nord-Ouest par la D 907.

Cet itinéraire franchissant une « barre » cévenole permet de passer de la vallée du Gardon dans celle de l'Hérault, au pied du mont Aigoual.

La D 907 remonte le cours du Gardon de St-Jean et suit toutes les sinuosités de la rivière.

M. Verdier/Coll. Musée des Vallées cévenoles, St-Jean-du-Gard

Séchoir à pélardons.

CONSEIL

Entre St-Jean-du-Gard et Peyregrosse, la route, très sinueuse et parfois étroite, nécessite une grande prudence, spécialement entre l'Estréchure et le col de l'Asclier : des emplacements ont été aménagés pour faciliter le croisement.
Le col de l'Asclier est généralement obstrué par la neige de décembre à mars.

S

Des genêts au premier plan et au loin la barre des Cévennes, voilà le paysage que l'on découvre au col de l'Asclier.

Avant l'Estréchure prendre à gauche la D 152 vers le col de l'Asclier. Après Milliérines, le paysage devient extrêmement sauvage ; la route domine les vallons de plusieurs affluents du Gardon de St-Jean, puis contourne le ravin de la Hierle. En tournant à gauche on arrive bientôt au col de l'Asclier.

Col de l'Asclier★★

Alt. 905 m. La route passe sous un pont de la draille de la Margeride servant au passage des troupeaux transhumants. Du col, magnifique **panorama**★★ vers l'Ouest : au 1er plan se creuse le ravin de N.-D.-de-la-Rouvière ; au loin, sur la gauche, s'élèvent le pic d'Anjeau et les rochers de la Tude ; au-delà du pic d'Anjeau s'allonge, à l'horizon, la crête calcaire de la montagne de la Séranne ; plus à droite s'étend le causse de Blandas dont les escarpements abrupts tombent sur la vallée de l'Arre ; plus à droite encore se dresse le massif de l'Aigoual.

Col de la Triballe

Alt. 612 m. De là se dégage une vue très étendue sur les Cévennes. On aperçoit en contrebas le village de St-Martial.

Par la pittoresque D 420, on descend vers la vallée de l'Hérault dont les versants portent des hameaux curieusement campés. À Peyregrosse, aussitôt franchi le pont sur l'Hérault, prendre à gauche la D 986 jusqu'à Pont-d'Hérault.

Saint-Martin-de-Londres★

À la bordure de la plaine de Londres, St-Martin-de-Londres a conservé le charme de ses petites ruelles encaissées. On aime se glisser dans ces passages insoupçonnés où les chats se chauffent au soleil et où un volet entrebâillé préserve des curieux une vie tranquille menée à l'abri de murs épais.

La situation

Carte Michelin local 339 H6 – Schéma p. 211 – Hérault (34). St-Martin est en bordure de la D 32. Laisser la voiture de long de cette route pour monter en toute tranquillité à pied dans le vieux village.

Le nom

« Londres » n'évoque bien entendu pas la capitale britannique mais le mot celtique *lund* qui signifie « marais ».

Les gens

Ce sont les moines de l'abbaye de St-Guilhem-le-Désert *(voir ce nom)*, à quelques kilomètres de là, qui bâtirent l'église de St-Martin-de-Londres et en firent un prieuré. Est-ce la tête de l'un d'entre eux que l'on voit au-dessus du linteau d'une maison (au n° 4) de la rue de la Placette ?

PREMIER ROMAN
St-Guilhem, St-Michel-de-Cuxa, St-Martin-de-Londres et bien d'autres édifices romans pôrtent ces « bandes lombardes », signe distinctif de leur appartenance au premier art roman languedocien. Ce décor vient d'Italie du Nord, d'ou son nom.

se promener

Au centre du vieux village, dont il subsiste des vestiges de murailles élevées au 14ᵉ s., on retrouve, avec quelques modifications, l'ancien **« enclos »**, fortifié au 12ᵉ s. par le seigneur du lieu et limité par une porte ; celui-ci fut appelé plus tard le « vieux fort ».

L'église, dans un cadre de maisons anciennes, en occupe le centre. On y accède par un escalier. La maison claustrale, actuellement presbytère, s'élève derrière le chevet de l'église au-dessus d'un passage voûté aboutissant au portail du cloître.

Église★

Bâtie à la fin du 11ᵉ s. par les moines de St-Guilhem, elle possède la suprême simplicité des églises romanes avec ses croisillons et son abside en hémicycle voûtés en cul-de-four, sa sobre corniche dentelée surmontant de petits arcs qui retombent de trois en trois sur des bandes lombardes, ses ouvertures petites et peu nombreuses, et ses harmonieuses proportions.

alentours

Village préhistorique de Cambous
5 km au Sud-Ouest par la D 32. Le chemin d'accès est assez chaotique (chemin de pierre). Laisser la voiture au parking de Cambous et aller au village préhistorique à pied. Juil.-août : visite guidée (1h) tlj sf lun. et jeu. 14h-19h ; sept. : w.-end et j. fériés 14h-19h ; oct.-avr. : dim. et j. fériés 14h-19h. 2,50€. ☎ 04 67 86 34 37.

Le site de Cambous, découvert en 1967, fut activement fouillé et on y a mis au jour les restes conséquents de maisons en pierre datant de 2800 à 2300 avant J.-C. : quatre groupes de cabanes comprenant chacun de 8 à 10 bâtiments distincts mais contigus. Les murs épais de 2,50 m sont en pierres sèches et les ouvertures forment de véritables couloirs limités par des dalles. Une habitation préhistorique a été reconstituée à l'identique avec sa toiture.

L. Campion/MICHELIN

À l'intérieur des maisons de Cambous, des restes de céramiques et des objets en cuivre ont permis de déterminer le mode de vie de cette civilisation.

Viols-le-Fort
6 km au Sud-Ouest par la D 32 (après Cambous). Construit sur une butte, ce village fortifié présente à l'intérieur de ses remparts du 14ᵉ s. un dédale de ruelles tortueuses bordées de maisons anciennes.

randonnées

Pic St-Loup★★
🚶 11 km par la D 986 que l'on prend au Sud vers Montpellier, puis la D 113 vers Cazevieille. Laisser la voiture à Cazevieille (parking à l'Est de la ville) et suivre le fléchage vers le pic St-Loup. Attention, les couches calcaires sont très glissantes par temps de pluie. Le large chemin de pierre monte

---

HÉBERGEMENT ET RESTAURATION

⊖⊖ **Auberge de Saugras** – *34380 Argelliers - 12 km au S de St-Martin par D 32, D 127 et D 127ᴱ⁶ dir. Vailhauquès - ☎ 04 67 55 08 71 - auberge.saugras@wanadoo.fr - fermé 7 au 29 août, 22 déc. au 28 janv., lun. midi en juil.-août, mar. sf le soir en juil.-août et mer. - réserv. obligatoire - 17/50€.* Perdue dans la nature, cette maison du 12ᵉ s. entièrement restaurée a le charme des auberges de campagne simples et accueillantes. Sa cuisine, rustique et généreuse, vous mettra d'aplomb pour repartir... À moins que vous ne préfériez prolonger l'étape dans l'une de ses chambres rénovées.

PAYSAGE

Le pic St-Loup est le point culminant (658 m) d'une longue arête dominant les garrigues montpelliéraines. Il dresse presque verticalement ses couches calcaires et rompt de façon surprenante la monotonie des étendues qui l'entourent.

L. Campion/MICHELIN

*Dans un vertigineux
canyon, le Grand Arc.*

*jusqu'à un calvaire. De là, prendre un petit sentier qui monte
en zigzaguant jusqu'à la chapelle et l'observatoire. Compter
3h AR.*

Visible de partout, avec sa silhouette particulière, abrup‑
tement coupée comme par un coup d'épée, il est un peu
le génie tutélaire de la plaine languedocienne. Du pic
magnifique **panorama★★**. La face Nord tombe vertica‑
lement dans un ravin qui sépare le pic de l'arête
rocheuse de la montagne de l'Hortus ; au-delà, au Nord‑
Ouest et au Nord, la vue s'étend sur les Cévennes. À
l'Est, on découvre la plaine de Nîmes et, au-delà de la
vallée du Rhône, le Ventoux, les Alpilles, le Luberon ; au
Sud-Est, la Camargue ; au Sud, la plaine de Montpellier,
la Méditerranée et sa côte lagunaire ; au Sud-Ouest, à
l'horizon, le Canigou et les Corbières.

Ravin des Arcs★

🚶 *2 km au Nord par la D 986 vers Ganges. S'arrêter juste
avant le pont sur le Lamalou et prendre à pied à gauche le
sentier du ravin des Arcs. Celui-ci monte jusqu'à un mur et
là bifurque à gauche. Les marques rouges et blanches du GR
60 sont alors bien visibles. Compter 2h AR.* Le sentier tra‑
verse un paysage de garrigues et de chênes verts, puis
descend vers le ravin des Arcs, étroit canyon aux parois
hautes de 150 à 200 m. Il doit son nom à la multiplicité
des portes et des arches naturelles façonnées par le
Lamalou, dont la plus belle est appelée le **Grand Arc**.

Abbaye **Saint-Martin-du-Canigou★★**

Elle n'est accessible qu'à pied, tant mieux ! Posée à
1 094 m d'altitude sur un rocher à pic, l'abbaye
St-Martin-du-Canigou se détache d'un cadre sauvage
et magnifique. Cette solitude, la majesté des pay‑
sages suffisent à nous expliquer pourquoi des
moines sont venus rechercher si haut la sérénité.
C'est aujourd'hui l'incontournable promenade que
font les touristes et curistes basés à Vernet-les-Bains.

La situation

*Carte Michelin Local 344 F7 – 2,5 km au Sud de Vernet-les-
Bains – Schéma p. 144 – Pyrénées-Orientales (66).* 🚶 À par‑
tir de Casteil, où on laisse la voiture (route d'accès inter‑
dite aux véhicules), compter plus d'1h à pied AR par une
route en très forte montée.

Le nom

C'est saint Martin qui lui prêta son nom. Pour mieux
connaître les épisodes de sa vie, allez donc voir les
scènes sculptées sur le socle du maître-autel.

Les gens

Guifred, comte de Cerdagne et arrière-petit-fils de
Wifred le Velu, fondateur de la dynastie catalane, choi‑
sit le massif du Canigou, lieu solitaire vénéré des Catalans,
pour y fonder ce monastère bénédictin en 1001.

visiter

🎧 *De mi-juin à mi-sept. : visite guidée (1h) à 10h, 12h, 14h,
15h, 16h, 17h, dim. et j. fériés 10h, 12h30, 14h, 15h, 16h,
17h ; de mi-sept. à mi-juin : 10h, 12h, 14h30, 15h30, 16h30,
dim. et j. fériés 10h, 12h30, 14h30, 15h30, 16h30 (de déb.
oct. à mi-avr. : tlj sf mar.). Fermé janv. 3,85€ (enf. : 2,30€).*
☎ *04 68 05 50 03.*

MAL AUX PIEDS ?
Vous pouvez également
accéder à l'abbaye par
un service de 4x4
proposé par des
transporteurs. *Pour un
transport en jeep,
s'adresser à l'Office du
tourisme de Vernet-les-
Bains,* ☎ *04 68 05
55 35.
S'adresser aux
Transports Circuits
Touristiques (M. Cullell)
pour un dép. depuis
Corneilla-de-Conflent,
Vernet-les-Bains,
Casteel. 6,50€ A.R.*
☎ *04 68 05 64 61.*

M. Buffard/MICHELIN

Cloître

Au début du siècle, il ne subsistait plus que trois galeries aux frustes arcades en plein cintre. La restauration a reconstitué une galerie Sud, ouvrant sur le ravin, en réutilisant des chapiteaux de marbre provenant d'un étage supérieur disparu.

Églises

L'église inférieure (10e s.), dédiée à « N.-D.-sous-Terre » suivant une antique tradition chrétienne, forme crypte par rapport à l'église haute (11e s.). Celle-ci, juxtaposant trois nefs voûtées de berceaux parallèles, laisse encore une profonde impression d'archaïsme avec ses chapiteaux grossiers, sculptés en simple méplat.

Une statue de saint Gaudérique rappelle que l'abbaye devint un grand lieu de rassemblement des paysans catalans. Sur le côté Nord du chœur s'élève un clocher terminé par une plate-forme crénelée.

Saint-Pons-de-Thomières

St-Pons est posé dans la serpentine vallée du Jaur, au creux de montagnes de fort caractère vers lesquelles les visiteurs s'en vont, sac au dos et bien chaussés. Dans ces paysages préservés du Parc naturel du Haut-Languedoc, le bourg est une terre d'accueil, où l'on peut visiter l'ancienne abbaye bénédictine fondée en 936 par Raymond Pons, comte de Toulouse, et son épouse Garsinde.

La situation

Carte Michelin Local 339 B8 – Hérault (34). Par Béziers, prendre la N 112 ; par Narbonne, prendre la D 607 puis, à partir d'Aigues-Vives, la pittoresque D 907.
🛈 *Pl. du Foirail, 34220 St-Pons-de-Thomières,* ☎ *04 67 97 06 65. www.saint-pons-tourisme.com*

Le logo

St-Pons a été choisi comme siège du **Parc naturel régional du Haut-Languedoc**. Sur le logo du parc, on reconnaît la croix du Languedoc, jadis emblème des comtes de Toulouse, aujourd'hui de l'Occitanie.

Les gens

2 287 Saint-Ponais. Le Parc naturel régional s'enorgueillit d'accueillir sur les monts de l'Espinouse une colonie de mouflons. Aussi, n'oubliez pas vos jumelles lorsque vous suivrez le circuit dans le Somail que nous vous proposons ci-après.

Le logo du Parc naturel régional du Haut-Languedoc.

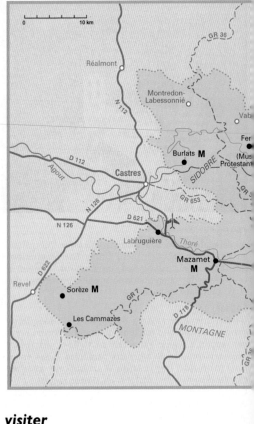

visiter

Ancienne cathédrale

Visite 1/2h. Possibilité de visite guidée sur demande à la Maison du tourisme. ☎ 04 67 97 06 65.

Ancienne abbatiale, puis cathédrale, elle a été construite au 12ᵉ s. et transformée aux 15ᵉ, 16ᵉ et 18ᵉ s.

◄ Le côté droit, au Nord, présente un aspect fortifié : deux des quatre tours d'angle, crénelées, subsistent ; une rangée de meurtrières court au-dessus des fenêtres. La façade Ouest, dans laquelle était percée autrefois l'entrée principale, retient l'attention par ses deux tympans sculptés, malheureusement peu visibles : à gauche, la Cène et le Lavement des pieds. À droite, la Crucifixion ; la représentation du supplice des deux larrons est particulièrement originale : leurs bras sont tordus et engagés dans des trous percés sur la traverse de la croix. L'intérieur, imposant, a subi de nombreux remaniements. Les stalles sont du 17ᵉ s., à l'exception de la cathèdre, du 19ᵉ s. Le chœur, fermé par une élégante grille, est orné de nombreuses décorations en marbre : remarquez les angelots et le Christ en médaillon, au-dessus de l'autel, ainsi que l'orgue qui date du 18ᵉ s.

Musée de Préhistoire régionale

De mi-juin à mi-sept. : possibilité de visite guidée 10h-12h, 14h30-18h ; de mi-sept. à mi-juin : mar., mer., w.-end 10h-12h, 14h30-18h. Pour fermeture se renseigner. 3,05€. ☎ 04 67 97 22 61.

◄ Les civilisations qui se sont succédé dans la proche région de St-Pons sont présentées au moyen d'objets provenant de fouilles effectuées dans les grottes, particulièrement dans celle de Camprafaud. Les périodes historiques, du bronze ancien au Moyen Âge, sont également évoquées.

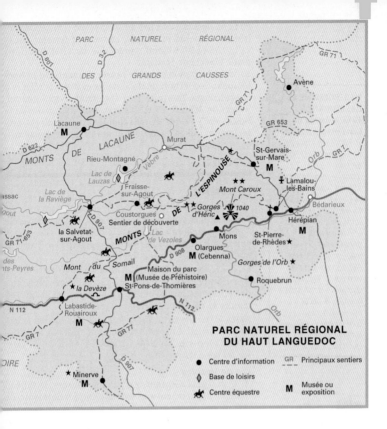

PARC NATUREL RÉGIONAL

DES GRANDS CAUSSES

Avène

Lacaune **M**

MONTS DE LACAUNE Murat

St-Gervais-sur-Mare

Orb GR 71

Rieu-Montagné

Vèbre

Lac de Lauzas

Lamalou-les-Bains

Lac de la Ravège

DE L'ESPINOUSE Mont Caroux ★★

Fraisse-sur-Agout

Bédarieux

Coustorgues ★ **Gorges d'Héric** 1040 Hérépian

Sentier de découverte

la Salvetat-sur-Agout

MONTS *Lac de Vezoles* Mons St-Pierre-de-Rhèdes ★ **M**

Olargues **(Cebenna)**

Mont du Somail

D 908 Gorges de l'Orb ★

Maison du parc **M** (Musée de Préhistoire) St-Pons-de-Thomières

Roquebrun

★ la Devèze

Labastide-Rouairoux

N 112 *N 112* *Orb*

PARC NATUREL RÉGIONAL DU HAUT LANGUEDOC

GR 7

★ Minerve **M**

● Centre d'information GR Principaux sentiers

◇ Base de loisirs

🏇 Centre équestre **M** Musée ou exposition

alentours

Chapelle Notre-Dame de Tredos

17 km. Quitter St-Pons par la D 908, à l'Est en direction de Bédarieux. À l'entrée de St-Étienne-d'Albagnan, prendre à droite la D 176E. La route s'élève jusqu'à Sahuc qui domine le ravin de l'Esparasol. *Parvenu à un col, 1,5 km au-delà de Sahuc, monter à la chapelle, à droite.* Notre-Dame de Tredos, parmi les sapins, est un lieu de pèlerinage. Belle vue sur les monts de l'Espinouse au Nord-Ouest et du Minervois au Sud-Ouest.

Grotte de la Devèze★

5 km à l'Ouest par la N 112, sous la gare de Courniou. Juil.-août : visite guidée (1h) 10h-18h ; avr.-juin et sept. : 14h-17h ; oct.-mars : dim. 14h-17h et sur demande. 6€. ☎ 04 67 97 03 24.

Découverte par hasard en 1886 lors de la construction de la ligne de chemin de fer Bédarieux-Castres, la grotte fut explorée par Louis Armand, le fidèle collaborateur de Martel, sept ans plus tard, puis par Georges Milhaud et son équipe, entre 1928 et 1930, avant qu'une partie en soit aménagée pour la visite touristique en 1932.

La visite commence par l'étage moyen tendu de belles ▶ draperies minérales aux formes et aux couleurs variées. Tout au long des parois se sont formées des concrétions très fines et très blanches formant de ravissants bouquets appelés fleurs d'aragonite, qui impressionnèrent les spéléologues au point qu'ils appelèrent la grotte le « palais de la Fileuse de Verre ». La salle se termine par une grande cascade pétrifiée qui se précipite vers le réseau inférieur. Au milieu d'un chaos de rochers provenant d'un éboulement abondent de nombreuses formes : la plus impressionnante est une imposante stalagmite appelée le « cénotaphe » ou la « pièce montée ». Il ne manque plus que la chantilly... L'étage supérieur à

> **CONSEIL**
> La petite laine s'impose, surtout en été. Aux saisons plus fraîches, on y a presque chaud (12 °C en permanence).

> **CAPITELLES**
> 🚶 Un sentier balisé de marques jaunes *(1h1/4)*, aux abords de la grotte, permet de visiter sept capitelles, abris de bergers en pierres sèches.

60 m au-dessus *(accès par un escalier)* est riche en excentriques, draperies et disques. La visite se termine par la salle Georges-Milhaud, constellée de cristallisations d'une blancheur éclatante.

La visite se prolonge par le **musée français de la Spéléologie** : collection de documents et d'objets relatifs à la spéléologie française et à ses grands noms (Martel, Robert de Joly, Norbert Casteret, Guy de Lavaur de la Boisse, etc.). Autres thèmes abordés : paléontologie, protection du milieu souterrain et animaux cavernicoles.

circuit

LE SOMAIL

Circuit de 76 km – environ 2h.

Partie la plus verdoyante des monts de l'Espinouse, le Somail présente des pentes douces, boisées de châtaigniers, de hêtres et agrémentées d'un tapis de bruyères qui devient roux à l'automne.

Quitter St-Pons par la D 907 en direction de La Salvetat-sur-Agout. Sinueuse et pittoresque, la route s'élève en offrant de belles vues sur St-Pons et la vallée du Jaur avant d'atteindre le col du Cabaretou.

Après le col, prendre à droite la D 169 qui traverse le plateau du Somail. Une petite route à droite signalée « Saut de Vésoles » mène au bord d'un lac dans un site boisé. Se garer sur les parkings prévus à cet effet.

Lac de Vésoles

🚶 *1/4h à pied AR.* Dans un paysage austère, le Bureau tombait naguère en une cascade impressionnante de 200 m sur de gigantesques blocs granitiques avant de dégringoler dans le Jaur. Depuis la construction du barrage hydroélectrique qui alimente la centrale du Riols, la cascade est appauvrie mais le site conserve toute sa grandeur. Sur ce lac, seules les activités de voile sont autorisées.

Revenir à la D 169 et la reprendre vers Fraisse-sur-Agout. Franchir le col de la Bane (alt. 1 003 m).

Prat-d'Alaric

Juil.-août : 8h-12h, 13h30-17h30. Gratuit. ☎ 04 67 97 38 22. Ferme typique de l'Espinouse restaurée par le Parc naturel régional. Près du bâtiment d'habitation, la grange, basse, tout en longueur, est caractéristique de l'architecture locale. Son toit fortement incliné retombe sur les murs latéraux qui ont moins de 2 m de haut. L'originalité de la construction réside dans la charpente qui ne comporte aucune poutre transversale. Elle est recouverte de genêts qui reposent sur des chevrons, réunis en croix à leur faîte et s'appuyant sur les murs des côtés.

Traverser Fraisse-sur-Agout. De là, on peut rejoindre le col de Fontfroide et l'itinéraire dans l'Espinouse (décrit à Olargues) ou poursuivre vers La Salvetat. En sortant du village dans la direction de La Salvetat, à l'embranchement vers le Cambaissy, on peut observer une autre maison à toit de genêts.

La Salvetat-sur-Agout

Station estivale perchée sur un promontoire dominant le confluent de la Vèbre et de l'Agout. Son nom évoque le temps (11e et 12e s.) où prélats, abbés, commandeurs fondaient des « villes nouvelles » sur leurs terres pour en assurer la mise en valeur. Les « hôtes » de ces « sauvetés » recevaient une maison et un lopin de terre. Plus tard, des raisons économiques et militaires conduisirent les autorités ecclésiastiques et les seigneurs à fonder des bastides.

Au départ de La Salvetat, une route fait le tour du lac de la Raviège.

Les mouflons du Somail : peut-être aurez-vous la chance d'en apercevoir lors de votre promenade.

R. Corbel/MICHELIN

Lac de la Ravière

On peut accéder au bord de ce vaste lac de barrage (450 ha) à la plage des Bouldouïres près de La Salvetat (baignade surveillée, base nautique, ski nautique, voilier...) puis, franchissant le barrage, on fait le tour du lac par la rive droite, en revenant par la rive gauche. Les bords boisés n'offrent que peu d'échappées sur le lac.

De La Salvetat, rejoindre St-Pons par la D 907.

Saint-Sernin-sur-Rance

Saint-Sernin est un village « phare » dans la vallée du Rance : nombreux sont les touristes et les habitants des villages alentour qui s'y arrêtent, le temps d'une causette, d'une course ou d'un bon repas. En automne, les anciennes maisons aux toits de lauzes laissent échapper de leur cheminée une odorante fumée de feu de bois. C'est là qu'on apprécie le calme de ces villages aveyronnais, cernés par une nature généreuse livrant cèpes énormes, gibier goûteux sans oublier truites et écrevisses. Sur un promontoire au-dessus du Rance, St-Sernin a conservé d'étroites ruelles qui dévalent vers la rivière, en passant par l'église, ancienne collégiale gothique renfermant de belles boiseries.

La situation

Carte Michelin Local 338 H7 – Aveyron (12). Dans ce coin un peu perdu, St-Sernin est desservi par une magnifique route, la D 999.

🛈 *Av. d'Albi, 12380 St-Sernin-sur-Rance,* ☎ *05 65 97 60 19.*

Le nom

Saint Saturnin, évêque de Toulouse martyrisé en 251, s'appelle saint Sernin en occitan.

Les gens

530 Saint-Serninois. Sur la place du Fort, on trouve la statue de Victor de Saint-Sernin, alias « l'Enfant Sauvage », venu se réfugier dans une maison du village en 1798. Probablement sourd et muet (il ne prononça jamais un mot), il fut transféré, à la demande des scientifiques, de St-Sernin à St-Affrique puis à Rodez pour atterrir à Paris où il mourut en 1828. Son histoire inspira une pièce de théâtre, *Victor ou l'enfant de la forêt*, mais l'adaptation la plus réussie reste celle de François Truffaut au cinéma en 1970.

A. Thuillier/MICHELIN

Statue de Victor de St-Sernin, « l'Enfant Sauvage », sur la place du Fort.

circuits

VALLÉE DU RANCE

63 km – environ 3h. Quitter St-Sernin au Sud par la D 33 qui débouche sur la D 607 que l'on prend vers Lacaune. Peu après, tourner à gauche dans un chemin menant à Laval-Roquecezière.

Laval-Roquecezière

Le rocher de Roquecezière est dominé par une statue de la Vierge. Une table d'orientation offre un vaste panorama : au Nord sur la vallée du Rance où se niche N.-D.-d'Orient ; à l'Est sur Belmont-sur-Rance, reconnaissable à son clocher, tandis qu'au loin le regard se perd sur le plateau du Larzac ; au Sud-Est sur les monts de Lacaune, d'où émerge le roc de Montalet (1 259 m) ; au Sud-Ouest sur la Montagne noire.

Revenir à la D 607 que l'on prend à droite. Au croisement avec la D 33, prendre la D 554 à droite vers St-Crépin.

St-Crépin

C'est ici que, dans un petit **musée**, sont rassemblées, entre autres, de curieuses statues-menhirs provenant des monts du Somail, de Lacaune ou de l'Espinouse. Petites ou grandes (de 80 cm à 1 m), en grès rouge ou en grès blanc, elles sont gravées ou sculptées de figures humaines représentées en partie ou en totalité, datant d'environ 2500 avant J.-C. *Avr.-oct. : 10h-12h, 14h-18h ; nov.-mars : 14h-18h. Gratuit.* ☎ 05 65 99 61 43.

Continuer sur la D 554. Tourner ensuite à gauche dans la D 74 vers Belmont.

Belmont-sur-Rance

Le village, étagé sur une petite colline en bordure du Rance, se dissimule au milieu d'un paysage largement vallonné. Les maisons semblent se blottir autour de l'imposante **collégiale** dont le clocher-porche, massif à la base, dresse fièrement sa flèche gothique dans le ciel. L'entrée est protégée par un porche monumental surélevé, qui présente une belle voûte à liernes et tiercerons ; sous un arc en accolade vient se loger le tympan orné d'une Assomption de la Vierge entourée d'anges musiciens. À l'intérieur, la nef unique à croisée d'ogives est clôturée par une abside polygonale à trois pans. Une rosace surmonte le chevet : la croix centrale, ornée d'un Couronnement de la Vierge, date du 16e s. *Juil.-août : visite guidée mar., mer., jeu., sam. 15h30, 17h. Le reste de l'année, se renseigner au Syndicat d'initiative.* ☎ 05 65 99 93 66.

Combret

Laisser la voiture sur la terrasse en bas du vieux village que l'on aborde par une porte médiévale. Les ruelles bordées de maisons de pierre rouge, très agréables à parcourir, mènent au sommet du village où se situent l'église romane et les restes d'une tour, dernier vestige d'un des trois châteaux qui existaient au Moyen Âge.

Continuer sur la D 91 vers St-Sernin. Une petite route à droite mène au monastère bénédictin de N.-D.-d'Orient.

Chapelle du monastère bénédictin de N.-D.-d'Orient

L'intérieur de l'église (17e s.) est assez surprenant : on imagine assez mal dans cette région austère une telle profusion de décorations, d'autant plus que l'extérieur est plutôt sobre : rinceaux peints, plafond à chevrons en bois et retable baroque monumental avec maître-autel en marqueterie de bois. Vierge, saints et anges sont là pour glorifier le triomphe de la Contre-Réforme. Une fois dehors, remarquer le cadran solaire portant la devise : « Le soleil fait du jour des heures quand il luit mais dans son occident il nous donne la nuit ». Voilà qui nous rassure sur la bonne marche des choses...

CHÂTEAUX DU MOYEN ÂGE

113 km – une demi-journée. Quitter St-Sernin au Nord par la D 999 puis suivre la direction de Plaisance par la D 33. 3 km après Plaisance, tourner à droite dans la D 60.

Coupiac

Un gros **château** flanqué de trois tours rondes, dont une, portant une horloge, côtoie le portail d'entrée, occupe le centre du village depuis le 15e s. Il fut réaménagé au 18e s. pour le rendre plus confortable. *Visite pour enf. sous forme de questionnaire. Juil.-août : 10h-19h ; sept.-juin : w.-end et j. fériés 14h30-18h30. Fermé janv.-fév. 4€. ☎ 05 65 99 79 45.*

L'ancienne **chapelle** du château contient un morceau du saint voile de la Vierge, relique qui donne lieu à un pèlerinage le 2e dimanche après Pâques. L'intérieur a été peint à fresque par Nicolas Greschny, peintre néobyzantin d'origine russe. Expositions d'art contemporain en juil.-août.

Revenir à la D 33 en empruntant la D 159 au Nord du village. Suivre la direction de Brousse-le-Château.

Brousse-le-Château★

Au confluent de l'Alrance et du Tarn, Brousse se distingue par son site perché, dominé par son église au clocher fortifié et son **château fort**. *Visite pour enf. sous forme de jeu de piste. Juil.-août : visite guidée 10h-19h (dernière visite 1/2 h av. la fermeture) ; sept.-juin : 14h-18h. Fermé déc.-janv. 4€ haute sais., 3€ basse sais. ☎ 05 65 99 45 40.*

Ses maisons des 17e et 18e s. se dressent le long de l'Alrance qu'enjambe un pont gothique.

A. Thuillier/MICHELIN

Brousse-le-Château, village haut perché, est dominé par un château fort.

Revenir à la D 902 que l'on prend à gauche. À Faveyrolles, prendre la D 60 à gauche vers St-Izaire.

St-Izaire

Ville natale de l'**abbé Hermet** (1856-1939), inventeur, entre autres, de la statue-menhir dite « de St-Sernin », St-Izaire concentre ses maisons de grès rouge sur la rive gauche du Dourdou. Elle est dominée par son **château** (14e s.), bâtisse rectangulaire s'ouvrant par une porte fortifiée (herse) sur une cour intérieure commandant l'accès aux étages supérieurs, aménagés en musée d'histoire locale. *Visite pour enf. sous forme de jeu. Juil.-août : 11h-20h ; avr.-juin et sept.-oct. : 14h-19h ; mars : jeu., ven. et w.-end 14h-18h. 4€. ☎ 05 65 99 42 27.*

Traverser le Dourdou et prendre à droite la D 25 vers St-Affrique. Tourner à droite vers Vabres et suivre la D 999 jusqu'à Querbes. Là, tourner à gauche dans la D 101. Dépasser Montlaur puis tourner à gauche dans une petite route fléchée « Château de Montaigut ».

Château de Montaigut

Visite spéciale pour enf. Juil.-août : visite guidée (1h) 10h-18h30 ; avr.-juin et sept.-oct. : 10h-12h, 14h30-18h30. 4,60€. ☎ 05 65 99 81 50.

LOISIRS
Stages de taille de pierre et sculpture ; de moulage et sculpture de plâtre.
Renseignements au château de Montaigut.

Construite sur une butte, cette forteresse médiévale du 11e s., aménagée au 15e s., domine le pays du Rougier qui doit son nom à la terre colorée par l'oxyde de fer. Les salles du rez-de-chaussée ont été bâties sur la roche creusée de sépultures du haut Moyen Âge (7e-8e s.). On y trouve les pièces habituelles des châteaux forts aménagés en résidences quelques siècles plus tard : cuisine au-dessus du cellier, grande salle à vivre avec cheminée, chambres. Plus loin, une maison de 1914 abrite un musée des Arts et Traditions populaires ainsi qu'une exposition sur le plâtre. Sentier de découverte autour du château.

Retourner à Montlaur puis à Querbes et tourner à gauche dans la D 999 qui rejoint St-Sernin.

Sainte-Enimie★

Le bourg s'étage à l'un des passages les plus resserrés des profondes gorges du Tarn, sur un tapis de verdure. On discerne sur les pentes abruptes des murs de soutènement et des terrasses qui montent en larges escaliers, témoins de l'immense travail accompli par l'homme pour pactiser avec la nature. Avec ses rues pavées en galets et son allure médiévale, Sainte-Enimie figure au rang des plus beaux villages de France.

VUE !
De la D 986, 5 km avant Ste-Enimie en venant de Mende, beau point de vue sur la petite ville et son site. Autre vue depuis la grotte-ermitage.

La situation

Carte Michelin Local 330 I8 – Schéma p. 405 – Lozère (48). Ste-Enimie constitue une base de départ pour la découverte des gorges du Tarn *(voir ce nom).*
Mairie, 48210 Ste-Enimie, ☎ 04 66 48 53 44.

Le nom

L'origine du nom n'est pas une sainte énigme mais vient d'une belle princesse miraculée, Enimie, dont l'histoire vaut bien une légende *(voir ci-dessous).*

Les gens

Les 509 habitants s'appellent les Santrimiols. Après la Seconde Guerre mondiale, ils quittèrent en masse leur paisible village pour gagner la ville, tandis que la friche envahissait peu à peu les vignobles et des vergers d'amandiers, de cerisiers et de pêchers.

comprendre

Enimie était une princesse mérovingienne, fille de Clotaire II et sœur du roi Dagobert. Repoussant les demandes en mariage les plus flatteuses, elle désire se consacrer à Dieu. Le roi s'y refuse et fiance Enimie à l'un de ses barons. Aussitôt, la lèpre atteint la jeune fille

carnet pratique

HÉBERGEMENT

Chambre d'hôte Nissoulogres – *13 km à l'O de Ste-Enimie, rte de Mende et rte secondaire - ☎ 04 66 48 53 86 - perso.wanadoo.fr/nissoulogres/ - fermé janv. - 6 ch. : 37/47€ - 5€ - repas 14€.* Amateurs d'isolement, voilà un lieu qui vous enchantera... Cet ancien village de bergers, sur un plateau sauvage, a été restauré et vous reçoit dans une bergerie pour les repas ou dans des chambres simples pour la nuit. Les cavaliers y trouveront des box. Gîtes.

Hôtel Chante-Perdrix – *1 km de Ste-Enimie, rte de Millau - ☎ 04 66 48 55 00 - fermé oct. à avr. - P - 14 ch. : 45/48€ - 5,50€.* Au bord de la route, cette maison aux murs de pierres apparentes est une étape simple. Ses chambres récentes sont fonctionnelles. Une adresse utile sur la route des gorges du Tarn.

SPORTS & LOISIRS

Canyon Location – *48210 Sainte-Enimie - ☎ 04 66 48 50 52 - www.canœ-france.com.* Base de location de canoë-kayak.

É. Larribère/MICHELIN

Sainte-Enimie, un village accroché au flanc du causse de Sauveterre, au-dessus du Tarn.

et écarte le prétendant. Les remèdes sont sans effet. Un jour, dans une vision, un ange ordonne à Enimie de partir pour le Gévaudan : une source lui redonnera sa beauté passée.

Elle parvient, après plusieurs jours d'un pénible voyage, dans un lieu où les malades viennent se baigner (l'actuel Bagnols-les-Bains). Elle veut s'arrêter, mais l'ange apparaît et lui dit de continuer sa route. Enfin, dans une vallée profonde et sauvage, elle apprend, par des pâtres, qu'une source – celle de Burle – est toute proche. La princesse se plonge dans l'eau miraculeuse qui fait aussitôt disparaître les traces de son mal. Lorsqu'elle veut prendre le chemin du retour, la lèpre couvre à nouveau son corps. Elle revient à la source qui accomplit le même miracle. Le message est clair : il lui faut s'établir à Burle. Elle se retire dans une grotte, répand les bienfaits autour ▶ d'elle, fait bâtir un monastère de femmes. Saint Hilaire, évêque de Mende, vient lui rendre visite et la consacre abbesse du couvent de Burle. Elle termine sa vie dans la sainteté, aux environs de l'an 628. On l'enterre dans la grotte-ermitage, dans une belle châsse d'argent, et ce lieu, hanté désormais par les pèlerins, voit se multiplier les miracles.

> **LA GROTTE**
> 🚶 3/4h à pied AR au départ de Ste-Enimie par un sentier (situé derrière les gîtes St-Vincent) ; ou bien : 2,5 km par la D 986 en direction de Mende, puis 1/2h à pied AR.
> À l'entrée, deux pierres creusées en forme de fauteuil servaient, dit-on, de siège à sainte Enimie.

se promener

Une flânerie au hasard des ruelles pittoresques du village permet d'en apprécier le charme.

Ancien monastère

Accès au départ de la place du Plot. Suivre les flèches vers la salle capitulaire. Traverser une salle voûtée, monter un escalier qui passe devant la crypte, longer un terrain de sport. On peut voir encore une salle capitulaire romane. Autour du monastère, les ruines d'anciennes fortifications subsistent.

Place au Beurre et halle au Blé

Au cœur du village ancien, la place présente une jolie maison ancienne, tandis que la halle a conservé une mesure à froment.

« Le Vieux Logis »

Juil.-août : visite guidée (1h1/2) tlj sf sam. 10h, 16h, 18h ; de fin avril à fin juin : se renseigner ; sept. : w.-end 15h. 2€. ☎ *04 66 48 50 09.*
Cet écomusée installé dans une salle contenant l'alcôve, l'âtre, la table et divers ustensiles donne une idée des conditions de vie d'autrefois.

Église

Mai-sept. : 10h-12h, 14h-18h ; oct.-mars : sur demande préalable à l'Office de tourisme. ☎ *04 66 48 53 44.*
Du 12e s., elle a subi quelques transformations. Voir la ▶ belle voûte en cul-de-four de l'abside et la statue de sainte Anne en pierre (14e s.). Des panneaux de céramique moderne, de Henri Constans, illustrent la légende de sainte Enimie.

> **À VOIR**
> Près du bénitier, marque du niveau d'eau atteint lors de la crue du Tarn du 29 septembre 1900. L'autel baignait dans l'eau. Les dernières crues exceptionnelles remontent à 1965 et 1982.

Source de Burle

Résurgence des eaux de pluie tombées sur le causse de Sauveterre. Ce sont les eaux de la source de Burle qui, selon la légende, guérirent de la lèpre sainte Enimie.

alentours

Ferme départementale des Boissets★

À droite de la D 986 en direction de Mende. De mi-juin à mi-sept. : 10h-18h30 (dernière entrée 1h av. fermeture) ; de mi-sept. à fin oct. : tlj sf mar. 10h-17h. Soirées à thèmes et illuminations selon programmation. 6€ (enf. : 3€). Possibilité de visite en petit train au dép. de Ste-Enimie. 8€ (enf. : 5€). ☎ 04 66 48 48 85 ou 04 66 48 50 73 (petit train). Sur les hauteurs de Sainte-Enimie, en bordure du causse de Sauveterre, ce hameau traditionnel restauré accueille le **centre d'interprétation des Causses et Gorges**.

Passionnante et instructive, cette visite est une très bonne introduction à la découverte de la région. Les différents bâtiments du hameau ont été aménagés pour présenter la géologie et les paysages, l'architecture rurale et les cultures, le mouton bien sûr, mais aussi les richesses méconnues de la faune et de la flore...

Fort de **Salses**★★

Émergeant des vignes, cette forteresse à demi enterrée affiche d'imposantes dimensions. Le grès rose des pierres et le rouge patiné des briques adoucissent aujourd'hui sa rigueur. Le fort de Salses, élevé au 15e s., reste un spécimen unique en France de l'architecture militaire médiévale espagnole, adaptée par Vauban aux exigences de l'artillerie moderne. Le site n'est plus stratégique mais bien agréable, à l'endroit où les eaux de l'étang viennent presque baigner les Corbières.

La situation

Carte Michelin Local 344 I5 – 16 km au Nord de Perpignan – Pyrénées-Orientales (66). Quitter Perpignan en direction de Sigean par la N 9 et rentrer dans Salses-le-Château. On peut également y accéder à pied depuis l'aire de repos de l'A 9.

Le nom

On dit que deux sources d'eau salée coulent aux environs et que ce sont elles qui ont donné leur nom à Salses.

Les gens

Parmi les habitants de Salses, un viticulteur hors du commun, Claude Simon, prix Nobel de littérature en 1985.

Né à Tananarive en 1913, Claude Simon appartient, par sa mère, à une vieille famille roussillonnaise descendant d'un conventionnel et général d'Empire, Lacombe-Saint-Michel. Écrivain de la mémoire, se situant dans la lignée de Proust, il évoque, de son écriture ample, sensuelle et très « visuelle », des scènes de son enfance perpignanaise, un des leitmotive revenant dans la plupart de ses ouvrages (*L'Acacia*), et en particulier dans le dernier paru, *Le Tramway* (2001).

comprendre

Le passage d'Hannibal – En 218 avant J.-C., Hannibal s'apprête à traverser la Gaule pour envahir l'Italie. Il doit franchir le Perthus, puis le pas de Salses qui fait communiquer le Roussillon avec les plaines du bas Languedoc. En toute hâte, Rome envoie en ambassade cinq vénérables sénateurs pour demander aux tribus gauloises de s'opposer au passage des Carthaginois. Un grand tumulte s'élève dans l'assemblée « tant le peuple trouve d'extravagance et d'impudence à ce qu'on lui proposât d'attirer la guerre sur son propre territoire pour qu'elle ne passât point en Italie ». Hannibal passe donc, se présentant « comme hôte ». Les Romains garderont un souvenir amer de cet épisode. Quand ils occuperont la Gaule, ils fonderont un camp à Salses et le relieront, par la voie Domitienne, au Perthus.

Une forteresse espagnole – Après la restitution du Roussillon à l'Espagne en 1493, Ferdinand d'Aragon fait construire en un temps record par un ingénieur du nom de Ramirez ce fort qui pouvait abriter une garnison de 1 500 hommes et satisfaire aux exigences de l'artillerie naissante. Lorsque Richelieu entreprend la reconquête du Roussillon, Salses est l'enjeu d'une lutte implacable entre Français et Espagnols. Les Français enlèvent le fort en juillet 1639, mais le reperdent en janvier 1640. Finalement, on décide de donner un assaut combiné par terre et par mer. Le gouverneur de Salses, apprenant la chute de Perpignan devant les troupes françaises en septembre 1642, se résout alors à demander la reddition. À la fin du mois de septembre 1642, la garnison vaincue reprend le chemin de l'Espagne.

En 1691, Vauban fait effectuer quelques travaux d'amélioration et raser des superstructures plus décoratives qu'utiles à la défense ; mais la ligne fortifiée est désormais assujettie à la nouvelle frontière naturelle des Pyrénées et le rôle militaire de Salses est terminé.

Buste de l'« envahisseur », Hannibal en personne (Musée national de Naples).

visiter

Environ 1h. Juin-sept. : 9h30-19h (dernier dép. 1h av. fermeture) ; avr.-mai : 10h-12h15, 14h-18h ; oct.-mars : 10h-12h15, 14h-17h. Vac. scol. Pâques et juil.-août. : possibilité de visite contée pour les enf. mer. 15h (se renseigner). Fermé 1ᵉʳ janv., 1ᵉʳ mai, 1ᵉʳ et 11 nov., 25 déc. 6,10€ (-18 ans : gratuit), gratuit 1ᵉʳ dim. du mois (oct.-mars). ☎ 04 68 38 60 13.

▣ En début de visite, on circule sur les parties hautes de l'**enceinte**. On remarque, d'une part, la crête arrondie des courtines, dispositif rare mis en place au 15ᵉ s. et destiné à faire ricocher les boulets et à décourager l'escalade ; d'autre part, le tracé polygonal de la contrescarpe, qui permettait aux assiégés de faire ricocher les tirs dans les angles. L'épaisseur du mur d'enceinte (escarpe) atteint 9 m en moyenne. Les bâtiments d'enceinte servaient de casernes, de casemates. Le sous-sol voûté, autour de la cour centrale, était occupé par les écuries (300 chevaux environ) ; au-dessus de celles-ci se trouvaient de grandes nefs voûtées à l'épreuve du feu et

À LIRE
L'Assaillant invisible, par Josette Villefranque (éd. Loubatières), dont l'action se passe au fort de Salses, au 19ᵉ s.

La forteresse de Salses, de plan rectangulaire, s'ordonne autour d'une cour centrale, ancienne place d'armes ; on y accède par un châtelet, une demi-lune et trois pont-levis.

des bombes ; l'une, dans l'aile Est, servait de chapelle. On débouche ensuite dans le « **réduit** » du donjon, isolé de la cour centrale par un fossé intérieur et une muraille à éperon. Là étaient situées l'étable, la boulangerie, et à côté de celle-ci, un local pourvu de bassins.

Le **donjon** proprement dit est divisé en cinq étages alternativement plafonnés et voûtés. Destiné au logement du gouverneur, il servit de poudrière au 19e s. Des couloirs en chicane, pris sous le tir des guetteurs, des pont-levis piétonniers en constituaient les ultimes défenses.

Causse de **Sauveterre**

Ici, les Caussenards ont admirablement tiré parti du moindre sotch ; pas une parcelle de terre arable qui n'ait été soigneusement mise en culture, formant çà et là de belles ombres rougeoyantes ou verdoyantes suivant les saisons. Le causse de Sauveterre présente aussi de grands espaces boisés, assez accidentés, si bien qu'entre Lot et Tarn, les routes sinueuses se faufilent dans le moins aride des quatre Grands Causses.

La situation
Carte Michelin Local 330 H/I8 – Lozère (48). Le causse de Sauveterre est assez bien desservi par des routes qui se croisent, permettant de le parcourir d'Ouest en Est (D 998) ou du Nord au Sud (D 32, D 986 et D 31).

Le nom
Le causse tire son nom d'un petit village situé à l'Est du causse et au Nord de Ste-Enimie et dont l'habitat est typiquement caussenard. Il s'agit d'une « sauveté », ancêtre des bastides, où les défricheurs des terres étaient placés sous la protection de l'Église.

Les gens
Comme tous les causses, celui de Sauveterre est assez peu peuplé. Si bien qu'à La Canourgue, chaque année en avril, est organisée une foire aux célibataires... Avis aux amateurs !

circuit

66 km au départ de La Canourgue – environ 5h.

La Canourgue
Laisser sa voiture sur le parking situé de l'autre côté de la D 998. La vieille cité dominée par sa tour de l'Horloge s'étage au-dessus de l'Urugne, dont l'eau, conduite par de minces canaux, court à travers un véritable labyrinthe de ruelles pavées s'engageant sous des ponts, se perdant derrière de hautes demeures. Près de l'ancienne collégiale (12e-14e s.) au style composite provençal avec chœur roman entouré de chapelles rayonnantes, des maisons anciennes aux étages en encorbellement sont construites au-dessus de canaux.

Maison de La Canourgue, en beau grès rose.

A. Thuillier/MICHELIN

Quitter La Canourgue par la D 998, vers Ste-Enimie. À 2 km, prendre la D 46 sur la droite. À 1 800 m de la bifurcation, laisser la voiture à hauteur du Sabot de Malepeyre, à gauche.

Sabot de Malepeyre★
Cet énorme rocher de 30 m de haut a été creusé et façonné par les eaux qui circulaient autrefois à la surface du causse. Il est percé d'une large baie surmontée d'un arc en anse de panier. On peut passer sous l'arche haute de 3 m et large de 10 m. De la plate-forme sur laquelle repose le talon du Sabot s'offre une belle vue sur la vallée de l'Urugne et, au loin, sur les monts de l'Aubrac.

Après le Sabot, prendre à gauche la D 43, laquelle rejoint la D 32 que l'on prend à gauche. La D 32 débouche à son tour sur la D 998 que l'on prend à droite. Après 6 km, prendre à gauche vers Roussac et Sauveterre.

Champerboux

Beau hameau avec de superbes maisons caussenardes. De quoi regretter de ne pas avoir un bas de laine pour racheter une ferme en ruine et la remettre debout.

Prendre la D 44 à gauche. La route menant à Chanac est bordée d'abris de bergers construits en pierres sèches.

Chanac

Tout en haut du vieux bourg *(suivre le panneau « La Tour » depuis le Syndicat d'initiative, en bas du village)* trône le donjon, unique vestige du château féodal, ancienne résidence d'été des évêques de Mende. La place du Plô, où se tient un marché le jeudi, a gardé sa tour de l'Horloge. Regagner le bas du village pour aller voir le retable en bois doré et sculpté (17e s.) surmonté d'un baldaquin, dans l'église St-Jean-Baptiste.

Traverser le Lot et prendre à gauche la N 88.

Le Villard

Dominant la vallée du Lot, le Villard est un charmant village que flanque une ancienne forteresse épiscopale récemment restaurée. Au 14e s. fut érigée une enceinte ménageant une place forte qui permit aux populations alentour d'échapper aux ravages des Grandes Compagnies. S'ouvrant par une porte monumentale en pierre de taille, la forteresse n'a conservé que le **bâtiment des Gardes**, au Nord, qui présente une exposition sur la préhistoire en Lozère, et le logis Renaissance à tourelles situé face à l'église. De l'esplanade, on jouit d'une belle vue sur la vallée.

Au détour d'une rue du Villard, une porte fortifiée.

A. Thuillier/MICHELIN

Domaine médiéval des Champs – *De mi-juil. à fin août : 11h-19h ; de mi-avr. à mi-juil. et sept.-oct. : sur demande. 7€. Séances d'ateliers et repas sur demande. Interdit aux véhicules : parking à 200 m en contrebas (nombre de places limité).* ☎ *04 66 48 25 00.*

Autour d'une grande cour intérieure, ce bel ensemble de bâtiments caussenards, dont une grande salle voûtée du 14e s., propose aux visiteurs de revivre et de participer à l'ambiance d'un grand domaine fermier. Des ateliers animés par des bénévoles en tenue d'époque retracent plusieurs activités (de la table à la forge) et divers aspects (du jardin potager aux animaux de l'étable et de la basse-cour) de la vie quotidienne entre les 5e et 15e s.

La route suit vers le Sud le cours du Lot que l'on franchit pour rejoindre Banassac.

Banassac

Le **Musée archéologique**, dans la mairie, présente des poteries sigillées qui, aux 1er et 3e s., étaient recherchées tant en Gaule que dans le reste de l'Europe ; la production était aussi importante que celle de la Graufesenque, près de Millau. Les petites guirlandes décorant les bordures des poteries constituent une marque de fabrique. Du 5e au 9e s., quatre ateliers, alimentés par les mines d'argent exploitées dans la région, ont frappé le dixième des pièces (or et argent) du royaume. ♿ *Tlj sf w.-end et j. fériés 8h-12h, 13h30-18h, mer. 8h-12h. Gratuit.* ☎ *04 66 32 82 10.*

> **REMARQUER**
>
> On a relevé des inscriptions sur les poteries, en particulier celle du bol rouge trouvé à Pompéi : « *Bibe amice de meo* » (« Bois, ami, de ce que je contiens »).

Prieuré de **Serrabone**★★

Dans le paysage austère et parfumé des Aspres, le chemin ménage jusqu'au bout la surprise de la découverte de ce prieuré solitaire et perché. C'est l'une des merveilles de l'art roman en Roussillon, posée dans un jardin botanique aux essences subtilement mêlées.

La situation

Carte Michelin local 344 G7 – Pyrénées-Orientales (66). Sortir de Perpignan à l'Ouest par la N 116, après Ille-sur-Têt prendre à gauche la D 618 qui dessert Bouleternère puis grimpe en longeant les gorges de Boulès. La route, tout en virages et en montée, ne dévoile à aucun moment le prieuré, qu'on ne découvre qu'au terme du parcours.

Le nom

Serrabone c'est tout bonnement la « bonne montagne », la « bonne terre » : elle était autrefois couverte de prairies et de vergers.

Les gens

Lors d'une visite qu'il fit en 1834, Prosper Mérimée déplora vivement : « Les bâtiments dépendant du monastère tombent en ruine et l'église elle-même est en très mauvais état. » Une restauration suivit peu de temps après, grâce au soutien du mécène Henri Jonquères d'Oriola.

visiter

Environ 1/2h. 10h-18h (dernière entrée 1/2h av. fermeture). Fermé 1er janv., 1er mai, 1er nov., 25 déc. 3€ (enf. : 2€). ☎ 04 68 84 09 30. www.cg66.fr

🖥 Son aspect extérieur étonne par la rudesse de son architecture et la couleur sombre du schiste avec lequel il a été construit. Modeste édifice, sans luxe aucun – peut-être pour mieux être intégré à la sévérité du site –, il réserve, une fois la porte franchie, la surprise d'un décor sculpté aussi merveilleux qu'inattendu. *On pénètre dans l'église par la galerie Sud.*

Galerie Sud★

◀ Ouvrant sur le ravin, cette galerie du 12e s. empreinte d'une sérénité et d'une harmonie inouïes est ornée de chapiteaux dont les sculptures rappellent les thèmes d'influence orientale, habituels aux sculpteurs romans du Roussillon.

Église

La nef date du 11e s., le chœur, le transept et le collatéral Nord sont du 12e s. Mais le clou de la visite est la **tribune**★★ de marbre rose qui frappe par la richesse de sa

Comparaison
Remarquez la différence entre les chapiteaux intérieurs de la galerie, peu différents de ceux de la tribune, et les chapiteaux extérieurs, au relief à peine marqué, œuvres d'artisans assurément moins habiles.

Tribune du prieuré de Serrabone, chef-d'œuvre absolu de l'art roman en Roussillon.

B. Kaufmann/MICHELIN

décoration. Les dix colonnes et les deux piliers rectangulaires supportant les six croisées d'ogives sont ornés de chapiteaux qui représentent, de façon stylisée, des animaux affrontés : aigles, griffons, mais surtout lions, des motifs floraux et aussi des anges. La partie la plus remarquable réside dans l'ornementation délicate des trois archivoltes, sculptées en méplat et en creux dans le marbre, et les écoinçons ornés de fleurs, véritable broderie dans la pierre.

Sète ★

Entre le bleu de l'étang de Thau et de la Méditerranée, Sète se glisse au pied du mont St-Clair, colline calcaire et ancienne île réunie à la terre par deux étroites langues de sable. Des canaux parcourent en tous sens la ville neuve, les sirènes des bateaux évoquent les rêves de destinations lointaines, tandis que les vacanciers cultivent leur bronzage sur la plage de sable fin qui s'allonge jusqu'au Cap-d'Agde. Si vous savez prendre le temps de découvrir Sète, la cité se livrera peu à peu à vous et vous envahira de son charme singulier.

La situation
Carte Michelin Local 339 H8 – Hérault (34). Du quai de l'Aspirant-Herber, dans le vieux port, belle vue sur la ville qui s'étage au flanc du mont St-Clair. En venant de Béziers, la N 112 arrive au boulevard de Verdun puis quai Mar.-Joffre ; là, traverser le canal latéral par le pont de la gare puis la Darse de la Peyrade par le pont des Sétois. Inutile de vous rappeler que Sète est un des points de départ pour aller visiter le bassin de Thau *(voir ce nom).* 🅱 *60 Grand'Rue Mario-Roustan, 34200 Sète, ☎ 04 67 74 71 71. www.ot-sete.fr*

Le nom
Impressionnés par le mont Saint-Clair, les Grecs, Strabon en tête, l'appelaient Sition, de *set* signifiant « montagne ».

Les gens
Agglomération de 66 177 Sétois. Sète est la patrie de **Paul Valéry** (1871-1945), qui repose dans le cimetière marin, de **Georges Brassens** (1921-1981), qui chanta les lieux de son enfance dans sa *Supplique pour être enterré à la plage de Sète.* Si l'on ajoute le comédien Jean Vilar, l'écrivain Maurice Clavel, les peintres Robert Combas, Hervé Di Rosa, chefs de file du mouvement de la figuration libre, on conviendra que l'« île singulière » est un lieu où souffle l'esprit !

CALENDRIER
Lors des Fêtes de la Saint-Louis (autour du 25 août), vous pourrez assister au grand tournoi de joutes et à la traversée de Sète à la nage.

R. Corbel/MICHELIN

Le poète et chanteur Georges Brassens, originaire de la ville de Sète.

comprendre

Hier – Sète est né au 17e s., lorsque Colbert décida de construire un port au débouché sur la Méditerranée du canal des Deux-Mers. La première pierre est posée le 29 juillet 1666 par **Pierre-Paul Riquet**, créateur du canal du Midi. Pour favoriser son développement, Louis XIV, en 1673, permet « à toutes personnes de bâtir des maisons, vendre et débiter toutes sortes de marchandises avec exemption du péage ». En quelques années, une ville industrielle et commerçante se crée pendant que Riquet fait bâtir les deux jetées de l'avant-port et creuser le canal de Sète entre l'étang de Thau et la mer.
Au 19e s., c'est l'âge d'or. Les travaux d'aménagement du port et du canal maritime se multiplient, tandis que les compagnies de chemins de fer desservent plus fréquemment la ville. Vers 1840, Sète occupe le 5e rang des

carnet pratique

VISITES

Visites guidées de la ville – Organisées par le Service Tourisme de Sète, elles ont pour thème « Façades et canaux », « le Vieux Sète » ou « La Criée ». ☎ 04 67 74 71 71. www.ot-sete.fr

RESTAURATION

• Sur le pouce

La Huchette – 82 Grand'Rue Mario-Roustan - ☎ 04 67 74 40 24 - fermé le midi et dim. sauf juil.-août - 15,24/30,49€. Les noctambules et les gens du spectacle aiment ce petit bistrot ouvert de 21h à 1h du matin. Vous pourrez vous y restaurer de quelques « tapas » ou d'une bourride, l'une des spécialités de la maison. Ambiance sympathique et décor de cave à vins.

• À table

The Marcel – 5 r. Lazare-Carnot - ☎ 04 67 74 20 89 - fermé semaine de Noël, sam. midi et dim. - 13€ déj. - 18,29/53€. Dans une rue calme du vieux quartier de Sète, ce restaurant est un rendez-vous agréable, apprécié des Sétois. Son décor hétéroclite mélange gaiement style Art déco, fauteuils clubs en velours, mobilier bistrot... et sert de galerie aux peintres d'ici. Cuisine du cru, entre autres...

La Rotonde – 17 quai du Mar.-de-Lattre-de-Tassigny - ☎ 04 67 74 86 14 - ghsetect@sete-hotel.com - fermé 2 au 13 janv., 3 au 18 août, sam. midi et dim. - 22€ déj. - 31/51€. Dans l'enceinte du Grand Hôtel, cette salle à manger bourgeoise garnie de moulures s'est joliment égayée de tons bleu et blanc et de fauteuils en rotin. Comme les connaisseurs de la région, adoptez ce restaurant pour sa cuisine bien tournée.

Le Jas d'Or – 2 bd V.-Hugo - 34110 Frontignan - ☎ 04 67 43 07 57 - fermé mar. soir et mer. hors sais., lun. midi, jeu. midi et sam. midi en juil.-août - 17/33€. Ici on met les petits plats dans les grands : présentations colorées, noms ronflants et cuisine élaborée... Cet ancien chai est également apprécié par une clientèle d'habitués pour sa petite salle à manger agrémentée de pierres apparentes.

HÉBERGEMENT

Camping Les Tamaris – 34110 Frontignan - 1 km au S de Frontignan par D 60 - ☎ 04 67 43 44 77 - les-tamaris@wanadoo.fr - 4 avr.-20 sept. - réserv. obligatoire - 250 empl. : 32€ - restauration. Vous profiterez pleinement des plaisirs de la plage dans ce camping installé au bord de l'eau. Quelques mètres à faire pour poser votre serviette sur le sable et plonger dans les vagues ! Belle piscine, bar, restaurant et magasin pour vous servir...

Grand Hôtel – 17 quai du Mar.-de-Lattre-de-Tassigny - ☎ 04 67 74 71 77 - ghsetect@sete-hotel.com - fermé 20 déc. au 4 janv. - 43 ch. : 60/115€ - ☲ 8€. Cette élégante bâtisse (1882) ancrée sur les quais est une véritable institution. Vaste patio coiffé d'une verrière de style Belle Époque, chambres « cosy », meubles anciens et bar design : vous succomberez à son charme.

Hôtel Port Marine – Môle St-Louis - ☎ 04 67 74 92 34 - contact@hotel-port-marine.com - P - 46 ch. : 65/90€ - ☲ 9€ - restaurant 21/30€. Hôtel de construction moderne proche du port de plaisance et de la jetée. Chambres fonctionnelles évoquant sobrement l'intérieur d'une cabine de bateau. Six appartements ouvrent leurs fenêtres côté mer. Cuisine régionale au restaurant Bleu Marine.

SORTIES

Bar du Passage – 1 quai Mistral - ☎ 04 67 74 21 25 - juil.-août : 7h-2h. ; sept. et juin : 7h-20h. Situé dans le quartier de pêcheurs de la Pointe Courte, où s'est tourné le film du même nom d'Agnès Varda, le bar du Passage est un endroit magique : il vous faut venir y goûter la beauté et la poésie des lieux... ou les brochettes en été. Expositions de photos.

La Taverne – 16 r. Garenne - ☎ 04 67 74 32 62 - lun.-sam. 11h-3h. Situé sur les hauteurs de Sète, ce petit bar datant de 1885 uniquement fréquenté par des Sétois, habitués et artistes, connaît une grande animation en soirée : concerts impromptus de musique acoustique ou d'accordéon jusque très tard dans la nuit.

Le Bobar – 6 quai Maximin-Licciardi - ☎ 04 67 74 57 19 - 7h-1h. Ce bar sans prétention est une institution à Sète. La terrasse donne sur les quais de déchargement et, dans une cabanon à proximité, on peut acheter toutes sortes de brochettes, servie avec de larges portions de frites, que touristes et Sétois dévorent à pleines dents en se partageant les longues tables en bois du Bobar.

ARTS & SPECTACLES

CinéGarage – 29 Grande-Rue-Haute - ☎ 04 67 46 12 18 - sept.-juin : lun.-ven. 9h-12h, 14h-17h ; juil.-août : lun.-ven. 14h-18h. Nouvel espace culturel à vocation multiple : expositions de peintures, réalisations de films, ateliers de création, festival de courts métrages (en juillet)... Un endroit un peu alternatif qui promet souvent des rencontres enrichissantes : on y croise nombre d'artistes et le gotha de la culture à Sète.

Théâtre de la Mer – Rte de la Corniche - ☎ 04 67 74 70 55 - culture@ville-sete.fr - fermé sept.-mai. Appelée également « théâtre Jean-Vilar », cette salle de spectacles de plein air de plus de 2 000 places, aménagée dans un ancien fort construit par Vauban, au pied du cimetière marin, sert de cadre à plusieurs festivals en juillet-août : un festival de théâtre, musique et danse, et un festival de jazz.

ACHATS

Marché aux puces – Pl. de la République - dim. 6h-13h.

Chez David – 67 r. Paul-Bousquet - ☎ 04 67 53 14 30 - tlj sf mar. 7h-12h30, 16h-20h - fermé fév. Si la boutique est située un peu à l'écart du centre-ville (entre la gendarmerie et la caserne des pompiers) et difficile à trouver, le voyage en vaut vraiment la peine, car David fabrique de délicieuses tielles sétoises. Cet excellent artisan-traiteur, très au fait de la vie à Sète, discute volontiers de tous les sujets et notamment de cette spécialité locale, sorte de petite tourte fourrée aux poulpes frais. **Clément Capecchi** – 7-9 av. Victor-Hugo - ☎ 04 67 74 57 27 - mar.-sam. 7h-13h, 14h-20h, dim. jusqu'à 13h - fermé 1 sem. en fév., en juin et en oct. Cette maison plus que centenaire produit et conçoit confiseries et chocolats, dont la fameuse capucine, délicieux praliné à la pâte d'amande fourré d'un fruit confit. Tous les Sétois connaissent cette adresse incontournable par laquelle vous vous devez de faire un détour.

LOISIRS

École de voile de Frontignan – 34110 Frontignan - ☎ 04 99 04 91 72. Stages ou cours permettant d'établir un premier contact avec Optimist, le dériveur double ou solitaire, la planche à voile, le catamaran, puis d'en perfectionner la pratique.

Sète Croisières – Quai de la Marine - ☎ 04 67 46 00 46. Promenade (1h) à bord du bateau Aquarius à paroi de verre, pour voir les parcs à coquillages de l'étang de Thau (tlj sf w.-end) ou pour découvrir la côte rocheuse en mer (w.-end ; durée 1h) ; dép. quai de la Pointe-Courte pour l'étang de Thau ou quai de la Marine pour la côte rocheuse. Promenade en mer et visite du port (3/4h) à bord du bateau Atlantide.

ESCAPADE AUX BALÉARES

Liaisons vers les Baléares – Une compagnie maritime assure des liaisons régulières entre Sète et Palma de Majorque. Les départs on lieu le soir et la traversée s'effectue de nuit dans de confortables bateaux de croisières très équipés. Euromer, 5 quai de Sauvages, 34070 Montpellier, ☎ 04 67 65 95 13. www.euromer.net

ports français. Après la conquête de l'Algérie, les liaisons avec l'Afrique du Nord ne font qu'accentuer la prospérité sétoise. Aujourd'hui, en dépit d'un net déclin, le port est toujours actif et la « gare du Maroc » retrouve toute son animation lorsque le magnifique ferry Le Marrakech, immense vaisseau blanc invitant au voyage, est à quai.

séjourner

Le vieux port★

Avec ses canaux, ses ponts, ses restaurants où tielles, rouilles, bourrides et autres loups grillés vous attendent, ses embarcations de plaisance et ses chalutiers, c'est ici que bat le cœur de la ville.

La **Marine**, le long du canal, est bordée d'immeubles aux façades colorées et de restaurants de fruits de mer dont les terrasses ont vue sur le canal de Sète. Un peu plus loin, la **« criée électronique »** rassemble pour quelques temps encore pêcheurs et badauds au moment du retour des bateaux (vers 15h30). Les abords du môle St-Louis ont été aménagés pour servir de base d'entraînement pour la voile de haut niveau.

> **FLÂNERIE SÉTOISE**
> « Il dépend de celui qui passe / Que je sois tombe ou trésor / Que je parle ou que je me taise / Ceci ne tient qu'à toi / Ami n'entre pas sans désir » (P. Valéry).

Vue sur le canal bordé de maisons aux couleurs méditerranéennes, depuis le quai Aspirant-Herber, en face.

Promenade de la Corniche
Cette promenade fréquentée, qui conduit à la plage de la Corniche, située à 2 km du centre-ville, entaille la base du mont St-Clair aux pentes couvertes de villas.

La plage
La plage de la Corniche se déroule sur 12 km de sable blond dans un site naturel protégé.

se promener

LE MONT ST-CLAIR★

Compter une demi-journée. De la promenade Mar.-Leclerc, poursuivre par l'avenue du Tennis et bifurquer à droite dans la montée des Pierres-Blanches.

Parc panoramique des Pierres Blanches
Balisé de sentiers pédestres, c'est un agréable lieu de flânerie qui permet de découvrir le site alentour. De la table d'orientation, ample **vue**★ sur la partie Ouest du bassin de Thau, la basse plaine de l'Hérault, la pleine mer, la corniche, la plage.

Chapelle N.-D.-de-la-Salette
Le mont doit son nom au saint qui, dès le haut Moyen Âge, était ici vénéré. Au 17e s., un ermitage existait encore près du fortin appelé « la Montmorencette », du nom du duc de Montmorency qui l'avait fait élever contre les Barbaresques. Après la révolte du duc, le fort fut démantelé, et une ancienne casemate transformée en chapelle expiatoire, dédiée plus tard à Notre-Dame-de-la-Salette. Elle attire de nombreux pèlerins toute l'année, et tout particulièrement le 19 septembre.

Points de vue
De l'esplanade, face à la chapelle, où une grande croix est illuminée toutes les nuits, la **vue**★ est très belle sur Sète, la partie Est du bassin de Thau, les garrigues, les Cévennes, le pic St-Loup, la montagne de la Gardiole, la

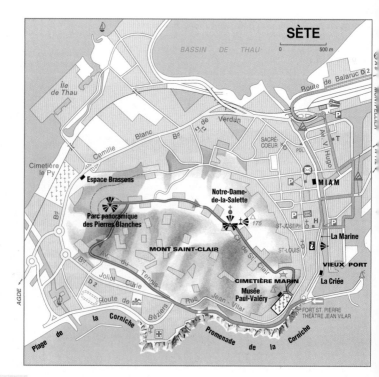

côte avec ses étangs et ses petites villes. D'une tour d'orientation aménagée sur la terrasse du presbytère, le **panorama★★** est splendide. Si les premiers plans vibrent de lumières et de couleurs, dans les lointains formes et teintes se fondent en nuances douces. Par temps clair (l'hiver), la vue s'étend vers le Sud-Ouest, au-delà des lagunes et de la mer, jusqu'aux Pyrénées dominées par le Canigou et, vers l'Est, jusqu'aux Alpilles.

Poursuivre par le chemin de St-Clair en très forte descente. Dominant la mer, paisible et serein, se trouve le **cimetière marin★** où reposent Jean Vilar *(dans la partie basse)* et Paul Valéry *(dans la partie haute)*. Comment ici ne pas songer au vers du poète : « La mer, la mer, toujours recommencée » ?

On regagne le centre-ville par la Grande-Rue-Haute.

visiter

Espace Brassens

67 bd Camille-Blanc. &. *Juil.-août : 10h-12h, 14h-19h ; juin et sept. : 10h-12h, 14h-18h ; oct.-mai : tlj sf lun. 10h-12h, 14h-18h. Fermé 1er janv., Pâques, 1er et 8 mai, 11 nov., 25 déc. 5€. ☎ 04 67 53 48 28. www.ville-sete.fr/brassens*
À travers une scénographie originale, ce lieu évoque la ▶ vie et l'œuvre du chanteur-poète sétois (1921-1981) qui, avec des mots (parfois chargés d'irrévérence) et des mélodies simples scandées par des accords de guitare ou soulignées par la contrebasse, sut parler des thèmes éternels que sont l'amitié *(Chanson pour l'Auvergnat)*, l'amour *(Je me suis fait tout petit)* ou la mort *(Pauvre Martin)*. Muni d'un casque à infrarouge, le visiteur découvre ou redécouvre l'enfance de l'artiste à Sète, sa « montée » à Paris et ses premiers succès, les œuvres d'écrivains qu'il a adaptées *(Ballade des dames du temps jadis* de Villon, *Il n'y a pas d'amour heureux* d'Aragon). Dans ce lieu de mémoire vivante, on se surprend à fredonner des airs familiers en revoyant le tour de chant enregistré à Bobino...

> **AUPRÈS DE MON ARBRE**
> Brassens repose, sous un cyprès, dans le cimetière Le Py, en face de l'Espace.

Musée Paul-Valéry

Face à la mer, près du cimetière marin, sur le mont St-Clair. Juil.-août : 10h-12h, 14h-18h ; sept.-juin : tlj sf mar. et j. fériés 10h-12h, 14h-18h. 3€, gratuit 1er dim. du mois. ☎ 04 67 46 20 98.
Au-dessus du cimetière marin, cet agréable musée présente des œuvres d'artistes locaux (Combas, Di Rosa) ou inspirés par la ville (Desnoyers, Marquet, Sarthou), des vestiges archéologiques résultant de fouilles effectuées au Barrou et des documents sur les joutes sétoises. À l'étage, une salle superbement ouverte sur la mer d'un bleu intense est consacrée à Paul Valéry : éditions originales, manuscrits, aquarelles et dessins permettant d'admirer le joli coup de crayon qu'avait le poète !

Musée international des Arts modestes (MIAM)

Quai Mar.-de-Lattre-de-Tassigny, sur le grand canal. Tlj sf mar. et j. fériés (sf juil.-août) 10h-12h, 14h-18h. 5€ (-10 ans : gratuit), gratuit 1er dim. du mois. ☎ 04 67 18 64 00.
Voilà un musée éminemment ludique qui ravira en particulier les quinquagénaires nostalgiques de leur enfance : Malabars et autres coco Boër, scoubidous et 45 tours vinyle, boîtes de Vache-Qui-Rit et cadeaux Bonux, c'est toute une époque qui revit grâce aux « réclames » et objets de la vie quotidienne, humbles représentants de ces « arts modestes » qu'Hervé Di Rosa *(au rez-de-chaussée, dans des caravanes)* et son complice Bernard Belluc *(à l'étage, dans des vitrines)* ont patiemment recueilli et mis en scène. Dans la cour, le « jardin modeste », créé par Liliana Morta, ne dépare pas l'ensemble !

LES CHEVALIERS DE LA TINTAINE
De Sète, Mèze, Agde, Frontignan, Palavas ou Le Grau-du-Roi, les gros bras de la région, armés d'une lance et munis d'un pavois, juchés en haut de la « tintaine », se défient sur le canal, barque bleue contre barque rouge. Le tournoi de joutes est un spectacle coloré, animé, obéissant à des règles strictes et à des codes parfois inaccessibles au profane, baigné de musique et de liesse populaire et qui voit normalement l'un des lutteurs terminer le combat par un plongeon spectaculaire dans les eaux du canal. C'est pour les fêtes de la Saint-Louis qu'il faut assister au grand tournoi de joutes, véritable championnat du monde de la spécialité, précédé du défilé d'une centaine de participants, la « tchibille ».

circuit

AU PAYS DU MUSCAT

28 km – 2h environ (non compris le bain !). Quitter Sète par la N 112, en direction de Montpellier.

Frontignan-Plage⌂
Cette petite station balnéaire est dotée d'un port de plaisance proposant 600 places à flot.

Poursuivre par la D 60, route empruntant l'étroit cordon littoral entre mer et étang.

Les Aresquiers
Sur cette plage de galets, appréciée des naturistes, des petites guinguettes, aux bouillabaisses appréciées des connaisseurs, donnent parfois en soirée des concerts (rock, reggae). La route, tracée sur une digue entre étangs et canal, ménage des vues paisibles dans un paysage serein qui, au soleil déclinant, se pare de rose et d'orangé.

Par Vic-la-Gardiole et Mireval (qui produit un muscat réputé) rejoindre la N 112 que l'on prend sur la gauche, en direction de Frontignan.

Massif de la Gardiole
🚶 Au Nord, se dresse le massif de la Gardiole, sillonné de sentiers balisés que parcourent amateurs de VTT et de randonnées tant pédestres qu'équestres.

Frontignan
Petite ville industrielle, Frontignan a donné son nom à un muscat aussi doré que réputé, dont le vignoble recouvre près de 800 ha au bord de l'étang d'Ingril.

Église St-Paul – Au 14e s., l'église (12e s.) fut reconstruite dans le style gothique méridional, avec une seule nef et une abside pentagonale, les contreforts renforcés. Puis, intégrée dans les fortifications dont s'entoura la ville, sa tour-clocher à l'allure de donjon fut surélevée et couronnée d'une tourelle. Après avoir détaillé le portail et sa frise de poissons et de bateaux, à l'intérieur vous observerez le plafond de la nef, qui a été rétabli dans ses dispositions du 14e s., laissant apparaître quelques belles poutres peintes.

Musée d'Histoire locale – *4 bis r. Lucien-Salette, à côté de l'église. Mars-nov. : tlj sf mar. 10h-12h, 14h30-18h30. Fermé 1er mai. Gratuit.* ☎ *04 67 48 50 05.*
Installé dans l'ancienne chapelle des Pénitents Blancs s'ouvrant par un portail monumental du 17e s., il rassemble des collections de préhistoire, d'archéologie subaquatique, des souvenirs napoléoniens. Certains aspects de la vie locale sont évoqués : travail du tonnelier, fabrication du muscat, tournois de joutes nautiques.

Retour à Sète par la N 112.

Sévérac-le-Château★

Ce bourg autrefois fortifié s'élève sur les flancs d'une colline isolée au milieu de la dépression qu'arrosent les sources de l'Aveyron et leurs affluents. Il est dominé par un rocher abrupt qui porte les restes d'un château imposant. Autrefois, l'activité de Sévérac tournait autour de la grande gare de triage construite dans les années 1880 sur la ligne Rodez-Millau. Cette période est révolue et aujourd'hui, Sévérac joue avant tout l'atout touristique que représente le château.

La situation
Carte Michelin local 338 K5 – Aveyron (12). Sur la route de Millau à Rodez (N 88). La ville possède deux quartiers bien distincts, le quartier médiéval du château, sur la colline, et le quartier de la gare, à ses pieds, sur le versant opposé.
🏠 *5 r. des Douves, 12150 Sévérac-le-Château,* ☎ *05 65 47 67 31. www.severac-le-chateau.com*

Le nom
Sévérac a donné son nom à une grande famille mais durant le haut Moyen Âge, Severiacum était tout simplement la « propriété de Severus », sans doute un riche propriétaire terrien gallo-romain.

Les gens
2 458 Sévéragais. Revenons à notre famille de Sévérac pour parler d'un des plus connus de ses membres, **Déodat de Séverac** (1873-1921), d'abord parce qu'il porte un de ces prénoms pittoresques très en vogue à la fin du 19e s., ensuite parce qu'il composa des mélodies d'une délicatesse exquise, tout imprégnées du folklore languedocien.

comprendre

Amaury de Sévérac – La baronnie de Sévérac, l'une des plus anciennes et des plus puissantes de France, compte dans ses rangs Amaury de Sévérac (1365-1427), devenu seigneur de Sévérac-le-Château en 1416. Nommé chambellan du dauphin (futur Charles VII), il prit part à d'innombrables faits d'armes avant de devenir maréchal de France. Dépourvu de descendance, il fut assassiné au château de Gages, au Nord-Est de Rodez, en 1427.

Un mari peu complaisant – Louis d'Arpajon, héritier par ses ancêtres de la seigneurie de Sévérac-le-Château, fut un guerrier fameux : sa bravoure et ses talents lui valent, en 1637, le titre de général d'armée et, plus tard, le comté de Rodez. Arpajon se retire dans son château à l'apogée de sa gloire, en 1663, avec son épouse, Gloriande de Thémines. Très fière de son « vaillant seigneur », Gloriande transforme le château en une brillante demeure où les fêtes se succèdent, au grand

GÉNÉALOGIE
Avec Amaury s'éteint la branche aînée des barons de Sévérac. Une lignée collatérale s'est maintenue depuis 1300 à Entraygues, puis à St-Félix-Lauragais (Haute-Garonne) où est né le compositeur Déodat de Séverac.

carnet pratique

VISITE
Promenades à cheval et en calèche – Ferme équestre Les Chevaux du Ronc - ☎ *05 65 71 68 91 - www.chevaux-du-ronc.com - sur réservation d'avr. à nov.*
Promenades en petit train dans Sévérac – *De mi-juil. à mi-août. 2€.* Renseignements à l'Office de tourisme.

CALENDRIER
Marché traditionnel - Tous les jeu. matin. Fête médiévale - Déb. août.
Son et lumière « Mémoires de Sévérac, la légende de Jean de Fol », spectacle d'1h40, déb. août dans la cour d'honneur du château. Dans cette même cour, animations par les Maîtres fauconniers en juil.-août : spectacles en costume et en musique mettant en scène plus de 20 rapaces diurnes et nocturnes.

émoi de sa belle-mère, austère calviniste convertie au catholicisme, qui parvient à faire croire à Louis que son fils n'est pas de son sang. Fou de jalousie, le brillant militaire tue son rival supposé et séquestre sa femme jusqu'à l'époque du pèlerinage à N.-D.-de-Ceignac que Gloriande décide de suivre. Des hommes armés, cachés dans les fourrés, s'emparent alors de la litière et maintiennent Gloriande pendant qu'un chirurgien-barbier lui ouvre les artères des poignets et des chevilles. Quand la mort a fait son œuvre, on bande les plaies et le corps est ramené au château. Personne ne songe à discuter la version d'une crise cardiaque foudroyante.

visiter

Cité médiévale

Dans les ruelles et les passages voûtés conduisant au château s'élèvent des maisons anciennes (15e-16e s.) avec encadrements de fenêtres, tourelles en encorbellement, étages surplombant la chaussée, façades à pans de bois.

La **maison de Jeanne** accueille une exposition sur le Moyen Âge (atelier de frappe de monnaie) ; la **maison des Consuls** renferme une maquette du château vers 1669 et un diaporama.

Tirant partie de la situation stratégique de son château, Sévérac s'est, au Moyen Âge, installé au pied de la colline.

Château

&. *Juil.-août : visite guidée 9h-19h30 ; de mi-juin à fin juin, de déb. sept. à mi-sept. et w.-ends mai-juin : 10h-12h30, 14h-18h30 ; de mi-sept. à mi-juin : visite libre. 6€ haute sais., 2,50€ basse sais. ☎ 05 65 47 67 31. www.severac-le-chateau.com*

De la terrasse du château, située à l'Est de la cour d'honneur, vue sur le bourg et la haute vallée de l'Aveyron, les causses de Sévérac et de Sauveterre, les contreforts des Cévennes et, plus à droite, le Lévézou.

◄ Une entrée du 17e s. donne accès à la cour d'honneur. Au Nord s'élèvent des constructions plus anciennes (13e et 14e s.) : vestiges de courtines, trois tours de guet et chapelle abritant une exposition sur les costumes au Moyen Âge ; au Sud, la façade Renaissance et les restes d'un escalier monumental à double volée.

Sur la tour de guet du rempart Ouest, vue étendue sur la vallée de l'Aveyron, dans laquelle on distingue, au loin, le château de Loupiac, flanqué de ses quatre tours rondes.

alentours

Château de Vezins

21 km. Quitter Sévérac à l'Ouest par la N 88. À Recoules-Prévinquières, prendre à gauche la D 96. De mi-juin à mi-sept. : visite guidée (1h) tlj sf mer. 10h-12h, 14h-18h30 ; de mi-sept. à mi-juin : sur demande. 5€. ☎ 05 65 61 87 02.

La visite extérieure de ce château de forme défensive en fer à cheval, qui appartient toujours à la famille de Vezins, fournit l'occasion de suivre l'évolution architecturale de l'édifice (du 12e au 19e s.) ; on peut visiter les salles du rez-de-chaussée et du 1er étage.

Réserve africaine de **Sigean**★

Paradis des flamants roses, des aigrettes et des goélands (ici appelés les « gabians »), cette réserve au caractère sauvage s'étend sur 300 ha, le long du littoral languedocien. Les garrigues éclaboussées d'étangs sont aménagées pour recréer de grands espaces évoquant au plus près le milieu d'origine des espèces. Avec un peu de patience, du silence et de bonnes jumelles, on ne peut manquer lions, zèbres, antilopes... un spectacle rare.

La situation
Carte Michelin Local 344 I4 – 7 km au Nord-Ouest de Sigean – Aude (11). En venant de Perpignan ou de Narbonne, suivre la N 9. Après Sigean, signalétique à 7 km pour la réserve.

Le nom
Il est dérivé du nom d'un dénommé Seianus, sans doute pas le plus ancien Sigeannais : le site a en effet été habité bien avant la création de la Gaule Narbonnaise, dès le 7e s. avant J.-C.

Les animaux
Plus de 3 800 animaux vivent ici en liberté surveillée pour la plus grande joie des visiteurs et des chercheurs.

carnet pratique

visiter

♿ *Mai-août : 9h-18h30 ; sept.-avr. : 9h-16h. 18€ (enf. : 14€).* ☎ *04 68 48 20 20.*

En voiture
1h. Se conformer strictement aux consignes de sécurité données à l'entrée. Les boucles du circuit routier sont tracées dans quatre territoires réservés aux animaux en liberté : la brousse africaine (autruches, grands koudous dont les mâles portent de longues cornes torsadées, impalas, gnous, girafes, etc.), le parc des ours du Tibet, reconnaissables au V blanc qu'ils portent sur la poitrine, le parc des lions et enfin la savane africaine (rhinocéros blancs, zèbres, autruches, sitatungas – antilopes aux cornes spiralées).

Réserve africaine de Sigean

Le roi des animaux se repose nonchalamment au milieu de la « brousse » de la réserve africaine de Sigean.

À pied

🚶 *3h. Partir des parkings centraux, à l'intérieur de la réserve.* Elle familiarise le visiteur avec la faune des différents continents : éléphants d'Afrique et d'Asie, dromadaires, antilopes, zèbres, guépards, alligators et surtout, aux approches de l'étang de l'Œil de Ca, avec la gent ailée : flamants roses, grues, aras, cygnes, pélicans à dos rosé, cigognes blanches, ibis sacrés...

Sommières

Sommières est né au pied d'un château fort à la belle tour carrée. Cette ancienne place de sûreté protestante a conservé tout son caractère, avec ses portes fortifiées, ses ruelles que franchissent des arceaux, ses places à « couverts ». Le Vidourle qui coule tranquille (le plus souvent !) sous son pont romain fait tout le charme de cette cité réputée jadis pour la fabrication de cuirs et d'étoffes de laine.

La situation

Carte Michelin local 339 J6 – Gard (30). À 19 km au Nord-Est de Montpellier par la N 110. Un grand parking est aménagé en bordure du Vidourle, près des arènes.
🅱 *R. du Gén.-Bruyère, 30250 Sommières, ☎ 04 66 80 99 30.*

L'emblème

La terre est ici utilisée dans la fabrication d'un détachant communément appelé « Terre de Sommières ».

Les gens

3 677 Sommiérois. L'écrivain Lawrence Durell (mort en 1990) passa les dernières années de sa vie ici et écrivit dans *L'Esprit des lieux* : « Je dois reconnaître que je n'ai rien vu de plus joli que Sommières. Sommières est extrêmement amusante, profondément marquée par l'esprit de Raimu et de Fernandel... »

Pays d'accueil de Sommières

Terre de Sommières

La terre de Sommières enlève les taches de gras les plus rebelles.

Des quais ombragés, un pont romain, la haute silhouette du vieux château : le charme de Sommières...

A. Thuillier/MICHELIN

carnet pratique

RESTAURATION

⊜⊜ **Chodoreille** – 140 r. Lakanal - 34400 Lunel - ☎ 04 67 71 55 77 - chodoreille@wanadoo.fr - fermé 13 au 31 août, lun. soir et dim. sf j. fériés - 20/51€. Dans une ruelle un peu excentrée, ce restaurant discrètement installé dans une maison prolonge sa petite salle d'une jolie terrasse-patio en été. Cadre contemporain, accueil attentionné et quelques plats de Camargue rondement menés contribuent à sa bonne réputation.

⊜⊜ **Auberge Lou Caléou** – 34160 Boisseron - 2,5 km au S de Sommières dir. Montpellier - ☎ 04 67 86 60 76 - dominique.dercourt@loucaleou.fr - fermé 6 au 22 fév., 15 au 30 sept., 25 oct. au 2 nov., 23 déc. au 2 janv., le soir en hiver sf ven. et sam., dim. soir, lun. et mar. - 22€. Dans une maison médiévale originale, ce restaurant sobrement décoré, avec ses chaises en bois et nappes à fleurs, sert une cuisine appétissante qui se décline en plusieurs menus. Premiers prix raisonnables. Petite terrasse dans la cour en été.

HÉBERGEMENT

⊜⊜ **Chambre d'hôte Mas Fontclaire « Chez Colette »** – 8 r. Émile-Jamais - ☎ 04 66 77 78 69 - 🖃 - 3 ch. : 60/67€. Il faut passer un grand porche pour découvrir ce havre de paix. Vous êtes dans les dépendances d'une ancienne maison vigneronne, au milieu d'un joli jardin fleuri. Les chambres, toutes différentes, sont modernes ou plus typiquement provençales. Petit-déjeuner dans le patio. Piscine.

se promener

Pont romain

Le pont d'origine, long de 190 m, fut lancé là, sur le Vidourle, par Tibère, au début du 1er s. Restauré au 18e s., il se prolonge dans la partie basse de la cité.

Marché-Bas

Accès par l'escalier de Reilhe, à gauche, aussitôt franchie la tour de l'Horloge. Cette place, entourée de maisons à arcades, était limitée au Sud par des arches accolées au pont romain (on peut voir un vestige de la cinquième arche sous le passage voûté). Installée dans l'ancien lit du Vidourle, elle est régulièrement envahie par les flots lors des « vidourlades ».

Marché-Haut

Il communique avec le Marché-Bas par une curieuse ruelle en partie voûtée qui ne marque qu'un très faible dénivelé. Également connu sous le nom de place Jean-Jaurès, c'est l'ancien marché au blé de Sommières. Dans un angle, un passage couvert dessert la rue de la Taillade, ancienne voie romaine donnant accès au pont romain ; aussitôt à gauche, au n° 3, hôtel du 17e s. présentant une intéressante cage d'escalier.

> ### GARE AUX VIDOURLADES !
> Il semble paisible et inoffensif aux estivants, ce fleuve parfois envasé aux heures les plus chaudes de l'été. Mais il n'est pas rare que le Vidourle envahisse la cité lors de crues aussi soudaines que dévastatrices.

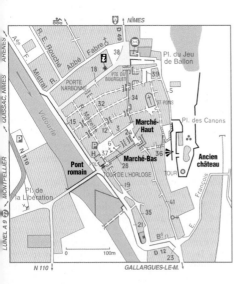

SOMMIÈRES

Ancien château

Accès en voiture par la rue du Château-Fort ou à pied par la montée des Régordanes. De là une belle **vue** s'offre sur Sommières et ses toits de tuiles rouges, les garrigues et, au-delà, sur les Cévennes.

alentours

Chapelle St-Julien de Salinelles

3 km au Nord de Sommières par la D 35 en direction de Quissac. Tourner à gauche en entrant dans le village de Salinelles. Cette chapelle romane du 11e s. forme un ravissant tableau avec son cimetière, ses cyprès et son environnement champêtre. Fort bien restaurée, elle sert de cadre en été à des expositions de peinture et à des concerts.

circuit

AUTOUR DU VIDOURLE

43 km – 2h environ. Quitter Sommières par la N 110 (direction Alès) et tourner immédiatement sur la droite dans la D 40 (direction Nîmes).

Villevieille

Dominant Sommières, ce paisible village perché, avec ses maisons de pierres sèches, ses ruelles parfois enjambées d'arcs, semble surveiller la vallée du Vidourle.

Château – *Avr.-oct. : visite guidée (1h) 14h-19h ; nov.-mars : dim. et j. fériés de 14h à la tombée de la nuit ou sur demande. Août : concerts classiques. 6€.* ☎ *04 66 80 01 62.*

Bâti sur un éperon rocheux, il encadre de ses tours médiévales une façade Renaissance. Au rez-de-chaussée, salle à manger tendue en **cuir des Flandres**★ ; au premier étage, chambre que Louis XIII occupa pendant le siège de Sommières, chambre de saint Louis, à l'imposante cheminée médiévale, et grand salon décoré de gypseries du 18e s. La terrasse offre une belle vue sur la vallée.

Regagner la D 40 puis prendre à droite la D 105 vers Junas. La route traverse la **Vaunage**, terre vallonnée de garrigues peuplée de chênes verts et d'olivettes, à laquelle quelques cyprès donne un je-ne-sais-quoi de toscan.

Aubais

Dominée par la silhouette de son château, le village du peintre **Claude Viallat** est habité par de nombreux artistes qui ouvrent régulièrement les portes de leurs ateliers lors des manifestations des « Quatre Saisons de l'Art à Aubais ».

Poursuivre en direction de Villetelle par la D 142 et la D 12 et, à la sortie du village, rejoindre l'oppidum d'Ambrussum (signalisation).

Ambrussum

Parking. Déjà occupé à la fin du néolithique, puis plus tard au premier âge du fer, ce site de hauteur, permettant de contrôler le franchissement du Vidourle, fut transformé en oppidum dès la fin du 4e s. Plus tard, il devint un relais important sur la voie Domitienne, entre Nîmes et Castelnau-le-Lez.

Les fouilles ont permis de dégager des vestiges intéressants : sur la colline, le soubassement d'un rempart (3e s. avant J.-C.) en pierres sèches, jalonné de 25 tours très rapprochées, des maisons gallo-romaines à cours intérieures bordées de portiques, un édifice public élevé sur une place dallée, mais surtout un tronçon bien conservé de la voie Domitienne, pavée et creusée de profondes ornières, qu'on peut suivre sur 200 m. En contrebas, le

É. Larribère/MICHELIN

Le pont romain d'Ambrussum permettait à la voie Domitienne de rejoindre la rive droite du Vidourle.

pont romain avec son arche unique (il en comptait 11 à l'origine) : vous pourrez voir le tableau qu'en a tiré Courbet au musée Fabre de Montpellier ; un peu plus loin s'étend le quartier bas avec ses îlots bordant une rue, où l'on a pu identifier une auberge.

Rejoindre Lunel par la D 110E puis la D 34.

Lunel

Ce gros bourg-marché réputé pour son muscat entretient jalousement ses traditions tauromachiques, tant espagnoles que camarguaises. Le passage voûté des Caladons (13e s.), l'église N.-D.-du-Lac (17e s.) et quelques maisons anciennes sont quelques-unes des témoignages que les Pescalunes (ou « pêcheurs de lune ») ont conservé du passé.

Poursuivre sur la D 34.

Marsillargues

Autrefois fief du légiste Guillaume de Nogaret, bras droit ▶ de Philippe le Bel, le village natal de **Gaston Defferre** (1910-1986) est entouré de boulevards ombragés de platanes. La grande place commande l'accès à l'église, à l'hôtel de ville, aux arènes, et à l'imposant **château** de style Renaissance. Guillaume de Nogaret fit débuter sa construction en 1305. L'édifice fut profondément remanié au 16e s., puis à nouveau modifié avant d'être ravagé lors d'un terrible incendie en 1936.

Le château ne se visite pas mais accueille un modeste **musée** qui retrace son histoire mais aussi les célébrités et traditions locales. *Avr.-sept. : tlj sf dim. et lun. 14h-18h ; oct.-mars : tlj sf w.-end 14h-17h. Fermé j. fériés et du dernier w.-end de juil. au 1er w.-end d'août. 2,50€.* ☎ *04 67 83 52 12.*

Le retour sur Sommières s'effectue par la D 34 avec, pourquoi pas, un arrêt sur les berges du Vidourle à Boisseron, avant de reprendre à droite la N 110.

> **EXEMPLAIRE**
> La façade Nord★ (16e s., à gauche) du château est un très bel exemple d'architecture méridionale Renaissance : bas-reliefs, masques, guirlandes, emblèmes royaux, etc. L'aile Sud, a été construite à la fin du 17e s. pour lui donner la réplique (juste la façade).

Ancienne abbaye de **Sylvanès**

Cette ancienne abbaye cistercienne est le joyau d'une région boisée semée de collines. Le ruissellement d'un affluent du Dourdou rappelle qu'au 12e s. les eaux de Sylvanès jouissaient d'une bonne renommée et qu'une activité thermale s'y est développée jusqu'au début du 19e s. Grâce à un vaste programme de restauration, l'abbaye forme aujourd'hui un accueillant « Centre de rencontres culturelles » ouvert aux arts et à la spiritualité.

La situation

Carte Michelin Local 338 J7 – 9 km à l'Est de Camarès – Aveyron (12). Au Sud de Millau, juste avant St-Affrique, on quitte la D 999 à gauche pour prendre la D 7 vers Cornus. À la sortie de St-Félix-de-Sorgues, on tourne à droite pour suivre la D 540 jusqu'à l'abbaye.

Le nom

Sylvanès s'est décliné en différentes orthographes (Sylvanum, Salvania, Salvanès, Salvanesc, Silvanès), qui renvoient toutes à la même origine : *silva*, c'est-à-dire la forêt.

Les gens

Le brigand Pont de Léras, repenti, se racheta en fondant l'abbaye en 1138 : elle prospéra vite sous la protection de nobles amis.

> **STAGES**
> Également lieu de formation, le centre culturel de l'abbaye offre pendant neuf mois de l'année un riche programme de stages de musique vocale, d'art sacré (iconographie, fresques murales), des colloques et des séminaires, des classes culturelles. Pour obtenir le programme : ☎ *05 65 98 20 20.*

visiter

Juil.-août : visite guidée (1h) 10h30 (dim. 9h45), 14h30, 16h et 17h ; fév.-juin et sept.-nov. : visite libre 9h15-12h30, 14h-18h ; de mi-janv. à fin janv. et de déb. déc. à mi-déc. : tlj sf w.-end 9h15-12h30, 14h-18h. Fermé j. de concerts. 4,50€ (visite libre : 2€). ☎ 05 65 98 20 20.

Église

Cet édifice de grès fut construit en 1157. Avant d'entrer, remarquez le chevet plat, très cistercien, dont les fenêtres sont ornées de remarquables **grilles** de fer forgé (fin 12ᵉ s.).

À l'intérieur, l'église a la sobriété et les caractéristiques du style cistercien méridional. Composée d'une vaste nef voûtée en berceau brisé, elle est munie de contre-forts intérieurs qui forment autant de chapelles latérales. Les épaisses nervures qui soutiennent le berceau de la croisée du transept donnent l'illusion d'une voûte d'ogives ; il s'agit en réalité d'un artifice sans portée architecturale. Au fond de l'église, un impressionnant **orgue** moderne (4 600 tuyaux) a été ajouté en 1997.

A. Thuilier/MICHELIN

La façade de l'église abbatiale, de profil.

Bâtiments abbatiaux

L'église se prolonge au Sud par les bâtiments abbatiaux. Une galerie du cloître comprenant trois travées ouvre sur la salle capitulaire et l'ancienne sacristie. La grande salle des moines ou scriptorium, voûtée sur croisée d'ogives, est divisée en deux nefs par une rangée de colonnes très dépouillées.

alentours

Église russe

5 km. Quitter Sylvanès et prendre la D 92 en direction de Fayet. Tourner à gauche vers les Bertrands avant le lieu dit de la Baume. La route d'accès à l'église est une mauvaise route forestière interdite aux automobiles sur le dernier tron-çon. 🚶 Compter alors 1/4h à pied. De Pâques à Toussaint : 9h30-12h, 14h30-18h30 ; de Toussaint à Pâques : sur demande. Une participation est demandée pour la visite. ☎ 05 65 49 52 32.

Il s'agit de la reconstitution d'une église qui avait été construite en 1994 dans la forêt de Khirov, à 700 km à l'Est de Moscou. Entièrement en bois, cette église ortho-doxe dresse ses clochers à bulbe au milieu d'une forêt de sapins. On est surpris, en entrant, par le plan intérieur de l'église. Après le porche couvert, on pénètre dans le vestibule, puis dans la salle à manger (où se retrouvent les fidèles après l'office religieux) avant de gagner la nef. La réalisation d'une iconostase est en projet.

Château de Fayet

6 km au Sud. De Pâques à la Toussaint : visite guidée 10h-12h, 14h-18h, dim. 14h-18h ; reste de l'année : sur demande. 5€ (enf. : 2€). ☎/fax 05 65 49 59 15.

Très différent des orgueilleuses demeures dressées sur les pitons rocheux, ce château est une discrète mais belle résidence de plaisance conçue au 16ᵉ s. par un architecte italien. On peut admirer un très beau **puits**★ Renaissance, une balustrade de pierre et une enfilade de salons décorés de plafonds à la française. Ambiance familiale et nombreuses animations thématiques dans l'année.

Château du Fayet

Cette belle porte en accolade invite à découvrir le château de Fayet.

Château de Montaigut

10 km de Sylvanès. Rejoindre la D 105 que l'on prend à droite, puis tourner à droite en suivant la signalisation vers Montaigut. Voir St-Sernin-sur-Rance.

Gorges du **Tarn**★★★

Les murailles de pierre des gorges du Tarn sont la grande curiosité de la région des causses. Elles offrent une succession ininterrompue de sites grandioses et de vues vertigineuses sur le Tarn. Ce fleuve aux paillettes d'or, chanté par les poètes du haut Moyen Âge, dessine un fascinant serpent au corps émeraude et puissant. Un tableau à ne pas manquer.

La situation
Carte Michelin Local 330 H/J 8/9 et Local 338 L/N5 – Aveyron (12) et Lozère (48). La D 907bis, malheureusement très empruntée l'été, épouse les méandres du Tarn sur une cinquantaine de kilomètres entre Ispagnac au Nord et Peyreleau, au Sud.

L'emblème
En saison, on rencontre partout des canoës et des kayaks descendant la rivière ; ils sont devenus les véritables emblèmes d'un lieu unique pour la pratique de cette activité.

Les gens
Les vautours qui planent, portés par les vents au-dessus des gorges, ont été réintroduits et protégés pour pallier leur disparition signalée dans les années 1940.

comprendre

Le cours du Tarn – Le Tarn, qui prend sa source au mont Lozère, à 1 575 m d'altitude, descend les pentes des Cévennes d'un cours rapide et torrentueux, recevant de multiples affluents, notamment le Tarnon, près de Florac.

Il pénètre alors dans la région des causses. Désormais, son cours est guidé par une série de failles qu'il a utilisées puis approfondies en canyon. Il est alimenté uniquement par quarante résurgences venant du causse Méjean ou du causse de Sauveterre et dont trois

Teissèdre/IMAGES DU SUD

À-pics vertigineux au-dessus des profondes gorges où se faufile le Tarn.

carnet pratique

Restauration

⊖ **La Calquière** – *12720 Mostuéjouls -*
☎ *05 65 62 64 17 -*
lacalquiere@wanadoo.fr - fermé oct. à mars
- réserv. obligatoire - 13/18,50€. Sur la
route fréquentée des gorges, cette auberge
a une jolie vue de sa terrasse : elle
surplombe une église du 10ᵉ s. avec son
cimetière, au bord du Tarn. Cuisine simple et
familiale préparée avec des produits de la
ferme, servie dans une salle voûtée et
fraîche. Deux agréables petites chambres.

Hébergement

⊖ **Gorges du Tarn** – *48400 Florac -*
☎ *04 66 45 00 63 - gorges-du-*
tarn.adonis@wanadoo.fr - fermé Toussaint à
Pâques et dim. soir sf juil.-août - 🅿 *-*
27 ch. : 29/54€ - ☕ *6,50€*. Vous êtes à
l'entrée (ou à la sortie) des gorges du Tarn.
Chambres rénovées dans l'habitation
principale, moins fraîches, mais plus
spacieuses à l'annexe. Petite salle de
restaurant égayée de chaudes couleurs
méditerranéennes. Quant aux savoureuses
spécialités, elles content le pays cévenol.
⊖⊖ **Manoir de Montesquiou** – *48210*
La Malène - ☎ *04 66 48 51 12 -*
montesquiou@demeures-de-lozere.com -
fermé fin oct. à fin mars - 🅿 *- 12 ch. :*
70/132€ - ☕ *12€ - restaurant*
21,50/40,40€. Dans cette demeure du
15ᵉ s., vous plongerez dans l'histoire de La
Malène, cet étonnant village au cœur des
gorges du Tarn. Une étape séduisante pour
goûter à la nature sauvage, savourer la
douceur d'une cuisine aux couleurs d'ici
et profiter du confort des chambres,
toutes agréables...

⊖ **Hôtel-restaurant Malaval** – *Au village -*
48500 St-Georges-de-Lévéjac - 12 km au N
des Vignes par D 995 dir. Massegros et D 46
- ☎ *04 66 48 81 07 - fermé 15 j entre Noël*
et Nouvel An - 🈺 🅿 *- 10 ch. : 31/35€ -*
☕ *5€ - restaurant 8,50/18€*. Cet hôtel-
restaurant héberge également le café-tabac
de ce paisible village sis à deux pas du Point
Sublime. La simplicité est de mise tant dans
les chambres (mobilier des années 1960,
mais tenue impeccable) que dans la salle à
manger campagnarde. Copieuse cuisine
familiale, prix raisonnables et accueil tout
sourire.

⊖ **Chambre d'hôte Jean Meljac** – *Quartier*
des Salles - 12640 Rivière-sur-Tarn -
☎ *05 65 59 85 78 -* 🈺 *- 5 ch. : 42€ -*
repas 15€. Cette maison tenue par des
vignerons d'une rare gentillesse, se trouve
dans le village, à quelques minutes des
gorges du Tarn. Les chambres sont simples
mais fort bien tenues, et le jardin offre une
échappée sur le château de Peyrelade et sur
le piédestal de Fontaneilles. Dégustation du
vin de la propriété.

Loisirs

Canyon Location – *48210 Ste-Enimie -*
☎ *04 66 48 50 52 - www.canoecanyon.com*
ou www.canoe-france.com. Pour la descente
des gorges du Tarn en barque, voir quelques
pages plus loin. Base de location de
canoë-kayak.

seulement forment une petite rivière sur un trajet
de quelques centaines de mètres. La plupart tombent
directement dans le Tarn en cascades.

Villages perdus – Dans cette gorge, brûlante l'été, les
agglomérations, que menacent parfois des crues subites,
sont rares et peu importantes. Elles s'échelonnent au
débouché de ravins secs ou dans un élargissement de la
vallée. Les pentes qui les entourent se couvrent de vergers et de vignes. La forte concentration des habitations,
en certains points des gorges, contraste avec l'absence
de peuplement des causses. Elle surprend le voyageur
qui découvre subitement les villages, après avoir parcouru sur les plateaux des dizaines de kilomètres, sans
rencontrer le moindre hameau. Souvent, au bord même
du Tarn ou haut perchés sur les versants, se dressent des
châteaux ruinés qui furent pour la plupart, au Moyen
Âge, des repaires de pillards.

circuits

Pour connaître les gorges du Tarn, trois méthodes, qui
peuvent naturellement se combiner : le parcours automobile de la route des gorges, la descente en barque ou
en canoë, et une randonnée pédestre sur les sentiers des
hautes corniches du causse Méjean ou le long du Tarn.
En voiture, vous verrez surtout défiler châteaux, belvédères, villages pittoresques, offrant un paysage admirable. La barque et le canoë permettent d'approcher les
falaises et offrent sur le versant droit des gorges des vues
qui restent insoupçonnées de la route tracée trop près
de la falaise. Mais les paysages les plus étonnants, les

contacts les plus intimes avec les parois rocheuses sont réservés à ceux qui accepteront l'épreuve d'une incomparable randonnée pédestre qui leur laissera l'impression d'avoir été complices de cette grandeur naturelle.

LA ROUTE DES GORGES

Constamment tracée au fond des gorges, sur la rive droite du Tarn, la D 907bis est toujours pittoresque et sans monotonie grâce aux mille aspects de la gorge, dont les teintes varient suivant les heures du jour.

De Florac à Ste-Enimie ☐1

30 km – environ 1h1/2. Quitter Florac au Nord par la N 106.
La route suit la vallée du Tarn bordée à l'Est par les Cévennes et à l'Ouest par les escarpements du causse Méjean qui dominent de 500 m le lit de la rivière.
En vue du village de Biesset, sur la rive opposée du Tarn, laisser à droite la route de Mende par le col de Montmirat et prendre à gauche la D 907bis qui longe la rive droite de la rivière.
À hauteur d'Ispagnac, le Tarn tourne brusquement ; là ▶ commence vraiment le canyon, gigantesque trait de scie profond de 400 à 600 m qui sépare les causses Méjean et de Sauveterre.

Ispagnac

À l'entrée du canyon du Tarn, le bassin d'Ispagnac, planté d'arbres fruitiers et de vignes et où se développe la culture des fraises, jouit d'un climat très doux qui fut de tout temps renommé. Ce « jardin de la Lozère », qui attirait autrefois les gentilshommes lozériens, est devenu un centre de villégiature d'été.
L'**église**, des 11e et 12e s., s'ouvre par un portail roman surmonté d'une belle rosace. À la croisée du transept, un clocher octogonal surmonte une coupole. Un bouton-poussoir, à droite en entrant, déclenche une visite guidée sur fond musical (15mn). L'édifice est accolé aux restes d'un prieuré qui garde des vestiges de fortifications. On peut voir encore le portail de l'ancien château et quelques maisons gothiques du 14e s., aux belles croisées.
1 km environ après Ispagnac, prendre à gauche.

Quézac

Le **pont de Quézac**, gothique, franchit le Tarn. Le pape Urbain V, originaire de Grizac, en Lozère, eut l'idée de le construire pour permettre aux pèlerins de gagner le sanctuaire élevé par lui à Quézac. Détruit pendant les guerres de Religion, le pont fut réédifié sur le plan primitif, au début du 17e s., par l'évêque de Mende.
Une rue étroite bordée de maisons anciennes mène à l'**église de Quézac**, construite sur le lieu même où l'on découvrit en 1050 la statue de la Vierge, devant laquelle de nombreux pèlerins viennent prier. Elle s'ouvre par un porche datant du 16e s. À l'intérieur, ses clefs de voûte et quelques-uns de ses chapiteaux sont ornés des armes du pape Urbain V. Un grand pèlerinage a lieu en septembre.
Revenir à la D 907bis.

Entre Molines et Blajoux, deux châteaux apparaissent. Tout d'abord sur la rive droite, celui de **Rocheblave** (16e s.) – reconnaissable à ses mâchicoulis – dominé par les ruines d'un manoir du 12e s. et par une curieuse aiguille calcaire. Plus loin, sur la rive gauche, celui de **Charbonnières** (16e s.) est situé en aval du village de Montbrun.

Castelbouc★

Sur la rive gauche du Tarn. Le site très curieux de Castelbouc apparaît de la route même. Les ruines du château se dressent sur un rocher escarpé, haut de 60 m, qui surplombe, creusé dans le roc, un petit village dont les maisons ont utilisé la falaise comme mur de fond. Une résurgence extrêmement puissante jaillit de trois ouvertures, deux dans une grotte, une dans le village.
Peu après, à gauche de la route, apparaît le château de Prades.

TOITS DE LAUZES
Tout au long de ce parcours, on rencontre encore quelques maisons qui ont conservé leurs toits de lauzes de schiste : l'arête centrale est faite de plaques disposées en « ailes de moulin » ou « lignolets », témoins de la proximité des Cévennes.

A. Thuillier/MICHELIN

La bonne eau de Quézac, tout droit descendue du causse Méjean.

LÉGENDE
Le nom de « Castelbouc », dit la légende, remonterait aux croisades : un seigneur, resté seul parmi ses sujettes, périt de son excès de complaisance envers les pauvrettes esseulées. Lorsque son âme s'envola, on vit planer un énorme bouc sur le château qui, depuis, s'est appelé Castelbouc.

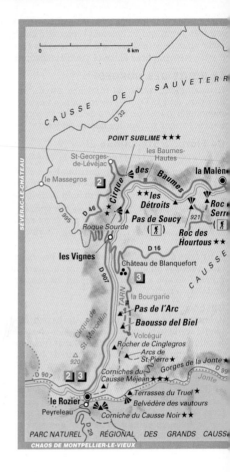

Château de Prades

Dressé sur un éperon rocheux surplombant le Tarn, ce château, construit au début du 13e s., avait pour mission de protéger l'abbaye de Ste-Enimie et de défendre l'accès des gorges. Il fut, dès l'origine, propriété des évêques de Mende puis, de 1280 jusqu'à la Révolution, celle des seigneurs-prieurs de l'abbaye de Ste-Enimie.

Ste-Enimie★ *(voir ce nom)*

De Ste-Enimie au Rozier ②

60 km – environ 2h1/2. Quitter Ste-Enimie au Sud par la D 907bis.

Cirque de St-Chély★

Le joli village de St-Chély s'élève sur la rive gauche du Tarn à l'entrée d'un gigantesque « bout du monde » formé, au pied du causse Méjean, par le cirque de St-Chély aux superbes falaises.

En franchissant le Tarn, on ira voir l'église romane au joli clocher carré, le four à pain de la place, les vieilles maisons (portes et cheminées Renaissance) qui ont gardé tout leur caractère, les beaux vergers.

Deux résurgences tombent en cascade dans le Tarn. L'une s'échappe de la grotte de Cénaret à l'entrée de laquelle a été bâtie une chapelle (12e s.).

Cirque de Pougnadoires★

Le village de Pougnadoires encastre ses maisons dans les anfractuosités de la roche. Il s'adosse à ces gigantesques rochers dont les hautes murailles percées de cavernes, aux teintes rougeâtres révélant l'apparition de la dolomie, forment le cirque de Pougnadoires.

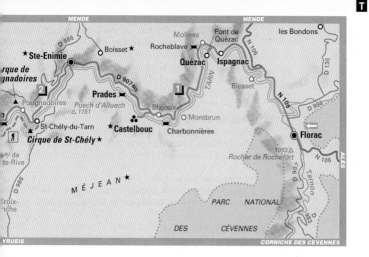

Château de la Caze★

Ce château du 15ᵉ s. *(hôtel-restaurant)* occupe un site romantique, sur les bords mêmes du Tarn. Il fut construit, sous le règne de Charles VIII, par François Alamand, ancien prieur de Ste-Enimie. Il en fit don à sa nièce, Soubeyrane Alamand, lorsqu'elle épousa le baron de Montclar. Ce décor d'ombrages, de vieilles pierres et de rochers surplombants semble sortir d'un conte.

Plus au Sud, on aperçoit, sur la rive opposée, les ruines du château de Haute-Rive qui dominent un village dont les belles maisons traditionnelles en pierres grises et dorées ont été très bien restaurées.

> ### BEAU SOUVENIR
> Le château garde encore le souvenir de ses huit filles surnommées les « Nymphes du Tarn », d'une égale et légendaire beauté, qui firent battre les cœurs de tous les hobereaux d'alentour.

La Malène

Au point de jonction des routes qui traversent les causses de Sauveterre et Méjean, la Malène ou « mauvais trou » fut de tout temps un lieu de passage. Dans toute cette région des gorges du Tarn, la Révolution mit le pays à feu et à sang. En 1793, un détachement de troupes révolutionnaires fusilla 21 habitants et mit le feu à la Malène. Cet incendie laissa, sur la falaise de la Barre qui domine le village, un dépôt noir indélébile, dû, paraît-il, à la fumée huileuse d'une maison remplie de noix.

Allez voir l'**église** romane (12ᵉ s.), la ruelle bordée de vieilles maisons, que surplombe le roc de la Barre, et le château du 16ᵉ s. aménagé en hôtel.

Quitter la Malène par le pont sur le Tarn et la D 43. À droite de la route s'élèvent la chapelle de la grotte et la statue de la Vierge d'où l'on découvre une vue sur le village et ses environs. La montée au-dessus de la rive gauche du Tarn est très impressionnante : dix lacets serrés offrent de très belles vues sur l'« entonnoir » de la Malène.

À la Croix-Blanche, prendre à droite la D 16 ; 5 km plus loin, tourner à nouveau à droite. Passé le village de Rieisse, gagner un embranchement signalé « Roc des Hourtous-Roc du Serre », situé à proximité d'un relais.

La grande falaise de la Barre règne éternellement sur la Malène.

Roc des Hourtous★★

Suivre la signalisation par le chemin carrossable de gauche. Parking. Il surplombe la grotte de la Momie, en aval de laquelle commence le défilé des Détroits, l'endroit le plus resserré du canyon. De là, **vue**★★ superbe sur le canyon du Tarn, du hameau de l'Angle au cirque des Baumes et au Point Sublime.

Revenir à l'embranchement ; laisser la voiture à proximité puis prendre à pied le sentier de droite vers le roc du Serre.

Roc du Serre★★

1/2h à pied A/R. **Vue**★★ unique sur le canyon resserré entre les causses de Sauveterre et Méjean, le mont Lozère, le massif de l'Aigoual, le village de la Malène et les lacets de la D 16 montant sur le causse.

Reprendre à droite la D 16 qui parcourt le causse et descend sur les Vignes par un tracé de corniche impressionnant qui passe près des ruines du **château de Blanquefort**. *Rentrer à la Malène.*

Après la Malène, la route parcourt les **Détroits★★**. Un **belvédère** aménagé, à gauche, offre un beau coup d'œil sur cette partie la plus resserrée des gorges. Plus loin, on passe au pied du **cirque des Baumes★★**.

Pas de Soucy

Ici le Tarn disparaît sous d'énormes blocs qui forment un véritable chaos provoqué par deux effondrements (en dialecte : *soussitch*), dont le plus récent serait dû au tremblement de terre de 580.

Descendre au bord de la rivière (⏱ *1/4h AR*). De là, on aperçoit la masse de Roque Sourde qui s'est écroulée sans se briser. À 150 m au-dessus, la Roche Aiguille, haute de 80 m, s'incline vers l'abîme. La traversée du Tarn de bloc en bloc peut être dangereuse, en raison de la nature glissante de la roche et de l'impétuosité du torrent.

Si l'on veut avoir une vue d'ensemble du Pas de Soucy, on pourra monter (⏱ *1/4h AR*) au **belvédère** qui a été aménagé sur **Roque Sourde**. *De Pâques à Toussaint : 8h-19h. 0,40€. ☎ 04 66 48 82 00.*

Au niveau des Vignes, prendre à droite la D 995, route en corniche aux lacets serrés. À 5 km, prendre à droite la D 46 qui court sur le causse de Sauveterre et, à St-Georges-de-Lévéjac, encore à droite.

Point Sublime★★★

Du Point Sublime, on découvre un non moins sublime panorama sur le canyon du Tarn, des Détroits jusqu'au Pas de Soucy et à la Roche Aiguille. Au pied du petit plateau, qui domine le Tarn de plus de 400 m, se creuse le magnifique cirque des Baumes, aux gigantesques parois calcaires.

Faire demi-tour et regagner les Vignes. On aperçoit bientôt au flanc du causse Méjean, sur un gros rocher, les maigres ruines du **château de Blanquefort**. Plus loin apparaît en avant l'énorme rocher de Cinglegros, détaché du causse Méjean *(voir ce nom)*. Sur la rive droite, les escarpements du causse de Sauveterre s'écartent du Tarn en formant le cirque de St-Marcellin. Puis, sur la gauche, se dessine le rocher de Capluc, reconnaissable à la croix qui le surmonte : telle une étrave à l'extrémité du causse Méjean, il domine le confluent du Tarn et de la Jonte. Enfin, après avoir franchi le pont sur la rivière où s'élève un monument à la gloire d'Édouard-Alfred Martel, on gagne Le Rozier.

Le Rozier

Village bâti au confluent du Tarn et de la Jonte, au pied des escarpements des grands causses de Sauveterre, Noir et Méjean, c'est un excellent point de départ pour des excursions à pied ou en voiture *(voir le causse Méjean et ci-dessous)*.

DESCENTE EN BARQUE

De la Malène au cirque des Baumes. Avr.-oct. : visite guidée et commentée (1h) par un batelier du pays. En juil.-août, dép. av. 9h30 et après 17h (dép. du matin conseillé). 70€ par barque de 4 personnes. Bateliers des Gorges du Tarn, 48210 La Malène, ☎ 04 66 48 51 10, fax 04 66 48 52 07.

Les eaux du Tarn, tantôt rapides, tantôt calmes, sont toujours transparentes, si bien que même aux endroits les plus profonds de la rivière, on aperçoit les galets qui forment son lit.

Les Détroits★★

Ils constituent la partie la plus belle et la plus resserrée du canyon. La barque passe devant une ouverture dénommée la grotte de la Momie puis s'engage entre deux hautes murailles qui plongent, à pic, dans la

---

LÉGENDE

Ainsi explique-t-on la formation de ce chaos. Le diable, poursuivi par sainte Enimie, fuit de roc en roc le long de la falaise dominant le Tarn. Voyant qu'elle ne peut l'attraper, la sainte appelle les roches à la rescousse. Un éboulement gigantesque répond à cette prière. Un rocher, Roque Sourde, de tout son énorme poids, se précipite sur Satan. Mais le Malin se glisse dans une fente du lit du Tarn et, fort meurtri, regagne l'Enfer.

À TABLE !

Place aux gourmands : ici, sanglier, bécasse et autres gibiers parfumés aux truffes garnissent les tables.

CONSEIL

Effectuez la descente de préférence le matin, au moment où cette partie du canyon se présente sous son éclairage le plus favorable.

rivière. Plus haut, la deuxième falaise étage ses gradins jusqu'à plus de 400 m au-dessus du Tarn. Le défilé est admirable avec ses parois colorées qui enserrent la rivière.

Cirque des Baumes★★

À la sortie des Détroits, le canyon du Tarn s'élargit. On entre dans le magnifique cirque des Baumes (« baume » signifie grotte). « La couleur rouge y domine ; mais le blanc, le noir, le bleu, le gris, le jaune y nuancent les parois, et des bouquets d'arbres, des broussailles y mêlent des tons verts et des tons sombres. » Les barques s'arrêtent aux Baumes-Hautes.

DESCENTE EN CANOË

Elle peut être effectuée par des canoéistes ayant acquis un peu d'expérience sur des rivières à courant vif.
De Florac à Ste-Enimie, la descente peut, dans les mois d'été, être gênée par le manque d'eau. À part quelques rapides francs, parcours facile de Ste-Enimie au Pas de Soucy ; à partir de là, un portage jusqu'au pont des Vignes est nécessaire, ce court passage étant très dangereux. La section pont des Vignes-Le Rozier est plus mouvementée ; quelques rapides devront être pris avec prudence.
Les véritables amateurs de gorges, partant le matin de la Malène, pourront emporter des provisions, s'arrêter sur une plage des Détroits, se baigner, pique-niquer au bord de la rivière et flâner tout l'après-midi dans les gorges, à pied ou en canoë.

La descente en canoë peut être un moyen « rapide » de découvrir les vertigineuses gorges du Tarn.

randonnées

CORNICHE DU TARN ③

🚶 *Circuit au départ du Rozier (voir ce nom) – 21 km en voiture, plus 3h1/2 à pied. Du Rozier, prendre la route des gorges du Tarn (D 907) jusqu'aux Vignes. Tourner à droite vers Florac. La route s'élève en lacet au-dessus des gorges. Tourner vers la Bourgarie et y laisser la voiture.*

Au bout du hameau suivre le sentier signalisé en rouge. Il passe devant la fontaine du Bout du Monde. Juste après, à un embranchement, le chemin de droite descend au Pas de l'Arc.

Pas de l'Arc

C'est une ouverture ogivale naturelle que l'érosion a creusée dans le roc.
Revenir sur ses pas et, à l'embranchement, poursuivre vers Baousso del Biel.

Baousso del Biel

Avec ses 40 m d'ouverture sous la voûte, c'est la plus grande arche naturelle de la région.
Le sentier atteint le point où l'arche se rattache au plateau. Avancer de quelques centaines de mètres après ce pont et continuer en remontant vers la gauche jusqu'à la ferme abandonnée de Volcégure.
De là, un chemin forestier (le GR 6A) ramène à la Bourgarie.

SENTIER DE LA VALLÉE DU TARN ④

🚶 *De la Malène à St-Chély-du-Tarn – 3h aller. À la Malène, traverser le pont et suivre vers la gauche un sentier balisé en jaune et vert menant à un chemin longeant la berge, vers Hauterives.*

Ce sentier pédestre suit le cours du Tarn et permet de découvrir à son rythme les gorges et les falaises, accompagné par le doux bruit de l'eau parfois agitée par le passage de kayakistes.
Le sentier traverse tout d'abord une épaisse forêt de saules plongeant leurs branches dans l'eau. On aperçoit de l'autre côté de la rivière les falaises du causse de Sauveterre dont le calcaire est tout grignoté par l'eau.

> **CONSEIL**
> Randonnée très facile mais à éviter l'été car le sentier, comme la rivière elle-même, ressemble au boulevard périphérique parisien aux heures de pointe !

Le sentier emprunte ensuite des escaliers taillés dans la roche et découvre un paysage totalement différent du précédent : de la foisonnante végétation de bord de rivière, on passe à la garrigue méditerranéenne avec ses chênes rabougris et ses herbes éparses. On traverse un pierrier *(attention aux dégringolades et autres chevilles foulées !)* pour atteindre le hameau fantôme de Hauterives *(ruines non entretenues).* Après avoir foulé l'herbe d'anciennes terrasses, on pénètre dans une forêt de pins et de chênes. On passe ensuite en face du château de la Caze et du cirque de Pougnadoires avant d'arriver à St-Chély.

Tautavel

Au pied des contreforts des Pyrénées, voilà un petit village des Corbières des plus renommés. Qui pourrait deviner, en regardant les vestiges de son château féodal et en parcourant du regard cette terre couverte de vignes, qu'animaux et hommes préhistoriques y ont trouvé refuge dès 700 000 ans avant J.-C. ? Le centre européen de Préhistoire comme l'exposition sur les premiers habitants de l'Europe permettent d'apprécier la richesse de ce haut lieu de notre passé qui n'a sans doute pas encore révélé tous ses secrets.

La situation

Carte Michelin local 344 H6 – 28 km au Nord-Ouest de Perpignan – Pyrénées-Orientales (66). La D 9, au Nord, passe devant la **caune de l'Arago** (grotte) où l'homme de Tautavel a été découvert. Plus loin, après Vingrau, on parvient au **pas de l'Escale**, échancrure rocheuse dans les crêtes des Corbières orientales d'où la **vue**★ s'étend jusqu'au Canigou et au Puigmal.

Le nom

Le village de Tautavel a donné son nom à l'« **homme de Tautavel** », chasseur préhistorique vivant dans la plaine du Roussillon, il y a quelque 450 000 ans. C'est à partir des restes de crâne humain découverts en 1971 et 1979 dans la caune de l'Arago que les scientifiques ont reconstitué l'apparence d'un de nos ancêtres les plus lointains.

Les gens

Si vous voulez jouer les hommes des cavernes, pas de problème : le centre européen de Préhistoire organise en juil.-août des journées « préhistoire » (ateliers, visites guidées, repas préhistoriques). *Renseignements :* ☎ *04 68 29 07 76.*

Scène de chasse (diorama) au centre européen de Préhistoire à Tautavel.

visiter

Centre européen de Préhistoire★★

Rte de Vingrau. & *Juil.-août : 10h-20h ; avr.-juin et sept. : 10h-12h30, 13h30-19h ; oct.-nov. et janv.-mars : 13h30-17h30. 7€ (enf. : 3,50€ ; billet combiné musée Préhistoire européenne).* ☎ *04 68 29 07 76.*

Les salles, équipées de consoles interactives et d'écrans vidéo, instruisent sur la place de l'homme dans l'univers, les premiers outils trouvés sur les terrasses côtières du Roussillon, la formation géologique de la grotte, le climat, la faune et l'outillage de l'homme de Tautavel. Tout un étage est consacré à l'évocation visuelle et sonore du paléolithique inférieur. À côté des dioramas très réalistes, l'attraction principale est le **fac-similé** de la caune d'Arago, réalisé par des moulages de la grotte réelle. Le visiteur voit défiler plusieurs scènes filmées : le retour de la chasse, l'hibernation d'un ours, la transformation de la grotte jusqu'à sa forme actuelle. Une grande baie vitrée permet d'embrasser du regard le planal de la Devèze et de la caune d'Arague. La **reconstitution du squelette de l'homme de Tautavel** et les vestiges de son **crâne** donnent une idée de la stature de l'une des plus anciennes espèces humaines connues à ce jour hors d'Afrique : droite et haute d'environ 1,65 m.

Musée de la Préhistoire européenne – Préhistorama

Dans le Palais des Congrès, r. Anatole-France. & *Juil.-août : visite guidée (1h1/2) 11h-21h ; avr.-juin et sept. : 11h-13h30, 14h30-20h ; janv.-mars et oct-déc. : 11h-13h30, 14h30-18h. 3,20€ (7-14 ans : 1,60€). Gratuit « Printemps des musées ».* ☎ *04 68 29 07 76.*

C'est l'Europe avant l'heure ! Cinq « théâtres virtuels » vous présentent en 3 D la vie quotidienne des premiers habitants de l'Europe à travers leurs outils, la chasse, l'habitat. Préparée par le professeur Henry de Lumley, cette exposition vous permettra de mieux connaître nos plus lointains ancêtres. Indispensable complément à la visite du centre européen de Préhistoire.

Bassin de **Thau**

Ce vaste étang (8 000 ha) s'étire confortablement le long de la côte languedocienne, tenu à distance de la mer par l'isthme des Onglous, autrement dit la plage de Sète. Sur la rive Nord, quelques villages, nés de la pêche, avec leurs cabanes cachées dans les roseaux, vivent de l'élevage d'huîtres et de moules. C'est à eux qu'on doit la géométrie rigoureuse des parcs conchylicoles, et à eux encore le plaisir de ces dégustations à consommer sans retenue, accompagnées d'un petit blanc frais du pays... un picpoul-de-pinet par exemple !

La situation

Carte Michelin Local 339 G8 – Hérault (34). L'étang est délimité au Nord-Est par Sète et au Sud-Ouest par Agde que relie un étroit cordon littoral. On peut en faire le tour (*voir notre circuit*) grâce aux D 51, N 113 et N 112.

L'emblème

Ce sont les **nacelles**, ces barques étroites sur lesquelles embarquaient naguère les pêcheurs de l'étang.

Les gens

Sur l'étang de Thau, la spécialité, ce sont les huîtres et les moules. Les huîtres sont commercialisées sous l'appellation d'**huîtres de Bouzigues**, du nom du village où naquit l'ostréiculture sur le bassin.

carnet pratique

RESTAURATION

• Sur le pouce

🍴 **L'Arseillière** – *34140 Bouzigues -*
☎ *04 67 78 84 12 -* 🚫 *- 11/20€. Ne ratez
pas cette petite maison qui fait uniquement
de la dégustation de fruits de mer :
« récoltés » le matin même par le patron qui
est éleveur-producteur d'huîtres et moules,
ils sont tout frais ! Minuscule salle et terrasse
aux tables recouvertes de toiles cirées.*

• À table

🍴🍴 **La Palourdière** – *34140 Bouzigues -
600 m du centre de Bouzigues -* ☎ *04 67
43 80 19 - fermé 1 sem. en oct., 1 sem. en
nov., 8 déc. au 15 janv., dim. soir en hiver et
lun. - 15€ déj. - 16,01/45€. À l'écart du
village, cette maison à flanc de coteau*
domine le bassin de Thau. De la terrasse,
vous pourrez admirer la vue qui s'étend
jusqu'à Sète en dégustant les huîtres et
moules du bassin... Ou les poissons,
crustacés et viandes grillées au feu de bois.

HÉBERGEMENT

🏠 **Camping Nouvelle Floride** – *34340
Marseillan-Plage - 6 km au S de Marseillan
par D 51ᴱ -* ☎ *04 67 21 94 49 -
nouvelle-floride@wanadoo.fr - 23 mars-
28 sept. - réserv. conseillée - 459 empl. :
38€ - restauration. Vivez ici tous les plaisirs
de l'eau avec l'accès direct à la plage et la
jolie piscine. Les équipements allient beau
style et grand confort dans un site ombragé.
Animations pour petits et grands. Locations
de mobile homes.*

LOISIRS

**Centre nautique
municipal** – *34540
Balaruc-les-Bains -*
☎ *04 67 48 55 63.
École de voile reconnue
par la Fédération
française de voile.
Pratique de tous les
sports nautiques.*

CALENDRIER

Le 1ᵉʳ ou 2ᵉ week-end
d'août, foire aux huîtres
et autres produits du
terroir. ☎ 04 67 78
30 12 (mairie de
Bouzigues) ou 04 67 78
32 93 (ligne directe).

J. Malburet/MICHELIN

---

circuit

*74 km – environ 4h. Quitter Sète, longer la rive Est du
bassin de Thau et prendre la direction de Balaruc-les-Bains.*

Balaruc-les-Bains ‡‡

Construite en terrain plat au bord du bassin de Thau, la
station soigne les affections osseuses et rhumatismales
grâce aux applications de boues marines macérées dans
l'eau thermale chlorurée sodique recueillie sur place.
C'est la troisième station thermale de France en terme
de fréquentation. *Coordonnées de l'établissement thermal
au chapitre « Forme et santé » dans la partie Informations
pratiques, au début du guide.*

Balaruc-le-Vieux

Sur une éminence dominant l'étang, le village a gardé
son plan circulaire caractéristique des « circulades » languedociennes. Quelques maisons se distinguent encore
par leurs nobles portes cintrées.
*De Balaruc-le-Vieux, prendre la D 2 et rejoindre la N 113
vers Gigean. De là suivre les panneaux de signalisation vers
St-Félix-de-Montceau.*

Ancienne abbaye St-Félix-de-Montceau

*Juil.-août : tlj sf mer., sam et dim. matin 9h30-11h30, 17h-
19h ; mars-juin : 10h-12h, 14h-16h ; sept.-nov. : 10h-12h,
14h-17h. Fermé déc.-janv. 3€.* ☎ *04 67 43 34 81.*
Merveilleusement situés sur une colline d'où se
découvre un vaste **panorama**★ sur la plaine et le bassin
de Thau, les vestiges de cette ancienne abbaye bénédictine, bâtie aux 11ᵉ et 13ᵉ s., montrent la coexistence
d'une chapelle romane et d'une église gothique dont le
chevet à sept pans était éclairé par trois baies géminées.
De Gigean, reprendre la N 113 vers Béziers.

Bouzigues

Haut lieu de l'activité conchylicole, ce petit village tranquille fait découvrir l'activité principale de ses riverains
dans son **musée de l'Étang de Thau** *(sur le quai du port
de pêche).* On y suit l'évolution des techniques de pêche
et d'élevage des coquillages (mas conchylicole des
années 1950, « magasin » de pêcheurs, aquariums animés avec les espèces vivant dans l'étang, film vidéo).
&. *Juil.-août : 10h-12h30, 14h30-19h ; mars-juin et sept.-oct. :
10h-12h, 14h-18h ; nov.-fév. : 10h-12h, 14h-17h. Fermé
1ᵉʳ janv., 25 déc. 4€.* ☎ *04 67 78 33 57.*
Revenir sur la N 113 et tourner à droite vers Loupian.

Loupian

Situé sur un ancien domaine gallo-romain, ce village viticole conserve encore quelques vestiges de ses remparts
médiévaux (porte fortifiée du 14ᵉ s.) ainsi que son

Parcs à huîtres sur le bassin de Thau : un alignement de poteaux surgit de l'eau.

château, bâti au 16ᵉ s. L'**église St-Hippolyte** (12ᵉ s., romane) est l'ancienne chapelle castrale, fortifiée et insérée dans les remparts au 14ᵉ s. Dans l'abside, les pierres de la voûte, disposées en chevrons, sont retenues par une fausse croisée d'ogives. *De mi-juin à fin sept. : sur demande préalable à la villa Loupian.* ☎ *04 67 18 68 18.*
L'**église Ste-Cécile** (14ᵉ s., gothique), au bel appareil de pierre ocre, ne manque pas de majesté. Ses contreforts très saillants sont caractéristiques de l'art gothique du Languedoc, de même que la large nef unique voûtée sur croisée d'ogives qui se termine par une élégante abside polygonale. *De mi-juin à fin sept. : sur demande préalable à la villa Loupian.* ☎ *04 67 18 68 18.*

Villa Loupian★

Sur la D 158ᴱ en direction de Mèze. ♿ *Visite guidée (1h1/2) sur demande préalable. Fermé janv., 1ᵉʳ mai, 25 déc. 4,60€.* ☎ *04 67 18 68 18.*
Il s'agissait d'un important domaine agricole de quelque 4 ha, actif de 50 avant J.-C. jusqu'au 6ᵉ s. de notre ère. La visite permet de se familiariser avec la vie quotidienne de ses occupants, leurs ressources (céréales, vin, élevage, conchyliculture déjà) grâce aux interprétations des fouilles archéologiques menées sur place. Dans un second bâtiment, vous pourrez découvrir, grâce à des passerelles, le plan de la luxueuse résidence des propriétaires du lieu, et surtout les remarquables **mosaïques**★ polychromes du début du 5ᵉ s., réalisées par des ateliers d'Aquitaine et de Syrie. Très vivante et documentée, la visite permet de corriger quelques idées reçues (comme celle de la brutalité de la chute de l'Empire romain) et de se familiariser avec les lointains occupants du lieu... dont les préoccupations n'étaient pas tellement différentes des nôtres.
Rejoindre la N 113 et Mèze.

> **DISCRET**
> Un trompe-l'œil réalisé dans l'abside de la salle de réception de la villa : nous le voyons aujourd'hui comme nul à l'époque n'a pu le voir !

Mèze

Centre de conchyliculture important, cette ville attire de nombreux touristes autour de son port et dans ses rues étroites. Son église gothique date du 15ᵉ s. Un peu à l'écart du centre-ville s'est installé l'**écosite du Pays de Thau** *(du centre-ville, suivre les panneaux « Écosite »).* On y apprend que certains végétaux et animaux aquatiques permettent, de façon totalement naturelle, de nettoyer les eaux usagées. Une démonstration de recyclage de matières plastiques est faite au cours de la visite. ♿ *Juil.-août : 10h-19h ; avr.-juin et sept.-oct. : 14h-18h. 5€.* ☎ *04 67 46 64 94. www.ecosite.fr*
Prendre la N 113 vers Montagnac. À 4 km, tourner à droite dans une petite route à travers les vignes.

La plaine des Dinosaures

Juil.-août : 10h-19h (dernière entrée 1h av. fermeture) ; fév.-sept. : 14h-18h ; oct.-janv. 14h-17h. Fermé 1ᵉʳ janv., 24, 25 et 31 déc. 6€ (enf. : 4,50€). ☎ 04 67 43 02 80.

> **À vos pelles !**
> Pour les enfants, mini-champ de fouilles pour découvrir les fossiles d'étranges animaux.

◄ 🏛 Sur ce site a été mis au jour un grand gisement d'œufs et d'ossements de dinosaures datant de 65 millions d'années. Vous pourrez voir le squelette d'un **brachiosaure** long de 24 m et haut de 12 m, des reconstitutions grandeur nature de charmantes bêtes comme le deinonychus ou le terrifiant **tyrannosaure rex** (6 m haut, 15 m long). Quelques nids avec des œufs ont été laissés *in situ*.

Revenir à la N 113 en direction de Mèze puis tourner à droite dans la D 51 en direction d'Agde.

Marseillan

> **À savoir**
> À 6 km, Marseillan-Plage propose des kilomètres de plages de sable.

◄ Probablement fondé au 6ᵉ s. avant J.-C. par des marins massaliotes, Marseillan compte toujours des pêcheurs. Marseillan est également le berceau du **Noilly-Prat** dont on peut visiter les **chais** (*à proximité du port*). L'élaboration du *vermouth dry* (mis au point en 1813 par Joseph Noilly à l'aide d'herbes dont le secret est jalousement gardé) et de vins doux naturels y est expliquée. L'une des phases caractéristiques de la fabrication est le vieillissement en plein air du mélange de cépages de picpoul et de clairette dans des fûts de 600 l chacun. *Mai-sept. : visite guidée (1h) 10h-11h, 14h30-18h ; mars-avr. et oct. : 10h-11h, 14h30-16h30 ; nov. : sur demande. Fermé 1ᵉʳ mai. 3€. ☎ 04 67 77 75 19.*

Revenir à Sète en suivant le cordon littoral, occupé tout le long par la plage de Sète. En arrivant à la corniche, on peut effectuer le tour panoramique du mont St-Clair (voir Sète).

Le Vallespir★

Terre de contrastes, rude et accueillante à la fois, le Vallespir est traversé par les méandres du Tech. Dans la vallée, le rouge et le jaune des cerisiers et des mimosas contrastent avec les châtaigniers et les hêtres qui grimpent, plus haut, vers les pâturages. Les communes les plus méridionales du territoire français y sont implantées, présentant une physionomie peu commune. Sur la route de l'Espagne, le Vallespir nous fait déjà changer d'air.

La situation

Carte Michelin local 344 F/H8 – Pyrénées-Orientales (66). Le col d'Ares marque la frontière espagnole, à partir de laquelle la N 115 dégringole de 700 m de dénivelé en une quinzaine de kilomètres pour arriver à Prats-de-Mollo, avant de poursuivre plus paisiblement le long du Tech, jusqu'au Boulou.

carnet pratique

HÉBERGEMENT ET RESTAURATION

😃 **Les Glycines** – 🏛 - r. du Jeu-de-Paume - 66150 Arles-sur-Tech - ☎ 04 68 39 10 09 - fermé 15 nov.-15 fév. - 🅿 - 15 ch. : 40/45€ - ⊒ 7€ - restaurant 14/22€. La façade ocre de cette bâtisse proche du centre-ville, dissimule un agréable hôtel-restaurant. Chambres fonctionnelles, salle à manger contemporaine et terrasse ombragée d'une glycine centenaire où il fait bon s'attabler autour d'un plat traditionnel ou d'une spécialité catalane.

😃😃😃 **Domaine de Falgos** – 66260 St-Laurent-de-Cerdans - 6,5 km au SO de St-Laurent par D 3 et rte secondaire - ☎ 04 68 39 51 42 - golfalgos@aol.com - fermé déc.-fév. - 🅿 - 25 ch. : 114/155€ - ⊒ 13€ - restaurant 31€. Voilà un lieu de villégiature de rêve pour ceux qui veulent se mettre au vert... À 1 100 m d'altitude, dans un magnifique domaine au cœur des Pyrénées Orientales, vous pourrez profiter du golf et du fitness de ce bel hôtel récent agréablement décoré. Quelques appartements avec cuisine.

Le nom

Son nom latin, *Valle Asperii*, confirme bien l'aspect vigoureux de son relief.

Les gens

C'est à travers les traditions catalanes qu'il faut voir la population du Vallespir. Qui aura eu la chance de voir danser ou plutôt célébrer la sardane, « expression la plus humaine des émois et des transports d'une âme collective », ne sera pas près de l'oublier !

circuit

VALLÉE DU TECH

120 km, au départ d'Amélie-les-Bains (voir ce nom) – environ 6h.

Arles-sur-Tech

Foyer de traditions en haut Vallespir (on y fabrique des tissus catalans traditionnels), Arles s'est bâti autour d'une abbaye installée au bord du Tech vers l'an 900, dont subsistent l'église et le cloître.

Église abbatiale Ste-Marie – *De la place centrale (au Sud de la D 115), un escalier permet d'y accéder. Tlj sf dim. 9h-12h, 14h-18h. 2,50€ (-12 ans : gratuit).* ☎ 04 68 39 11 99.
🔲 Au tympan du portail, un Christ en majesté s'inscrit dans une croix grecque décorée des symboles évangélistes (11ᵉ s.). Au-dessus, belle statue funéraire (début du 13ᵉ s.) de Guillaume Gaucelme de Taillet.
Dans la 1ʳᵉ chapelle à droite, le grand retable baroque des saints Abdon et Sennen retrace le martyre de ces jeunes princes kurdes vénérés jadis en Roussillon pour leur pouvoir protecteur. La 2ᵉ chapelle réunit trois représentations du Christ : ces effigies, les *misteris*, sont portées par les pénitents la nuit du Vendredi saint. Une porte, au bas du collatéral gauche, donne accès au **cloître** gothique (13ᵉ s.).
Quitter Arles au Sud par la N 115. La route passe de la rive droite à la rive gauche du Tech. Laisser la voiture près du sentier qui mène, à droite, dans les belles gorges de la Fou.

Gorges de la Fou★★

🚶 *1h1/2 à pied AR (parcours de 1 500 m le long de passerelles bien entretenues). Port du casque obligatoire. Avr.-sept. : 10h-18h ; oct.-nov. : 10h-17h. Fermé en cas de forte pluie. 5€ (-12ans : 2,05€).* ☎ 04 68 39 16 21 ou 04 68 39 11 99 (Office de tourisme).
Une promenade que vous n'êtes pas près d'oublier ! La fissure n'atteint pas 1 m de largeur par endroits, pour une hauteur de plus de 200 m. Les parties où grondent les cataractes, chutant de marmite en marmite, alternent avec des passages plus lumineux. Remarquez plusieurs blocs coincés.
Revenir à la D 115. À 3 km, prendre à gauche la D 3. La route est agréablement tracée sur le versant « ombré » du Vallespir foisonnant de verdure (érables, châtaigniers) avivée par de nombreux ruisseaux.

Saint-Laurent-de-Cerdans

Bourg le plus peuplé de cette partie Sud du Vallespir, connu pour ses ateliers de fabrication d'espadrilles et pour ses ateliers de tissage (tissus catalans traditionnels). Un **musée** évoque cette activité. *Juil.-août : 9h-12h, 14h-19h ; de mi-mai à fin sept. : 9h-12h, 14h-18h, w.-end et j. fériés 10h-12h, 15h-18h ; de déb. oct. à mi-mai : tlj sf w.-end 9h-12h, 14h-18h. 2€.* ☎ 04 68 39 55 75.

Coustouges

Petit village de montagne occupant l'emplacement d'un poste de garde romain, dont il conserve trace dans son nom (*custodia* : « garde »). L'**église** fortifiée du 12ᵉ s. a gagné avec le temps une admirable patine. Un cordon

LE MYSTÈRE
À gauche de l'entrée principale de l'église, derrière une grille, sarcophage en marbre blanc du 4ᵉ s., la **Sainte Tombe**, d'où suintent chaque année plusieurs centaines de litres d'une eau limpide incorruptible. Aucune explication scientifique n'a, jusqu'à présent, rendu compte de ce phénomène.

ACHATS

Vallespir Sandales
–7 r. Joseph-Nivet - 66260 St-Laurent-de-Cerdans - ☎ *04 68 39 57 57.* À St-Laurent, on fabrique encore, dans une petite usine, les espadrilles catalanes, ou vigatanes, indispensables à tout bon danseur de sardane.

décoratif en dents d'engrenage règne sous les combles, de même sous le parapet de la tour. Il se superpose, au chevet, à un délicat motif d'arcatures. La porte Sud ouvre sur un porche obscur, d'où l'on pénètre dans le vaisseau par un portail roman taillé, fait exceptionnel en Roussillon, non dans le marbre mais dans la pierre tendre, et décoré de nombreuses sculptures. Le chœur est fermé par une belle grille de fer forgé, montrant ce décor de volutes que l'on retrouve souvent en Vallespir dans les pentures des portes anciennes.

Can Damoun

Site★ panoramique, au-dessus des vallées sauvages et silencieuses des confins ampourdanais. Des abords de l'oratoire N.-D.-du-Pardon (1968), vue sur la baie de Rosas, à l'extrémité de la Costa Brava.

Faire demi-tour jusqu'à la Forge-del-Mitg et prendre à gauche la D 64. Tourner ensuite à gauche vers Serralongue.

Serralongue

Monter à pied à l'église. Au sommet de la colline, ruine d'un *conjurador*, édicule à quatre ouvertures, au-dessus desquelles des niches abritaient autrefois les quatre Évangélistes. Lorsque l'orage menaçait les récoltes, le curé venait réciter les prières appropriées pour « conjurer » le péril en se tournant du côté de l'horizon assombri par les nuées.

Faire demi-tour et prendre la D 64 à gauche puis la N 115 à gauche vers Le Tech.

Défilé de la Baillanouse

La route, emportée par les inondations catastrophiques d'octobre 1940, fut reconstruite plus haut. On reconnaît encore, à droite, un arrachement de terrain au flanc du Puig Cabrès. De là descendit un éboulement énorme ayant barré la vallée sur une hauteur de 40 m.

Prats-de-Mollo★ *(voir ce nom)*

Dans la montée vers le col d'Ares, on découvre tout de suite vers le Sud la **tour de Mir**, l'une des tours à signaux les plus élevées du Roussillon. Plus loin, on reconnaît les **tours de Cabrens** dans l'éventail des vallées boisées convergeant vers Serralongue. Bientôt apparaît sur la gauche la chapelle N.-D.-du-Coral.

Col d'Ares★

Alt. 1 513 m. Situé à la frontière, il ouvre la route vers l'Espagne (Ripoll, Vic, Barcelone).

Faire demi-tour. Au Tech, prendre à gauche la D 44. À gauche, une curieuse montagne pyramidale porte la tour de Cos (alt. 1 116 m).

Montferrer

L'église a un joli clocher roman. À gauche, ruines d'un château.

Continuer sur la D 44. Dans un virage à gauche, au point culminant de la route (899 m), le panorama prend toute son ampleur sur le massif du Canigou, les Albères, le Roussillon et la Méditerranée. La route traverse bientôt le ruisseau de la Fou (très belle vue). On aperçoit à gauche l'ancienne tour de guet de **Corsavy** puis l'on traverse le village du même nom (ruines de l'ancienne église paroissiale). La D 43 descend dans la fraîche vallée du Riuferrer.

Le Tech murmure des secrets aux oreilles des villages du Vallespir.

J. Malburet/MICHELIN

LOISIRS

Âniers en Vallespir – *Hameau de Leca - 66150 Corsavy -* ☎ *04 68 83 93 28.* Location d'ânes pour accompagner vos randonnées pédestres.

Le seigneur de Corsavy éleva une tour de guet pour surveiller la vallée du Tech.

A. Thuillier/MICHELIN

Abbaye de **Valmagne**★

C'est dans un oasis de verdure, au cœur du vignoble languedocien, que se cache cette grande abbaye cistercienne aux pierres rosées. Fondée au 12ᵉ s. elle fut l'une des abbayes les plus riches du Sud de la France avant de connaître les affres de la guerre, de la commende, de la décadence. Souvent transformée au cours des siècles, elle offre aujourd'hui un patrimoine intéressant qui est progressivement restauré.

La situation

Carte Michelin Local 339 G8 – Hérault (34). 14 km au Nord-Est de Pézenas par la N 9, N 113, puis la D 5 à gauche à Montagnac.

Le nom

Le domaine choisi par les moines portait le nom de *Vallis Magna* ou *Villa Magna*.

Les gens

C'est à Raymond Trencavel que l'on doit la fondation de l'abbaye en 1136. Rattachée à Cîteaux en 1159 elle s'est considérablement développée jusqu'au début du 14ᵉ s., comptant jusqu'à 300 moines. Des périodes très troublées ont suivi. Après un sursaut aux 17ᵉ et 18ᵉ s. où des riches abbés transforment l'abbaye en palais, la décadence s'installe jusqu'à la Révolution où il ne reste que 5 moines. Saccagée, vendue, convertie en domaine viticole, elle est depuis 1838 dans la famille du comte de Turenne.

> **DE LA COMMENDE AU CRIME**
> En 1573, un abbé commendataire de Valmagne, acquis aux idées de la Réforme, assiège sa propre abbaye et en fait tuer les moines.

visiter

   De mi-juin à fin sept. : visite guidée (1h) 10h-12h, 14h30-18h ; de déb. oct. à mi-déc. et de mi-fév. à mi-juin : 14h-17h40 ; de mi-déc. à mi-fév. : tlj sf mar. 14h-17h40. Fermé 1ᵉʳ janv., 25 déc. 6,50€ (enf. : 5€). ☎ *04 67 78 06 09.*

La cour d'honneur (18ᵉ s.), agrémentée d'un grand bassin, est le point de départ de la visite. À côté du logis des hôtes se détache la massive silhouette de l'**église** qui n'est pas sans rappeler les cathédrales du Nord de la France : façade flanquée de tours, dimensions imposantes (24,5 m de haut et 83 m de long), vaisseau épaulé d'arcs-boutants, murs très ajourés, clés de voûtes richement décorées, déambulatoire aux chapelles rayonnantes... La plupart des fenêtres hautes ont été murées ; d'immenses foudres dans les bas-côtés et la noirceur de la pierre rappellent son utilisation comme chai de vieillissement du vin.

É. Larribère/MICHELIN

Très sobre mais très beau, le cloître de l'abbaye invite à la méditation.

Abbaye de Valmagne

La ravissante fontaine de l'abbaye est un joyau remarquable de finesse et d'élégance.

A. de Valroger/MICHELIN

Fortement rénovés au 17e s., les **bâtiments monastiques** remontent encore pour partie à la fondation (12e s.). Le **cloître** reconstruit au 14e s. séduit par la couleur dorée de ses pierres, privées de décor. On trouvera plus de fantaisie dans la **salle capitulaire**, du 12e s., où les colonnettes et les chapiteaux présentent une certaine variété, et surtout dans la très belle **fontaine**★★ octogonale ; elle est coiffée d'un ensemble du 18e s. formé de huit nervures reliées par une clef pendante. Le vaste **réfectoire** possède une remarquable cheminée Renaissance *(ouvert uniquement lors des concerts).*

Jardin médiéval – À la belle saison, les visiteurs de l'abbaye peuvent profiter de ce lieu de découverte et de détente conçu sur le plan des jardins des abbayes cisterciennes.

Vernet-les-Bains★

Au pied des contreforts boisés du Canigou, le site★ de Vernet est d'une grande fraîcheur ; le grondement du torrent du Cady, tout proche, crée un fond sonore montagnard assez inattendu dans ce décor encore méditerranéen. Ville thermale, Vernet-les-Bains accueille de longue date les patients qui souffrent de maladies respiratoires comme les randonneurs qui viennent s'y détendre après l'effort.

La situation
Carte Michelin Local 344 F7 – Schéma p. 144 – Pyrénées-Orientales (66). Au Sud de Prades, prendre la D 116 sur la gauche à la hauteur de Villefranche-de-Conflent.
🛈 *Pl. de l'Ancienne-Mairie, 66820 Vernet-les-Bains,* ☎ *04 68 05 55 35. www.ot-vernet-les-bains.fr*

Le nom
Vernet vient du mot « vergne » *(vernhe)* qui, en occitan comme en catalan, désigne l'aulne.

Les gens
1 440 Vernétois. Le romancier et poète anglais Rudyard Kipling (1865-1936), l'auteur du *Livre de la jungle* et voyageur infatigable, aima cette ville.

visiter

Le Vieux Vernet
De la place de la République, monter au « puig » (piton) de l'église par la rue J.-Mercader bordée de petites maisons colorées et fleuries, souvent décorées d'une treille.

Église St-Saturnin
Pdt les offices.
Sa jolie situation, en vue du cirque du haut Cady et de la tour de St-Martin, fait son principal intérêt. Cette ancienne chapelle N.-D.-del-Puig (12e s.), adossée à un château fort (reconstitué), mérite une visite pour la présentation de son mobilier et de différents vestiges lapidaires : une cuve baptismale *(face à l'entrée),* une prédelle de la Crucifixion ayant fait partie d'un retable peint du 15e s., la table d'autel romane et, surtout, l'impressionnant Christ (16e s.) suspendu dans l'abside.

Musée de Géologie
Avr.-oct. : 10h-12h, 14h-18h ; nov.-mars : tlj sf lun. et mar. 14h-18h. 3€. ☎ *04 68 05 77 97.*
Voilà un sympathique musée qui intéressera tant les amateurs de fossiles et de minéraux que les profanes. Ceux-ci, guidés par un collectionneur passionné, y découvriront

des pièces étonnantes : ammonites et fossiles marins, véritables œuvres d'art créées par la nature, comme ce poisson fossilisé avec ses écailles et ses nageoires, vieux de 120 millions d'années, criant de réalisme !

Vernet-les-Bains, au pied du Canigou, idée d'excursion pour les curistes et les touristes.

alentours

Abbaye Saint-Martin-du-Canigou★★
2,5 km au Sud jusqu'à Casteil. Voir ce nom.

Col de Mantet★
20 km au Sud-Ouest – environ 1h. Route très abrupte, en corniche étroite (croisement très difficile) en amont de Py. Sortir de Vernet par la D 27 à l'Ouest et remonter, à partir de Sahorre, la vallée de la Rotja parmi les pommiers puis dans une gorge entaillée dans les granits.

Au-dessus de **Py**, petit village pittoresque situé à 1 023 m d'altitude, la route escalade des pentes raides hérissées çà et là de rochers granitiques. À 3,5 km, dans un large virage, **belvédère★** sur le village aux toits rouges et le Canigou. Le col de Mantet s'ouvre à 1 761 m d'altitude près de la forêt de la Ville. Sur le versant opposé, le site, impressionnant d'austérité, de **Mantet**, village à peu près déserté, est tapi dans un repli de terrain.

Le Vigan

La petite ville cévenole du Vigan, bien exposée au pied du versant Sud du mont Aigoual, porte déjà les couleurs du Sud. Dans ce bassin fertile, bonneteries et filatures de soie s'activent, mais c'est la pomme reinette qui est la véritable... reine des lieux, en particulier le 3e dimanche d'octobre, lors de la foire qui lui est consacrée.

La situation
Carte Michelin Local 339 G5 – Schéma p. 105 – Gard (30). L'écrivain André Chamson a écrit une chanson sur la route superbe qui sépare Le Vigan du mont Aigoual, la D 48. ⓘ *Pl. Triaire, 30120 Le Vigan,* ☎ *04 67 81 01 72.*

Les gens
Preuve que les 4 429 Viganais savent rire, ils ont créé un Festival des artistes du rire. Pour inaugurer ces réjouissances, ils ont fait élever dans les jardins de l'hôtel de Ginestous (actuelle Caisse d'Épargne, rue du Maquis) une statue immortalisant Michel Colucci, dit Coluche.

Coluche rit encore dans le jardin de Ginestous.

417

se promener

Promenade des Châtaigniers

Belle promenade qu'ombragent d'énormes châtaigniers séculaires.

Vieux pont

Enjambant l'Arre, il est antérieur au 13ᵉ s. On en a une bonne vue depuis une plate-forme au bord de la rivière, en amont du pont.

visiter

Musée cévenol★

Avr.-oct. : tlj sf mar. 10h-12h, 14h-18h ; nov.-mars : mer. 10h-12h, 14h-18h. Fermé 1ᵉʳ mai. 4,50€. ☎ *04 67 81 06 86.*

Installé dans les bâtiments d'une filature de soie du 18ᵉ s., ce musée est consacré à l'artisanat et aux traditions populaires du pays cévenol. Une salle est consacrée à André Chamson (1900-1983), écrivain français et académicien qui a consacré une partie de son œuvre à sa terre d'origine.

La salle des Métiers présente les artisanats traditionnels : le travail du *banastaire* (fabricant de paniers), celui du vannier, de l'orpailleur, du ferblantier... Des reconstitutions d'échoppes et d'un intérieur cévenol complètent cette présentation. La salle du Temps évoque l'histoire, depuis la nuit des temps (géologie, préhistoire) jusqu'à l'époque de la Réforme et au 19ᵉ s., représenté par une collection de costumes en soie des Cévennes.

circuit

VALLÉE DE L'ARRE

18 km – 2h. Quitter Le Vigan par la D 999 en direction de St-Affrique.

La route suit la vallée qui offre un curieux contraste entre son versant Sud, calcaire et aride, formé par les escarpements du causse de Blandas, et son versant Nord, schisteux et boisé, constitué par les contreforts de la montagne du Lingas. **Arre** est spécialisé dans la teinture des textiles. On voit d'ailleurs tout au long de la route les bâtiments d'anciennes filatures de soie datant du 18ᵉ ou du 19ᵉ s.

D'Arre, revenir à Bez et prendre une petite route tortueuse qui va vers Esparon. Très pittoresque, cette route s'élève jusqu'au village perché d'**Esparon** puis redescend vers Molières-Cavaillac en offrant de belles vues sur les contreforts orientaux de la montagne du Lingas.

Après Molières-Cavaillac, prendre à gauche, puis à droite et rentrer au Vigan.

Villefranche-de-Conflent★

À la croisée du Cady et de la Têt, ce fut un « verrou » stratégique qui a servi de poste avancé du royaume d'Aragon face à la ligne des « fils de Carcassonne ». Fortifiée dès l'origine, complétée au 17ᵉ s. par Vauban, Villefranche est aujourd'hui une vraie merveille d'architecture militaire. Plus pacifique, le marbre rose ennoblit de nombreux monuments de la cité, comme souvent en Roussillon, et la foire de la Saint-Luc perpétue une tradition commerciale venue du fond des âges (1303).

La situation

Carte Michelin Local 344 F7 – Pyrénées-Orientales (66). Laisser la voiture à l'extérieur des remparts, si possible sur le parking aménagé au confluent de la Têt et du Cady. En contrebas, la gare est une des stations du fameux Train Jaune *(voir Cerdagne).*
🏠 *32 bis r. St-Jacques, 66500 Villefranche-de-Conflent,* ☎ *04 68 96 22 96. www.conflent.com*

Le nom

Villefranche bénéficia, comme son nom l'indique (« ville franche »), de privilèges fiscaux dès son origine, au 11ᵉ s., ce qui lui valut d'être la capitale administrative et économique du Conflent jusqu'au 18ᵉ s.

Les gens

225 Villefranchois. Vauban, qui passa là quelques années, dit, à propos de la position étonnamment encaissée de Villefranche, que des roches voisines, des tireurs auraient pu « canarder à coups de fusil tout ce qui paraîtrait dans ses rues ». Qu'on se le dise...

se promener

LA VILLE FORTE★

2h. Vous prendrez d'autant plus de plaisir à déambuler dans les rues de la petite cité que nombre d'artisans (chez qui le meilleur côtoie le pire avec allégresse) et de magasins de produits typiquement catalans (sandales ou vigatanes, fers pour la crème brûlée, friandises telles que les rousquilles...) y ont élu domicile, entraînant une animation incessante.
Pénétrer dans l'enceinte par la porte de France, ouverte sous Louis XVI (à gauche de l'ancienne porte comtale) et remonter la rue St-Jacques.

Remparts★

Entrée au n° 32 bis rue St-Jacques. Juil.-août : 10h-20h ; juin et sept. : 10h-19h ; oct.-mai : 10h30-12h30, 14h-17h30. Fermé janv. et 25 déc. 3,50€ (-10 ans : gratuit). ☎ 04 68 96 22 96.
📷 Le circuit fait parcourir deux étages de galeries superposées : un chemin de ronde voûté aménagé dans l'épaisseur du mur au 11ᵉ s. et une galerie supérieure (17ᵉ s.) percée de larges meurtrières donnant sur l'extérieur. Aux 13ᵉ et 14ᵉ s., on a flanqué les courtines (fin 11ᵉ s.-début 12ᵉ s.) de tours rondes, puis au 17ᵉ s. de six bastions. Entre le bastion de la Boucherie et celui du Dauphin, un chemin de ronde à ciel ouvert, avec arcatures, permet de découvrir le front Nord, le long de la Têt.
Au 17 de la rue St-Jacques, espace information sur le Fort Libéria.

Église St-Jacques

Des 12ᵉ et 13ᵉ s., elle assemble deux nefs parallèles. Pénétrer dans l'église par le merveilleux portail « à quatre colonnes » et archivolte torsadée ; les chapiteaux appartiennent à l'école de St-Michel-de-Cuxa. Une

VISITE

Visite guidée de la ville et des remparts – Elle est menée par un conférencier de l'association Les Rendez-Vous du Patrimoine, ☎ 04 68 96 25 64. Sur RV.

PETITS NOMS

Les 6 bastions portent les noms suivants (à partir de la porte de France et dans le sens des aiguilles d'une montre) : Corneilla, de la Montagne, de la Reine, du Roi, de la Boucherie et du Dauphin.

◀ Vierge à l'Enfant du 14ᵉ s., N.-D.-de-Bon-Succès, en marbre, est invoquée contre les épidémies. Au-dessus de l'autel de la petite nef, retable de N.-D.-de-Vie (1715) de Sunyer. Dans la nef droite, la chapelle latérale du milieu abrite un grand Christ en croix (14ᵉ s.), dans la tradition réaliste catalane. Les autres chapelles latérales abritent d'intéressants retables baroques. Au fond de l'église, comme en Espagne, se trouve le chœur Ouest appelé « chœur des stalles » ; celles-ci datent du 15ᵉ s. ; sur le podium repose un Christ gisant, œuvre d'art populaire poignante du 14ᵉ s.

Porte d'Espagne

Réaménagée, comme la porte de France, en entrée monumentale en 1791. La machinerie de l'ancien pont-levis subsiste.

Une partie de la ville forte de Villefranche avec, en arrière-plan, le fort Liberia.

Rue St-Jean

Pour revenir à la porte de France, traverser la ville en suivant la rue St-Jean (remarquer la statue en bois, du 14ᵉ s., de saint Jean l'Évangéliste) dont les maisons des 13ᵉ et 14ᵉ s. ont souvent gardé leur porche en plein cintre ou en arc brisé. Belles enseignes de corporations en fer forgé.

visiter

FORT LIBERIA★

◀ *Accès par l'escalier dit des « mille marches », par le sentier ou par véhicules 4x4. Dép. à l'intérieur des remparts, à droite de la porte de France. Juin-sept. : 9h-20h ; oct.-mai : 10h-18h. 5,50€. ☎ 04 68 96 34 01 et 04 68 05 74 29.*

Dominée par la montagne de Belloc, la ville offrait une prise trop facile à un ennemi éventuellement campé sur les hauteurs. Aussi, dès 1679, alors qu'il commandait les travaux nécessaires pour fortifier la place, Vauban songea à protéger celle-ci en élevant un fort.

Afin d'épouser la forte déclivité du terrain, la fortification est composée de trois enceintes établies l'une au-dessus de l'autre. La plus élevée, côté montagne, a la forme d'une étrave et est protégée par un fossé. Une

◀ galerie percée dans la contrescarpe renforce le dispositif défensif. Dans un sombre réduit furent incarcérées huit femmes inculpées dans l'affaire des Poisons : la dernière, dénommée « la Chopelin », y mourra en 1724 après 44 années de détention.

LES GROTTES

Cova Bastera

Juil.-août : 11h-18h. 2,50€, billet combiné grotte des Grandes Canalettes : 9€ (enf. : 5€). ☎ 04 68 96 23 11.

Située sur la route de Mont-Louis, face aux remparts, cette grotte, extrémité du réseau des Canalettes, fait découvrir les fortifications souterraines de Vauban (la grotte fut transformée en casemate) et les différentes phases d'occupation du site grâce à des scènes peuplées de personnages grandeur nature.

Grotte des Canalettes

Parking à 700 m au Sud, en contrebas de la route de Vernet. Juil.-août. : Visite guidée 11h-18h. 10€, billet combiné grotte des Grandes Canalettes. ☎ 04 68 05 20 76.

Les concrétions étonnent par la variété de leurs formes : coulées de calcite, excentriques. Parmi les plus belles, on remarquera la Table, un gour que la calcite a peu à peu rempli, et un bel ensemble de draperies d'une blancheur étincelante.

Grotte des Grandes Canalettes

De mi-juin à mi-sept. : 10h-18h30 ; de déb. avr. à mi-juin et de mi-sept. à fin oct. : 10h-18h ; nov.-mars : dim. et vac. scol. 14h-17h. Fermé 1er janv., 25 déc. 7€ (enf. : 3€, billet combiné grotte des Canalettes 10€). ☎ 04 68 96 23 11. www.grottes-grandes-canalettes.com

Elle appartient au même réseau que la grotte des Canalettes. Depuis la salle d'expo (vous y verrez des géodes et une impressionnante gogotte – concrétion calcaire de la forêt de Fontainebleau), le couloir des Cupules vous conduit à la Salle Blanche avec ses concrétions (stalactites, stalagmites, gours ou draperies). Le Balcon précède le « Lac aux Atolls » avec ses « coraux souterrains » et le superbe « Temple d'Angkor », vaste salle ruisselante de stalactites et de draperies, aménagée en auditorium où un spectacle de son et lumière permanent permet d'apprécier une acoustique hors du commun. Bref, un enchantement, d'autant qu'en été, il y règne une fraîcheur des plus agréables (14 °C).

Index

Pézenas . . . . Villes, curiosités et régions touristiques.
Lapointe (Boby). . . . . Noms historiques et termes faisant l'objet d'une explication.
Les curiosités isolées (châteaux, abbayes, grottes...) sont répertoriées à leur propre nom.

P.Gajic / Michelin

- ☐ a. ✕✕ **Restaurant de bon confort**
- ☐ b. ✿ **Une très bonne table dans sa catégorie**
- ☐ c. 🙂 **Repas soignés à prix modérés**

Vous ne savez pas quelle case cocher ?
Alors plongez-vous dans Le Guide Michelin !

Du nouveau bistrot à la table gastronomique, du Bib Gourmand au ✿✿✿ (3 étoiles), ce sont au total plus de 45 000 hôtels et restaurants à travers l'Europe que les inspecteurs Michelin vous recommandent et vous décrivent dans ces guides. Plus de 300 cartes et 1600 plans de villes vous permettront de les trouver facilement. Le Guide Michelin Hôtels et Restaurants, le plaisir du voyage

C. Faurie / Michelin

☐ a. *Les dunes de Merzouga (Maroc)*
☐ b. *La dune du Pilat (France)*
☐ c. *La "Grande Mer" de sable de Dakrur (Egypte)*

Vous ne savez pas quelle case cocher ?
Alors plongez-vous dans Le Guide Vert Michelin !

- tout ce qu'il faut voir et faire sur place
- les meilleurs itinéraires
- de nombreux conseils pratiques
- toutes les bonnes adresses

Le Guide Vert Michelin, l'esprit de découverte

MICHELIN

Éditions des Voyages

46, avenue de Breteuil – 75324 Paris Cedex 07
☏ 01 45 66 12 34
www.ViaMichelin.fr
LeGuideVert@fr.michelin.com

Manufacture française des pneumatiques Michelin
Société en commandite par actions au capital de 304 000 000 EUR
Place des Carmes-Déchaux – 63 Clermont-Ferrand (France)
R.C.S. Clermont-Fd B 855 200 507

Toute reproduction, même partielle et quel qu'en soit le support,
est interdite sans autorisation préalable de l'éditeur.

© Michelin et Cie, Propriétaires-éditeurs
Dépôt légal mars 2000 – ISBN 2-06-033704-6 – ISSN 0293-9436
Printed in Italy 12-03/4.9

Compogravure : Le Sanglier, Charleville-Mézières
Impression, brochage : STIGE à Turin

Conception graphique : Christiane Beylier à Paris 12ᵉ
Maquette de couverture extérieure : Agence Carré Noir à Paris 17ᵉ

Le Guide Vert propose 24 guides sur les régions françaises.
Ces guides sont mis à jour tous les ans.
Toutes les informations sont alors actualisées et vérifiées sur le terrain.

ÉCRIVEZ-NOUS ! TOUTES VOS REMARQUES NOUS AIDERONT À ENRICHIR NOS GUIDES !

Merci de renvoyer ce questionnaire à l'adresse suivante :
Michelin, Questionnaire Le Guide Vert, 46 avenue de Breteuil,
75 324 Paris Cedex 07

En remerciement, les auteurs des 100 premiers questionnaires recevront en cadeau la carte Local Michelin de leur choix !

Titre acheté : ....

Date d'achat (mois et année) : ....

Lieu d'achat (librairie et ville) : ....

1) Aviez-vous déjà acheté un Guide Vert Michelin ?   oui ❏   non ❏

2) Quels sont les éléments qui ont motivé l'achat de ce guide ?

	Pas du tout important	Peu important	Important	Très important
Le besoin de renouveler votre ancien guide	❏	❏	❏	❏
L'attrait de la couverture	❏	❏	❏	❏
Le contenu du guide, les thèmes traités	❏	❏	❏	❏
Le fait qu'il s'agisse de la dernière parution (2004)	❏	❏	❏	❏
La recommandation de votre libraire	❏	❏	❏	❏
L'habitude d'acheter la collection Le Guide Vert	❏	❏	❏	❏

Autres : ....

....

Vos commentaires : ....

....

....

3) Avez vous apprécié ?

	Pas du tout	Peu	Beaucoup	Énormément
Les conseils du guide (sites et itinéraires conseillés)	❏	❏	❏	❏
La clarté des explications	❏	❏	❏	❏
Les adresses d'hôtels et de restaurants	❏	❏	❏	❏
La présentation du guide (clarté et plaisir de lecture)	❏	❏	❏	❏
Les plans, les cartes	❏	❏	❏	❏
Le détail des informations pratiques (transport, horaires d'ouverture, prix....)	❏	❏	❏	❏

Vos commentaires : ....

....

....

4) Quelles parties avez-vous utilisées ?
   Quels sites avez-vous visités ?

....
....
....
....
....

5) Renouvellerez-vous votre guide lors de sa prochaine édition ?

　　　　　　　　　Oui ❑　　　　　Non ❑

Si non, pourquoi ? ....

....
....
....

6) Notez votre guide sur 20 :

7) Vos conseils, vos souhaits, vos suggestions d'amélioration :

....
....
....
....
....
....

8) Vous êtes :

　　　　　　Homme ❑　　Femme ❑　　Âge : .... ans

Nom et prénom : ....
Adresse : ....

....
Profession : ....

Quelle carte Local Michelin souhaiteriez-vous recevoir ?

(nous préciser le département de votre choix)

....

Offre proposée aux 100 premières personnes ayant renvoyé un questionnaire complet. Une seule carte offerte par foyer, dans la limite des stocks disponibles

VOUS AVEZ AIMÉ CE GUIDE ?
DÉCOUVREZ ÉGALEMENT LE GUIDE VERT À l'ÉTRANGER
ET LES NOUVEAUX GUIDES VERTS THÉMATIQUES
*(Idées de promenades à Paris, Idées de week-ends à Marseille
et alentours, Idées de week-ends aux environs de Paris)*